『十三五』国家重点出版物出版规划项目

中国中药资源大典

江苏卷

5

黄璐琦 / 总主编
段金廒　吴啟南　严　辉　郭　盛 / 主　编

北京科学技术出版社

图书在版编目（CIP）数据

中国中药资源大典．江苏卷．5 / 段金廒等主编．—
北京：北京科学技术出版社，2022.12
ISBN 978-7-5714-2311-7

Ⅰ．①中… Ⅱ．①段… Ⅲ．①中药资源—资源调查—
江苏 Ⅳ．①R281.4

中国版本图书馆 CIP 数据核字（2022）第 078991 号

责任编辑： 侍　伟　李兆弟　董桂红　吕　慧　庞璐璐
责任校对： 贾　荣
图文制作： 樊润琴
责任印制： 李　茗
出 版 人： 曾庆宇
出版发行： 北京科学技术出版社
社　　址： 北京西直门南大街16号
邮政编码： 100035
电　　话： 0086-10-66135495（总编室）　0086-10-66113227（发行部）
网　　址： www.bkydw.cn
印　　刷： 北京博海升彩色印刷有限公司
开　　本： 889 mm × 1 194 mm　1/16
字　　数： 1 292千字
印　　张： 58.25
版　　次： 2022年12月第1版
印　　次： 2022年12月第1次印刷
审 图 号： GS京（2023）1758号
ISBN 978-7-5714-2311-7

定　　价：590.00元

《中国中药资源大典·江苏卷》

编写工作委员会

《中国中药资源大典·江苏卷5》

编写委员会

《中国中药资源大典·江苏卷 5》

编辑委员会

肖 序

中华人民共和国成立后，我国先后组织过3次规模不等的中药资源专项调查，初步了解、掌握了当时我国中药资源的种类、分布和蕴藏量情况，为国家及各省（区、市）制定中药资源保护与利用策略和中药资源产业发展规划、发展中药材资源的种植养殖生产等提供了宝贵的第一手资料，为保障我国中医临床用药和中成药制造等民族医药事业和产业发展做出了重要贡献。人类社会对高质量生活及健康延寿目标的期冀，以及对源自中药及天然药物资源的健康产品的迫切需求，推动了以中药资源为原料的深加工产业的快速扩张和规模化发展，形成了以中成药、标准提取物、中药保健产品为主的中医药大健康产业集群，中药资源的保护与利用、生产与需求之间的协调平衡问题成为新的挑战。

在此背景下，国家中医药管理局牵头组织开展了第四次全国中药资源普查工作，以期了解和掌握当前我国中药资源状况，为国家制定有利于协调人口与资源关系的健康中国战略提供决策依据，为我国中药资源经济可持续发展和区域特色资源产业结构调整与布局优化提供科学依据。

《中国中药资源大典·江苏卷》客观反映了目前江苏区域中药资源家底。江苏第四次中药资源普查发现中药资源种类2 289种，较第三次资源普查多769种，其中，水生、耐盐植物，以及动物、矿物的种类大幅度增加。本次普查系统记录和分析了江苏中药资源的种类、分布、蕴藏量、传统知识、药材生产等中药资源本底资料；在查清药用植物、动物、矿物资源的基础上，提出了江苏中药资源区划方案，并指出其发展道地、大宗、特色药材的适宜生产区；建立了适宜于水生及耐盐药用植物资源调查的方法技术体系，并组织实施了我国东部沿海六省区域水生、耐盐药用植物资源的专项调查研究；完成了江苏药用动物及矿物资源调查，并给出了特色产业发展建议；系统提出了江苏乃至行业中药资源性产业高质量、绿色发展的策略与模式，构建了一套适宜推广应用的方法技术体系；制订了江苏及各地市中药资源产业发展规划等。特别宝贵的是，此次普查任务锻炼、培养了一支多学科交叉、结构稳定的中药资源普查团队，为社会提供了一批中药资源高层次专业人才，显著提升了中药资源学学科建设水平和能力。

《中国中药资源大典·江苏卷》是江苏中药资源人近7年的野外调查和内业整理汇集成的宝贵资料，不仅为江苏中药农业、中药工业和中药服务业全产业链的构建和战略规划的制订提供了翔实的科学依据，也为服务江苏乃至全国中医药事业和中药资源产业的发展提供了有力的支撑，必将为中药资源的保护与利用和资源的可持续发展做出应有的贡献。

中国工程院院士

中国医学科学院药用植物研究所名誉所长　肖培根

2022年3月

黄 序

中药资源是国家战略资源，是人口与健康可持续发展的宝贵资源，是中医药事业和中药资源经济产业健康发展的物质基础。中国共产党第十八次全国代表大会以来，以习近平同志为核心的党中央高度重视中医药在健康中国建设和保障人口健康中的战略地位和独特价值，制定出台了一系列推动中医药事业和产业高质量、绿色发展的政策措施，有力地推动了中医药各项事业的快速发展，取得了举世瞩目的成就。随着人类社会对源自中药资源的健康产品需求的日益增加，以及中药工业的快速扩张和规模化发展，中药资源的需求量也在不断增加。新时代新需求，中药资源的可持续发展正面临新的挑战。

基于此，在国家有关决策部门的高度重视和大力支持下，国家中医药管理局牵头组织协调全国中医药领域高校、科研院所、医疗机构等发挥各自优势，聚集全国中药资源及相关领域的优势资源和优秀人才，系统地开展了我国第四次中药资源普查工作。江苏中药资源普查领导小组本着“全国一盘棋”的思想，紧紧围绕国家中医药管理局的整体部署和目标导向，在全国中药资源普查技术指导专家组的帮助、指导下，委任南京中医药大学段金廒教授、吴啟南教授为项目技术负责人和牵头人，具体组织实施江苏第四次中药资源普查，动员了江苏10余家相关单位的百余名专业人员，以及江苏各地市县级中医药管理部门和中医院等医疗部门协同开展工作，历时近7年出色地完成了此项国家基础性工作科研任务。

《中国中药资源大典·江苏卷》分为上篇、中篇、下篇、附篇。上篇介绍了江苏的经济社会与生态环境概况，第四次中药资源普查实施情况，中药资源概况，中药资源区划及其资源特点，水生、耐盐药用植物资源特征与产业发展，中药资源循环利用与产业绿色发展，药用动物资源种类与产业发展，药用矿物资源种类与产业发展，中药资源产业发展规划。中篇介绍了43种江苏道地、大宗、特色药材品种，涉及植物、动物、矿物类药材，系统地阐述了江苏区域道地、大宗、特色药材资源的本草记述、形态特征、资源情况、采收加工、药材性状、品质评价、功效物质、功能主治、用法用量、传统知识、资源利用等10余项内容。每个品种都是基于第四次中药资源普查的第一手资料，并结合编者长期对它的研究积累编写而成。下篇记载了江苏的中药资源物种，包括药材名、形态特征、生境分布、资源情况、采收加工、药材性状、功效物质、功能主治、用法用量、附注等内容，同时附以基原彩色图片。附篇收录了131种药用动物、矿物资源。该书充分反映了江苏中药资源学领域深厚的积累和一代又一代中药资源人矢志不渝、辛勤奉献的劳动成果，内容丰富，创新性强。

该书的出版，必将为江苏中药资源的可持续发展和特色产业结构调整与布局优化提供科学依据，为实现健康江苏的目标、培育具有竞争优势的新增长极做出应有的贡献。

付梓之际，乐为序。

中国工程院院士
国家中医药管理局副局长
中国中医科学院院长
第四次全国中药资源普查技术指导专家组组长

2022年3月

药资源的合理利用研究”的支持下，项目牵头单位南京中医药大学组织江苏、辽宁、浙江、福建、山东、广东六省的任务承担单位及中医药管理部门负责人充分研讨，并达成注重项目顶层设计，完善水生、耐盐药用植物资源调查方案的共识。项目组与中国科学院南京地理与湖泊研究所、南京大学、中国中医科学院中药资源中心、中国测绘科学研究院等单位协同合作，在江苏第二次湿地调查所用湿地矢量数据的基础上，经数据融合形成了江苏水生、耐盐药用植物资源调查背景区域，并对接现有国家普查信息系统，集成现代空间网络技术，从水体测绘数据制作、水体样方设置、水体样线调查法探索、沿海滩涂地区分层抽样法研究等方面进行研究，探索性地提出并构建了适宜我国东部沿海地区水生、耐盐药用植物资源调查的方法技术体系，为我国水生、耐盐药用植物资源的调查及保护提供了方法支撑。

（3）提出了江苏中药资源区划方案及中药材生产发展规划。在资源调查的基础上，辨明地域分异规律，科学划定中药生产区划，充分发挥地区资源、经济和技术优势，因地制宜，合理布局生产基地，调整生产品种结构，发展适宜、优质药材生产，以实现资源的合理配置，为制定中药资源的保护和开发策略提供科学依据。

江苏中药资源区划实行二级分区，采用三名法，即“地理单元＋地貌＋药材类型”综合命名。全省共分为5个一级区和14个二级区，5个一级区包括宁镇扬低山丘陵道地药材区，太湖平原“四小”药材区，沿海平原滩涂野生、家种药材区，江淮中部平原家种药材区及徐淮平原家种药材区。

（4）创建了国家基本药物所需中药材种子种苗（江苏）繁育基地及江苏中药原料质量监测技术服务体系，服务于国家及区域精准扶贫与产业提质增效。按照国家整体部署，江苏建成了国家基本药物所需中药材种子种苗（江苏）繁育基地，基地育有苍术、银杏、芡实、黄蜀葵、桑、青蒿、荆芥等7个品种，具备了向行业提供优质种子、种苗的能力。在全国现代中药资源动态监测信息和技术服务体系的整体布局下，依据江苏中药资源分布和产业发展特点，江苏建成了江苏省中药原料质量监测技术服务中心及苏南、苏中、苏北3个动态监测站，有效辐射全省中药资源主产区，为区域内中药材生产企业及农户提供近百种药材生产基本信息，为培育区域性中药材交易市场、推动基于网络信息技术的现代市场交易体系建设、提升市场现代化水平提供了重要支撑。

（5）研融于教，中药资源普查工作的实施显著提升了江苏中药资源学学科建设水平和人才团队实力，打造了一支高层次、专业化的中药资源普查团队，有效补齐了该领域人才断档、青黄不接的短板。项目实施过程中研教融合，通过中药资源普查队老中青结合，本科生课程实践、研究生学位论文研究与普查研究的内容有机融合，中药资源调查研究成果转化为教学资源等方法与途径，创新了中药资源人才培养模式，重构了专业人才培养实践体系，创建了中药资源与开发专业教材体系，显著提升了中药资源人才培养质量及中药学学科建设水平。

《中国中药资源大典·江苏卷》基于20余支普查大队的百余人，历时近7年，风餐露宿、不畏困苦的外业调查和艰苦细致、一丝不苟的内业鉴定整理取得的第一手资料，并结合江苏中药资源学等相关领域一代又一代人深厚的积累和辛勤奉献的劳动成果编纂而成。借此著作出版之际，谨对为江苏中药资源事业做出贡献的前辈和专家学者们表示深深的敬意和衷心的感谢!

本书分为上篇、中篇、下篇、附篇。上篇分列9章，介绍了江苏省经济社会与生态环境概况，江苏省第四次中药资源普查实施情况，江苏省中药资源概况，江苏省中药资源区划及其资源特点，江苏省水生、耐盐药用植物资源特征与产业发展，江苏省中药资源循环利用与产业绿色发展，江苏省药用动物资源种类与产业发展，江苏省药用矿物资源种类与产业发展，江苏省中药资源产业发展规划；由段金廒教授、吴啟南教授整体规划顶层设计和主持编写，主要由段金廒、吴啟南、严辉、郭盛、宿树兰、刘圣金、孙成忠等同志执笔起草并数易其稿而成。中篇介绍了江苏道地、大宗、特色药材品种，收录了植物、动物、矿物类药材品种43个，系统地阐述了江苏区域道地、大宗、特色药材资源的本草记述、形态特征、资源情况、采收加工、药材性状、品质评价、功效物质、功能主治、用法用量、传统知识、资源利用等10余项内容。每个品种都是基于第四次中药资源普查的第一手资料，并结合撰写人所在团队对它的长期研究积累编写而成，内容翔实，创新性和实用性兼具。下篇记载了江苏的中药资源物种，包括药材名、形态特征、生境分布、资源情况、采收加工、药材性状、功效物质、功能主治、用法用量、附注等内容，同时附以基原彩色图片。附篇收录了131种药用动物、矿物资源。

资源学是一门研究资源的形成、演化、质量特征、时空分布及其与人类社会发展的相互关系的学科。中药资源调查研究的目的是摸清中华民族赖以生存和发展的独特、宝贵资源的家底，分析发现其与生态环境、人类活动相互作用演替发展的变化规律，化解我国人口基数大、可耕地少、水资源短缺等制约因素与国内外对中药资源性健康产品需求不断攀升之间的矛盾，根据我国国情制定出台有利于协调人口与资源、环境关系的政策措施，制定有利于促进和协调中医药事业与中药资源产业可持续发展的战略任务，选择有利于节约资源和保护环境的产业发展模式与生产方式，为有利于民众健康和社会和谐发展的健康中国建设提供保障，为我国中药资源经济结构调整与配置优化提供科学依据。

我们有理由相信，本书的出版必将为江苏中医药行业乃至整个中医药行业协调中药资源保护与利用的关系、促进区域特色生物医药产业结构调整与布局优化，以及中药资源的可持续发展提供科学依据，必将为健康江苏目标的实现做出应有的贡献。

段金廒　吴啟南

2022年2月于南京

凡　例

（1）本书共收录江苏中药资源 1 522 种，涉及植物药、动物药、矿物药资源，撰写过程中主要参考了《中华人民共和国药典》《中国植物志》《中华本草》等文献。

（2）本书分为上篇、中篇、下篇、附篇，共 5 册。上篇为“江苏省中药资源概论”，是第四次全国中药资源普查工作中江苏省中药资源情况的集中体现；中篇为“江苏省道地、大宗中药资源”，详细介绍了 43 种江苏道地、大宗中药资源；下篇为“江苏省中药资源各论”，介绍了江苏藻类植物、菌类植物、苔藓植物、蕨类植物、裸子植物、被子植物等中药资源；附篇为“江苏省药用动物、矿物资源”，共收录 131 种药用动物、矿物资源。为检索方便，本书在第 1 册正文前收录 1 ~ 5 册总目录，本书目录在页码前均标注了其所在册数（如“[1]”）。

（3）本书下篇“江苏省中药资源各论”在介绍每种中药资源时，以中药资源名为条目名，主要设药材名、形态特征、生境分布、资源情况、采收加工、药材性状、功效物质、功能主治、用法用量、附注项。上述各项的编写原则简述如下。

1)药材名。记述物种的药材名、药用部位、药材别名。同一物种作为多种药材的来源时，分别列出药材名、药用部位、药材别名。未查到药材别名的药材，该内容从略。

2）形态特征。记述物种的形态，突出其鉴别特征，并附以反映其形态特征的原色照片。其中，药用植物资源形态特征的描述顺序为习性、营养器官、繁殖器官。

3）生境分布。记述物种分布区域的海拔高度、地形地貌、周围植被、土壤等生境信息，同时记述其在江苏的主要分布区域（具体到市级或县级行政区域）。

4）资源情况。记述物种的野生、栽培情况。若该物种在江苏无野生资源，则其野生资源情况从略。同样，若该物种在江苏无栽培资源，则其栽培资源情况从略。当无法概括性评估物种的蕴藏量时，该项内容从略。

5）采收加工。记述药材的采收时间、采收方式、加工方法。当各药用部位的采收加工情况不同时，分别描述。当相应内容在文献记载中缺失时，其内容从略。

6）药材性状。记述药材的外观、质地、断面、臭、味等，在一定程度上反映药材的质量特性。当相应内容在文献记载中缺失时，其内容从略。

7）功效物质。记述物种的化学成分或其化学成分的药理作用。当相应内容在文献记载中缺失时，其内容从略。

8）功能主治。记述药材的性味、归经、毒性、功能、主治病证。当各药用部位的功能主治不同时，分别描述。当相应内容在文献记载中缺失时，其内容从略。

9）用法用量。记述药材的用法和用量。用量是指成人一日常用剂量，必要时可遵医嘱。当各药用部位的用法用量不同时，分别描述。当相应内容在文献记载中缺失时，其内容从略。

10）附注。记述物种的生长习性及其在江苏民间的药用情况等。

目录

Contents

江苏省药用动物、矿物资源

被子植物

水鳖科 Hydrocharitaceae 黑藻属 *Hydrilla* 凭证标本号 321112180725013LY

黑藻 *Hydrilla verticillata* (L. f.) Royle

| 药 材 名 | 水王孙（药用部位：全草）。

| 形态特征 | 沉水草本。茎圆柱状，长而纤细。休眠芽长卵圆形。苞片多数，螺旋状排列，白色或淡黄色，狭披针形或披针形。叶 3 ~ 6 轮生；叶片线形或带状披针形，长 1 ~ 1.5 cm，宽约 5 mm，常具紫红色或黑色斑点，先端尖锐，边缘有细锯齿，中脉明显；无柄。花小，单性，雌雄同株或异株；雄佛焰苞近球形，绿色，先端具刺状突起，苞内仅有雄花 1，雄花成熟后自佛焰苞内长出，漂浮于水面开花；雌佛焰苞管状，绿色，苞内仅有雌花 1；萼片 3，卵形或倒卵形，与花瓣互生；花瓣反折，白色或粉红色；雄蕊 2 ~ 3，花丝纤细，花药线形，2 ~ 4 室；子房 1 室，圆柱状或狭圆锥状，侧膜胎座，胚珠少数。果实圆柱状，表面常具 2 ~ 9 刺状突起；种子 2 ~ 6，两端具尖刺。

花果期 6 ~ 9 月。

| 生境分布 | 生于静水池塘、湖泊、水沟中。江苏各地均有分布。

| 资源情况 | 野生资源较丰富。

| 采收加工 | 夏末秋初采收，除去泥土，晒干。

| 功能主治 | 清热解毒，利尿祛湿。用于疮疡肿毒。

| 用法用量 | 内服煎汤，9 ~ 15 g。

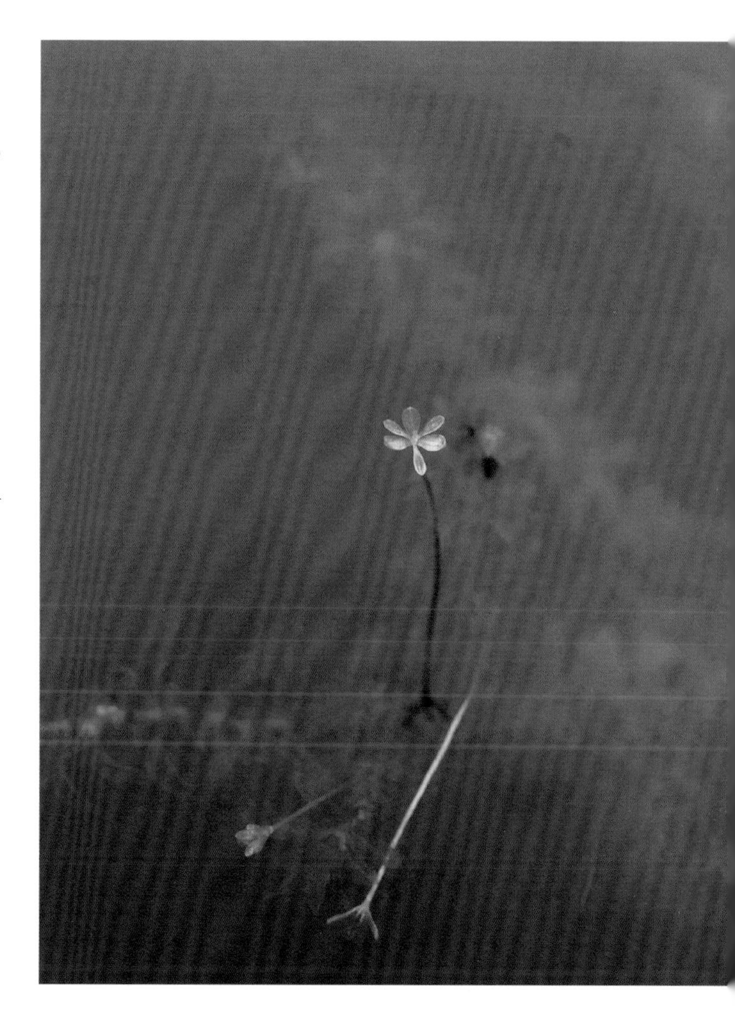

水鳖科 Hydrocharitaceae 水鳖属 *Hydrocharis* 凭证标本号 320722181016342LY

水鳖 *Hydrocharis dubia* (Bl.) Backer

| 药 材 名 | 水鳖（药用部位：全草）。

| 形态特征 | 多年生浮水草本。具匍匐茎。叶簇生；叶片圆形或阔心形，长 2.5 ~ 6 cm，宽 2.5 ~ 8 cm，先端圆钝，基部心形，全缘，叶脉 5 ~ 7，中脉明显；叶柄长 5 ~ 22 cm。花单性；雄花 5 ~ 6 生于佛焰苞内；花序梗长 0.5 ~ 3.5 cm；萼片 3，长椭圆形，常具红色斑点，先端急尖；花瓣 3，黄色，阔倒卵形或圆形，先端微凹，基部渐狭；雄蕊 9 ~ 12，每轮 3，最内轮退化；雌佛焰苞小，苞内只有雌花 1，较雄花大，直径约 3 cm；萼片 3，先端圆钝，常具红色斑点；花瓣 3，白色，基部黄色，阔倒卵形至圆形；腺体 3，黄色，肾形，与萼片互生；花柱 6，2 深裂，密被腺毛，子房下位，6 室。果实浆果状，球形至倒卵形，具数条沟纹；种子多数，椭圆形，先端渐尖。花果期 8 ~ 9 月。

| 生境分布 | 生于静水池塘、沼泽中。江苏各地均有分布。

| 资源情况 | 野生资源丰富。

| 采收加工 | 春、夏季采收，鲜用或晒干。

| 功能主治 | 苦，寒。清热利湿。用于湿热带下。

| 用法用量 | 内服研末，2 ～ 4 g。

水鳖科 Hydrocharitaceae 苦草属 *Vallisneria* 凭证标本号 321284190913020LY

苦草 *Vallisneria natans* (Lour.) Hara

| 药 材 名 | 苦草（药用部位：全草）。

| 形态特征 | 沉水草本。植株具匍匐茎，白色，直径约 2 mm。叶基生；叶片线形或带形，长 20 ~ 200 cm，宽 0.5 ~ 2 cm，绿色或略带紫红色，常具棕色条纹及斑点，先端急尖或圆钝，边缘具不明显的细锯齿，或全缘，平行脉 5 ~ 9；无叶柄。花单性，雌雄异株；雄佛焰苞卵状圆锥形，苞内有雄花 200 以上，成熟的雄花浮出水面开放；萼片 3，2 较大，呈舟形浮于水面，中间 1 较小，中脉龙骨状；雄蕊 1，基部具毛状突起；雌佛焰苞筒状，先端 2 裂，绿色或暗紫红色，梗纤细，绿色或淡紫红色，受精后螺旋状卷曲；雌花单生于佛焰苞内；萼片 3，绿紫色；花瓣 3，极小，白色，与萼片互生；花柱 3，先端 2 裂；退化雄蕊 3；子房下位，胚珠多数，直立。果实圆柱状，光滑；种子

倒长卵形，具腺毛状突起。花果期 8 ～ 9 月。

| 生境分布 | 生于静水池沼中。分布于江苏宿迁、泰州（兴化）、南通（如东）、扬州（宝应）、淮安（洪泽）、无锡（宜兴）、苏州等。

| 资源情况 | 野生资源较丰富。

| 采收加工 | 夏末秋初采收，除去泥土，晒干。

| 功效物质 | 主要含有甾醇类成分，如粉苞苣甾醇、*β*- 谷甾醇。

| 功能主治 | 苦，温。归脾、肝经。燥湿止带，行气活血。用于带下，产后恶露不净。

| 用法用量 | 内服煎汤，6 ～ 10 g。

眼子菜科 Potamogetonaceae 眼子菜属 *Potamogeton* 凭证标本号 320323170512887LY

菹草 *Potamogeton crispus* L.

| 药 材 名 | 菹草（药用部位：全草）。

| 形态特征 | 多年生沉水草本。地下茎细长。茎多分枝，略扁平，近基部常匍匐地面，于节处生出疏或稍密的须根，侧枝的先端常结芽苞，脱落后长成新植物。叶片条状披针形，长 3 ~ 8 cm，宽 5 ~ 8 mm，先端钝圆或尖锐，基部近圆形或狭窄，基部约 1 mm 与托叶合生，但不形成叶鞘，无柄，边缘略有浅波状折皱，脉 3 或 5，中脉明显，平行，先端连接，中脉近基部两侧伴有通气组织形成的细纹，次级叶脉疏而明显可见；托叶膜质，长 4 ~ 10 mm，抱茎。穗状花序长 1 ~ 2 cm，花序梗长 2 ~ 5 cm，开花时伸出水面，花被 4，圆形；雄蕊 4，无花丝；雌蕊 4，基部合生。果实圆卵形，先端有长喙，背部中脊上全缘或有齿。花期 4 ~ 7 月，果期 7 ~ 9 月。

| 生境分布 | 生于静水池沼及水稻田中。分布于江苏连云港、盐城、南京、苏州（常熟）、无锡（宜兴）等地。

| 资源情况 | 野生资源丰富。

| 采收加工 | 夏、秋季采收，洗净，阴干。

| 功能主治 | 清热明目，渗湿利水。用于热痢，疮疡肿毒。

| 用法用量 | 内服煎汤，3 ~ 9 g，或鲜用。外用适量，捣敷。

眼子菜科 Potamogetonaceae 眼子菜属 *Potamogeton* 凭证标本号 320125141104039LY

鸡冠眼子菜 *Potamogeton cristatus* Regel et Maack

| 药 材 名 | 眼子菜（药用部位：全草）。

| 形态特征 | 多年生水生草本。无明显的根茎。茎细弱，圆柱状或近圆柱状，近基部常匍匐地面，于节处生出多数纤长的须根，具分枝。叶二型；开花前常沉没在水中，互生，无柄，叶片呈线形，长 3 ~ 6 cm，宽 1 ~ 2 mm，先端渐尖，全缘；近花期或开花时浮在水面，叶片近革质，呈椭圆形或卵状披针形，长 2 ~ 3 cm，宽 6 ~ 10 mm，先端钝或锐尖，基部近圆形或楔形，全缘，有短柄；托叶膜质，与叶离生；休眠芽腋生，明显特化，呈细小的纺锤状，下面具 3 ~ 5 直伸的针状小苞叶。花序梗长 8 ~ 12 mm，穗状花序顶生或呈假腋生状，长 7 ~ 10 mm，具花 3 ~ 5 轮，密集；花小，花被片 4；雌蕊 4，离生。果实斜倒卵形，长约 2 mm，基部有长 1 mm 的柄，背部中脊上有鸡冠状突起，

花柱先端喙状。花果期 5 ~ 9 月。

| 生境分布 | 生于静水的池塘和水稻田中。分布于江苏南京、镇江（句容）、无锡、苏州（常熟）等。

| 资源情况 | 野生资源丰富。

| 采收加工 | 3 ~ 4 月采收，洗净，鲜用或晒干。

| 功能主治 | 苦，寒。归胆、肝、膀胱经。清热解毒，利湿通淋，止血，驱蛔。用于湿热痢疾，黄疸，热淋，带下，鼻衄，痔疮出血，蛔虫病，疮痈肿毒。

| 用法用量 | 内服煎汤，9 ~ 15 g，鲜品 30 ~ 60 g。外用适量，捣敷。

眼子菜科 Potamogetonaceae 眼子菜属 *Potamogeton* 凭证标本号 320125141104040LY

篦齿眼子菜 *Potamogeton pectinatus* L.

| 药 材 名 | 篦齿眼子菜（药用部位：全草）。

| 形态特征 | 沉水草本。根茎发达，直径 1 ~ 2 mm，具分枝，常于根茎及其分枝的先端形成长 0.7 ~ 1 cm 的小块茎状的卵形休眠芽体。茎长 50 ~ 200 cm，下部较粗，直径约 3 mm，呈叉状分枝，下部分枝稀疏，上部分枝密集，纤细；有多数节，节间长短不等。叶片线形，长 3 ~ 10 cm，宽 0.5 ~ 1.2 mm，先端渐尖或急尖，基部与托叶贴生成鞘，叶脉 3，平行，中脉显著，有垂直的次级叶脉；托叶与叶柄结合成鞘，鞘长 1 ~ 4 cm，基部边缘叠压而抱茎，先端分离小舌片长 2 ~ 10 mm。花序梗细弱，长 3 ~ 12 cm，穗状花序长 1 ~ 4 cm，由 2 ~ 6 轮间断的花簇组成；花被片 4，圆形或宽卵形，直径约 1 mm；雌蕊 4，常仅 1 ~ 2 可发育为成熟果实。果实斜广卵形、半圆形或近圆形，

长 3 ~ 5 mm，背部有脊，或呈圆形。花果期 5 ~ 6 月。

| 生境分布 | 生于静水池塘和河沟中。分布于江苏盐城（东台）、扬州（宝应）、淮安（洪泽）等。

| 资源情况 | 野生资源丰富。

| 采收加工 | 6 ~ 7 月采收，洗净，晾干。

| 功效物质 | 全草含有粗蛋白、粗脂肪、粗纤维素、胡萝卜素、淀粉、蔗糖、盐类、钙、磷、硼等。

| 功能主治 | 微苦，凉。清热解毒。用于肺热咳嗽，疮疖。

| 用法用量 | 内服煎汤，3 ~ 6 g。外用适量，煎汁熬膏敷。

百合科 Liliaceae 粉条儿菜属 *Aletris* 凭证标本号 320125150505162LY

粉条儿菜 *Aletris spicata* (Thunb.) Franch.

| 药 材 名 | 小肺筋草（药用部位：全草或根）。

| 形态特征 | 多年生直立草本。植株具多数须根，根毛末端膨大，膨大部分长 3 ~ 6 mm，宽 0.5 ~ 0.7 mm，白色。基生叶簇生，纸质，淡绿色，线形，长 10 ~ 30 cm，宽 2 ~ 5 mm。花茎高 30 ~ 60 cm，有棱，有短腺毛，中下部有几枚长 1.5 ~ 6.5 cm 的苞片状叶；花梗极短，有毛；总状花序，梳生多花；几无花梗；花白色带淡红色，长 5 ~ 6 mm，外面密生腺毛；花被裂片披针形，长 2 ~ 3 mm；雄蕊着生于花被裂片的基部，花丝短，花药椭圆形；子房卵形，花柱长 1.5 mm，子房下部约 2/3 与花被筒合生。蒴果倒卵状椭圆形，长约 4 mm，花被宿存。花期 5 月，果期 6 ~ 7 月。

| 生境分布 | 生于丘陵山区的密林下阴湿处。分布于江苏无锡（宜兴）等。

| 资源情况 | 野生资源一般。

| 采收加工 | 全草，全年均可采收，洗净，鲜用或晒干；根，夏、秋季采挖，洗净，晒干。

| 药材性状 | 本品全草长 40 ～ 80 cm。根茎短，须根丛生，纤细弯曲，有的着生多数白色细小块根，习称“金线吊白米”。叶丛生，带状，稍反曲，长 10 ～ 20 cm，宽 0.3 ～ 0.5 cm；矿绿色，先端尖，全缘。花茎细柱形，稍波状弯曲，直径 0.2 ～ 0.3 cm，被毛；总状花序穗状，花几无梗，黄棕色，花被 6 裂，长约 0.5 cm，裂片条状披针形。蒴果倒卵状三棱形。气微，味淡。

| 功效物质 | 主要富含皂苷类、三萜类和脂肪酸等化学成分。

| 功能主治 | 甘、苦，平。归肺、肝经。润肺止咳，养心安神，消积驱蛔。用于支气管炎，百日咳，神经官能症，腮腺炎，疳积，蛔虫病。

| 用法用量 | 内服煎汤，10 ～ 30 g，鲜品 60 ～ 120 g。外用适量，捣敷。

百合科 Liliaceae 葱属 *Allium* 凭证标本号 321084180607094LY

洋葱 *Allium cepa* L.

| 药 材 名 |

洋葱（药用部位：鳞茎）。

| 形态特征 |

多年生草本，单生。鳞茎粗大，球形、扁球形至椭圆形，外皮白色、黄色或紫色，纸质至薄革质，内皮肥厚，肉质，均不破裂。当年生的叶基生，后发的叶重叠套在老叶内，管状，中空，粉绿色，中部以下最粗，向上渐狭，下部被叶鞘。第二年抽花茎，高 0.6 ~ 1.2 m，中部以下膨大，比叶高；伞形花序球形，具多而密集的花；小花梗长约 2.5 cm；花被片近白色，星状展开，卵状披针形，长 5 ~ 7 mm；花丝等长，稍长于花被片，约在基部 1/5 处合生，合生部分下部的 1/2 与花被片贴生，内轮花丝的基部极为扩大，扩大部分每侧各具 1 齿，外轮的锥形；子房近球状，腹缝线基部有具帘的凹陷蜜穴，花柱长约 4 mm。花果期 5 ~ 6 月。

| 生境分布 |

江苏各地均有栽培。

| 资源情况 |

栽培资源丰富。

| 采收加工 | 当下部第 1 ～ 2 叶枯黄、鳞茎停止膨大进入休眠阶段、外层鳞片变干时采挖，在田间晾晒 3 ～ 4 天，当叶片晒至七八成干时，编成辫子贮藏。

| 功效物质 | 鳞茎含有硫醇、烯丙基丙基二硫化物、二烯丙基二硫化物、硫代亚磺酸二苯酯、甲基硫代亚磺酸丙烯酯、异硫氰酸苄酯、大蒜辣素等气味物质。皮中含山柰酚。壳、鞘中含有槲皮素、绣线菊苷、槲皮素-3,4-二葡萄糖苷、槲皮素-7,4'-二葡萄糖苷、对-香豆酸、咖啡酸、阿魏酸、芥子酸、原儿茶酸、天冬氨酸、半胱氨酸、胱氨酸、谷氨酸等；还含间苯三酚羧酸甲酯、环蒜氨酸、S-甲基半胱氨酸亚砜等成分。

| 功能主治 | 辛、甘，温。归肝、脾、肺、胃经。健胃理气，解毒杀虫，降血脂。用于食少腹胀，创伤，溃疡，滴虫性阴道炎，高脂血症。

| 用法用量 | 内服生食，31 ～ 62 g；或烹食。外用适量，捣敷；或捣汁涂。

| 附　　注 | 本种耐寒，适应性广，属于低温长日照作物，要求较高的土壤湿度。

百合科 Liliaceae 葱属 *Allium* 凭证标本号 320829170422088LY

葱 *Allium fistulosum* L.

| 药 材 名 | 葱白（药用部位：鳞茎）、葱汁（药材来源：全株或茎捣取之汁）、葱须（药用部位：须根）、葱叶（药用部位：叶）、葱花（药用部位：花）、葱实（药用部位：种子）。

| 形态特征 | 多年生草本。鳞茎单生，圆柱状，稀为基部膨大的卵状圆柱形，直径 1 ~ 2 cm，有时可达 4.5 cm；外皮白色，稀淡红褐色，膜质至薄革质，不破裂。雄株常簇生。叶片管状，直径 0.5 ~ 1 cm，先端长尖，有白粉，与花茎近等长；叶鞘基部不膨大成球形鳞茎而向土中延伸，若进行培土则软化成“葱白”，不培土则为“青葱”。花茎粗，中空，中部膨大，一般高 30 ~ 50 cm，约在 1/3 以下被叶鞘；总苞膜质，2 裂；伞形花序近球形，花多而密；小花梗纤细，与花被片等长，或为其 2 ~ 3 倍长，基部无小苞片；花钟状，白色；花被片卵状披针形，长 5 ~ 7 mm，雌、雄蕊伸出花被片外；子房倒卵状，腹缝线

基部具不明显的蜜穴。花期 4 ~ 6 月。

| 生境分布 | 江苏各地均有栽培。

| 资源情况 | 栽培资源丰富。

| 采收加工 | **葱白：**夏、秋季采挖，除去叶、须根及其外膜，鲜用。

葱汁：全年均可采收全株或茎，捣汁，鲜用。

葱须：全年均可采收，晒干。

葱叶：全年均可采收，鲜用或晒干。

葱花：4 ~ 6 月花开时采收，阴干。

葱实：夏、秋季采收果实，晒干，搓取种子，簸出杂质。

| 药材性状 | **葱白：**本品呈柱形，有的口不膨大，外表面白色，薄革质。有辛辣味。

葱实：本品呈三角状扁卵形，一面微凹，另一面隆起，有棱线 1 ~ 2，长 3 ~ 4 mm，宽 2 ~ 3 mm。表面黑色，多光滑或偶有疏皱纹，凹面平滑，基部有 2 突起，较短的灰棕色或灰白色突起先端为种脐，较长的突起先端为珠孔。纵切面可见种皮菲薄，胚乳灰白色，胚白色，弯曲，子叶 1。体轻，质坚硬。气特异，嚼之有葱味。

| 功效物质 | 主要富含多糖、纤维素、半纤维素、挥发油，以硫化物、黏液质为主，具有良好的抗菌、抗原虫、保护皮肤等作用。

| 功能主治 | **葱白：**辛，温。归肺、胃经。发表，通阳，解毒，杀虫。用于风寒感冒，阴寒腹痛，二便不通，痢疾，肠痈肿痛，虫积腹痛。

葱汁：辛，温。散瘀止血，通窍，驱虫，解毒。用于衄血，尿血，头痛，耳聋，虫积，外伤出血，跌打损伤，疮痈肿痛。

葱须：辛，平。归肺经。祛风散寒，解毒，散瘀。用于风寒头痛，喉疮，痔疮，冻伤。

葱叶：发汗解表，解毒散肿。用于风寒感冒，风水浮肿，疮痈肿痛，跌打损伤。

葱花：辛，温。归脾、胃经。散寒通阳。用于脘腹冷痛，胀满。

葱实：辛，温。温肾，明目，解毒。用于肾虚阳毒，遗精，目眩，视物昏暗，疮痈。

| 用法用量 | **葱白：**内服煎汤，9 ~ 15 g；或酒煎；或煮粥，鲜品 15 ~ 30 g。外用适量，捣敷；或炒熨；或煎汤洗；或蜂蜜或醋调敷。

葱汁：内服单饮，5 ~ 10 ml；和酒服，或制丸剂。外用适量，涂搽；或滴耳鼻。

葱须：内服煎汤，6 ~ 9 g；或研末。外用适量，研末吹；或煎汤熏洗。

葱叶：内服煎汤，9 ~ 15 g。外用适量，捣敷；或热罨；或煎汤洗。

葱花：内服煎汤，6 ~ 12 g。

葱实：内服煎汤，6 ~ 12 g；或入丸、散剂；或煮粥。外用适量，熬膏敷贴；或煎汤洗。

百合科 Liliaceae 葱属 *Allium* 凭证标本号 320323170510822LY

薤白 *Allium macrostemon* Bunge

| 药 材 名 | 薤白（药用部位：鳞茎）。

| 形态特征 | 多年生草本。鳞茎近球形，直径 1 ~ 1.5 cm，基部常具小鳞茎（因其易脱落故在标本上不常见）；外皮带黑色，纸质或膜质，不破裂，但在标本上多因脱落而仅存白色的内皮。基生叶数片，半圆柱状线形，中空，长 20 ~ 40 cm，宽 2 ~ 4 mm，上部扁平，腹面内凹，比花茎短。花茎高 30 ~ 60 cm，1/4 ~ 1/3 被叶鞘；总苞 2 裂，比花序短；伞形花序杂有肉质珠芽，珠芽暗紫色，基部亦具小苞片；花数朵至多朵；花被片粉红色，卵状长圆形，长 4 ~ 5 mm，宽 1.2 ~ 2 mm，背脊紫红色；雌、雄蕊都伸在花被片外；花丝向下渐宽而连合；子房近球状，腹缝线基部有具帘的凹陷蜜穴。花期 5 ~ 6 月。

| 生境分布 | 生于海拔 1 500 m 以下的山坡、路旁、田野或荒地。江苏各地均有

分布。

| 资源情况 | 野生资源丰富。

| 采收加工 | 栽培后翌年 5 ~ 6 月采挖，除去叶和须根，洗去泥土，鲜用或略蒸一下，晒干或炕干。

| 药材性状 | 本品呈不规则卵圆形，高 0.5 ~ 1.5 cm，直径 1 ~ 1.5 cm。表面黄白色或淡黄棕色，皱缩，半透明，有类白色膜质鳞片包被，底部有凸起的鳞茎盘。质硬，角质样。有蒜臭气，味微辣。

| 功效物质 | 主要含有甾体皂苷、挥发油、含氮化合物、酸性成分、多糖、无机元素等多种成分，以挥发油为主。具有良好的增强免疫力、保护心肌作用。

| 功能主治 | 辛、苦，温。归肺、胃、大肠经。通阳散结，行气导滞。用于胸痹心痛，脘腹痞满胀痛，泻痢后重。

| 用法用量 | 内服煎汤，4.5 ~ 9 g，鲜品 31 ~ 62 g；或入丸、散剂。外用适量，捣敷；或捣汁涂。

百合科 Liliaceae 葱属 *Allium* 凭证标本号 320621181124092LY

蒜 *Allium sativum* L.

| 药 材 名 |

大蒜（药用部位：鳞茎）。

| 形态特征 |

多年生草本。鳞茎球形至扁球形，由数个或单个肉质、瓣状的小鳞茎（通称蒜瓣）组成，外皮膜质，多层，近银白色或淡紫红色。基生叶带状，扁平，先端长渐尖，比花茎短，宽一般在 2.5 cm 以内。花茎高约 60 cm，比叶高，实心，中部以下被叶鞘；总苞具长 7 ~ 20 cm 的长喙，早落；伞形花序密生珠芽，间有数花；小花梗纤细；小苞片大，卵形，膜质，具短尖；花淡红色；花被片披针形至卵状披针形，长于花丝和花柱；花丝基部合生并与花被片贴生，内轮的基部扩大，扩大部分每侧各具 1 齿，齿端呈长丝状，长超过花被片，外轮的锥形；子房球状。花期 5 ~ 6 月。

| 生境分布 |

江苏各地城镇多有栽培。

| 资源情况 |

栽培资源丰富。

| 采收加工 | 在蒜薹采收后 20 ~ 30 天即可采挖，除去残茎及泥土，置通风处晾至外皮干燥。

| 药材性状 | 本品呈扁球形或短圆锥形，外有灰白色或淡棕色膜质鳞被；剥去鳞叶，内有 6 ~ 10 蒜瓣，轮生于花茎的周围；茎基部盘状，生有多数须根。每 1 蒜瓣外包薄膜，剥去薄膜，即见白色、肥厚多汁的鳞片。有浓烈的蒜臭气，味辛、辣。

| 功效物质 | 富含含硫挥发性化合物，以大蒜素、大蒜油为主，具有良好的抗菌、抗病毒、杀虫、降血脂作用。

| 功能主治 | 辛，温。归脾、胃、肺经。解毒消肿，杀虫，止痢。用于痈肿疮疡，疥癣，肺痨，顿咳，泄泻，痢疾。

| 用法用量 | 内服煎汤，4.5 ~ 9 g；或生食；或煨食；或捣泥为丸。外用适量，捣敷；或作栓剂；或切片灸。

| 附　　注 | 本种栽培于普通土壤中。耐寒，喜光，以肥沃、排水良好的砂壤土为宜。

百合科 Liliaceae 葱属 *Allium* 凭证标本号 320111151015003LY

球序韭 *Allium thunbergii* G. Don

| 药 材 名 | 山韭（药用部位：全草）。

| 形态特征 | 多年生草本。鳞茎常单生，卵状至狭卵状或卵状柱形，直径 0.7 ～ 2（～ 2.5）cm；外皮污黑色或黑褐色，纸质，先端常破裂成纤维状，内皮有时带淡红色，膜质。叶三棱状条形，中空或基部中空，背面具 1 纵棱，呈龙骨状隆起，短于或略长于花葶，宽（1.5 ～）2 ～ 5 mm。花葶中生，圆柱状，中空，高 30 ～ 70 cm，1/4 ～ 1/2 被疏离的叶鞘；总苞单侧开裂或 2 裂，宿存；伞形花序球状，具多而极密集的花；小花梗近等长，比花被片长 2 ～ 4 倍，基部具小苞片；花红色至紫色；花被片椭圆形至卵状椭圆形，先端钝圆，长 4 ～ 6 mm，宽 2 ～ 3.5 mm，外轮舟状，较短；花丝等长，长约为花被片的 1.5 倍，锥形，无齿，仅基部合生并与花被片贴生；子房倒卵状球形，腹缝线基部有具帘

的凹陷蜜穴；花柱伸出花被外。花果期 8 月底至 10 月。

| 生境分布 | 生于山坡林下或岩石上。分布于江苏连云港、南京、无锡（宜兴）等。

| 资源情况 | 野生资源较丰富。

| 功能主治 | 咸，平。归脾、肾经。健脾开胃，补肾缩尿。用于脾胃气虚，饮食减少，肾虚不固，小便频数。

| 用法用量 | 内服煎汤，10 ~ 15 g；或煮作羹。

百合科 Liliaceae 葱属 *Allium* 凭证标本号 320981170615043LY

韭 *Allium tuberosum* Rottl. ex Spreng.

| 药 材 名 |

韭菜子（药用部位：种子）。

| 形态特征 |

多年生草本，植株有倾斜的横生根茎。鳞茎狭圆锥形，簇生，外皮暗黄色至黄褐色，破裂成纤维状、网状或近网状。基生叶线形，扁平，实心，比花葶短，长 15 ~ 30 cm，宽常 3 ~ 7 mm，边缘平滑。花葶高 25 ~ 50 cm；伞形花序花较多；花被片白色，常具绿色或黄绿色的中脉，内轮的矩圆状倒卵形，稀为矩圆状卵形，先端具短尖头或钝圆，长 4 ~ 7（~ 8）mm，宽 2.1 ~ 3.5 mm，外轮的常较窄，矩圆状卵形至矩圆状披针形，先端具短尖头，长 4 ~ 7（~ 8）mm，宽 1.8 ~ 3 mm；雄蕊比花被片略短，花丝向基部渐宽而连合；子房倒圆锥状球形，具 3 圆棱，外壁具细的疣状突起。蒴果倒卵形，先端内凹。花期 7 ~ 8 月，果期 8 ~ 9 月。

| 生境分布 |

江苏中部和北部的沿海地区有栽培。

| 资源情况 |

栽培资源丰富。

| 采收加工 | 秋季果实成熟时采收果序，晒干，打下种子，除去杂质。

| 功效物质 | 主要含有含硫化物、黄酮类、阿魏酸、皂苷、生物碱，饱和脂肪酸以棕榈酸为主，不饱和脂肪酸主要是亚油酸和油酸，腺苷可作为种子的一个指标成分，具有改善性功能、抑菌、抗氧化、抗诱变、护肝、降血脂、抗凝血、止牙痛作用，还可增强乙酰胆碱转移酶的活性。

| 功能主治 | 辛、甘，温。归肝、肾经。温补肝肾，壮阳固精。用于肝肾亏虚，腰膝酸痛，阳痿，遗精，遗尿，尿频，白浊，带下。

| 用法用量 | 内服煎汤，6 ~ 12 g；或入丸、散剂。

| 附　　注 | （1）本种内含硝酸盐，大量食用后可出现肠道功能障碍或胃酸过低，从而导致肠内硝酸盐还原菌（包括大肠埃希菌和沙门氏菌）过量繁殖，使进入体内的硝酸盐还原为亚硝酸盐而引起中毒，临床中毒病例虽罕见，但不可忽视，故不宜大量食用，宜现煮现吃，不宜隔夜。

（2）本种栽培于大棚或露天土壤。地势较高、排灌方便、富含有机质的砂壤土适合发展本种的培土软化栽培。

百合科 Liliaceae 芦荟属 *Aloe* 凭证标本号 321284190702073LY

芦荟 *Aloe vera* L. var. *chinensis* (Haw.) Berg.

| 药 材 名 |

芦荟（药材来源：叶汁经浓缩的干燥品）、芦荟叶（药用部位：叶）、芦荟花（药用部位：花）、芦荟根（药用部位：根）。

| 形态特征 |

肉质草本。茎短，萌蘖形成了浓密的树丛。叶近基生，在幼苗和新梢上稍呈 2 列，直立，淡绿色，有时在非常幼小的植株上具淡斑，条状披针形，长 15 ～ 35（～ 50）cm，宽 4 ～ 5（～ 7）cm，边缘疏生刺齿，先端具 2 或 3 齿尖。花茎直立，长 60 ～ 90 cm，直径达 2 cm；总状花序长 30 ～ 40 cm，宽 5 ～ 6 cm，有时具 1 或 2 上升的分枝；苞片白色，宽披针形，长约 10 cm，宽 5 ～ 6 mm，具 5 ～ 7 脉，先端锐尖；花多数，反折；花梗长约为苞片的 1/2；花被淡黄色，带红色斑点，稍膨大，长 2.5（～ 3）cm，外侧花被片离生，长约 1.8 cm，先端稍卷；雄蕊外露 4 ～ 5 mm；花柱显著外露。

| 生境分布 |

江苏各地室内或温室均有栽培。

| 资源情况 | 栽培资源丰富。

| 采收加工 | **芦荟**：叶片生长旺盛期分批割下下部和中部长超过 15 cm 的叶片，切口向下，直放于木槽或其他盛器中，取其流出的汁液干燥。

芦荟叶：全年均可采摘，鲜用或晒干。

芦荟花：2 ~ 3 月和 7 ~ 8 月采收，鲜用或晒干。

芦荟根：全年均可采挖，切段，晒干。

| 药材性状 | **芦荟**：本品呈不规则的块状，大小不一。老芦荟显黄棕色、红棕色或棕黑色；质坚硬，不易破碎，断面蜡样，无光泽，遇热不易熔化。新芦荟显棕黑色而发绿，有光泽，黏性大，遇热易熔化；质松脆，易破碎，破碎面平滑而具玻璃样光泽；有显著的酸气，味极苦。

| 功效物质 | 主要含有蒽醌类、多糖类、酚类、酶类、维生素、有机酸等，其中常用的药用成分包括芦荟多糖、芦荟大黄素、芦荟苷、芦荟苦素、大黄酚等。芦荟多糖主要由甘露糖、半乳糖、葡萄糖、木糖、阿拉伯糖、鼠李糖组成，其中以甘露糖、半乳糖、葡萄糖含量居多，具有提高免疫力、抗肿瘤、治疗溃疡、保护胃黏膜、促进伤口愈合等作用；芦荟大黄素具有抗肿瘤、抗病毒、抑菌等活性；芦荟苷具有抗氧化、抗炎和抗肿瘤等活性。

| 功能主治 | **芦荟**：苦，寒。归肝、大肠经。泻下，清肝，杀虫。用于热结便秘，肝火疼痛，目赤惊风，虫积腹痛，疥癣，痔漏。

芦荟叶：苦、涩，寒。归肝、大肠经。泻火，解毒，化瘀，杀虫。用于目赤，便秘，白浊，尿血，小儿惊痫，疳积，烫火伤，闭经，痔疮，疥疮，痈疖肿毒，跌打损伤。

芦荟花：苦，寒。归肺、脾、胃、膀胱经。止咳，凉血化瘀。用于咳嗽，咯血，吐血，白浊。

芦荟根：甘、淡，凉。归脾、胃、膀胱经。清热利湿，化瘀。用于疳积，尿路感染。

| 用法用量 | **芦荟**：内服入丸、散剂，0.6 ~ 1.5 g；或研末入胶囊。外用适量，研末敷。

芦荟叶：内服煎汤，15 ~ 30 g；或捣汁。外用适量，鲜品捣敷；或绞汁涂。

芦荟花：内服煎汤，3 ~ 6 g。外用适量，煎汤洗。

芦荟根：内服煎汤，15 ~ 30 g。

| 附　　注 | 本种为旱生热带植物，畏寒，栽培以肥沃疏松、排水良好的砂壤土为宜。

百合科 Liliaceae 知母属 *Anemarrhena* 凭证标本号 320682190704140LY

知母 *Anemarrhena asphodeloides* Bunge

| 药 材 名 | 知母（药用部位：根茎）。

| 形态特征 | 多年生草本。根茎直径 0.5 ~ 1.5 cm，先端为残存的叶鞘所覆盖。叶长 15 ~ 60 cm，宽 1.5 ~ 11 mm，无毛，边缘粗糙，向先端渐尖成近丝状，基部渐宽成鞘状，具多条平行脉，没有明显的中脉。花茎比叶长得多；总状花序常较长，长 20 ~ 50 cm；苞片小，卵形或卵圆形，先端长渐尖；花被粉红色、淡紫色至白色，花被片条形，长 5 ~ 10 mm，中央具 3 脉，宿存；子房卵形，直径约 1 mm，花柱长约 1 mm。蒴果狭椭圆形，长 8 ~ 13 mm，宽 5 ~ 6 mm，先端有短喙；种子黑色，长椭圆形，稍弯曲，长 7 ~ 10 mm，宽 2.5 ~ 3 mm。花果期 6 ~ 9 月。

| 生境分布 | 生于山坡、草地、路旁较干燥或向阳处。江苏各地均有分布。江苏各地均有栽培。

| 资源情况 | 野生及栽培资源较丰富。

| 采收加工 | 春、秋季采挖，除去须根和泥沙，晒干，习称“毛知母”；或除去外皮，晒干。

| 药材性状 | 本品呈长条状，微弯曲，略扁，偶有分枝，长 3 ~ 15 cm，直径 0.8 ~ 1.5 cm，一端有浅黄色的茎叶残痕。表面黄棕色至棕色，上面有 1 凹沟，具紧密排列的环状节，节上密生黄棕色的残存叶基，由两侧向根茎上方生长；下面隆起而略皱缩，并有凹陷或凸起的点状根痕。质硬，易折断，断面黄白色。气微，味微甜、略苦，嚼之带黏性。

| 功效物质 | 含有甾体皂苷、双苯吡酮类、木质素类和多糖类成分，其主要药理活性成分是甾体皂苷及皂苷元，如知母皂苷 A Ⅲ和知母皂苷 B Ⅱ，具有抑制血小板血栓形成、降血糖、降血脂及抗动脉粥样硬化、血管内皮保护、抗衰老及老年痴呆、抗抑郁、对脑缺血再灌注损伤的保护、抗肿瘤、抗氧化、抗炎作用。

| 功能主治 | 苦、甘，寒。归肺、胃、肾经。清热泻火，滋阴润燥。用于外感热病，高热烦渴，肺热燥咳，骨蒸潮热，内热消渴，肠燥便秘。

| 用法用量 | 内服煎汤，6 ~ 12 g。

| 附　　注 | 本种耐寒、耐旱、耐瘠薄。

百合科 Liliaceae 天门冬属 *Asparagus* 凭证标本号 321183151111188LY

天门冬 *Asparagus cochinchinensis* (Lour.) Merr.

| 药 材 名 | 天冬（药用部位：块根）。

| 形态特征 | 攀缘植物。肉质块根纺锤形或长椭圆形，膨大部分长 3 ~ 5 cm，直径 1 ~ 2 cm。茎平滑，常弯曲或扭曲，多分枝，高达 2 m。退化叶呈三角状，先端长尖，基部有木质倒生刺，嫩枝上不显著。叶状枝 1 ~ 3 或更多，簇生，线形，长 1 ~ 3 cm 或更长，宽 1 ~ 2 mm，扁平，略呈锐三棱形，镰状。花淡黄绿色，长约 3 mm，1 至数朵，常 2 与叶状枝同生于一簇；雄花花被片开展，花丝不贴生于花被片上；雌花大小和雄花相似，子房近球形。浆果直径 6 ~ 7 mm，成熟时红色，有 1 种子。花期 5 月，果期 8 月。

| 生境分布 | 生于山坡或河边。江苏各地均有分布。

| 资源情况 | 野生资源较少。

| 采收加工 | 秋、冬季采挖，洗净，除去茎基和须根，置沸水中煮或蒸至透心，趁热除去外皮，洗净，干燥。

| 药材性状 | 本品呈长纺锤形，略弯曲，长 5 ~ 18 cm，直径 0.5 ~ 2 cm。表面黄白色至淡黄棕色，半透明，光滑或具深浅不等的纵皱纹，偶有残存的灰棕色外皮。质硬或柔润，有黏性，断面角质样，中柱黄白色。气微，味甜、微苦。

| 功效物质 | 主要含有皂苷类、多糖类成分。天冬皂苷是块根中的一类重要活性成分，具有抗氧化、抑菌、抗衰老、抗肿瘤、清除自由基、抗血小板凝聚等药理作用。天冬酰胺是块根镇咳的有效成分之一。天冬多糖具有免疫调节作用。

| 功能主治 | 甘、苦，寒。归肺、肾经。养阴润燥，清肺生津。用于肺燥干咳，顿咳痰黏，腰膝酸痛，骨蒸潮热，内热消渴，热病津伤，咽干口渴，肠燥便秘。

| 用法用量 | 内服煎汤，6 ~ 12 g。

| 附　　注 | 本种喜温暖、湿润气候，不耐严寒，忌干旱及积水。宜选深厚、肥沃、富含腐殖质、排水良好的壤土或砂壤土栽培；不宜在黏土或瘠薄土及排水不良的地方栽培。

百合科 Liliaceae 天门冬属 *Asparagus* 凭证标本号 320721180413027LY

石刁柏 *Asparagus officinalis* L.

| 药 材 名 | 石刁柏（药用部位：嫩茎）、小百部（药用部位：块根）。

| 形态特征 | 直立草本，高可达 1 m。根稍肉质，绳索状。茎平滑，稍柔软，上部在后期常下垂，高 1 ～ 2 m。枝条长而软，棱条不明显，平滑。叶退化成膜质鳞片状，基部近无刺。叶状枝近针状，略有钝棱，纤细，常稍弧曲，3 ～ 6 或更多簇生，长 0.5 ～ 3 cm，直径约 0.4 mm。鳞片状叶基部有刺状短距或近无距。花黄绿色，单性异株，1 至数朵，常 2 着生；花梗常长 0.5 ～ 1.2 cm；雄花外轮花被片长圆形，内轮花被片长椭圆形，长约 6 mm，花丝下部与花被片合生，花药具钝头，短于花丝的离生部分或近等长；雌花略小，花被长约 3 mm。浆果直径 7 ～ 8 mm，成熟时红色，有 2 ～ 3 种子。花期 5 ～ 6 月，果期 9 ～ 10 月。

| 生境分布 | 生于河滩、沟谷、砾质地。江苏各地多有栽培。

| 资源情况 | 栽培资源较少。

| 采收加工 | **石刁柏：** 4 ~ 5 月采收，随即采取保鲜措施，防止日晒脱水。

小百部： 秋季采挖，鲜用或切片，晒干。

| 药材性状 | **小百部：** 本品块根数个或数十个成簇，亦有单个散在者，呈长圆柱形，长 10 ~ 25 cm，直径约 4 mm。外表黄白色或土黄色，有不规则沟槽。质柔韧，断面淡黄白色。

| 功效物质 | 主要富含矿物质、氨基酸、芦笋皂苷、多糖和黄酮类等生物活性成分。

| 功能主治 | **石刁柏：** 微甘，平。清热利湿，活血散结。用于肝炎，银屑病，高脂血症，乳腺增生。

小百部： 温肺，止咳，杀虫。用于风寒咳嗽，百日咳，肺结核，老年咳嗽，疳虫，疥癣。

| 用法用量 | **石刁柏：** 内服煎汤，15 ~ 30 g。

小百部： 内服煎汤，6~9 g；或入丸、散剂。外用适量，煎汤熏洗；或捣汁涂。

| 附　　注 | 近年来，本种已用于研制多种保健食品，用于防治肿瘤，如淋巴肉瘤、膀胱癌、乳腺癌、皮肤癌。

百合科 Liliaceae 天门冬属 *Asparagus* 凭证标本号 320323161104922LY

南玉带 *Asparagus oligoclonos* Maxim.

| 药 材 名 |

南玉带根（药用部位：根）。

| 形态特征 |

直立草本，高 40 ～ 80 cm。根直径 2 ～ 3 mm。茎平滑或稍具条纹，坚挺，上部不俯垂。分枝具条纹，稍坚挺，有时嫩枝疏生软骨质齿。叶状枝常 5 ～ 12 成簇，呈近扁的圆柱形，略有钝棱，伸直或稍弧曲，长 1 ～ 3 cm，直径 0.4 ～ 0.6 mm。鳞片状叶基部距常不明显或有短距，极少具短刺。花每 1 ～ 2 腋生，黄绿色；花梗长 1.5 ～ 2 cm，少有较短的，关节位于近中部或上部；黄绿色的花长 6 ～ 9 mm；花丝全长的 3/4 贴生于花被片上，花药有微凸头，与花丝的离生部分近等长或稍长；雌花较小，花被长约 3 mm。浆果直径 8 ～ 10 mm。花期 5 月，果期 6 ～ 7 月。

| 生境分布 |

生于山沟或山坡林下阴湿处。分布于江苏徐州、连云港（赣榆）等。

| 资源情况 |

野生资源一般。

| 功能主治 | 清热解毒，止咳平喘，利尿。

百合科 Liliaceae 天门冬属 *Asparagus* 凭证标本号 320683200501135LY

文竹 *Asparagus setaceus* (Kunth) Jessop

| 药 材 名 |

文竹（药用部位：全株或块根）。

| 形态特征 |

攀缘植物，高可达几米。根稍肉质，细长。茎多分枝，幼时直立，光滑，近基部稍木质。枝和叶状枝密，近三角形，水平方向排列。叶退化成膜质鳞片状，在主茎上的退化叶基部有倒生刺。叶状枝丝状，多个簇生，长 3 ~ 5 mm。花单生或 2 ~ 3 簇生；花梗短，在中间有节；花两性，白色，1 至数朵，常 1 花生于小枝先端，花被片倒卵状披针形，长约 7 mm，开展；雄蕊几与雌蕊等长；子房倒卵形。浆果成熟时紫黑色，直径 6 ~ 7 mm；种子 1 ~ 3。花期 9 ~ 10 月。

| 生境分布 |

江苏各地多有栽培。

| 资源情况 |

栽培资源较丰富。

| 采收加工 |

全株，全年均可采收，鲜用或晒干；块根秋季割去蔓茎，挖出块根，除去泥土，用水煮或蒸至皮裂，剥去外皮，切段，干燥。

| 药材性状 | 本品根细长，稍肉质，长 15 ~ 24 cm，直径 3 ~ 4 mm。表面黄白色，有深浅不等的皱纹，并有纤细支根。质较柔韧，不易折断，断面黄白色。气微香，味苦、微辛。

| 功效物质 | 主要富含氨基酸、微量元素，具有良好的止咳润燥作用。

| 功能主治 | 甘、微苦，寒。润肺止咳，凉血通淋。用于阴虚肺燥，咳嗽，咯血，小便淋沥。

| 用法用量 | 内服煎汤，6 ~ 30 g。

| 附　　注 | 本种喜温暖、湿润、略荫蔽的环境，可采用分株繁殖、播种繁殖。忌霜冻，怕干旱。要求土壤富含腐殖质和排水良好。

百合科 Liliaceae 蜘蛛抱蛋属 *Aspidistra* 凭证标本号 320621181125006LY

蜘蛛抱蛋 *Aspidistra elatior* Blume

| 药 材 名 | 蜘蛛抱蛋（药用部位：根茎）。

| 形态特征 | 多年生常绿草本 。根茎近圆柱形，直径 5 ~ 10 mm，具节和鳞片。叶单生，彼此相距 1 ~ 3 cm；叶片长椭圆形、椭圆状披针形或宽披针形，长 22 ~ 45 cm，宽 7 ~ 11 cm，先端尖，基部渐窄，边缘波状，深绿色，有时稍具黄白色斑点或条纹；叶柄硬而直立，有槽，长 8 ~ 35 cm，基部有早枯萎的鞘状鳞片。总花梗长 0.5 ~ 2 cm；苞片 3 ~ 4，其中 2 位于花的基部，宽卵形，长 7 ~ 10 mm，宽约 9 mm，淡绿色，有时有紫色细点；钟状花初时绿色，后紫褐色，直径约 1.5 cm，高约 2 cm，先端 8 裂，裂片卵状三角形；雄蕊 8，着生于花被管基部，花丝短，花药椭圆形，长约 2 mm；柱头膨大成盾状，紫红色，圆形，4 深裂，每裂又浅裂。花期 4 ~ 5 月。

| 生境分布 | 生于山坡林中及路旁灌丛中。江苏各地均有栽培。

| 资源情况 | 野生及栽培资源丰富。

| 采收加工 | 全年均可采收，除去须根及叶，洗净，鲜用或干燥。

| 药材性状 | 本品粗壮，稍肉质，直径 5 ~ 10 mm；外表棕色，有明显的节和鳞片。

| 功效物质 | 主要含有甾体皂苷类，以蜘蛛抱蛋苷为主。

| 功能主治 | 辛、甘，微寒。活血止痛，清肺止咳，利尿通淋。用于跌打损伤，风湿痹痛，腰痛，闭经腹痛，肺热咳嗽，石淋，小便不利。

| 用法用量 | 内服煎汤，9 ~ 15 g，鲜品 30 ~ 60 g；或作酒剂。外用适量，捣敷。

| 附　　注 | 本种栽培以排水良好、肥沃、通透性较好的砂壤土为宜。

百合科 Liliaceae 万寿竹属 *Disporum* 凭证标本号 320482180909485LY

宝铎草 *Disporum sessile* (Thunb.) D. Don

| 药 材 名 | 竹林霄（药用部位：根及根茎）、白薇（药用部位：根）。

| 形态特征 | 多年生直立草本 。根茎肉质，横出，长 3 ～ 10 cm。根簇生，直径 2 ～ 4 mm。茎直立，光滑，高 30 ～ 60 cm，上部具叉状分枝。叶片质薄，薄纸质至纸质，披针形、卵状长椭圆形至宽椭圆形，长 4 ～ 12 cm，宽 2.5 ～ 6 cm，下面色浅，脉上和边缘有乳头状突起，具横脉，先端尖或渐尖，常歪斜，基部圆形或宽楔形；叶柄极短。花黄色、淡黄色、绿黄色或白色，筒状，1 ～ 3（～ 5）顶生；花梗长 1 ～ 2 cm，较平滑，无花序梗；花被片近直立，长圆状匙形，长 2 ～ 3 cm，先端急尖，基部有囊状短距；雄蕊比花被片略短，花丝长约 15 mm，约为花药长的 3 倍；花柱长约 15 mm，具 3 裂而外弯的柱头，子房椭圆形。浆果黑色，椭圆形或球形，直径约 1 cm，具

3 种子；种子直径约 5 mm，深棕色。花期 4 ～ 5 月，果期 8 ～ 9 月。

| 生境分布 | 生于林下、草丛、阴湿山坡或灌丛中。分布于江苏连云港、徐州（铜山）、南京、镇江（句容）、常州（溧阳）、无锡（宜兴）等。

| 资源情况 | 野生资源较丰富。

| 采收加工 | **竹林霄：**夏、秋季采挖，洗净，鲜用或晒干。

| 药材性状 | **竹林霄：**本品根茎有分枝，环节明显，上有残茎痕，下侧多数须状痕。根表面黄白色或棕黄色，具细纵纹，常弯曲，长 6 ～ 10 cm，直径约 1 mm。质硬脆，易折断，断面中间有 1 黄色木心，皮部色淡。气微，味淡、微甜，嚼之有黏性。

白薇：本品长 10 ～ 25 cm，直径 0.1 ～ 0.2 cm。表面棕黄色。质脆，易折断，断面皮部黄白色，木部黄色。气微，味微苦。

| 功效物质 | 主要含有多酚类、黄酮及其苷类成分，具有良好的止咳化痰作用。

| 功能主治 | **竹林霄：**甘、淡，平。润肺止咳，健脾消食，舒筋活络，清热解毒。用于肺热咳嗽，肺痨咯血，食积胀满，风湿痹痛，腰腿痛，骨折，烫火伤。

白薇：苦、咸，寒。归胃、肝、肾经。清热益阴，利尿通淋，解毒疗疮。用于温热病发热，身热斑疹，潮热骨蒸，肺热咳嗽，产后虚烦，热淋，血淋，咽喉肿痛，疮痈肿毒，毒蛇咬伤。

| 用法用量 | **竹林霄：**内服煎汤，9 ～ 15 g。外用适量，鲜品捣敷；或熬膏涂擦；或研末调敷。

白薇：内服煎汤，4.5 ～ 9 g。

百合科 Liliaceae 贝母属 *Fritillaria* 凭证标本号 320282140825385LY

浙贝母 *Fritillaria thunbergii* Miq.

| 药 材 名 | 浙贝母（药用部位：鳞茎）。

| 形态特征 | 多年生草本。鳞茎半球形，直径 1.5 ~ 6 cm，有 2 ~ 3 肉质的鳞片。茎单一，直立，圆柱形，高 50 ~ 80 cm。叶无柄；茎下部的叶对生，罕互生，狭披针形至线形，长 6 ~ 17 cm，宽 6 ~ 15 mm；茎中、上部的叶常 3 ~ 5 轮生，罕互生，叶片较短，先端卷须状。花单生于茎顶或叶腋，花梗长 1 ~ 1.5 cm；花钟形，俯垂；花被 6，2 轮排列，长椭圆形，先端短尖或钝，淡黄色或黄绿色，具细微平行脉，内面有淡紫色方格斑纹，基部具腺体；雄蕊 6，花药基部着生，外向；雌蕊 1，子房 3 室，每室有多数胚珠，柱头 3。蒴果卵圆形，直径约 2.5 cm，有 6 较宽的纵翅，成熟时室背开裂；种子扁平，近圆形，边缘具翅。花期 3 ~ 4 月，果期 4 ~ 5 月。

| 生境分布 | 生于海拔较低的山丘背阴处或竹林下。分布于江苏镇江（句容）、常州（金坛、溧阳）、无锡（宜兴）等。江苏各地均有栽培。

| 资源情况 | 栽培资源较少。

| 采收加工 | 5 月上、中旬地上茎叶枯萎后选晴天采挖，置清水中洗净，除去杂质，沥干水。将鳞茎按大小分级，较大的挖去芯芽加工成“大贝”，挖下的芯芽可加工成贝芯；较小的不去芯芽，加工成“珠贝”。对较大的鳞茎，也可大小分开，趁鲜切成厚 3 ~ 5 mm 的片，晒干或烘干成浙贝片。

| 药材性状 | 本品为鳞茎外层的单瓣鳞叶切成的片，呈椭圆形或类圆形，直径 1 ~ 2 cm，边缘表面淡黄色。切面平坦，粉白色。质脆，易折断，断面粉白色，富粉性。

| 功效物质 | 主要含有生物碱类、二萜类、核苷类、多糖类等，作为资源性物质研究及应用较多的主要为甾体生物碱类。其总生物碱含量为 0.1% ~ 0.2%，具有松弛支气管平滑肌、镇咳、平喘、祛痰、抗炎等作用。

| 功能主治 | 苦，寒。归肺、心经。清热化痰止咳，解毒散结消痈。用于风热咳嗽，痰火咳嗽，肺痈，乳痈，瘰疬，疮毒等。

| 用法用量 | 内服煎汤，5 ~ 10 g。

| 附　　注 | 本种喜温凉气候，既忌干旱又怕水浸，稍耐寒，生长期 3 个月左右。平均气温在 17 ℃左右时，地上部茎叶生长迅速，6 ~ 28 ℃时正常开花生长，高于 30 ℃或低于 4 ℃则生长停止。鳞茎在地下 5 cm 处日均温度 10 ~ 25 ℃时正常生长膨大，根生长温度 7 ~ 25 ℃。

百合科 Liliaceae 萱草属 *Hemerocallis* 凭证标本号 320830161011019LY

黄花菜 *Hemerocallis citrina* Baroni

| 药 材 名 |

金针菜（药用部位：花蕾）、萱草根（药用部位：根）、萱草嫩苗（药用部位：嫩苗）。

| 形态特征 |

多年生丛生草本，较高大。根近肉质，中下部常纺锤状膨大。基生叶 7 ~ 20，深绿色，宽线形，长 50 ~ 130 cm，常宽 1 ~ 2 cm 或更宽，较花茎短。花茎高 1 ~ 2 m，基部三棱形，上部多呈圆柱形，有分枝；苞片披针形，下部的长 3 ~ 10 cm，自下向上渐短，宽 3 ~ 6 mm；花梗较短，长不及 1 cm；螺壳状聚伞花序排成圆锥状，花多达几十朵；花午后开，次日午前凋萎，花被淡黄色，有时在花蕾时先端带黑紫色，芳香，长 8 ~ 16 cm；花被管长 3 ~ 5 cm，外轮裂片倒披针形，内轮裂片长椭圆形，宽 2 ~ 3 cm。蒴果钝三棱状椭圆形，长约 2.5 cm；种子 20 余，黑色，有棱，从开花到种子成熟需 40 ~ 60 天。

| 生境分布 |

生于海拔 2 000 m 以下的山坡、山谷、荒地或林缘处。江苏各地均有分布。江苏各地均有栽培。

| 资源情况 | 栽培资源较丰富。

| 采收加工 | **金针菜：** 5 ～ 8 月花将要开时采收，蒸后晒干。

萱草根： 夏、秋季采挖，除去残茎、须根，洗净泥土，晒干。

萱草嫩苗： 春季采收，鲜用。

| 药材性状 | **金针菜：** 本品呈弯曲的条状。表面黄棕色或淡棕色，湿润展开后花呈喇叭状，花被管较长，先端 5 瓣裂，雄蕊 6。有的花基部具细而硬的花梗。质韧。气微香，味鲜、微甜。

萱草根： 本品呈圆柱形，微弯曲，长 4 ～ 6 cm，直径约 4 mm；膨大部分呈纺锤形，长 3 ～ 5 cm，直径 6 ～ 8 mm。表面灰黄色或土黄色，有少许横纹及多数纵皱纹。质疏松而轻，易折断，断面不平坦，白色，有时呈棕黄色，皮部组织疏松，有大裂隙，木部小，不明显，髓部通常成空洞。气微香，味稍甜，略有黏液性。

| 功效物质 | 主要含有萜类、内酰胺类、蒽醌类、多酚类、甾体皂苷、生物碱等，以蒽醌类、多酚类为主，具有抗肿瘤，抗氧化、镇静作用。

| 功能主治 | **金针菜：** 甘，平。清热利湿，宽胸解郁，凉血解毒。用于小便短赤，黄疸，胸闷心烦，少寐，痔疮便血，疮痈。

萱草根： 甘，凉。清热利湿，凉血止血，解毒消肿。用于黄疸，水肿，淋浊，带下，衄血，便血，崩漏，瘰疬，乳痈，乳汁不通。

萱草嫩苗： 甘，凉。清热利湿。用于胸膈烦热，黄疸，小便短赤。

| 用法用量 | **金针菜：** 内服煎汤，15 ～ 30 g；或煮汤，炒菜。外用适量，捣敷；或研末，调蜜涂敷。

萱草根： 内服煎汤，6 ～ 12 g。外用适量，捣敷。

萱草嫩苗： 内服煎汤，鲜品 15 ～ 30 g。外用适量，捣敷。

| 附　　注 | 本种的根有毒性，有引起视力障碍或失明的副作用。鲜花不宜多食，特别是花药，含有多种生物碱，可引起腹泻等中毒症状。

百合科 Liliaceae 萱草属 *Hemerocallis* 凭证标本号 320982170331256LY

萱草 *Hemerocallis fulva* (L.) L.

| 药 材 名 |

萱草根（药用部位：根）、萱草嫩苗（药用部位：嫩苗）。

| 形态特征 |

多年生丛生草本，高 40 ~ 150 cm，常每年落叶。根近肉质，中下部有纺锤状膨大的肉质块根。基生叶嫩绿色，秋后不变色，长条形，长 30 ~ 60 cm，宽 1 ~ 2.5 cm（栽培的长达 160 cm，宽达 4 cm），先端锐尖。花茎直立，中空，高 60 ~ 100 cm；具无花的苞片，苞片鳞片状或披针形；花序有花 6 ~ 10 或更多，排成双蝎尾状聚伞花序；花梗长约 5 mm；花早上开、晚上凋谢，不香；花橘红色至橘黄色，长 7 ~ 12 cm；花被管长 2 ~ 4 cm，上部开展而反卷，花被裂片长圆形，单轮或偶 2 轮（雄蕊花瓣状），边缘波状，下部一般有紫色或橘红色的“∧”形彩斑，脉纹分支，有时外轮宽 1.2 ~ 2 cm，内轮宽达 3 cm。花期 6 ~ 8 月。

| 生境分布 |

生于山沟边或林下阴湿处。江苏各地均有分布。江苏各地均有栽培。

| 资源情况 | 栽培资源丰富。

| 采收加工 | **萱草根：**夏、秋季采挖，除去残茎、须根，洗净泥土，晒干。

萱草嫩苗：春季采收，鲜用。

| 药材性状 | **萱草根：**本品呈圆柱形，微弯曲，长 4 ～ 6 cm，直径约 4 mm；膨大部分呈纺锤形，长 3 ～ 5 cm，直径 6 ～ 8 mm。表面灰黄色或土黄色，有少许横纹及多数纵皱纹。质疏松而轻，易折断，断面不平坦，白色，有时呈棕黄色，皮部组织疏松，有大裂隙，木部小，不明显，髓部通常成空洞。气微香，味稍甜，略有黏液性。

| 功效物质 | 富含黄酮类、蒽醌类、生物碱、萜类、三萜及其苷类、咖啡酰奎宁酸衍生物、萘苷类、甾体及其苷类、苯乙醇苷类、木脂素类等化学成分，以黄酮类，蒽醌类为主，具有良好的抗菌杀虫、镇静催眠、抗抑郁、抗氧化、抗肿瘤作用。

| 功能主治 | **萱草根：**甘，凉。清热利湿，凉血止血，解毒消肿。用于黄疸，水肿，淋浊，带下，衄血，便血，崩漏，瘰疬，乳痈，乳汁不通。

萱草嫩苗：甘，凉。清热利湿。用于胸膈烦热，黄疸，小便短赤。

| 用法用量 | **萱草根：**内服煎汤 6 ～ 12 g。外用适量，捣敷。

萱草嫩苗：内服煎汤，鲜品 15 ～ 30 g。外用适量，捣敷。

百合科 Liliaceae 玉簪属 *Hosta* 凭证标本号 320682190704113LY

玉簪 *Hosta plantaginea* (Lam.) Aschers.

| 药 材 名 | 玉簪花（药用部位：花）、玉簪（药用部位：根茎、叶）、玉簪根（药用部位：根）。

| 形态特征 | 根茎粗厚，直径 1.5 ~ 3 cm。基生叶较大，心状卵形，长 13 ~ 30 cm，宽 8 ~ 20 cm，先端急尖，基部心形，具 6 ~ 10 对侧脉；叶柄长 15 ~ 30 cm。花茎连花序高 45 ~ 75 cm，具几朵至十几朵花；花梗基部有大、小苞片各 1，外大内小；花单生或 2 ~ 3 簇生，白色，芳香，平展或稍下倾，长 1 ~ 14 cm；花梗长约 1 cm；裂片卵形，长 3 ~ 4.5 cm；花丝基部约 15 ~ 20 mm 贴生于花被管上。蒴果圆柱形或三棱形，长 4.5 ~ 7 cm，直径约 1 cm。花期 8 ~ 9 月，果期 9 ~ 10 月。

| 生境分布 | 生于山坡、林下阴湿处。江苏各地均有栽培。

| 资源情况 | 栽培资源较丰富。

| 采收加工 | **玉簪花：**在 7 ~ 8 月份花似开非开时采摘，晒干。

玉簪：夏、秋季采收，洗净，鲜用或晾干。

玉簪根：秋季采挖，除去茎叶，须根，洗净，鲜用或切片，晒干。

| 功效物质 | 主要含有甾体类、生物碱类和黄酮类化学成分，具有抗炎镇痛、抗肿瘤、抗菌、抗病毒、抑制乙酰胆碱酯酶等药理活性。

| 功能主治 | **玉簪花：**甘，凉；有毒。清热解毒，利水，通经。用于咽喉肿痛，疮痈肿毒，小便不利，闭经。

玉簪：苦、辛，寒；有毒。清热解毒，散结消肿。用于乳痈，痈肿疮疡，瘰疬，毒蛇咬伤。

玉簪根：苦、辛，寒；有小毒。归胃、肺、肝经。清热解毒，下骨鲠。用于痈肿疮疡，乳痈，瘰疬，咽喉肿痛，骨鲠。

| 用法用量 | **玉簪花：**内服煎汤，2.4 ~ 3 g。外用适量，捣敷。

玉簪：内服煎汤，鲜品 15 ~ 30 g；或捣汁和酒。外用适量，捣敷；或捣汁涂。

玉簪根：内服煎汤，9 ~ 15 g，鲜品加倍；或捣汁。外用适量，捣敷。

| 附　　注 | 本种性强健，耐寒，喜阴，忌阳光直射，不择土壤，耐贫瘠和盐碱。

百合科 Liliaceae 玉簪属 *Hosta* 凭证标本号 320981170619119LY

紫萼 *Hosta ventricosa* (Salisb.) Stearn

| 药 材 名 |

紫玉簪（药用部位：花）、紫玉簪叶（药用部位：叶）、紫玉簪根（药用部位：根皮）。

| 形态特征 |

多年生簇生草本。根茎直径 0.3 ~ 1 cm。叶卵状心形、卵形至卵圆形，长 8 ~ 19 cm，宽 4 ~ 17 cm，先端常近短尾状或骤尖，基部心形或近截形，极少叶片基部下延而略呈楔形，具 7 ~ 11 对侧脉；叶柄长 6 ~ 30 cm。花葶高 60 ~ 100 cm，具 10 ~ 30 花；花梗基部有 1 苞片，苞片矩圆状披针形，长 1 ~ 2 cm，白色，膜质；花单生，长 4 ~ 5.8 cm，盛开时从花被管向上骤然作呈近漏斗状扩大，紫红色；花梗长 7 ~ 10 mm；雄蕊伸出花被之外，花丝着生于花被管基部而与花被管分离。蒴果圆柱状，有 3 棱，两端尖，长 2.5 ~ 4.5 cm，直径 6 ~ 7 mm。花期 6 ~ 7 月，果期 7 ~ 9 月。

| 生境分布 |

生于山坡、路旁、灌丛及林下阴湿处。分布于江苏南部等。江苏各地均有栽培。

| 资源情况 | 栽培资源丰富。

| 采收加工 | **紫玉簪、紫玉簪叶：**夏、秋季采收，鲜用或晒干。

紫玉簪根：全年均可采剥，多鲜用。

| 功效物质 | 甾体类化合物是其主要特征性成分，包括螺甾烷型、呋甾烷型、豆甾烷型、胆甾烷型和 C_{22} 甾型。螺甾烷型皂苷类化合物具有良好的抗肿瘤活性。

| 功能主治 | **紫玉簪：**甘、苦，平。凉血止血，解毒。用于吐血，崩漏，湿热带下，咽喉肿痛。

紫玉簪叶：甘，平。凉血止血，解毒。用于崩漏，湿热带下，疮肿，溃疡。

紫玉簪根：苦、辛，凉。清热解毒，散瘀止痛，止血，下骨鲠。用于咽喉肿痛，痈肿疮疡，跌打损伤，胃痛，牙痛，吐血，崩漏，骨鲠。

| 用法用量 | **紫玉簪：**内服煎汤，9 ~ 15 g。

紫玉簪叶：内服煎汤，9 ~ 15 g，鲜品加倍。外用适量，捣敷；或用沸水泡软敷。

紫玉簪根：内服煎汤，9 ~ 15 g，鲜品加倍。外用适量，捣敷。

百合科 Liliaceae 百合属 *Lilium* 凭证标本号 320581180331195LY

百合 *Lilium brownii* F. E. Brown ex Miellez var. *viridulum* Baker

| 药 材 名 |

百合（药用部位：鳞茎）。

| 形态特征 |

多年生草本。鳞茎近球形，直径约 5 cm；鳞片披针形，长 1.8 ~ 4 cm，宽 0.8 ~ 1.4 cm，无节，白色。茎直立，高达 1 m。基部无叶，上部叶显著变小成苞片状；叶多数，散生，倒披针形至倒卵形，长 2 ~ 10 cm，宽 1 ~ 3 cm，基部渐狭，具 5 ~ 7 脉，全缘，两面无毛。花 1 至数朵生于茎端；花梗长 3 ~ 10 cm，稍弯；苞片披针形，长 3 ~ 9 cm，宽 0.6 ~ 1.8 cm；花被片乳白色、微黄色，背面中肋淡紫色，外面稍带紫色，无斑点，向外张开或先端外弯而不卷，长约 15 cm，外轮倒披针形，宽约 2 cm，内轮宽倒披针形，宽约 3 cm；雄蕊向上弯，花丝长 10 ~ 13 cm，中部以下密被柔毛，少有疏毛或无毛；花药长椭圆形，长 1.1 ~ 1.6 cm；子房圆柱形，长 3.2 ~ 3.6 cm，宽 4 mm，花柱长 8.5 ~ 11 cm，柱头 3 裂。蒴果直立，长圆形至倒卵形，长约 5 cm。花期 7 月，果期 9 ~ 10 月。

| 生境分布 | 生于山坡林下或溪沟边。江苏各地均有分布。江苏各地均有栽培，主要分布于无锡（宜兴）等。

| 资源情况 | 野生及栽培资源丰富。

| 采收加工 | 移栽翌年 9 ~ 10 月茎叶枯萎后采挖，去掉茎秆、须根，将小者茎选留作种，大者洗净，从基部横切一刀，使鳞片分开，然后于开水中烫 5 ~ 10 分钟，当鳞片边缘变软、背面有微裂时，迅速捞起，用清水冲洗去黏液，薄摊晒干或炕干。

| 药材性状 | 本品呈长椭圆形，长 2 ~ 5 cm，宽 1 ~ 2 cm，中部厚 1.3 ~ 4 mm。表面类白色、淡棕黄色或微带紫色，有数条纵直平行的白色维管束，先端稍尖，基部较宽，边缘薄，呈微波状，略向内弯曲。质硬而脆，断面较平坦，角质样。无臭，味微苦。

| 功效物质 | 富含甾体皂苷、多糖、酚酸甘油酯、生物碱、黄酮、氨基酸、磷脂及其他烷烃等成分，以甾体皂苷及多糖为主，具有良好的抗肿瘤、抗抑郁、抗氧化、降血糖作用。

| 功能主治 | 甘，寒。归心、肺经。养阴润肺，清心安神。用于阴虚燥咳，劳嗽咯血，虚烦惊悸，失眠多梦，精神恍惚。

| 用法用量 | 内服煎汤，6 ~ 12 g。

百合科 Liliaceae 百合属 *Lilium* 凭证标本号 320981170616084LY

卷丹 *Lilium lancifolium* Thunb.

| 药 材 名 | 百合（药用部位：肉质鳞叶）。

| 形态特征 | 高大草本。鳞茎近宽球形，直径 4 ~ 8 cm；鳞片宽卵形，长 2.5 ~ 3 cm，宽 1.4 ~ 2.5 cm，白色。茎高 0.8 ~ 1.5 m，具白色绵毛。叶散生，矩圆状披针形或披针形，长 6.5 ~ 9 cm，宽 1 ~ 1.8 cm，两面近无毛；无柄；叶腋内常有珠芽。花梗长 6.5 ~ 9 cm，紫色，有白色绵毛；花下垂，花被片披针形，反卷，橙红色，密生紫黑色斑点，开放后向外反卷；花柱长 4.5 ~ 6.5 cm，柱头稍膨大，3 裂。蒴果长圆形至倒卵形，长 3 ~ 4 cm。花期 6 ~ 7 月，果期 9 ~ 10 月。

| 生境分布 | 生于山沟或多砾石山地。分布于江苏南京（江宁）、镇江（句容）、无锡（宜兴）、连云港等。江苏各地均有栽培。

| 资源情况 | 野生及栽培资源丰富。

| 采收加工 | 立秋后、处暑前后采收，及时去掉茎秆，除净泥土和根系，放入保鲜库或堆放于干燥、通风、避光的地方，用于保鲜或烫片加工。

| 药材性状 | 本品呈长椭圆形，长 2.5 ~ 3 cm，宽 1 ~ 2 cm，中部厚 4 mm。表面类白色、淡棕黄色或微带紫色。有数条纵直平行的白色维管束，先端稍尖，基部较宽，边缘薄，呈微波状，略向内弯曲。质硬而脆，断面较平坦，角质样。无臭，味微苦。

| 功效物质 | 鳞茎含有皂苷、酚性甘油苷、生物碱、多糖及氨基酸等多种成分。研究结果显示，皂苷、酚性甘油苷及多糖是百合的重要活性物质。

| 功能主治 | 甘，寒。归心、肺经。养阴润肺，清心安神。用于阴虚燥咳，劳嗽咯血，虚烦惊悸，失眠多梦，精神恍惚。

| 用法用量 | 内服煎汤，6 ~ 12 g。

| 附　　注 | 本种喜凉爽、潮湿环境，光照充足、略荫蔽的环境对卷丹更为适合。忌干旱、酷暑，耐寒性稍差。喜肥沃、腐殖质多、深厚的土壤，最忌硬黏土；以排水良好的微酸性土壤为好。

百合科 Liliaceae 山麦冬属 *Liriope* 凭证标本号 320125161129011LY

禾叶山麦冬 *Liriope graminifolia* (L.) Baker

| 药 材 名 | 土麦冬（药用部位：块根）。

| 形态特征 | 多年生常绿草本。根细或稍粗，分枝多，有时有纺锤形小块根。根茎短或稍长，具地下走茎。叶长 20 ～ 50（～ 60）cm，宽 2 ～ 3（～ 4）mm，先端钝或渐尖，具 5 脉，近全缘，但先端边缘具细齿，基部常有残存的枯叶或有时撕裂成纤维状。花葶通常稍短于叶，长 20 ～ 48 cm，总状花序长 6 ～ 15 cm，具多花；花通常 3 ～ 5 簇生于苞片腋内；苞片卵形，先端具长尖，最下面的长 5 ～ 6 mm，干膜质；花梗长约 4 mm，关节位于近先端；花被片狭矩圆形或矩圆形，先端钝圆，长 3.5 ～ 4 mm，白色或淡紫色；花丝长 1 ～ 1.5 mm，扁而稍宽，花药近矩圆形，长约 1 mm；子房近球形，花柱长约 2 mm，稍粗，柱头与花柱等宽。种子卵圆形或近球形，直径 4 ～ 5 mm，初期绿色，

成熟时蓝黑色。花期 6 ~ 8 月，果期 9 ~ 11 月。

| 生境分布 | 生于山坡、山谷林下、灌丛中或山沟阴凉处、石缝间及草丛。分布于江苏南京、镇江（句容）等。

| 资源情况 | 野生资源一般。

| 采收加工 | 夏初采挖，洗净，反复暴晒、堆置至近干，除去须根，干燥。

| 药材性状 | 本品呈纺锤形，略弯曲，两端狭尖，中部略粗，长 1.5 ~ 3.5 cm，直径 3 ~ 5 mm。表面淡黄色，有的黄棕色，不饱满，具粗糙的纵皱纹。纤维性强，断面黄白色，蜡质样。味较淡。

| 功效物质 | 主要含有甾体皂苷类和多糖类活性化合物，具有抗肿瘤、抗辐射、降血糖、增强糖耐量、抗炎、保护脑缺血损伤等作用。

| 功能主治 | 甘、微苦，微寒。养阴润肺，清心除烦，益胃生津。用于肺燥干咳，吐血，咯血，肺痿，肺痈，虚劳烦渴，消渴，热病津伤，咽干，口燥，便秘。

| 用法用量 | 内服煎汤，10 ~ 15 g。

百合科 Liliaceae 山麦冬属 *Liriope* 凭证标本号 321183151104 1048LY

阔叶山麦冬 *Liriope platyphylla* Wang et Tang

| 药 材 名 | 山麦冬（药用部位：块根）。

| 形态特征 | 多年生常绿草本。根细长，分枝多，有时局部膨大成纺锤形的小块根，小块根长达 3.5 cm，宽 7 ~ 8 mm，肉质。根茎短，木质。叶密集成丛，革质，长 25 ~ 65 cm，宽 1 ~ 3.5 cm，先端急尖或钝，基部渐狭，具 9 ~ 11 脉，有明显的横脉，边缘几不粗糙。花葶通常长于叶，长 45 ~ 100 cm；总状花序长（12 ~ ）25 ~ 40 cm，具许多花；花（3 ~ ）4 ~ 8 簇生于苞片腋内；苞片小，近刚毛状，长 3 ~ 4 mm，有时不明显；小苞片卵形，干膜质；花梗长 4 ~ 5 mm，关节位于中部或中部偏上；花被片矩圆状披针形或近矩圆形，长约 3.5 mm，先端钝，紫色或红紫色；花丝长约 1.5 mm，花药近矩圆状披针形，长 1.5 ~ 2 mm；子房近球形，花柱长约 2 mm，柱头 3 齿裂。种子球形，

直径 6 ~ 7 mm，初期绿色，成熟时变黑紫色。花期 7 ~ 8 月，果期 9 ~ 11 月。

| 生境分布 | 生于山地林下或潮湿处。江苏各地均有分布。

| 资源情况 | 野生资源丰富。

| 采收加工 | 夏初采挖，洗净，反复暴晒、堆置至近干，除去须根，干燥。

| 药材性状 | 本品呈纺锤形，两端略尖，长 1.2 ~ 3 cm，直径 0.4 ~ 0.7 cm。表面淡黄色至棕黄色，具不规则纵皱纹。质柔韧，干后质硬脆，易折断，断面淡黄色至棕黄色，角质样，中柱细小。气微，味甜，嚼之发黏。

| 功效物质 | 主要含有皂苷类化合物，具有增强免疫力、抗心肌缺血、抗心律失常、抗肿瘤、抗炎作用。

| 功能主治 | 甘、微苦，微寒。归心、肺、胃经。养阴润肺，清心除烦，益胃生津。用于肺燥干咳，吐血，咯血，肺痿，肺痈，虚劳烦渴，消渴，热病津伤，咽干，口燥，便秘。

| 用法用量 | 内服煎汤，9 ~ 15 g。

百合科 Liliaceae 山麦冬属 *Liriope* 凭证标本号 320115170714019LY

山麦冬 *Liriope spicata* (Thunb.) Lour.

| 药 材 名 | 山麦冬（药用部位：块根）。

| 形态特征 | 多年生常绿草本，有时丛生。根稍粗，直径 1 ~ 2 mm，有时分枝多，纺锤状肉质块根小而少，长 1 ~ 2 cm。根茎短，木质，具地下走茎。叶片线形，长 15 ~ 55 cm，宽 2 ~ 7 mm，先端急尖或钝，基部常包以褐色的叶鞘，上面深绿色，下面粉绿色，脉 5。花葶常长于或近等长于叶，少数稍短于叶，连花序长 15 ~ 60 cm；总状花序花较多，长 4 ~ 15 cm 或更长；花淡紫色，常 2 ~ 5 簇生于苞片腋内；苞片小，披针形，最下面的长 4 ~ 5 mm，干膜质；花梗长约 4 mm，关节位于中部以上或近先端；花被片近长圆形，长约 4 mm；子房近球形，花柱长约 2 mm，稍弯，柱头不明显。种子球形，直径 5 ~ 6 mm，黑色。花期 6 ~ 8 月，果期 9 ~ 10 月。

| 生境分布 | 生于山坡、竹林下、溪谷旁潮湿的草丛或灌木中。江苏各地均有分布。江苏常见栽培。

| 资源情况 | 栽培资源丰富。

| 采收加工 | 夏初采挖，洗净，反复暴晒、堆置至近干，除去须根，干燥。

| 药材性状 | 本品稍扁，长 1 ~ 2 cm，直径 0.3 ~ 0.8 cm，具粗纵纹。味甘、微苦。

| 功效物质 | 主要含有多种皂苷类、有机酸类化学成分，具有增强免疫力、抗心肌缺血、抗心律失常、抗肿瘤、抗炎作用。

| 功能主治 | 甘、微苦，微寒。归心、肺、胃经。养阴润肺，清心除烦，益胃生津。用于肺燥干咳，吐血，咯血，肺痿，肺痈，虚劳烦渴，消渴，热病津伤，咽干，口燥，便秘。

| 用法用量 | 内服煎汤，9 ~ 15 g。

百合科 Liliaceae 沿阶草属 *Ophiopogon* 凭证标本号 321323180406044LY

麦冬 *Ophiopogon japonicus* (L. f.) Ker-Gawl.

| 药 材 名 | 麦冬（药用部位：块根）。

| 形态特征 | 多年生常绿草本。根较粗，须根先端或中部膨大成纺锤状块根，长 0.5 ~ 1.8 cm，宽 3 ~ 10 mm，淡褐黄色。地下走茎细长，直径 1 ~ 2 mm，节上具膜质的鞘。茎很短。叶片线形，长 10 ~ 40 cm，宽 1.5 ~ 4 mm，先端钝或渐尖，基部边缘成膜质鞘状，具 3 ~ 7 脉，叶缘具细锯齿。花茎连花序高 7 ~ 14（~ 20）cm，短于叶；总状花序长 2 ~ 5.5 cm；具几朵至十几朵花；花单生或成对着生于苞片腋内；苞片披针形，先端渐尖，最下面的长 7 ~ 8 mm；花梗长 3 ~ 4 mm，关节位于中部以上或近中部；花被片淡紫色或白色，长 4 ~ 5 mm，稍下垂而不展开；花药三角状披针形，长 2.5 ~ 3 mm；花柱长约 4 mm，较粗，宽约 1 mm，基部宽阔，向上渐狭。种子球

形，直径约 7 mm，蓝黑色。花期 6 ～ 7 月，果期 11 月。

| 生境分布 | 生于山坡、林下、沟边、灌丛中或山谷潮湿处。江苏各地均有分布。江苏药圃常有栽培。

| 资源情况 | 栽培资源丰富。

| 采收加工 | 夏季采挖，洗净，反复暴晒、堆置至七八成干，除去须根，干燥。

| 药材性状 | 本品呈纺锤形，两端略尖，长 0.5 ～ 1.8 cm，直径 0.3 ～ 0.6 cm。表面黄白色或淡黄色，有细纵纹。质柔韧，断面黄白色，半透明，中柱细小。气微香，味甘、微苦。

| 功效物质 | 主要含有甾体皂苷类、多糖类和高异黄酮类化学成分及少量挥发油，具有抗疲劳、保护缺血心肌和梗死心肌并改变心肌的电生理、免疫调节、抗衰老、降血糖、抗肿瘤、抗血栓及使血液流变学改变等作用。

| 功能主治 | 甘、微苦，微寒。归心、肺、胃经。养阴，生津，润肺，止咳。

| 用法用量 | 内服煎汤，6 ～ 12 g。

百合科 Liliaceae 重楼属 *Paris* 凭证标本号 321183150415677LY

华重楼 *Paris polyphylla* Smith var. *chinensis* (Franch.) Hara

| 药 材 名 | 重楼（药用部位：根茎）。

| 形态特征 | 多年生草本，高 35 ～ 100 cm，无毛。根茎短粗，横走，直径 1 ～ 2.5 cm，外面棕褐色，密生多数环节和须根。叶 5 ～ 9，常 7 轮生，纸质，长椭圆形或倒卵状披针形，长 5 ～ 20 cm，宽 2 ～ 5 cm，先端急尖或渐尖，基部楔形；叶柄长 1 ～ 3 cm，带紫红色。花梗比叶长；外轮花被片 5 ～ 6，叶状，绿色，卵状披针形，长 2 ～ 6 cm，宽 1 ～ 2 cm，内轮花被片线形，常较外轮花被片短，上部常稍扩大，宽约 1.5 mm；雄蕊 2 轮，药隔突出部分比花药狭，长不及 2 mm；子房有棱。蒴果紫色，直径 1.5 ～ 2.5 cm，3 ～ 6 瓣裂开；种子多数，具鲜红色、多浆汁的外种皮。花期 4 ～ 5 月，果期 9 ～ 10 月。

| 生境分布 | 生于山坡林下及灌丛、草丛、沟边阴湿处。分布于江苏无锡（宜兴）、

镇江（句容）等。

| 资源情况 | 野生资源一般。

| 采收加工 | 移栽 3 ~ 5 年后，在 9 ~ 10 月倒苗时采挖，晒干或炕干，撞去粗皮、须根。

| 药材性状 | 本品呈结节状扁圆柱形，略弯曲，长 1 ~ 2.5 cm，直径 1 ~ 4.5 cm。表面黄棕色或灰棕色，外皮脱落处呈白色，密具层状凸起的粗环纹，一面结节明显，结节上具椭圆形凹陷茎痕，另一面有疏生的须根或疣状须根痕，先端具鳞叶及茎的残基。质坚实，断面平坦，白色至浅棕色，粉性或角质。无臭，味微苦、麻。

| 功效物质 | 根茎含有多种甾体皂苷类成分，薯蓣皂苷和偏诺皂苷是其中两大主要活性成分。重楼皂苷Ⅶ、重楼皂苷 H、重楼皂苷Ⅰ和重楼皂苷Ⅴ是华重楼的主要有效成分。

| 功能主治 | 苦，微寒；有小毒。归肝经。清热解毒，消肿止痛，凉肝定惊。用于疔疮痈肿，咽喉肿痛，乳痈，蛇虫咬伤，跌打损伤，肝热抽搐。

| 用法用量 | 内服煎汤，3 ~ 9 g。外用适量，研末调敷。

百合科 Liliaceae 黄精属 *Polygonatum* 凭证标本号 320115150825002LY

多花黄精 *Polygonatum cyrtonema* Hua

| 药 材 名 | 黄精（药用部位：根茎）。

| 形态特征 | 根茎肥厚，常呈结节状膨大，少近圆柱形，直径 1 ~ 2 cm。茎高 40 ~ 80 cm，常具 10 ~ 15 叶。叶互生；叶片长椭圆形、椭圆形至长圆状披针形，长 7 ~ 18 cm，宽 1.5 ~ 7 cm，先端渐尖，两面无毛，背面灰白色；叶柄短。花序梗常长 1 ~ 4 cm，花序具（1 ~）2 ~ 7（~ 14）花或单花，伞形，花梗长 0.5 ~ 1.5（~ 3）cm；苞片微小，位于花梗中部以下，或不存在；筒状花黄绿色，长 1.8 ~ 2.5 cm，口部几不收缩，裂片长 3 ~ 4 mm；花丝有乳头状突起，或有细毛，背部上端稍膨大至成囊状突起，花药长 3.5 ~ 4 mm；子房长 3 ~ 6 mm，花柱长 12 ~ 15 mm。浆果球形，蓝黑色，直径约 1 cm，具 3 ~ 9 种子。花期 4 ~ 5 月，果期 6 ~ 8 月。

| 生境分布 | 生于山坡林下或草丛中。分布于江苏镇江（句容）、无锡（宜兴）等。江苏药圃常有栽培。

| 资源情况 | 野生及栽培资源较丰富。

| 采收加工 | 春、秋季采挖，除去须根，洗净，置沸水中略烫或蒸至透心，干燥。

| 药材性状 | 本品呈连珠状或块状，稍带圆柱形，直径 1 ~ 2 cm，每一结节上茎痕明显，圆盘状，直径约 1 cm，圆柱形处环节明显，有众多须根痕，直径约 1 mm。表面黄棕色，有细皱纹。质坚实，稍柔韧，折断面颗粒状，有众多黄棕色维管束小点散列。气微，味微甜。

| 功效物质 | 主要含有糖类、皂苷类、黄酮类、挥发油类等多种化学成分，皂苷类成分是根茎的主要药效成分，包含三萜皂苷和甾体皂苷。甾体皂苷以螺旋甾烷为苷元，是根茎的主要活性成分，也是特征性成分。具有抗肿瘤、抗氧化、免疫调节、降血糖、抑菌、抗炎等作用。

| 功能主治 | 甘，平。归脾、肺、肾经。补气养阴，健脾，润肺，益肾。用于脾胃气虚，体倦乏力，胃阴不足，口干食少，肺虚燥咳，劳嗽咯血，精血不足，腰膝酸软，须发早白，内热消渴。

| 用法用量 | 内服煎汤，10 ~ 15 g，鲜品 30 ~ 60 g；或入丸、散剂；或熬膏。外用适量，煎汤洗；或熬膏涂；或浸酒搽。

百合科 Liliaceae 黄精属 *Polygonatum* 凭证标本号 320124151017025LY

玉竹 *Polygonatum odoratum* (Mill.) Druce

| 药 材 名 | 玉竹（药用部位：根茎）。

| 形态特征 | 多年生草本。根茎横走，肉质，长圆柱状而扁平，直径 0.4 ~ 1.5 cm。茎高 30 ~ 70 cm。叶互生，椭圆形或卵状椭圆形，有时为长椭圆形，长 4 ~ 13 cm，宽 2 ~ 5 cm，背面有白粉，平滑，或脉上有乳头状突起；叶柄短或近无柄，稍抱茎。花序梗长 1 ~ 1.5 cm 或更长，有 1 ~ 3 花（栽培的多至 8 花）；筒状花白色，长 1.5 ~ 2 cm，裂片带绿色，长约 3 mm；花丝圆柱状或丝状，平滑或有乳头状突起。浆果球形，直径约 1 cm。花期 4 ~ 5 月，果期 8 ~ 9 月。

| 生境分布 | 生于山坡草丛中或林下阴湿处。江苏各地均有分布。江苏药圃常有栽培。

| 资源情况 | 野生及栽培资源较丰富。

| 采收加工 | 秋季采挖，除去须根，洗净，晒至柔软后反复揉搓、晾晒至无硬心，晒干；或蒸透后，揉至半透明，晒干。

| 药材性状 | 本品呈长圆柱形，略扁，少有分枝，长 4 ~ 18 cm，直径 0.4 ~ 1.5 cm。表面黄白色或淡黄棕色，半透明，具纵皱纹及微隆起的环节，有白色圆点状的须根痕和圆盘状茎痕。质硬而脆或稍软，易折断，断面角质样或显颗粒性。气微，味甘，嚼之发黏。

| 功效物质 | 主要含有多糖、黄酮类、氨基酸、甾体皂苷类，还含有挥发油、少量生物碱、甾醇、鞣质等成分。玉竹多糖、黄酮类具有清除自由基和抗氧化的作用。

| 功能主治 | 甘，微寒。归肺、胃经。养阴润燥，生津止渴。用于肺胃阴伤，燥热咳嗽，咽干口渴，内热消渴。

| 用法用量 | 内服煎汤，6 ~ 9 g；或熬膏；或入丸、散剂。外用适量，鲜品捣敷；或熬膏涂。阴虚有热宜生用，热不甚者宜制用。

百合科 Liliaceae 黄精属 *Polygonatum* 凭证标本号 321112180406001LY

黄精 *Polygonatum sibiricum* Delar. ex Redoute

| 药 材 名 | 黄精（药用部位：根茎）。

| 形态特征 | 多年生草本。根茎横走，呈结节状膨大，节间长 3 ~ 10 cm，一端粗，另一端细，粗的一头有短分枝，直径 1 ~ 2 cm。茎直立，稍屈曲，高达 1 m，有时呈攀缘状。叶每轮 2 ~ 7，常 4 轮生，披针形或线状披针形，长 6 ~ 15 cm，宽 0.5 ~ 1.5（~ 2）cm，背面有白粉。花序梗长 1 ~ 2.5 cm；花序似呈伞形状，有花 2 ~ 4；苞片膜质，钻形或条状披针形，长 3 ~ 5 mm，具 1 脉；花梗长（2.5 ~）4 ~ 10 mm，俯垂；花被筒状，乳白色至淡黄色，长 0.8 ~ 1.3 cm，筒的中部稍缢缩；花丝长 0.5 ~ 1 mm；子房椭圆形，花柱长 5 ~ 7 mm。浆果直径 7 ~ 10 mm，黑色，具 4 ~ 7 种子。花期 5 ~ 6 月，果期 7 ~ 8 月。

| 生境分布 | 生于山坡或灌丛中。分布于江苏无锡（宜兴）、常州（溧阳）等。江苏药圃常有栽培。

| 资源情况 | 野生及栽培资源较丰富。

| 采收加工 | 春、秋季采挖，除去须根，洗净，置沸水中略烫或蒸至透心，干燥。

| 药材性状 | 本品呈结节状。一端粗，类圆盘状，另一端渐细，圆柱状，全角略似鸡头，长 2.5 ~ 11 cm；粗端直径 1 ~ 2 cm，常有短分枝，上面茎痕明显，圆形，微凹，直径 2 ~ 3 mm，周围隐约可见环节；细端长 2.5 ~ 4 cm，直径 5 ~ 10 mm，环节明显，节间距离 5 ~ 15 mm，有较多须根或须根痕，直径约 1 mm。表面黄棕色，有的半透明，具皱纹；圆柱形处有纵行纹理。质硬脆或稍柔韧，易折断，断面黄白色，呈颗粒状，有许多黄棕色维管束小点。气微，味微甜。

| 功效物质 | 含有糖类、皂苷、黄酮、挥发油等多种化学成分，皂苷类成分是根茎主要的药效成分，包含三萜皂苷和甾体皂苷。甾体皂苷以螺旋甾烷为苷元，是根茎的主要活性成分，也是特征性成分，具有很好的抗肿瘤、抗氧化、免疫调节、降血糖、抑菌、抗炎等作用。

| 功能主治 | 甘，平。归脾、肺、肾经。补气养阴，健脾，润肺，益肾。用于脾胃气虚，体倦乏力，胃阴不足，口干食少，肺虚燥咳，劳嗽咯血，精血不足，腰膝酸软，须发早白，内热消渴。

| 用法用量 | 内服煎汤，10 ~ 15 g，鲜品 30 ~ 60 g；或入丸、散剂；或熬膏。外用适量，煎汤洗；或熬膏涂；或浸酒搽。

百合科 Liliaceae 万年青属 *Rohdea* 凭证标本号 320621181124105LY

万年青 *Rohdea japonica* (Thunb.) Roth

| 药 材 名 | 万年青（药用部位：根及根茎）、万年青叶（药用部位：叶）、万年青花（药用部位：花）。

| 形态特征 | 多年生常绿草本。根茎直径 1.5 ~ 2.5 cm。基生叶厚革质，倒披针形、宽披针形或宽带形，长 10 ~ 40 cm，宽 2.5 ~ 5.5 cm，先端急尖，基部狭长，边缘波状，背面中肋凸出。花茎短粗，连花序长 4 ~ 8 cm；肉穗花序长椭圆形，长 2 ~ 3.5 cm；苞片卵形，膜质，短于花，长 2.5 ~ 6 mm，宽 2 ~ 4 mm；花密生，无梗，淡黄色，半球形，直径约 0.5 cm，先端 6 裂片内曲；花药卵形，长 1.4 ~ 1.5 mm。浆果朱红色，球形，直径约 1 cm。花期 5 ~ 6 月，果期 9 ~ 11 月。

| 生境分布 | 生于山坡林缘、路边。分布于江苏无锡（宜兴）等。江苏各地均有栽培。

| 资源情况 | 栽培资源较丰富。

| 采收加工 | **万年青：**秋季采挖，洗净，除去须根，鲜用或切片，晒干。

万年青叶：全年均可采收，鲜用或晒干。

万年青花：5 ~ 6 月花开时采收，阴干或烘干。

| 药材性状 | **万年青：**本品根茎呈圆柱形，长 5 ~ 18 cm，直径 1.5 ~ 2.5 cm。表面灰黄色，皱缩，具密集的波状环节，并散有圆点状根痕，有时留有长短不等的须根；先端有时可见地上茎痕和叶痕。质带韧性，折断面不平坦，黄白色（晒干品）或浅棕色至棕红色（烘干品），略带海绵性，有黄色维管束小点散布。气微，味苦、辛。以大小均匀、色白者为佳。

万年青叶：本品呈绿色至黄绿色，长圆形、披针形或倒披针形，长 10 ~ 40 cm，宽 2.5 ~ 5.5 cm，先端急尖，基部稍狭，绿色，厚纸质，纵脉明显突出。气微，味苦、涩。

| 功效物质 | 万年青苷具有增强心肌收缩力、兴奋迷走神经、抑制心肌的传导、减慢心率及利尿作用。万年青浓溶液可使各种组织、器官的血管收缩，稀溶液仅使肠血管收缩；对胃肠及子宫平滑肌有兴奋作用，可增强其收缩；有催吐作用；对白喉棒状杆菌、金黄色葡萄球菌、乙型溶血性链球菌及枯草杆菌等均有抑制作用。

| 功能主治 | **万年青：**苦、微甘，寒；有小毒。归肺、心经。清热解毒，强心利尿，凉血止血。用于咽喉肿痛，白喉，疮疡肿痛，蛇虫咬伤，心力衰竭，水肿臌胀，咯血，吐血，崩漏。

万年青叶：苦、涩，微寒；有小毒。归肺经。清热解毒，强心利尿，凉血止血。用于咽喉肿痛，疮毒，蛇咬伤，心力衰竭，咯血，吐血。

万年青花：祛瘀止痛，补肾。用于跌打损伤，肾虚腰痛。

| 用法用量 | **万年青：**内服煎汤，3 ~ 9 g，鲜品 30 g；或浸酒；或捣汁。外用适量，鲜品捣敷；或捣汁涂；或塞鼻；或煎汤熏洗。

万年青叶：内服煎汤，3 ~ 9 g，鲜品 9 ~ 15 g。外用适量，煎汤熏洗；或捣汁涂。

万年青花：内服煎汤，3 ~ 9 g；或入丸剂。

百合科 Liliaceae 绵枣儿属 *Scilla* 凭证标本号 320482180908390LY

绵枣儿 *Scilla scilloides* (Lindl.) Druce

| 药 材 名 | 绵枣儿（药用部位：全草或鳞茎）。

| 形态特征 | 多年生草本。鳞茎卵圆形或卵状椭圆形，直径 1 ~ 2 cm，有黏液，皮黑褐色。基生叶常 2 ~ 5，线形或倒披针状线形，长 10 ~ 30 cm，常宽 3 ~ 6 mm，柔软。花茎高 15 ~ 60 cm；总状花序多花，长 2 ~ 20 cm；花梗长 5 ~ 12 mm，基部苞片膜质，狭披针形；花被片淡紫红色、粉红色至白色，小，长圆形，长约 4 mm，开展，有深紫红色中脉 1；雄蕊生于花被片基部，与花被片近等长，花丝近披针形，边缘和背面常多少具小乳突，基部稍合生，中部以上骤然变窄，变窄部分长约 1 mm；子房长 1.5 ~ 2 mm，基部有短柄，表面多少有小乳突，3 室，每室具 1 胚珠，花柱长为子房的 1/2 ~ 2/3。蒴果倒卵形，直立，长约 5 mm；种子 1 ~ 3，黑色，狭

长。花期 8 ~ 10 月。

| 生境分布 | 生于山坡、林下、草丛。江苏各地均有分布。江苏药圃常有栽培。

| 资源情况 | 野生及栽培资源较丰富。

| 采收加工 | 6 ~ 7 月采收，洗净，鲜用或晒干。

| 药材性状 | 本品鳞茎呈长卵形，长 2 ~ 3 cm，直径 5 ~ 15 mm，先端渐尖，残留叶基，基部鳞茎盘明显，其上残留黄白色或棕色须根或须根断痕。外部为数层鲜黄色膜质鳞叶，内部为白色叠生的肉质鳞片，富有黏性。气微，味微辣。以新鲜、饱满、不烂者为佳。

| 功效物质 | 主要含有三萜及三萜皂苷、高异黄酮、生物碱和二苯乙烯等多种化学成分，具有强心、抑菌、抗炎、抗氧化、抗肿瘤和糖苷酶抑制等活性。

| 功能主治 | 苦、甘，寒；有小毒。活血止痛，解毒消肿，强心利尿。用于跌打损伤，筋骨疼痛，疮痈肿毒，乳痈，心脏病水肿。

| 用法用量 | 内服煎汤，3 ~ 9 g。外用适量，捣敷。

| 附　　注 | 江苏收购本种的鳞茎代替薤白使用。

百合科 Liliaceae 鹿药属 *Smilacina* 凭证标本号 320703150520203LY

鹿药 *Smilacina japonica* A. Gray

| 药材名 | 鹿药（药用部位：根及根茎）。

| 形态特征 | 多年生草本，高 30 ~ 60 cm。根茎横生，圆柱状，有时有膨大结节。茎高中部以上或仅上部具粗伏毛。叶（4 ~ ）5 ~ 7（ ~ 9），纸质，卵状椭圆形或长椭圆形，长 6 ~ 15 cm，宽 2 ~ 7 cm，先端近短渐尖，两面有粗毛。圆锥花序多花，长 3 ~ 8 cm，有粗毛，具花 10 ~ 20 或更多；花单生，白色；花梗长 2 ~ 6 mm；花被片长圆形或长圆状倒卵形，长约 3 mm，离生或仅基部稍合生；雄蕊长 2 ~ 2.5 mm，基部贴生于花被片上，花药小；花柱长 0.5 ~ 1 mm，与子房近等长，柱头几不裂。浆果近球形，直径 5 ~ 6 mm，成熟时红色，具 1 ~ 2 种子。花期 5 ~ 6 月，果期 8 月。

| 生境分布 | 生于林下、山坡阴湿处或林缘、岩石缝湿处。分布于江苏连云港等。

| 资源情况 | 野生资源一般。

| 采收加工 | 春、秋季采挖，洗净，鲜用或晒干。

| 药材性状 | 本品干燥根茎略呈结节状，稍扁，长 6 ~ 15 cm，直径 0.5 ~ 1 cm。表面棕色至棕褐色，具皱纹，先端有 1 至数个茎基或芽基，周围密生多数须根。质较硬，断面白色，粉性。气微，味甜、微辛。以粗壮、断面白色、粉性足者为佳。

| 功效物质 | 富含三萜皂苷化学成分，具有良好的抗肿瘤作用。

| 功能主治 | 甘、苦，温。归肝、肾经。补肾壮阳，活血祛瘀，祛风止痛。用于肾虚阳痿，月经不调，偏正头痛，风湿痹痛，痈肿疮毒，跌打损伤。

| 用法用量 | 内服煎汤，6 ~ 15 g；或浸酒。外用适量，捣敷；或烫热熨。

百合科 Liliaceae 菝葜属 *Smilax* 凭证标本号 320125161129020LY

菝葜 *Smilax china* L.

| 药 材 名 | 菝葜（药用部位：根茎）。

| 形态特征 | 攀缘灌木。根茎横走，竹鞭状，较粗厚，呈不规则弯曲，疏生坚硬须根，断后成刺状突起。茎上刺较疏，为倒钩状刺，小枝上近无刺。叶片革质，卵形、卵圆形或椭圆形，长 2.5 ~ 9 cm，宽 2 ~ 7 cm，基部宽楔形至心形；老枝上叶片长达 15 cm，宽达 14 cm。伞形花序生于叶尚幼嫩的小枝上，具十几朵或更多的花，常呈球形；花序梗长 1 ~ 2.5 cm 或更长；花序托稍膨大，近球形，较少稍延长，具小苞片；花被片黄绿色，反卷；雄花花被片长约 5 mm，外轮长椭圆形，较内轮宽，花药近椭圆形，长约 1 mm，长约为花丝的 1/3；雌花花被片长约 3 mm，有 6 退化雄蕊，子房长卵形，长约 1.5 mm。浆果红色，直径 0.7 ~ 1.5 cm。花期 4 ~ 5 月，果期 8 ~ 11 月。

| 生境分布 | 生于山坡林下。江苏各地均有分布。

| 资源情况 | 野生资源较丰富。

| 采收加工 | 2 月或 8 月采挖，除去泥土及须根，晒干。

| 功效物质 | 主要含有甾体皂苷类、黄酮类、酚类、苷类、芪类和有机酸类等化学成分。甾体皂苷类主要由 3 种不同类型的苷元组成，分别为 C_{25} 为 S 构型的螺甾烷醇类、C_{25} 为 R 构型（S 构型的异构型）的异螺甾烷醇类和 F 环为开链衍生物的呋甾烷醇类。基于 2- 苯基色原酮 -4- 酮骨架的黄酮类化合物是菝葜的主要药效成分之一。菝葜中皂苷类、黄酮类、鞣酸类化合物具有抗肿瘤活性。

| 功能主治 | 微辛，温。祛风利湿，解毒消痈。用于风湿痹痛，淋浊，带下，泄泻，痢疾，痈肿疮毒，顽癣，烫火伤。

| 用法用量 | 内服煎汤，3 ~ 9 g。

百合科 Liliaceae 菝葜属 *Smilax* 凭证标本号 320481140818131LY

土茯苓 *Smilax glabra* Roxb.

| 药材名 | 土茯苓（药用部位：根茎）。

| 形态特征 | 攀缘灌木。根茎呈不规则块状，多分枝，有结节状隆起。茎无刺，长 1 ~ 4 m。叶片革质，常为披针形或椭圆状披针形，长 4 ~ 13 cm，宽 1 ~ 4 cm，基部楔形或近圆形，背面绿色或带苍白色，老枝上叶片长达 19 cm。伞形花序常具 10 余花；花序梗几无或长 2 ~ 5 mm，常明显短于叶柄，极少与叶柄近等长；花绿白色，六棱状球形，直径约 3 mm；外轮花被片扁圆形，兜状，内轮花被片近圆形，宽约 1 mm，边缘有不规则的齿；雄花花丝短；雌花大小近似雄花，但内轮花被片边缘无齿，有退化雄蕊 3。浆果球形，直径 0.6 ~ 1 cm，成熟时紫黑色，具粉霜。花期 8 ~ 9 月，果期 10 ~ 11 月。

| 生境分布 | 生于山坡草丛中。分布于江苏镇江、南京、无锡（宜兴）、常州（溧

阳）等。

| 资源情况 | 野生资源较丰富。

| 采收加工 | 全年均可采挖，洗净，浸漂，切片，晒干；或放开水中煮数分钟后，切片，晒干。

| 药材性状 | 本品略呈圆柱形，稍扁或呈不规则条块状，有结节状隆起，具短分枝，长 5 ~ 22 cm，直径 2 ~ 5 cm。表面黄棕色或灰褐色，凹凸不平，有坚硬的须根残基，分枝先端有圆形芽痕，有的外皮显不规则裂纹并有残留的鳞叶。切片呈长圆形或不规则，厚 1 ~ 5 mm，边缘不整齐；切面类白色至淡红棕色，粉性，可见点状维管束及多数小亮点。质坚硬，略韧，折断时有粉尘飞扬，以水湿润后有黏滑感。无臭，味微甘、涩。

| 功效物质 | 根茎含有黄酮、皂苷等成分。

| 功能主治 | 甘、淡，平。归肝、胃经。清热除湿，泄浊解毒，通利关节。用于梅毒，淋浊，泄泻，筋骨挛痛，脚气，痈肿，疮癣，瘰疬，瘿瘤，汞中毒。

| 用法用量 | 内服煎汤，10 ~ 60 g。外用适量，研末调敷。

百合科 Liliaceae 菝葜属 *Smilax* 凭证标本号 320723190927216LY

黑果菝葜 *Smilax glauco-china* Warb.

| 药 材 名 | 金刚藤头（药用部位：根茎、嫩叶）。

| 形态特征 | 攀缘灌木。根茎呈不规则块状，有结节状隆起。茎长 0.5 ~ 4 m，常疏生刺。叶片厚纸质，背面粉绿色，多少可以抹掉，椭圆形、卵状椭圆形至卵圆形，长 4 ~ 10（~ 20）cm，宽 2 ~ 5（~ 14）cm，基部宽楔形或近圆形；叶柄长 7 ~ 15（~ 25）mm，有卷须，脱落点位于上部。伞形花序生于叶尚幼嫩的小枝上，具几朵或 10 余朵花，花稍大；总花序梗长 13 cm；花序托稍膨大，具小苞片；花绿黄色；雄花花被片长 5 ~ 6 mm，宽 2.5 ~ 3 mm，内花被片宽 1 ~ 1.5 mm，花药长圆形，长 1 ~ 2 mm，约为花丝长的 1/2；雌花花被片长 3 ~ 4 mm，有退化雄蕊 3。浆果蓝黑色，直径约 7 mm。花期 4 月，果期 8 ~ 10 月。

| 生境分布 | 生于山坡草丛中。分布于江苏南部等。

| 资源情况 | 野生资源一般。

| 采收加工 | 根茎，全年均可采挖，洗净，切片，晒干；嫩叶，春、夏季采收，鲜用。

| 药材性状 | 根茎，本品根茎横向延长，呈结节状。表面灰棕色，有茎痕或短的茎基，茎基直径 1 cm。质硬，断面黄棕色。气微，味淡。嫩叶，本品厚纸质，背面粉绿色，多少可以抹掉，椭圆形、卵状椭圆形至卵圆形，长 4 ~ 10（~ 20）cm，宽 2 ~ 5（~ 14）cm，基部宽楔形或近圆形；叶柄长 7 ~ 15（~ 25）mm，有卷须，脱落点位于上部。

| 功效物质 | 根茎含有谷甾醇、皂苷等成分。

| 功能主治 | 甘，平。祛风，清热，利湿，解毒。用于风湿痹病，腰腿疼痛，跌打损伤，小便淋涩，瘰疬，痈肿疮毒，臁疮。

| 用法用量 | 内服煎汤，根茎 31 ~ 62 g；或浸酒。外用适量，嫩叶捣敷。

百合科 Liliaceae 菝葜属 *Smilax*

白背牛尾菜 *Smilax nipponica* Miq.

| 药 材 名 | 马尾伸筋（药用部位：根及根茎）。

| 形态特征 | 一年生（北方）或多年生（南方）草本，直立或稍攀缘。有根状茎。茎长 20 ～ 100 cm，中空，有少量髓，干后凹瘪而具槽，无刺。叶卵形至矩圆形，长 4 ～ 20 cm，宽 2 ～ 14 cm，先端渐尖，基部浅心形至近圆形，下面苍白色且常具粉尘状微柔毛，很少无毛（但主脉上无毛）；叶柄长 1.5 ～ 4.5 cm，脱落点位于上部，如有卷须则位于基部至近中部。伞形花序常有几十花；总花梗长 3 ～ 9 cm，稍扁，有时很粗壮；花序托膨大，小苞片极小，早落；花绿黄色或白色，盛开时花被片外折；花被片长约 4 mm，内、外轮相似；雄蕊的花丝明显长于花药；雌花与雄花大小相似，具 6 退化雄蕊。浆果直径 6 ～ 7 mm，成熟时黑色，有白色粉霜。花期 4 ～ 5 月，果期 8 ～ 9 月。

| 生境分布 | 生于山坡或灌丛中。分布于江苏连云港等。

| 资源情况 | 野生资源较少。

| 采收加工 | 夏末秋初采挖，除去泥土，晒干。

| 药材性状 | 本品根茎呈结节状，略弯曲，下侧着生多数细根。根长 12 ~ 32 cm，直径 1 ~ 3 mm；表面黄白色或黄棕色，具细皱纹。质韧，不易折断。断面白色，中央有黄色木心。气无，味微苦，有黏性。

| 功效物质 | 主要含有生物碱、三萜类等成分。

| 功能主治 | 苦，平。壮筋骨，利关节，活血止痛。用于腰腿疼痛，屈伸不利，月经不调，跌打伤痛。

| 用法用量 | 内服煎汤，6 ~ 12 g；或浸酒。

百合科 Liliaceae 菝葜属 *Smilax* 凭证标本号 320721181018301LY

牛尾菜 *Smilax riparia* A. DC.

| 药 材 名 | 牛尾菜（药用部位：根及根茎）。

| 形态特征 | 多年生草质藤本。根茎短，不成块状，四周丛生多数较软而细长的根。茎草质，长 1 ~ 2 m，攀缘，近中空，有少量髓，无刺，干后凹瘪并具槽。叶互生，有时幼枝上叶近对生，纸质，卵状披针形至宽卵形，长 3 ~ 9 cm，宽 2.5 ~ 5.5 cm，基部近圆形或心形，叶柄长 0.6 ~ 2 cm；老枝上叶常近卵圆形，长可达 15 cm，宽 10 cm，叶柄长达 4 cm。伞形花序总花梗较纤细，花序梗长 1 ~ 3 cm，有时长达 10 cm；小苞片长 1 ~ 2 mm，花期一般不脱落；雄花花被片长 4 ~ 5 mm，展开，花药线形，长约 2 mm，成熟时卷曲；雌花比雄花略小，花被片长约 3 mm，具钻形退化雄蕊或无，子房近球形。浆果黑色，直径约 6 mm。花期 5 ~ 6 月，果期 8 ~ 10 月。

| 生境分布 | 生于山坡或灌丛中。江苏各地均有分布。

| 资源情况 | 野生资源较丰富。

| 采收加工 | 夏、秋季采挖，洗净，晾干。

| 药材性状 | 本品根茎呈不规则结节状，横走，有分枝；表面黄棕色至棕褐色，每节具凹陷的茎痕或短而坚硬的残基。根着生于根茎一侧，圆柱状，细长而扭曲，长20 ~ 30 cm，直径约 2 mm，少数有细小支根；表面灰黄色至浅褐色，具细纵纹和横裂纹，皮部常横裂露出木部。质韧，断面中央有黄色木心。气微，味微苦、涩。以根多而长、质韧者为佳。

| 功效物质 | 含有皂苷类等成分，以新替告皂苷类成分为主。

| 功能主治 | 甘、苦，平。归肝、肺经。祛风湿，通经络，祛痰止咳。用于风湿麻痹，劳伤腰痛，跌打损伤，咳嗽气喘。

| 用法用量 | 内服煎汤，9 ~ 15 g，大剂量可用 30 ~ 60 g；或浸酒；或炖肉。外用适量，捣敷。

百合科 Liliaceae 菝葜属 *Smilax* 凭证标本号 320111170509006LY

华东菝葜 *Smilax sieboldii* Miq.

| 药 材 名 |

铁丝灵仙（药用部位：根及根茎）。

| 形态特征 |

攀缘灌木或半灌木。根茎粗短，丛生多数细长而较硬的根，疏生细刺。茎长 1 ~ 2 m，茎、枝有刺，刺带黑褐色，近直立。叶片纸质，椭圆状卵形、卵圆形或三角状卵形，长 3 ~ 12 cm，宽 2.5 ~ 9 cm，基部心形或近圆形；叶柄长 1 ~ 2 cm，有卷须，脱落点位于上部。伞形花序具几朵花；总花梗纤细，花序梗长 1 ~ 2 cm，比叶柄长或与之近等长；花淡黄绿色；雄花花被片长椭圆形，长约 5 mm，上部反卷，内 3 比外 3 稍狭，花药长圆形，长约 1 mm，花丝比花药长；雌花小于雄花，花被片长约 4 mm，有退化雄蕊 6。浆果成熟时蓝黑色，直径约 6 mm。花期 5 ~ 6 月，果期 10 月。

| 生境分布 |

生于山坡或灌丛中。分布于江苏连云港、无锡（宜兴）、常州（溧阳）、镇江（句容）等。

| 资源情况 |

野生资源较丰富。

| 采收加工 | 夏、秋季采挖，除去茎叶，洗净，捆成小把，鲜用或晒干。

| 药材性状 | 本品根茎呈不规则圆柱形，略弯；表面黑褐色，下侧着生多数细根。根长 30 ~ 80 cm，直径 1 ~ 2 mm，弯曲；表面灰褐色或灰棕色，有少数须根及细刺，刺尖微曲，触之刺手。质坚韧，有弹性，不易折断，切面发白色或黄白色，外侧有浅棕色环纹，内侧有一圈小孔（导管）。气无，味淡。以根长、质坚韧者为佳。

| 功效物质 | 薯蓣皂苷元是华东菝葜主要有效成分，具有抗肿瘤、调节血脂、抗血小板聚集及心脑血管保护等药理作用。

| 功能主治 | 辛、微苦，平。祛风除湿，活血通络，解毒散结。用于风湿痹痛，关节不利，疮疖，肿毒，瘰疬。

| 用法用量 | 内服煎汤，6 ~ 9 g，大剂量可用 15 ~ 30 g；或入丸、散剂；或浸酒。外用适量，捣敷；或研末调敷；或煎汤洗。

百合科 Liliaceae 油点草属 *Tricyrtis* 凭证标本号 3211831511041046LY

油点草 *Tricyrtis macorpoda* Miq.

| 药 材 名 | 红酸七（药用部位：全草或根）。

| 形态特征 | 多年生草本，高达 1 m。茎直立，稍曲折，上部疏生或密生短糙毛，基部无毛。叶片长椭圆形至宽椭圆形，长 3 ~ 15 cm，宽 3.5 ~ 8 cm，基部圆形或微心形，无柄，不抱茎或略抱茎，两面疏生短糙伏毛，边缘有细毛。伞房状聚伞花序顶生或着生于上方叶腋；花序轴和花梗生淡褐色短糙毛，并间生细腺毛；花梗长 1.4 ~ 2.5（~ 3）cm；苞片很小；花疏散；花被片白色或淡红色，内面具多数紫红色斑点，卵状椭圆形至披针形，长 1.5 ~ 2 cm，开放后自中下部向下反折，外轮花被片宽倒披针形，基部膨大成囊状，内轮花被片狭披针形；雄蕊长于花被片，花丝中上部向外弯垂，具紫色斑点；柱头稍高出雄蕊或有时近等高，3 裂，裂片长 1 ~ 1.5 cm，每裂片上端又 2 深裂，

小裂片长约 5 mm，密生腺毛。蒴果直立，长 2 ~ 3 cm。花果期 6 ~ 10 月。

| 生境分布 | 生于山坡、沟边杂草中或竹林下。分布于江苏南京、镇江（句容）、无锡（宜兴）、常州（溧阳）等。江苏药圃常有栽培。

| 资源情况 | 野生及栽培资源较少。

| 采收加工 | 夏、秋季采收，洗净，晒干。

| 功效物质 | 主要含有酚酸类、黄酮类、甾体类、萜类等成分。黄酮类成分以芦丁、烟花苷、山柰酚为主，具有抗氧化作用。

| 功能主治 | 甘，平。补虚止咳。用于肺痨咳嗽。

| 用法用量 | 内服煎汤，9 ~ 15 g。

百合科 Liliaceae 郁金香属 *Tulipa* 凭证标本号 320115160410026LY

老鸦瓣 *Tulipa edulis* (Miq.) Baker

| 药 材 名 | 光慈菇（药用部位：鳞茎）。

| 形态特征 | 多年生草本。鳞茎卵圆形，长约 2 cm，鳞茎皮纸质，内面密被长柔毛，白色，肉质。茎高 10 ~ 25 cm，常不分枝，无毛。基生叶常 2，线形，长 10 ~ 25 cm，宽 0.3 ~ 1.2 cm。花单朵顶生，靠近基部具 2 对生（较少 3 轮生）的苞片；苞片狭条形，长 2 ~ 3 cm；花被片狭椭圆状披针形，长 20 ~ 30 mm，宽 4 ~ 7 mm，白色，背面有紫红色纵条纹；雄蕊 3 长 3 短，花丝无毛，中部稍扩大，向两端逐渐变窄或从基部向上逐渐变窄；子房长椭圆形，花柱长约 4 mm。蒴果扁球形，有长喙，长 5 ~ 7 mm。花期 2 ~ 3 月，果期 4 ~ 5 月。

| 生境分布 | 生于向阳山坡及荒地。江苏各地均有分布。

| 资源情况 | 野生资源较丰富。

| 采收加工 | 春、秋、冬季均可采挖，洗净，除去须根及外皮，晒干，放置干燥处保存。

| 药材性状 | 本品呈卵圆形或圆锥形。底部圆而凹陷，有根痕，上端急尖，一侧有纵沟，自基部伸向先端。表面黄白色，光滑。质硬而脆，横断面黄白色，粉质。无香气，味淡。以色白、体质饱满者为佳。

| 功效物质 | 富含黄酮类成分，以槲皮素和芦丁类为主，具有良好的体外抗氧化活性和抑菌活性。此外，含有的秋水仙碱具有抗痛风和护肝的作用。

| 功能主治 | 甘，寒；有小毒。散结，化瘀。用于咽喉肿痛，瘰疬，痈疽，疮肿，产后瘀滞。

| 用法用量 | 内服煎汤，3 ~ 6 g。外用适量，捣敷；或捣汁涂。

百合科 Liliaceae 郁金香属 *Tulipa* 凭证标本号 320683200502067LY

郁金香 *Tulipa gesneriana* L.

| 药 材 名 | 郁金香（药用部位：花）。

| 形态特征 | 多年生直立草本。全体呈白粉状，平滑。鳞茎卵圆形，长约 2 cm，有干皮质状外皮，外层色深，褐色或暗褐色，内层色浅，淡褐色或褐色，上端有时上延抱茎。茎近基部常有 2 叶，茎上有 1 ~ 3 叶；叶片带状披针形至卵状披针形，长 10 ~ 21 cm，宽 1 ~ 6.5 cm，伸展或反曲，边缘平展或呈波状，基部抱茎。花茎单一，高 25 ~ 55 cm，无毛，常顶生 1 花，少数有 2 ~ 3 花；苞片无；花大，钟状，直立，少数花蕾俯垂；花被片 6，离生，红色或杂有白色或黄色，有时为黄色或白色，倒卵形，开展，长 4 ~ 7.5 cm；无蜜腺；雄蕊 6，等长或 3 长 3 短，生于花被片基部，长为花被片的 1/3，花丝常在中部或基部扩大，花药基生，向内开裂；子房长椭圆形，3 室，每室具胚珠多数，

呈 2 纵列生于胎座上，花柱短或不明显，柱头 3 裂，反卷。蒴果椭圆形或近球形。5 月开花。

| 生境分布 | 江苏各地均有栽培。

| 资源情况 | 栽培资源较丰富。

| 采收加工 | 春季开花期采摘，鲜用或晒干。

| 功效物质 | 主要富含葡萄糖醛酸，具有良好的保护血管作用。此外，郁金香含有的郁金香苷 A 和郁金香苷 B 具有抗肿瘤、抗炎、抗真菌、降低胆固醇的功效。

| 功能主治 | 苦、辛，平。化湿辟秽。用于脾胃湿浊，胸脘满闷，呕逆腹痛，口臭苔腻。

| 用法用量 | 内服煎汤，3 ~ 5 g。外用适量，泡水漱口。

| 附　　注 | 本种喜光、好肥、耐寒，球根能耐 -35 ℃低温，最佳生长温度为 15 ~ 18 ℃。对土壤要求极为严格，要求疏松肥沃、排水良好的砂壤土。

百合科 Liliaceae 丝兰属 *Yucca* 凭证标本号 321284190718004LY

凤尾丝兰 *Yucca gloriosa* L.

| 药 材 名 |

凤尾兰（药用部位：花）。

| 形态特征 |

常绿灌木。茎短，有时可高达 5 m，常分枝。叶剑形，质硬，挺直向上斜展，粉绿色，长 40 ~ 80 cm，宽 1 ~ 6 cm，先端长渐尖且具坚硬刺尖，基部稍扩展而抱茎，全缘或老时具白色丝状纤维。顶生狭圆锥花序，长 1 ~ 1.5 m；花下垂，乳白色；花被片 6，长圆形或卵状椭圆形，具突尖，长 4 ~ 5.5 cm，宽 2 ~ 2.7 cm；雄蕊 6，花丝扁，上部较宽厚且向外折，长 2 cm，宽 2 ~ 4 mm，不伸出花冠外，花药长约 4 mm，箭头状；子房上位，三棱形，长约 1.5 cm，直径 7 mm，3 心皮，3 室，每室具多数胚珠，柱头 3 裂，每个又 2 裂。果实卵状长圆形，长约 5 cm，不开裂。花期 9 ~ 10 月。

| 生境分布 |

江苏各地均有栽培。

| 资源情况 |

栽培资源较丰富。

| 采收加工 | 花开时采摘，鲜用或晒干。

| 功效物质 | 主要富含异菝葜皂苷、替告皂苷等成分，具有抗病毒的功效。

| 功能主治 | 辛、微苦，平。止咳平喘。用于支气管哮喘，咳嗽。

| 用法用量 | 内服煎汤，3 ~ 9 g。

| 附　　注 | 本种喜温暖、湿润和阳光充足的环境，性强健，耐瘠薄，耐寒，耐阴，耐旱也较耐湿，对土壤要求不严，对肥料要求不高。

百部科 Stemonaceae 百部属 *Stemona* 凭证标本号 320506150702272LY

百部 *Stemona japonica* (Blume) Miq.

| 药 材 名 | 百部（药用部位：块根）。

| 形态特征 | 多年生草本。块根肉质，纺锤状，多数簇生。茎上部蔓生状，长超过 1 m，常缠绕他物上升。叶常 2 ~ 4 轮生；叶片卵形或卵状披针形，长 3 ~ 5 cm，宽 1.5 ~ 2.4 cm，先端渐尖，基部圆形或截形，全缘或略呈波状，常有 5 ~ 7 主脉，横脉细密、平行；叶柄细，长 1 ~ 4 cm。花单生或数朵排成聚伞状花序，花序梗或花梗长 1.5 ~ 2.5 cm，下部常贴生于叶片中肋上；苞片线状披针形；花被片淡绿色，披针形，具 5 ~ 9 脉，开放后反卷；雄蕊 4，2 列，紫红色，花药先端有 1 短钻状附属物，两侧各具 1 直立或下垂的丝状体，药隔直立；子房卵形。蒴果广卵形而扁，2 爿开裂，有种子 2 ~ 3；种子一端簇生多数淡黄色、膜质、短棒状附属物。花期 5 ~ 7 月，果期 7 ~ 10 月。

| 生境分布 | 生于阳坡灌丛中或竹林下。分布于江苏南京、镇江（句容）及宜溧山区等。江苏药圃常有栽培。

| 资源情况 | 野生及栽培资源较少。

| 采收加工 | 移栽 2 ~ 3 年后冬季地上部分枯萎后或春季萌芽前采挖，除去细根、泥土，在沸水中刚煮透时取出，晒干或烘干，也可鲜用。

| 药材性状 | 本品呈纺锤形，两端稍狭细，皱缩弯曲。表面黄白色或淡棕黄色，多具不规则折皱及横皱纹。质脆，易折断，断面平坦，角质样，淡黄棕色或黄白色，皮部较宽，中柱扁缩。气微，味甘、苦。

| 功效物质 | 富含百部生物碱、甾醇、蒽醌等化学成分。百部生物碱具有镇咳、平喘作用。百部Ⅰ型、百部Ⅱ型、百部Ⅲ型生物碱均有止咳作用，但以百部Ⅰ型效果最好。

| 功能主治 | 甘、苦，微温；有小毒。归肺经。润肺下气止咳，杀虫灭虱。用于新久咳嗽，肺痨咳嗽，顿咳；外用于头虱，体虱，蛲虫病，阴痒。

| 用法用量 | 内服煎汤，3 ~ 9 g；或浸酒；或入丸、散剂。外用适量，煎汤洗；或研末调敷。

| 附　　注 | 本种喜荫蔽和湿润的环境。块根入土较深，土壤以排灌方便、土层深厚、疏松肥沃、富含腐殖质的壤土、砂土为好。

百部科 Stemonaceae 百部属 *Stemona* 凭证标本号 320111170513013LY

直立百部 *Stemona sessilifolia* (Miq.) Miq.

| 药 材 名 |

百部（药用部位：块根）。

| 形态特征 |

半灌木，高30 ~ 60 cm。块根纺锤状。茎直立，不分枝，具细纵棱。叶常 3 ~ 4 轮生，很少为 2 或 5；叶片薄革质，卵状椭圆形或卵状披针形，长 3.5 ~ 6 cm，宽 1.5 ~ 4 cm，先端短尖或锐尖，基部楔形；具短柄或近无柄。花单朵，常生于茎下部鳞片状叶腋内；鳞片披针形，长约 8 mm；花梗向外平展，长约 1 cm，中上部具关节，花向上斜升或直立；花被片长 1 ~ 1.5 cm，宽 2 ~ 3 mm，淡绿色；雄蕊紫红色，花丝短，花药长约 3.5 mm，先端的附属物与花药等长或稍短，药隔伸延物长约为花药的 2 倍；子房三角状卵形。蒴果有种子数粒。花期3 ~ 5 月，果期6 ~ 7 月。

| 生境分布 |

生于山坡灌丛或竹林下。江苏各地均有分布。

| 资源情况 |

野生及栽培资源较丰富。

| 采收加工 | 移栽 2 ~ 3 年后冬季地上部分枯萎后或春季萌芽前采挖，除去细根、泥土，在沸水中刚煮透时取出，晒干或烘干，也可鲜用。

| 药材性状 | 本品呈纺锤形，上端较细长，皱缩弯曲，长 5 ~ 12 cm，直径 0.5 ~ 1 cm。表面黄白色或淡棕黄色，有不规则深纵沟，间或有横皱纹。质脆，易折断，断面平坦，角质样，淡黄棕色或黄白色，皮部较宽，中柱扁缩。气微，味甘、苦。

| 功效物质 | 主要含有生物碱类成分，如百部碱、原百部碱、百部定碱、异百部定碱、霍多林碱、直立百部碱。百部生物碱类能降低呼吸中枢的兴奋性，抑制咳嗽反射，具有镇咳作用。新斯替宁碱具有显著的镇咳作用。

| 功能主治 | 甘、苦，微温；有小毒。归肺经。润肺下气止咳，杀虫灭虱。用于新久咳嗽，肺痨咳嗽，顿咳；外用于头虱，体虱，蛲虫病，阴痒。

| 用法用量 | 内服煎汤，3 ~ 9 g；浸酒；或入丸、散剂。外用适量，煎汤洗；或研末调敷。

石蒜科 Amaryllidaceae 君子兰属 *Clivia* 凭证标本号 320111170513013LY

君子兰 *Clivia miniata* Regel

| 药 材 名 |

君子兰根（药用部位：根）。

| 形态特征 |

多年生草本。茎基部宿存的叶基呈鳞茎状；基生叶革质，深绿色，具光泽，宽带状，长 30 ~ 50 cm，宽 3 ~ 5 cm，下部渐狭。花茎宽约 2 cm，伞形花序有花 10 ~ 20，有时更多；花梗长 2.5 ~ 5 cm；花直立，漏斗状，长 5 ~ 7.5 cm，外面带黄红色，内面下部带黄色；花被管长约 5 mm，外轮花被裂片先端有微凸头，内轮花被裂片倒卵状披针形，先端微凹，略长于雄蕊。浆果紫红色，宽卵状。花期春、夏季，有时冬季也能见开花。

| 生境分布 |

江苏各地均有栽培。

| 资源情况 |

栽培资源丰富。

| 采收加工 |

秋季采挖，选大者洗净，鲜用或晒干。

| 功效物质 | 主要含有生物碱类成分，君子兰生物碱具有一定的肿瘤抑制作用。石蒜碱对脊髓灰质炎病毒有抑制作用。

| 功能主治 | 用于咳嗽，痰喘。

石蒜科 Amaryllidaceae 石蒜属 *Lycoris* 凭证标本号 320111150721005LY

安徽石蒜 *Lycoris anhuiensis* Y. Hsu et Q. J. Fan

| 药 材 名 |

安徽石蒜（药用部位：鳞茎）。

| 形态特征 |

多年生草本。鳞茎卵状或卵椭圆形状，直径 3 ~ 4.5 cm。早春出叶片，长约 35 cm，宽 1.5 ~ 2 cm，带状，向先端渐狭，钝圆，中间淡色带明显。花茎高约 60 cm；总苞片 2，披针形至狭卵形，长 3 ~ 4.5 cm；伞形花序有花 4 ~ 6；花黄色，直径约 7.5 cm；花被裂片倒卵状披针形，长约 6 cm，最宽处 1.5 cm，较反卷而开展，基部微皱缩，花被筒长 2.5 ~ 3.5 cm；雄蕊与花被裂片近等长；花柱略伸出花被外。花期 8 月。

| 生境分布 |

生于山坡阴湿处。分布于江苏南京等。

| 资源情况 |

野生资源较少。

| 采收加工 |

秋季采挖，选大者洗净，鲜用或晒干。

| 功效物质 | 鳞茎含有多种生物碱，主要有高石蒜碱、石蒜伦碱、多花水仙碱、石蒜胺碱、石蒜碱、伪石蒜碱和雪花莲胺碱，还含有雨石蒜碱、去甲雨石蒜碱、去甲基高石蒜碱、小星蒜碱、表雪花莲胺碱、条纹碱和网球花定等。石蒜碱、加兰他敏等有祛痰、催吐、消肿止痛、利尿等功效。

| 功能主治 | 解疮毒，消痈肿，杀虫。用于痈肿，疔疮，烫火伤。

石蒜科 Amaryllidaceae 石蒜属 *Lycoris* 凭证标本号 320282150904042LY

忽地笑 *Lycoris aurea* (L'Herit.) Herb.

| 药 材 名 | 铁色箭（药用部位：鳞茎）。

| 形态特征 | 多年生草本。鳞茎卵状至宽卵状，直径 5 ~ 6 cm。秋季出叶片，长约 60 cm，最宽处约 2.5 cm，向基部渐狭，宽约 1.7 cm。花茎高约 60 cm；总苞片 2，披针形，长约 3.5 cm；伞形花序有花 4 ~ 8；花大，鲜黄色或橘黄色；花被裂片背面具淡绿色条纹，倒披针形，长 7 ~ 9 cm，宽约 1 cm，高度反卷和皱缩，花被筒长 1.2 ~ 1.5 cm；雄蕊略伸出花被外，花丝黄色；花柱上部玫瑰红色。蒴果具 3 棱，室背开裂；种子少数，近球状，直径约 7 mm，黑色。花期 8 ~ 9 月，果期 10 月。

| 生境分布 | 生于山坡水沟阴湿处。分布于江苏南京（栖霞）、无锡（宜兴）、

常州（溧阳）等。

| 资源情况 | 野生资源较丰富。

| 采收加工 | 秋季采挖，选大者洗净，鲜用或晒干。

| 功效物质 | 主要含有生物碱类成分，其中，伪石蒜碱具有抗肿瘤和抗病毒作用，石蒜伦碱具有兴奋动物的子宫和小肠平滑肌作用，雪花莲胺碱具有抗胆碱酯酶和镇痛作用。

| 功能主治 | 辛、甘，微寒；有毒。润肺止咳，解毒消肿。用于肺热咳嗽，咯血，阴虚劳热，小便不利，痈肿疮毒，疔疮结核，烫火伤。

| 用法用量 | 外用适量，捣敷；或捣汁涂。

石蒜科 Amaryllidaceae 石蒜属 *Lycoris* 凭证标本号 NAS00600579

中国石蒜 *Lycoris chinensis* Traub

| 药 材 名 |

石蒜（药用部位：鳞茎）。

| 形态特征 |

多年生草本。鳞茎卵球状，直径约 4 cm。春季出叶片，叶片带状，长约 35 cm，宽约 2 cm，先端圆，绿色，中间具淡色条纹。花茎高约 60 cm；总苞片 2，倒披针形，长约 2.5 cm；伞形花序有花 5 ~ 6；花黄色；花被裂片背面具淡黄色中肋，倒披针形，长约 6 cm，宽约 1 cm，高度反卷和皱缩，花被筒长 1.7 ~ 2.5 cm；雄蕊与花被近等长或略伸出花被外，花丝黄色；花柱上端淡玫瑰红色。花期 7 ~ 8 月，果期 9 月。

| 生境分布 |

生于山地阴湿处。分布于江苏南京、无锡（宜兴）等。

| 资源情况 |

野生资源较少。

| 采收加工 |

秋季采挖，选大者洗净，晒干。野生者全年均可采挖，鲜用或洗净，晒干。

| 药材性状 | 本品呈卵球形，直径约 4 cm。表面有 2 ~ 3 层、暗棕色、干枯膜质鳞片，内面有 10 ~ 20 层、白色、富黏性肉质鳞片，生于短缩的鳞茎盘上，中央有黄白色的芽。气特异而微带刺激性，味极苦。以个大、均匀、肉质鳞片肥厚、少须根者为佳。

| 功效物质 | 鳞茎含有抗肿瘤化合物水仙克拉辛、石蒜碱、雪花莲胺碱、石蒜胺、表石蒜胺、高石蒜碱、文殊兰碱、网球花定碱、小星蒜碱、雨石蒜碱及石蒜伦碱。石蒜西定醇、石蒜西定具有抗肿瘤作用。

| 功能主治 | 辛、甘，温；有毒。祛痰催吐，解毒散结。用于喉风，单双乳蛾，咽喉肿痛，痰涎壅塞，食物中毒，胸腹积水，恶疮肿毒，痰核瘰疬，痔漏，跌打损伤，风湿关节痛，顽癣，烫火伤，蛇咬伤。

| 用法用量 | 内服煎汤，1.5 ~ 3 g；或捣汁。外用适量，捣敷；或绞汁涂；或煎汤熏洗。

石蒜科 Amaryllidaceae 石蒜属 *Lycoris*

江苏石蒜 *Lycoris houdysheli* Thunb.

| 药 材 名 | 江苏石蒜（药用部位：鳞茎）。

| 形态特征 | 多年生草本。鳞茎近球状，直径约 3 cm。秋季出叶片，叶片带状，长约 30 cm，宽约 1.2 cm，先端钝，深绿色，中间有淡色条纹。花茎高约 30 cm；总苞片 2，披针形，长约 2 cm；伞形花序有花 4 ~ 7；花白色；花被裂片倒披针形，长约 4 cm，宽约 0.8 cm，背面具绿色中肋，高度反卷和皱缩，花被筒长约 0.8 cm，绿色；雄蕊显著伸出花被外，长约为花被的 1.3 倍，花丝乳白色；花柱上端为粉红色。花期 9 月。

| 生境分布 | 生于山坡水沟阴湿处。分布于江苏南京（栖霞）、无锡（宜兴）、常州（溧阳）等。

| 资源情况 | 野生资源较少。

| 采收加工 | 秋季采挖，选大者洗净，鲜用或晒干。

| 功能主治 | 解热消肿，润肺祛痰，催吐。用于痈肿疮毒，虫、疮作痒，耳下红肿，烫火伤。

石蒜科 Amaryllidaceae 石蒜属 *Lycoris* 凭证标本号 320482180909291LY

黄长筒石蒜 *Lycoris longituba* Y. Hsu et Q. J. Fan var. *flava* Y. Hsu et S. L. Huang

| 药 材 名 |

黄长筒石蒜（药用部位：鳞茎）。

| 形态特征 |

多年生草本。鳞茎卵球状，直径约 4 cm。早春出叶片，叶片披针形，长约 38 cm，宽 1.5 ～ 2.5 cm，先端渐狭，绿色，中间淡色带明显。花茎高 60 ～ 80 cm；总苞片 2，披针形，长约 5 cm，先端渐狭；伞形花序有花 5 ～ 7；花黄色，直径约 5 cm；花被裂片长椭圆形，长 6 ～ 8 cm，宽约 1.5 cm，先端稍反卷，边缘不皱缩，花被筒长 4 ～ 6 cm；雄蕊略短于花被；花柱伸出花被外。花期 7 ～ 8 月。

| 生境分布 |

生于阴湿山坡。分布于江苏南京（江宁）等。

| 资源情况 |

野生资源较丰富。

| 采收加工 |

秋季采挖，选大者洗净，鲜用或晒干。

| 功效物质 | 主要含有生物碱类化合物，如文殊兰碱、石蒜西啶醇、11- 羟基文殊兰碱、石蒜碱、加兰他敏等。

| 功能主治 | 解热消肿，润肺祛痰，催吐。用于痈肿疮毒，虫、疮作痒，耳下红肿，烫火伤。

石蒜科 Amaryllidaceae 石蒜属 *Lycoris* 凭证标本号 320681160428161LY

石蒜 *Lycoris radiata* (L'Herit.) Herb.

| 药 材 名 | 石蒜（药用部位：鳞茎）。

| 形态特征 | 多年生草本。鳞茎近球状，直径 1 ~ 3 cm。秋季出叶片，长约 15 cm，宽约 0.5 cm，先端钝，深绿色，中间有粉绿色条纹。花茎高约 30 cm；总苞片 2，披针形，长约 3.5 cm；伞形花序有花 4 ~ 7；花鲜红色；花被裂片狭倒披针形，长约 3 cm，宽约 0.5 cm，高度反卷和皱缩，花被筒长约 0.5 cm，绿色；雄蕊显著伸出花被外，长约为花被的 2 倍。花期 8 ~ 9 月，果期 10 月。

| 生境分布 | 生于林缘、路旁、荒山的山地阴湿处。分布于江苏连云港、南京、镇江、苏州、无锡（宜兴）、常州（溧阳）、扬州等。

| 资源情况 | 野生及栽培资源较丰富。

| 采收加工 | 秋季采挖，选大者洗净，晒干。野生者全年均可采挖，鲜用或洗净，晒干。

| 药材性状 | 本品呈广椭圆形或类球形，长 4 ～ 5 cm，直径 1 ～ 3 cm，先端残留叶基长约 3 cm，基部生多数白色须根。表面有 2 ～ 3 层、暗棕色、干枯膜质鳞片，内面有 10 ～ 20 层、白色、富黏性肉质鳞片，生于短缩的鳞茎盘上，中央有黄白色的芽。气特异而微带刺激性，味极苦。

| 功效物质 | 含有多种生物碱类化合物，根据其分子骨架可以分为石蒜碱型、文殊兰型、加兰他敏型、水仙花碱型、水仙环素型、石蒜宁碱型、猛他宁型 7 类生物碱。石蒜科生物碱在抗肿瘤方面的作用显著。石蒜碱型生物碱对流感病毒、麻疹病毒、脊髓灰质炎病毒和急性呼吸综合征冠状病毒具有抑制作用；石蒜碱型生物碱和文殊兰型生物碱对恶性疟原虫具有抗疟活性；此外，石蒜碱还具有抗乙酰胆碱酯酶等药理作用。

| 功能主治 | 辛、甘，温；有毒。祛痰催吐，解毒散结。用于喉风，单双乳蛾，咽喉肿痛，痰涎壅塞，食物中毒，胸腹积水，恶疮肿毒，痰核瘰疬，痔漏，跌打损伤，风湿关节痛，顽癣，烫火伤，蛇咬伤。

| 用法用量 | 内服煎汤，1.5 ～ 3 g；或捣汁。外用适量，捣敷；或绞汁涂；或煎汤熏洗。

石蒜科 Amaryllidaceae 水仙属 *Narcissus* 凭证标本号 320683201014054LY

水仙 *Narcissus tazetta* L. var. *chinensis* Roem.

| 药 材 名 | 水仙花（药用部位：花）、水仙根（药用部位：鳞茎）。

| 形态特征 | 多年生草本。鳞茎卵球状。叶片宽线形，扁平，长 20 ～ 40 cm，宽 0.5 ～ 1.5 cm，具钝头，全缘，粉绿色。花茎与叶片近等长；伞形花序有花 4 ～ 8；佛焰苞状总苞膜质；花梗长短不一；花被管细，灰绿色，近三棱形，长约 2 cm，花被裂片 6，卵圆形至宽卵圆形，先端具短尖头，扩展，白色，芳香；副花冠浅杯状，淡黄色，不皱缩，长不及花被片的 1/2；雄蕊 6，着生于花被管内，长约 4 mm，花药基着；子房 3 室，每室有胚珠多数，花柱细长，柱头 3 裂。蒴果实开裂。花期春季。

| 生境分布 | 江苏南部等有栽培。

| 资源情况 | 栽培资源较丰富。

| 采收加工 | **水仙花：**春季采摘，鲜用或晒干。

水仙根：春、秋季采挖，洗去泥沙，用开水烫后，切片，鲜用或晒干。

| 药材性状 | **水仙花：**本品多皱缩成小团块。展开后花被管细，先端裂片 6，卵圆形，淡黄色，其内可见黄棕色环状副花冠，有的花被呈重瓣状。雄蕊 6；雌蕊花柱细长，柱头 3 裂。气芳香，味微苦。

水仙根：本品呈类球形，单一或数个伴生。表面被 1 ~ 2 层棕褐色外皮，除去后为白色肥厚的鳞叶，层层包合，割皮后遇水有黏液渗出。鳞片内有数个叶芽和花芽。鳞茎盘下有数十细长圆柱形根。气微，味微苦。

| 功效物质 | 含有伪石蒜碱、石蒜碱、多花水仙碱、漳州水仙碱等多种生物碱。

| 功能主治 | **水仙花：**辛，凉。归肝、肺经。理气调经，解毒辟秽。用于神疲头昏，月经不调，痢疾，疮肿。

水仙根：清热解毒，散结消肿。用于痈疽肿毒，乳痈，瘰疬，痄腮，鱼骨鲠喉。

| 用法用量 | **水仙花：**内服煎汤，9 ~ 15 g；或研末。外用适量，捣敷；或研末调涂。

水仙根：外用适量；捣敷；或捣汁涂。

石蒜科 Amaryllidaceae 葱莲属 *Zephyranthes* 凭证标本号 320111151013018LY

葱莲 *Zephyranthes candida* (Lindl.) Herb.

| 药 材 名 |

肝风草（药用部位：全草）。

| 形态特征 |

多年生草本，高 15 ~ 25 cm。鳞茎卵状，直径约 2.5 cm，具有明显的颈部，长 2.5 ~ 5 cm。叶片狭线形，肥厚，亮绿色，长 20 ~ 30 cm，宽 2 ~ 4 mm。花茎中空；花单生于花茎先端，下部带褐红色的佛焰苞状总苞，先端 2 裂；花小，长 3 ~ 5 cm，白色，稍带淡红色；花梗短，长约 1 cm，藏于总苞内；近无花被管，花被片 6，近喉部常有很小的鳞片；雄蕊 6，长约为花被的一半；花柱细长，柱头 3 裂不显著。蒴果近球状，直径约 1.2 cm；种子黑色，扁平。花期 8 ~ 10 月。

| 生境分布 |

江苏南部等有栽培。

| 资源情况 |

栽培资源较少。

| 采收加工 |

全年均可采收，洗净，多为鲜用。

| 功效物质 | 全草含有石蒜碱、多花水仙碱、网球花定碱、尼润碱等生物碱。花瓣含有芸香苷。

| 功能主治 | 甘，平。归肝经。平肝息风。用于小儿惊风，癫痫，破伤风。

| 用法用量 | 内服煎汤，3 ~ 4 株；或绞汁。外用适量，捣敷。

薯蓣科 Dioscoreaceae 薯蓣属 *Dioscorea* 凭证标本号 320506150426265LY

黄独 *Dioscorea bulbifera* L.

| 药 材 名 |

黄药子（药用部位：块茎）。

| 形态特征 |

缠绕草质藤本。块茎卵圆形或梨形，直径 4 ~ 10 cm，常单生，外皮棕黑色，表面密生须根。茎左旋，浅绿色或稍带红紫色，叶腋内有紫棕色、球形或卵球形珠芽，表面有圆形斑点。单叶互生，叶片宽卵状心形或卵状心形，长 15 ~ 26 cm，宽 2 ~ 26 cm，先端尾状渐尖，边缘波状或微波状。雄花序穗状，下垂，常数个丛生于叶腋，有时分枝呈圆锥状；雄花单生，密集，基部有卵形苞片 2；花被片披针形，鲜时紫色；雄蕊 6，着生于花被基部，花丝与花药近等长；雌花序与雄花序相似，常 2 至数个丛生于叶腋，长 20 ~ 50 cm；退化雄蕊 6，长仅为花被片的 1/4。蒴果反折下垂，三棱状长圆形，长 1.5 ~ 3 cm，宽 0.5 ~ 1.5 cm，两端圆，成熟时草黄色，表面密被紫色小斑点；种子深褐色，扁圆形，常两两着生于每室中轴顶部，种翅栗褐色，向基部延伸，呈长圆形。花期 7 ~ 10 月，果期 8 ~ 11 月。

| 生境分布 | 生于山谷阴沟、河谷边或杂木林缘。分布于江苏南部等。

| 资源情况 | 野生资源较丰富。

| 采收加工 | 栽种 2 ~ 3 年后在冬季采挖，洗去泥土，剪去须根，横切成厚 1 cm 的片，鲜用或晒干、炕干。

| 药材性状 | 本品呈圆形或类圆形的片状，横径 2.5 ~ 6 cm，长径 4 ~ 7 cm，厚 0.5 ~ 1.5 cm。表面棕黑色，有皱纹，密布短小的支根及黄白色、圆形的支根痕，微凸起，直径约 2 mm，一部分栓皮脱落，脱落后显露淡黄色而光滑的中心柱。切面淡黄色至黄棕色，平滑或颗粒状凹凸不平。质坚脆，易折断，断面平坦或呈颗粒状。气微，味苦。以身干、片大、外皮灰黑色、断面黄白色者为佳。

| 功效物质 | 全草含有二萜内酯类、甾体皂苷类、芪类等成分。块茎的主要生物活性成分为二萜内酯类成分，二萜内酯类是其发挥抗肿瘤、抗炎、抗菌生物活性的主要物质基础，黄独素 A ~黄独素 M 和 8- 表黄独素 E 乙酸酯是其主要活性成分。

| 功能主治 | 苦，寒；有小毒。归肺、肝经。散结消瘿，清热解毒，凉血止血。用于瘿瘤，喉痹，痈肿疮毒，毒蛇咬伤，肿瘤。

| 用法用量 | 内服煎汤，3 ~ 9 g；或浸酒；或研末，1 ~ 2 g。外用适量，鲜品捣敷；或研末调敷；或磨汁涂。

薯蓣科 Dioscoreaceae 薯蓣属 *Dioscorea* 凭证标本号 320282160607185LY

日本薯蓣 *Dioscorea japonica* Thunb.

| 药 材 名 | 山药（药用部位：块茎）。

| 形态特征 | 缠绕草质藤本。块茎长圆柱形，垂直生长，直径达 3 cm，外皮棕黄色，断面白色或带黄色。茎绿色，有时带淡紫红色，右旋。单叶，在茎下部互生，在茎中部以上对生；叶片纸质，变异大，常为三角状披针形、长椭圆状狭三角形至长卵形，有时茎下部为宽卵状心形，上部为披针形至线状披针形，长 3 ~ 19 cm，宽 1 ~ 18 cm，先端长渐尖至锐尖，基部心形至箭形或戟形，有时近截形或圆形；叶柄长 1.5 ~ 6 cm；叶腋内有珠芽。雌雄异株；雄花序穗状，长 2 ~ 8 cm，近直立，2 至数个或单个着生于叶腋，雄花绿白色或淡黄色，花被片有紫色斑纹，外轮花被片宽卵形，长约 1.5 mm，内轮花被片卵状椭圆形，较小，雄蕊 6；雌花序穗状，长 6 ~ 20 cm，1 ~ 3 着生于

叶腋，花被片卵形或宽卵形，6 退化雄蕊与花被片对生。蒴果不反折，三棱状扁圆形或三棱状圆形，长 1.5 ~ 2.5 cm，宽 1.5 ~ 4 cm；种子着生于每室中轴中部，翅周生。花期 5 ~ 10 月，果期 7 ~ 11 月。

| 生境分布 | 生于向阳山坡、山谷、溪沟、路旁杂木林下或草丛中。分布于江苏无锡（宜兴）、常州（溧阳）等。

| 资源情况 | 野生资源较少。

| 采收加工 | 秋季采挖，去净泥土，晒干。

| 药材性状 | 本品略呈圆柱形，弯曲而稍扁，长 15 ~ 30 cm。表面黄白色或淡黄色，有纵沟、纵皱纹及须根痕，偶有浅棕色外皮残留。体重，质坚实，不易折断，断面白色，粉性。无臭，味淡、微酸，嚼之发黏。

| 功能主治 | 甘，平。归肺、脾、肾经。补脾，养肺，固肾，益精。用于脾虚泄泻，食少浮肿，肺虚咳喘，消渴，遗精，带下，肾虚尿频；外用于痈肿，瘰疬。

| 用法用量 | 内服煎汤，15 ~ 30 g，大剂量可用 60 ~ 250 g；或入丸、散剂。外用适量，捣敷。补阴宜生用，健脾止泻宜炒黄用。

薯蓣科 Dioscoreaceae 薯蓣属 *Dioscorea* 凭证标本号 320681160423176LY

盾叶薯蓣 *Dioscorea zingiberensis* C. H. Wright

| 药 材 名 | 火头根（药用部位：根茎）。

| 形态特征 | 缠绕草质藤本。根茎横生，近圆柱形，指状或不规则分枝，新鲜时外皮棕褐色，断面黄色。茎左旋。单叶互生；叶片厚纸质，三角状卵形、心形或箭形，常 3 浅裂至 3 深裂，中间裂片三角状卵形或披针形，两侧裂片圆耳状或长圆形，表面绿色，常沿脉有白色不规则斑块；叶柄盾状着生。花单性，雌雄异株或同株；雄花无梗，常 2 ~ 3 簇生，再排列成穗状，花序单一或分枝，1 或 2 ~ 3 簇生于叶腋，常每簇花仅 1 ~ 2 发育，基部具膜质苞片 3 ~ 4，花被片 6，长 1.2 ~ 1.5 mm，宽 0.8 ~ 1 mm，开放时平展，紫红色，干后黑色，雄蕊 6，花丝极短，与花药近等长；雌花序与雄花序相似，雌花具花丝状退化雄蕊。蒴果三棱形，每棱翅状，长 1.2 ~ 2 cm，宽

1 ~ 1.5 cm，干后蓝黑色，表面常有白粉；种子常每室 2，着生于中轴中部，翅周生。花期 5 ~ 8 月，果期 9 ~ 10 月。

| 生境分布 | 生于已破坏的杂木林间或森林、沟谷边缘的路旁，常见于腐殖质层深厚的土层中。江苏盐城（阜宁）、南京（溧水）等有栽培。

| 资源情况 | 野生及栽培资源较丰富。

| 采收加工 | 秋季采挖，去净泥土，晒干。

| 功效物质 | 主要含有薯蓣皂苷元。薯蓣皂苷元的含量为 1.1% ~ 16.15%，是医药工业中用于合成激素类药物的重要原料，被誉为“激素之母”，具有抗肿瘤、提高认知功能、缓解神经病理性疼痛、保护甲亢性肝损害等药理作用。

| 功能主治 | 苦、微甘，凉；有小毒。清肺止咳，利湿通淋，通络止痛，解毒消肿。用于肺热咳嗽，湿热淋痛，风湿腰痛，痈肿恶疮，跌打扭伤，蜂蜇虫咬。

| 用法用量 | 内服煎汤，6 ~ 15 g；或浸酒。外用适量，捣敷。

薯蓣科 Dioscoreaceae 薯蓣属 *Dioscorea* 凭证标本号 320684160730067LY

薯蓣 *Dioscorea polystachya* Turcz.

| 药 材 名 | 山药（药用部位：根茎）。

| 形态特征 | 缠绕草质藤本。块茎长圆柱形，垂直生长，长可达 1 m 或更长，断面干时白色。茎常带紫红色，右旋，无毛。单叶，在茎下部的互生，在茎中部以上的对生，稀 3 叶轮生；叶片卵状三角形至宽卵形或戟形，长 3 ~ 16 cm，宽 2 ~ 14 cm，先端渐尖，基部深心形、宽心形或近截形，边缘常 3 浅裂至 3 深裂，中裂片卵状椭圆形至披针形，侧裂片耳状，圆形、近方形至长圆形；叶腋内常有珠芽。雌雄异株；雄花序穗状，长 2 ~ 8 cm，近直立，2 ~ 8 着生于叶腋，偶呈圆锥状排列，花序轴明显呈“之”字状曲折，苞片和花被片有紫褐色斑点，外轮花被片宽卵形，内轮花被片卵形，较小，雄蕊 6；雌花序穗状，1 ~ 3 着生于叶腋。蒴果不反折，三棱状扁圆形或三棱状圆形，长 1.2 ~

2 cm，宽 1.5 ~ 3 cm，外面有白粉；种子着生于每室中轴中部，翅周生。花期 6 ~ 9 月，果期 7 ~ 11 月。

| 生境分布 | 生于山坡、山谷林下、溪边及路旁的灌丛中或杂草中。江苏各地均有分布。

| 资源情况 | 野生资源丰富。

| 采收加工 | 冬季茎叶枯萎后采挖，切去根头，洗净，除去外皮及须根，用硫黄熏后，干燥；也有选择肥大顺直的干燥山药，置清水中，浸至无干心，闷透，用硫黄熏后，切齐两端，用木板搓成圆柱状，晒干，打光，习称“光山药”。

| 药材性状 | 本品略呈圆柱形，弯曲而稍扁，直径 1.5 ~ 6 cm。表面黄白色或淡黄色，有纵沟、纵皱纹及须根痕，偶有浅棕色外皮残留。体重，质坚实，不易折断，断面白色，粉性。无臭，味淡、微酸，嚼之发黏。光山药呈圆柱形，两端平齐，长 9 ~ 18 cm，直径 1.5 ~ 3 cm。表面光滑，白色或黄白色。

| 功效物质 | 主要营养成分为多糖、蛋白质、淀粉、氨基酸及各种微量元素。此外，还含有甾体、薯蓣皂苷、尿囊素、菲及联苄类等化学成分。多糖是根茎的有效成分之一，具有抗肿瘤、抗氧化、抗衰老、增强免疫、降血糖等作用。尿囊素具有镇静、局部麻醉等作用，是良好的皮肤愈合剂和抗溃疡药剂。山药素 I 具有抑制 *α-D-*葡萄糖苷酶的活性，可能是山药降糖作用的潜在活性成分之一。

| 功能主治 | 甘，平。归肺、脾、肾经。补脾养胃，生津益肺，补肾涩精。用于脾虚食少，久泻不止，肺虚喘咳，肾虚遗精，带下，尿频，虚热消渴。

| 用法用量 | 内服煎汤，15 ~ 30 g，大剂量可用 60 ~ 250 g；或入丸、散剂。外用适量，捣敷。补阴宜生用，健脾止泻宜炒黄用。

雨久花科 Pontederiaceae 凤眼莲属 *Eichhornia* 凭证标本号 321281161017040LY

凤眼蓝 *Eichhornia crassipes* (Mart.) Solms

| 药 材 名 | 水葫芦（药用部位：全草或根）。

| 形态特征 | 浮水草本，高 30 ~ 60 cm。叶片卵形、倒卵形至肾圆形，光滑；叶柄基部略带紫红色，膨大成葫芦状的气囊。花茎单生，中部有鞘状苞片，穗状花序有花 6 ~ 12；花被 6 裂，紫蓝色，上部裂片较大，在蓝色的中央有鲜黄色斑点 1，外面基部有腺毛；雄蕊 3 长 3 短，长者伸出花外；子房卵圆形，3 室，中轴胎座，胚珠多数，花柱 1，柱头密生腺毛。蒴果卵形。花期 7 ~ 10 月，果期 8 ~ 11 月。

| 生境分布 | 生于水塘沟渠中。江苏各地均有分布。

| 资源情况 | 野生资源丰富。

| 采收加工 | 春、夏季采集，洗净，鲜用或晒干。

| 功效物质 | 含有生物碱类、黄酮类、酚类、甾体类、三萜类、蒽醌类等次生代谢产物，具有显著的抑菌活性和抗氧化活性。

| 功能主治 | 辛、淡，凉。疏散风热，利水通淋，清热解毒。用于风热感冒，水肿，热淋，尿路结石，风疹，湿疮，疖肿。

| 用法用量 | 内服煎汤，15 ~ 30 g。外用适量，捣敷。

| 附　　注 | 本种的花和嫩叶可以直接食用，具有润肠通便的功效。

雨久花科 Pontederiaceae 雨久花属 *Monochoria* 凭证标本号 320621181125035LY

雨久花 *Monochoria korsakowii* Regel et Maack

| 药 材 名 | 雨韭（药用部位：全草）。

| 形态特征 | 水生草本，全体光滑无毛，高 30 ~ 80 cm。根茎粗壮。茎直立，基部有时呈紫红色。叶片宽卵状心形，长 5 ~ 13 cm，宽 4 ~ 12 cm，全缘，先端短尖，基部心形，有长柄，柄有鞘。总状花序长超过叶，顶生，有时再聚成圆锥花序；花被蓝紫色；花药长圆形，其中 1 较大，浅蓝色，其余均为黄色。蒴果长卵圆形，长 10 ~ 12 mm；种子长圆形，长约 1.5 mm，有纵棱。花果期 7 ~ 10 月。

| 生境分布 | 生于池沼、溪沟和湖边。江苏各地均有分布。

| 资源情况 | 野生资源较丰富。

| 采收加工 | 夏、秋季采收，鲜用或切段，晒干。

| 药材性状 | 本品无毛。根茎粗壮，纤维根发达。基生叶纸质；叶片卵形至卵状心形，先端急尖或渐尖，基部心形，全缘；茎生叶叶柄较短，基部扩大成鞘，抱茎。总状花序顶生。蒴果卵形。

| 功能主治 | 苦，寒。清肺热，利湿热，解疮毒。用于高热咳喘，湿热黄疸，丹毒，疮疖。

| 用法用量 | 内服煎汤，3 ~ 10 g。外用适量，捣敷。

雨久花科 Pontederiaceae 雨久花属 *Monochoria* 凭证标本号 320506141010309LY

鸭舌草 *Monochoria vaginalis* (Burm. f.) Presl

| 药 材 名 | 鸭舌草（药用部位：全草）。

| 形态特征 | 水生草本，全体光滑无毛，高 20 ~ 30 cm。茎直立或斜升。叶片卵形至卵状披针形，长 2.5 ~ 7.5 cm，宽 1 ~ 5 cm，先端短尖至渐尖，基部圆形或浅心形；叶柄基部有鞘。总状花序从叶鞘内抽出，长不超过叶，有（1 ~ ）3 ~ 6 花；花蓝色，略带红色；雄蕊 6，其中 1 较大，其余较小。蒴果卵形，长不及 1 cm；种子长约 1 mm。花期 7 ~ 9 月，果期 9 ~ 10 月。

| 生境分布 | 生于水田中或水塘边。江苏各地均有分布。

| 资源情况 | 野生资源较丰富。

| 采收加工 | 夏、秋季采收，鲜用或切段，晒干。

| 功能主治 | 苦，凉。清热，凉血，利尿，解毒。用于感冒高热，肺热咳喘，百日咳，咯血，吐血，崩漏，尿血，热淋，痢疾，肠痈，丹毒，疮肿，咽喉肿痛，牙龈肿痛，风火赤眼，毒蛇咬伤，毒菇中毒。

| 用法用量 | 内服煎汤，15 ~ 30 g，鲜品 30 ~ 60 g；或捣汁。外用适量，捣敷。

鸢尾科 Iridaceae 射干属 *Belamcanda* 凭证标本号 321023160728084LY

射干 *Belamcanda chinensis* (L.) DC.

| 药 材 名 | 射干（药用部位：根茎）。

| 形态特征 | 直立草本，高约 1 m。根茎鲜黄色，呈不规则的结节状；须根多数，橙黄色。叶片剑形，互生，长 30 ~ 60 cm，宽 2 ~ 4 cm，无中脉。花茎花序二歧分枝，成伞房状聚伞花序，每分枝的先端聚生数花；花梗细，长约 1.5 cm；花梗及花序的分枝处均包有膜质苞片，苞片披针形或卵圆形；花橙红色或橘黄色，直径 4 ~ 5 cm，表面有深红色斑点；花被片 6，2 轮排列，外轮花被裂片倒卵形，长约 2.5 cm，宽约 1 cm，先端钝圆或微凹，基部楔形，内轮花被裂片较外轮略短而狭；雄蕊 3，长 1.8 ~ 2 cm，花药条形，向外开裂；花柱先端 3 裂，裂片边缘略向外卷，有细而短的毛，子房下位，3 室，中轴胎座，胚珠多数。蒴果倒卵形，成熟时室背开裂，果瓣外翻。花期 7 ~ 9 月，

果期 10 月。

| 生境分布 | 生于林缘、山坡草地。江苏各地均有分布。

| 资源情况 | 野生及栽培资源较丰富。

| 采收加工 | 栽后 2 ~ 3 年，春、秋季采挖，洗净泥土，晒干，搓去须根，再晒至全干。

| 药材性状 | 本品呈不规则结节状，长 3 ~ 10 cm，直径 1 ~ 2 cm。表面黄褐色、棕褐色或黑褐色，皱缩，有较密的环纹。上面有数个圆盘状凹陷的茎痕，偶有茎基残存；下面有残留细根及根痕。质硬，断面黄色，呈颗粒性。气微，味苦、微辛。

| 功效物质 | 根及根茎主要含有异黄酮类成分，如鸢尾苷元、鸢尾黄酮、鸢尾黄酮苷、射干异黄酮、甲基尼泊尔鸢尾黄酮、鸢尾黄酮新苷元 A、洋鸢尾素、野鸢尾苷、5- 去甲洋鸢尾素等。射干中抗炎、止咳的活性成分主要为鸢尾黄素、鸢尾甲黄素 A、鸢尾甲黄素 B、野鸢尾黄素等；止咳的活性成分为次野鸢尾黄素、白射干素。

| 功能主治 | 苦，寒。归肺、肝经。清热解毒，消痰，利咽。用于热毒痰火郁结，咽喉肿痛，痰涎壅盛，咳嗽气喘。

| 用法用量 | 内服煎汤，5 ~ 10 g；或入丸、散剂；或鲜品捣汁。外用适量，研末吹喉；或捣敷。

鸢尾科 Iridaceae 番红花属 *Crocus* 凭证标本号 320683201016100LY

番红花 *Crocus sativus* L.

| 药材名 | 西红花（药用部位：柱头）。

| 形态特征 | 多年生草本。球茎扁圆球形，直径约 3 cm，外面有黄褐色的膜质包被。叶 9 ~ 15 基生，条形，灰绿色，长 15 ~ 20 cm，宽 2 ~ 3 mm，边缘反卷；叶丛基部包有 4 ~ 5 膜质的鞘状叶。花茎甚短，不伸出地面；花 1 ~ 2，淡蓝色、红紫色或白色，有香味，直径 2.5 ~ 3 cm；花被裂片 6，2 轮排列，内、外轮花被裂片皆为倒卵形，先端钝，长 4 ~ 5 cm；雄蕊直立，长 2.5 cm，花药黄色，先端尖，略弯曲；花柱橙红色，长约 4 cm，上部 3 分枝，分枝弯曲而下垂，柱头略扁，先端楔形，有浅齿，较雄蕊长，子房狭纺锤形。蒴果椭圆形，长约 3 cm。

| 生境分布 | 江苏盐城（东台）、镇江（丹阳）、南京等有栽培。

| 资源情况 | 栽培资源较少。

| 采收加工 | 10 ~ 11 月下旬晴天早晨日出时采花，再摘取柱头，随即晒干或在 55 ~ 60 ℃下烘干。

| 药材性状 | 本品呈线形，3 分枝，长约 3 cm，暗红色，上部较宽而略扁平，先端边缘显不整齐的齿状，内侧有 1 短裂隙，下端有时残留一小段黄色花柱。体轻，质松软，无油润光泽，干燥后质脆、易断。气特异，微有刺激性，味微苦。

| 功效物质 | 四萜类和二萜类分布于花柱中，三萜类分布于球茎中，单萜类在花柱、花瓣和花粉中均有分布。二萜类是柱头中含量最高的一类化合物，也是其最重要的活性成分之一。柱头中的黄酮类成分主要包括黄酮醇及其苷类、黄酮及其苷类。柱头的主要活性成分为西红花苷、西红花酸、西红花醛等，具有保护神经元、增强记忆、保护心血管等药理活性。西红花苷 -1、藏花醛和山柰酚是柱头抗抑郁的药效物质基础。西红花苷 -1 是柱头中改善学习记忆障碍的主要化学成分。西红花酸可用于神经退行性疾病的治疗，如帕金森病和阿尔茨海默病。西红花苷 -1 和西红花酸都具有显著的调节血脂的作用。

| 功能主治 | 甘，平。归心、肝经。活血化瘀，凉血解毒，解郁安神。用于闭经癥瘕，产后瘀阻，温毒发斑，忧郁痞闷，惊悸发狂。

| 用法用量 | 内服煎汤，3 ~ 9 g。

鸢尾科 Iridaceae 鸢尾属 *Iris* 凭证标本号 NAS00585530

德国鸢尾 *Iris germanica* L.

| 药 材 名 | 德国鸢尾（药用部位：茎叶）。

| 形态特征 | 多年生草本，植株较粗壮。根茎粗壮、肥厚，常分枝，扁圆形，斜伸。叶片质较厚，剑形，深绿色，常具白粉，长 20 ~ 50 cm，宽 2 ~ 4 cm，基部鞘状，常带红褐色。花茎高 60 ~ 90 cm，2 ~ 3 分枝；苞片草质，边缘膜质，内常有 1 ~ 2 花；花较大，直径约 12 cm，颜色丰富多样；花被管长约 2 cm，外花被片倒卵形，内面基部有一行密生的须毛状附属物，多为黄色，内花被片色较浅，宽椭圆状倒卵形，成熟时自先端 3 裂。花期 4 月。

| 生境分布 | 江苏各地均有栽培。

| 资源情况 | 栽培资源较丰富。

| 采收加工 | 夏、秋季采收，洗净，切碎。

| 功能主治 | 活血化痰，祛风利湿。

鸢尾科 Iridaceae 鸢尾属 *Iris* 凭证标本号 320922180717014LY

马蔺 *Iris lactea* Pall. var. *chinensis* (Fisch.) Koidz.

| 药 材 名 | 马蔺子（药用部位：种子）、马蔺花（药用部位：花）。

| 形态特征 | 多年生草本，植株密簇生。根茎粗壮，木质，外包有大量老叶残留的纤维。须根粗长。叶片较坚韧，淡绿色，线形，长 20 ~ 50 cm，宽 4 ~ 6 mm，基部带红褐色；老叶叶鞘裂成纤维状。花茎有 1 ~ 3 花；花梗长 3 ~ 10 cm，基部有 3 对折叶状苞片；花蓝紫色，脉深蓝色；花被管长 2 ~ 5 mm，外花被片匙形，长 4 ~ 5 cm，先端尖，内面平滑，有黄色条纹，内花被片稍小，直立，倒披针形；子房长 2 ~ 3.5 cm。蒴果长圆柱状，先端细长。花期 4 ~ 5 月，果期 5 ~ 6 月。

| 生境分布 | 生于山野、砂质草地或路旁，尤以盐碱化草场上生长较多。分布于江苏连云港、盐城（阜宁、射阳、东台）、南通（如东）、淮安、镇江（句容）等。

| 资源情况 | 野生资源较丰富。

| 采收加工 | **马蔺子：**5 ~ 6 月采收成熟果实，晒干，打下种子，除去杂质，再晒干。

马蔺花：5 ~ 6 月花盛开时采收，晒干。

| 药材性状 | **马蔺子：**本品呈不规则多面体，长约 5 mm，宽 3 ~ 4 mm。表面红棕色至黑棕色，略有细皱纹，基部有浅色种脐，先端有合点，略凸起。质坚硬，不易碎裂。断面胚乳发达，灰白色，角质，胚位于种脐的一端，白色，细小弯曲。气微弱，味淡。

马蔺花：本品具 6 花被，线形，长 2.5 ~ 3 cm，直径 2 ~ 4 mm，多皱缩，先端弯曲，基部膨大，呈深棕色或蓝紫色；雄蕊 3，花药多破碎或脱落，有残存的花丝，花梗长短不等。质轻，气显著，味微苦。以整齐、色紫者为佳。

| 功效物质 | 主要含有黄酮类、苯醌类和低聚芪类成分。马蔺子甲素、马蔺子乙素和马蔺子丙素为种子发挥功效的主要化学成分。马蔺子素属于苯醌类结构的放射增敏药，可显著提高放疗疗效，提高肿瘤的治愈率，降低肿瘤的复发率。马蔺种皮分离得到的原花青素类化合物和从种仁分离得到的低聚芪类化合物具有降血脂作用。

| 功能主治 | **马蔺子：**甘，平。归肝、胃、脾、肺经。清热利湿，解毒杀虫，止血定痛。用于黄疸，淋浊，小便不利，肠痈，虫积，疟疾，风湿痛，喉痹，牙痛，吐血，衄血，便血，崩漏，疮肿，瘰疬，疝气，痔疮，烫伤，蛇咬伤。

马蔺花：微苦、辛、微甘，寒。归胃、脾、肺、肝经。清热解毒，凉血止血，利尿通淋。用于喉痹，吐血，衄血，崩漏，便血，淋证，疝气，痔疮，烫伤。

| 用法用量 | **马蔺子：**内服煎汤，3 ~ 9 g；或入丸、散剂。外用适量，研末调敷；或捣敷。

马蔺花：内服煎汤，3 ~ 6 g；或入丸、散剂；或绞汁。

鸢尾科 Iridaceae 鸢尾属 *Iris* 凭证标本号 320111150324019LY

小鸢尾 *Iris proantha* Diels

| 形态特征 | 多年生矮小草本。植株基部淡绿色，围有 3 ~ 5 鞘状叶及少量的老叶残留纤维。根茎细长，坚韧，二歧状分枝，横走，棕黄色，节处膨大。须根细弱，生于节处，棕黄色。叶狭条形，黄绿色，花期叶长 5 ~ 20 cm，宽 1 ~ 2.5 mm，果期长可达 40 cm，宽达 7 mm，先端长渐尖，基部鞘状，有 1 ~ 2 纵脉。花茎高 5 ~ 7 cm，中下部有 1 ~ 2 鞘状的茎生叶；苞片 2，草质，绿色，狭披针形，长 3.5 ~ 5.5 cm，宽约 6 mm，先端渐尖，内含有 1 花；花淡蓝紫色，直径 3.5 ~ 4 cm；花梗长 0.6 ~ 1 cm；花被管长 2.5 ~ 3（~ 5）cm，外花被裂片倒卵形，长约 2.5 cm，宽 1 ~ 1.2 cm，盛开时上部平展，有马蹄形的斑纹，爪部楔形，中脉上有黄色的鸡冠状附属物，表面平坦似毡绒状，内花被裂片倒披针形，长 2.2 ~ 2.5 cm，宽约 7 mm，直立；雄蕊长约

1 cm，花丝及花药皆为白色；花柱分枝淡蓝紫色，长约 1.8 cm，宽约 4 mm，先端裂片长三角形，外缘有不明显的疏齿，子房绿色，圆柱形，长 4 ~ 5 mm。蒴果圆球形，直径 1.2 ~ 1.5 cm，先端有短喙；果柄长 1 ~ 1.3 cm，苞片宿存于果实基部。花期 3 ~ 4 月，果期 5 ~ 7 月。

| 生境分布 | 生于向阳干燥的林下、路边草丛中。分布于江苏南部等。

| 资源情况 | 野生资源较少。

| 采收加工 | 秋季花顶以下 3 cm 着色时采收，或春、夏季花顶以下 1 cm 着色时采收。

| 功效物质 | 鸢尾黄素又称鸢尾苷元，具有抗炎、保护肝脏、抗氧化和清除自由基作用，对急性心肌梗死小鼠心肌具有保护作用。

| 功能主治 | 活血祛瘀，祛风利湿，解毒，消炎，消积。用于跌打损伤，风湿疼痛，咽喉肿痛，食积腹胀，疟疾；外用于痈疖肿毒，外伤出血。

鸢尾科 Iridaceae 鸢尾属 *Iris* 凭证标本号 320721180413031LY

紫苞鸢尾 *Iris ruthenica* Ker-Gawl.

| 药 材 名 | 紫苞鸢尾（药用部位：全草或根茎）。

| 形态特征 | 多年生草本。植株基部围有短的鞘状叶。根茎斜伸，二歧分枝，节明显，外包以棕褐色老叶残留的纤维，直径 3 ~ 5 mm。须根粗，暗褐色。叶条形，灰绿色，长 20 ~ 25 cm，宽 3 ~ 6 mm，先端长渐尖，基部鞘状，有 3 ~ 5 纵脉。花茎纤细，略短于叶，高 15 ~ 20 cm，有 2 ~ 3 茎生叶；苞片 2，膜质，绿色，边缘带红紫色，披针形或宽披针形，长约 3 cm，宽 0.8 ~ 1 cm，中脉明显，内含有 1 花；花蓝紫色，直径 5 ~ 5.5 cm；花梗长 0.6 ~ 1 cm；花被管长 1 ~ 1.2 cm，外花被裂片倒披针形，长约 4 cm，宽 0.8 ~ 1 cm，有白色及深紫色斑纹，内花被裂片直立，狭倒披针形，长 3.2 ~ 3.5 cm，宽约 6 mm；雄蕊长约 2.5 cm，花药乳白色；花柱分枝扁平，长 3.5 ~ 4 cm，先端裂

片狭三角形，子房狭纺锤形，长约 1 cm。蒴果球形或卵圆形，直径 1.2 ~ 1.5 cm，6 肋明显，先端无喙，成熟时自先端向下开裂至 1/2 处；种子球形或梨形，有乳白色的附属物，遇潮湿易变黏。花期 5 ~ 6 月，果期 7 ~ 8 月。

| 生境分布 | 生于山坡草地。分布于江苏连云港等。

| 资源情况 | 野生资源较少。

| 采收加工 | 夏、秋季采收，洗净，切碎。

| 功能主治 | 全草，用于疮疡肿毒。根茎，用于活血祛瘀，接骨，止痛。

鸢尾科 Iridaceae 鸢尾属 *Iris* 凭证标本号 320506150823167LY

鸢尾 *Iris tectorum* Maxim.

| 药 材 名 | 川射干（药用部位：根茎）。

| 形态特征 | 多年生草本。根茎粗壮，二歧分枝，直径约 1 cm，斜伸，常裸露于地表。须根细而短。叶片薄质，淡绿色，剑形，长 30 ~ 60 cm，宽 2 ~ 4 cm。花茎与叶近等长，单一或 2 分枝，常有花 1 ~ 4；苞片草质，长 3 ~ 8 cm；花被紫色，直径约 10 cm；花被管长约 3 cm，外花被片倒卵形，基部柄状，内面有一行白色带紫纹的鸡冠状突起，反折，内花被片稍小，宽椭圆形，有爪，斜开展；雄蕊花药鲜黄色，花丝细长；花柱分枝扁平，长约 3.5 cm，先端裂片近四方形，有疏齿。蒴果长圆形至椭圆形。花期 4 ~ 5 月，果期 5 ~ 6 月。

| 生境分布 | 生于向阳坡地、林缘及水边湿地。分布于江苏苏州、无锡、常州等。

| 资源情况 | 野生及栽培资源较丰富。

| 采收加工 | 夏、秋季采挖，洗净，切碎，鲜用。

| 药材性状 | 本品呈扁圆柱形。表面灰棕色，有节，节上常有分枝，节间部分一端膨大，另一端缩小，膨大部分密生同心环纹，愈近先端愈密。

| 功效物质 | 异黄酮类化合物是根茎的主要药理活性成分，包括鸢尾甲黄素 A 、鸢尾苷元、二氢山柰甲黄素 、野鸢尾苷元 、野鸢尾苷 、鸢尾苷 、鸢尾新苷 B、鸢尾甲苷 A 、二甲基鸢尾苷元等。

| 功能主治 | 辛、苦，寒；有毒。清热解毒，祛痰，利咽。用于热毒痰火郁结，咽喉肿痛，痰涎壅盛，咳嗽气喘。

| 用法用量 | 内服煎汤，6 ~ 15 g；或绞汁；或研末。外用适量，捣敷；或煎汤洗。

灯心草科 Juncaceae 灯心草属 *Juncus* 凭证标本号 320830150509032LY

翅茎灯心草 *Juncus alatus* Franch. et Sav.

| 药 材 名 | 翅茎灯心草（药用部位：全草）。

| 形态特征 | 多年生草本，高 11 ～ 48 cm。根茎短而横走，具淡褐色、细弱的须根。茎丛生，直立，扁平，两侧有狭翅，宽 2 ～ 4 mm，具不明显的横隔。叶基生或茎生，前者多枚，后者 1 ～ 2；叶片扁平，线形，长 5 ～ 16 cm，宽 3 ～ 4 mm，先端尖锐，通常具不明显的横隔或近无横隔；叶鞘两侧压扁，边缘膜质，松弛抱茎；叶耳小。花序由（4 ～）7 ～ 27 头状花序排列成聚伞状，花序分枝常 3，具长短不等的花序梗，长者长达 8 cm，上端分枝常向两侧伸展，花序长 3 ～ 12 cm；叶状总苞片长 2 ～ 9 cm；头状花序扁平，有 3 ～ 7 花，具 2 ～ 3 宽卵形的膜质苞片，长 2 ～ 2.5 mm，宽约 1.5 mm，先端急尖；小苞片 1，卵形；花淡绿色或黄褐色；花梗极短；花被片披针形，长 3 ～ 3.5 mm，

宽 1 ～ 1.3 mm，先端渐尖，边缘膜质，外轮者背脊明显，内轮者稍长；雄蕊 6，花药长圆形，长约 0.8 mm，黄色，花丝基部扁平，长约 1.7 mm；子房椭圆形，1 室，花柱短，柱头 3 分叉，长约 0.8 mm。蒴果三棱状圆柱形，长 3.5 ～ 5 mm，先端具短钝的突尖，淡黄褐色；种子椭圆形，长约 0.5 mm，黄褐色，具纵条纹。花期 4 ～ 7 月，果期 5 ～ 10 月。

| 生境分布 | 生于水边、草丛中及潮湿地。江苏各地均有分布。

| 资源情况 | 野生资源较丰富。

| 功能主治 | 清热，通淋，止血。用于心烦口渴，口舌生疮，淋证，小便涩痛，带下。

灯心草科 Juncaceae 灯心草属 *Juncus* 凭证标本号 320323170512891LY

扁茎灯心草 *Juncus compressus* Jacq.

| 药 材 名 |

扁茎灯心草（药用部位：全草）。

| 形态特征 |

多年生草本，高（8 ~ ）15 ~ 40（ ~ 70）cm。根茎粗壮，横走，褐色，具黄褐色须根。茎丛生，直立，圆柱形或稍扁，绿色，直径 0.5 ~ 1.5 mm。叶基生和茎生，低出叶鞘状，长 1.5 ~ 3 cm，淡褐色；基生叶 2 ~ 3，线形，长 3 ~ 15 cm，宽 0.5 ~ 1 mm；茎生叶 1 ~ 2，线形，扁平，长 10 ~ 15（ ~ 20）cm；叶鞘长 2 ~ 9 cm，松弛抱茎；叶耳圆形。顶生复聚伞花序；叶状总苞片通常 1，线形，常超出花序；从总苞叶腋中发出多个花序分枝，花序分枝纤细，长短不一，长者长 4 ~ 6 cm，先端 1 ~ 2 回或多回分枝，有时花序延伸长达 13 cm；花单生，彼此分离；小苞片 2，宽卵形，长约 1 mm，先端钝，膜质；花被片披针形或长圆状披针形，长 1.8 ~ 2.6 mm，宽 0.9 ~ 1.1 mm，先端钝圆，外轮花被片稍长于内轮花被片，较窄，内轮花被片具宽膜质边缘，背部淡绿色，先端和边缘褐色；雄蕊 6，花药长圆形，基部略呈箭形，长 0.8 ~ 1 mm，黄色，花丝长 0.6 ~ 0.8 mm；子房长圆形，长约 1.5 mm，花柱很短，柱

3分叉，长约1.5 mm。蒴果卵球形，长约2.5 mm，超出花被，上端钝，具短尖头，有3隔膜，成熟时褐色，光亮；种子斜卵形，长约0.4 mm，表面具纵纹，成熟时褐色。花期5 ~ 7月，果期6 ~ 8月。

| 生境分布 | 生于湿地边缘潮湿处。分布于江苏北部等。

| 资源情况 | 野生资源丰富。

| 功能主治 | 清热解毒，利水消肿，安神镇惊。

灯心草科 Juncaceae 灯心草属 *Juncus* 凭证标本号 320722181016330LY

星花灯心草 *Juncus diastrophanthus* Buchen.

| 药 材 名 |

螃蟹脚（药用部位：全草）。

| 形态特征 |

多年生草本，高 20 ~ 30 cm。根茎短。茎丛生，直立，稍压扁，上部两侧略有狭翅。叶基生和茎生，低出叶鞘状，长 1.5 ~ 2.5 cm，基部紫褐色；基生叶松弛抱茎，叶鞘先端近无叶片；茎生叶 1 ~ 3，扁平，线形，长 7 ~ 10 cm，宽 2.5 ~ 3 mm，先端渐尖，有不明显的横隔；叶鞘较短；叶耳稍钝。花序由 6 ~ 24 头状花序组成，排列成顶生复聚伞状，宽大，分枝常 2 ~ 3，稀更多，花序梗长短不等；头状花序有花 7 ~ 15，簇生成星芒状的花簇；总苞片叶状，线状披针形，长 3 ~ 7 cm，短于花序；苞片 2 ~ 3，披针形，先端锐尖；小苞片 1，卵状披针形；花具长约 1 mm 的短梗；花被片绿色，狭披针形，长约 4.5 mm，内轮花被片比外轮花被片长，先端具刺状芒尖；雄蕊 3；子房三棱形。果实长圆柱状三棱形，长 4 ~ 5 mm，明显超过花被片，先端锐尖；种子两端有小尖头。花果期 4 ~ 6 月。

| 生境分布 | 生于水湿处。分布于江苏无锡（宜兴）等。

| 资源情况 | 野生资源较丰富。

| 采收加工 | 夏季采收，洗净，晒干。

| 功能主治 | 苦，凉。清热利尿，消食。用于小便赤涩热痛，宿食不化。

| 用法用量 | 内服煎汤，15 ~ 30 g，大剂量可用至 60 g。

灯心草科 Juncaceae 灯心草属 *Juncus* 凭证标本号 320721181018366LY

灯心草 *Juncus effusus* L.

| 药 材 名 | 灯心草（药用部位：茎髓）。

| 形态特征 | 多年生草本，高 40 ~ 100 cm。根茎横走，粗壮。茎直立，丛生，圆柱状，直径 1.5 ~ 4 mm，绿色，有纵条纹，质软，内部充满白色的髓（“灯心”）。叶全部为低出叶，呈鞘状或鳞片状，包于茎的基部，长 1 ~ 22 cm，基部红褐色至黑褐色；叶片退化成芒刺状。花序假侧生，聚伞状，多花，排列密集或疏散；苞片圆柱状，长 5 ~ 20 cm，生于先端，似茎的延伸，直立，先端尖锐；小苞片 2，宽卵形，膜质，先端尖；花被片狭披针形，淡绿色，先端锐尖，背脊增厚突出，黄绿色，边缘膜质，外轮花被片稍长于内轮花被片；雄蕊 3，长为花被的 2/3，花药稍短于花丝；子房 3 室，花柱短，柱头 3 分叉。蒴果长圆形，略短于或等长于花被；种子多数，卵状长圆形，长约 0.5 mm。

花期 4 ~ 5 月，果期 6 ~ 8 月。

| 生境分布 | 生于湿地边缘较湿润处。江苏各地均有分布。江苏常州、无锡（宜兴）、徐州、淮安等有栽培。

| 资源情况 | 野生及栽培资源较丰富。

| 采收加工 | 秋季采割茎秆，顺茎划开皮部，剥出髓心，捆把，晒干。

| 药材性状 | 本品呈细圆柱形，长达 90 cm，直径 0.1 ~ 0.3 cm。表面白色或淡黄白色，有细纵纹。体轻，质软，略有弹性，易拉断，断面白色。无臭，无味。

| 功效物质 | 茎髓含有多种菲类衍生物，二氢菲类化合物是灯心草重要的活性成分。联苯类化合物去氢厄弗酚具有明显的镇静作用。灯心草中的菲类化合物具有镇静及抗焦虑作用。

| 功能主治 | 清心火，利小便。用于心烦失眠，尿少涩痛，口舌生疮。

| 用法用量 | 内服煎汤，1.5 ~ 2.4 g（鲜草单用，31 ~ 62 g）；或入丸、散剂。外用适量，煅存性研末撒或吹喉。

| 附　　注 | 本种药材适用于病情较轻者，或作清热利水药（如木通、滑石）的辅助品。单味煎服或与清心安神药同用，可用于心热烦躁、小儿夜啼。此外，烧灰吹喉，可用于喉痹。

灯心草科 Juncaceae 灯心草属 *Juncus* 凭证标本号 320830150509031LY

野灯心草 *Juncus setchuensis* Buchen.

| 药 材 名 | 龙须草（药用部位：全草或根）。

| 形态特征 | 多年生草本，高 20 ~ 60 cm。根茎短而横走。茎丛生，直立，圆柱状，有较深而明显的纵沟，直径 1 ~ 1.5 mm，茎内充满白色髓心。叶全部为低出叶，呈鞘状或鳞片状，包围在茎的基部，长 1 ~ 10 cm，基部红褐色至棕褐色；叶片退化为刺芒状。聚伞花序假侧生；花多朵排列紧密或疏散；总苞片生于先端，圆柱状，似茎的延伸，长 5 ~ 15 cm，先端尖锐；小苞片 2，三角状卵形，膜质，长 1 ~ 1.5 mm，宽约 1 mm；花淡绿色；花被片卵状披针形，长 2 ~ 3 mm，宽约 1 mm，先端锐尖，边缘宽膜质，内轮花被片与外轮花被片等长；雄蕊 3，比花被片稍短，花药长圆形，黄色，比花丝短；花柱极短，柱头 3 分叉。蒴果常卵形，比花被片长，先端钝，成熟时黄褐色至

棕褐色；种子斜倒卵形，棕褐色。花期 5 ~ 7 月，果期 6 ~ 9 月。

| 生境分布 | 生于山沟、林下阴湿地、溪旁、道旁的浅水处。江苏各地均有分布。

| 资源情况 | 野生资源较丰富。

| 采收加工 | 全草，全年均可采收，除去根和杂质，洗净，切段，鲜用或晒干；根，夏、秋季采挖，除去茎部，洗净，晒干。

| 功效物质 | 茎髓及根部含有多种菲类衍生物，与灯心草类似，尤以二氢菲类化合物成分为主，具有镇静及抗焦虑作用。

| 功能主治 | 苦，凉。清心火，利小便。用于热淋，小便涩痛，水肿，尿血。

| 用法用量 | 内服煎汤，3 ~ 6 g。

灯心草科 Juncaceae 地杨梅属 *Luzula* 凭证标本号 320482180327327LY

多花地杨梅 *Luzula multiflora* (Retz.) Lej.

| 药 材 名 | 地杨梅（药用部位：全草或果实）。

| 形态特征 | 多年生草本，高 25 ~ 45 cm。根茎短而直伸。茎直立，密丛生，具纵沟纹。叶基生和茎生；基生叶丛生于茎基部，茎生叶 1 ~ 3；叶片线状披针形，长 5 ~ 10 cm，宽 4 mm，先端钝圆，加厚成胼胝状，边缘具白色丝状长毛；叶鞘闭合紧包茎，鞘口部密生丝状长毛。花序常由 5 ~ 12 头状花序组成复聚伞花序，花序分枝近辐射状，各头状花序具长短不等的花序梗，唯中央 1 枝具短梗；苞片线状披针形，长约 3 mm；头状花序半球形，含 3 ~ 8 花；花近无梗，基部常有 1 ~ 2 苞片；花下具 2 膜质小苞片；花被片披针形，长约 3 mm，先端长渐尖或成芒尖；雄蕊花药长于花丝 2 倍；花柱与子房近等长，柱头 3 裂，螺旋状卷曲。蒴果倒卵形，与花被片近等长；种子 3，种阜长为种子的 1/3 ~ 1/2。花期 4 ~ 7 月，果期 7 ~ 8 月。

| 生境分布 | 生于山坡草地或林缘。分布于江苏南部等。

| 资源情况 | 野生资源较少。

| 采收加工 | 夏季采割全草，剪取果实，分别晒干。

| 功效物质 | 地杨梅属多种植物均含有木犀草素 -7- 葡萄糖苷。种子的脂肪油含有亚油酸和亚麻酸。

| 功能主治 | 辛，平。清热止痢。用于赤白痢。

| 用法用量 | 内服煎汤，3 ~ 9 g。

鸭跖草科 Commelinaceae 鸭跖草属 *Commelina* 凭证标本号 320124170821006LY

饭包草 *Commelina benghalensis* L.

| 药 材 名 | 马耳草（药用部位：全草）。

| 形态特征 | 多年生披散草本。茎大部分匍匐，节上生根，上部及分枝上部上升，被疏柔毛。叶有明显的叶柄；叶片宽卵形至卵状椭圆形，长 3 ~ 7 cm，宽 1.5 ~ 3.5 cm，先端钝或急尖，近无毛；叶鞘口沿有疏而长的睫毛。总苞片漏斗状，与叶对生，常数个集于枝顶，下部边缘合生，长 8 ~ 12 mm，被疏毛，先端短急尖或钝，柄极短；花序下面 1 枝具细长梗，具 1 ~ 3 不孕花，伸出佛焰苞，上面 1 枝有花数朵，结实，不伸出佛焰苞；萼片膜质，披针形，长 2 mm，无毛；花瓣蓝色，圆形，长 3 ~ 5 mm，内面 2 具长爪。蒴果椭圆状，长 4 ~ 6 mm，3 室，腹面 2 室每室具 2 种子，开裂，后面 1 室仅有 1 种子或无种子，不裂。花期 6 ~ 10 月。

| 生境分布 | 生于山坡路边、田埂较湿处。江苏各地均有分布。

| 资源情况 | 野生资源较丰富。

| 采收加工 | 夏、秋季采收，洗净，鲜用或晒干。

| 功效物质 | 叶、花含有花色苷，主要是矢车菊素 -3,3',7'- 三葡萄糖苷、飞燕草素三葡萄糖苷及对 - 香豆酰基飞燕草素 -3,5- 二葡萄糖苷等。

| 功能主治 | 苦，寒。清热解毒，利水消肿。用于热病发热，烦渴，咽喉肿痛，热痢，热淋，痔疮，疔疮痈肿，蛇虫咬伤。

| 用法用量 | 内服煎汤，15 ～ 30 g，鲜品 30 ～ 60 g。外用适量，鲜品捣敷；或煎汤洗。

鸭跖草科 Commelinaceae 鸭跖草属 *Commelina* 凭证标本号 320684160730070LY

鸭跖草 *Commelina communis* L.

| 药 材 名 | 鸭跖草（药用部位：地上部分）。

| 形态特征 | 一年生披散草本，高 20 ~ 60 cm。茎多分枝，基部匍匐，节上生根，上部上升，被短毛。单叶互生；叶片披针形或卵状披针形，长 4 ~ 9 cm，宽 1.5 ~ 2 cm；无柄或近无柄。总苞片佛焰苞状，有柄，柄长 1.5 ~ 4 cm，与叶对生，佛焰苞展开后为心形，先端短急尖，基部心形，长 1.2 ~ 2 cm，边缘对合折叠，基部不相连，边缘有毛；聚伞花序，下面 1 枝仅有 1 不孕花，花梗长 8 mm，上面 1 枝有 3 ~ 4 花，花梗短，几不伸出佛焰苞；花梗果期弯曲；萼片膜质，长约 5 mm，内面 2 常靠近或合生；花瓣深蓝色，内面 2 具爪，长约 1 cm。蒴果椭圆状，2 室，2 爿裂，每室有 2 种子。花果期 6 ~ 10 月。

| 生境分布 | 生于路旁、田埂、山坡、林缘阴湿处。江苏各地均有分布。

| 资源情况 | 野生资源较丰富。

| 采收加工 | 6 ~ 7 月花期采收，鲜用或阴干。

| 药材性状 | 本品长可达 60 cm，黄绿色或黄白色，较光滑。茎有纵棱，直径约 0.2 cm，多有分枝或须根，节稍膨大，节间长 3 ~ 9 cm；质柔软，断面中心有髓。叶互生，多皱缩、破碎，完整叶片展平后呈卵状披针形或披针形，长 3 ~ 9 cm，宽 1.5 ~ 2 cm；先端尖，全缘，基部下延成膜质叶鞘，抱茎，叶脉平行。花多脱落，总苞佛焰苞状，心形，两边不相连；花瓣皱缩，蓝色。气微，味淡。

| 功效物质 | 主要含有黄酮及其苷类、生物碱类和酚酸类成分。地上部分含有生物碱类成分，如 1- 甲氧羰基 -*β*- 咔啉、哈尔满及去甲哈尔满。花瓣含有鸭跖草蓝素、獐牙菜辛、阿伏巴苷和鸭跖黄亭。1- 脱氧野尻霉素、2,5- 二羟甲基 -3,4- 二羟吡咯烷具有很强的抑制 *α*- 葡萄糖苷酶活性的作用，均有显著的降血糖作用。荭草素、牡荆素、异荭草素、异牡荆素具有较好的抗氧化活性。

| 功能主治 | 甘、淡，寒。归肺、胃、小肠经。清热泻火，解毒，利水消肿。用于感冒发热，热病烦渴，咽喉肿痛，水肿尿少，热淋涩痛，痈肿疔毒。

| 用法用量 | 内服煎汤，9 ~ 15 g，鲜品 62 ~ 93 g，大剂量可用 155 ~ 217 g；或捣汁。外用适量，捣敷；或捣汁点喉。

鸭跖草科 Commelinaceae 水竹叶属 *Murdannia* 凭证标本号 320830150714003LY

裸花水竹叶 *Murdannia nudiflora* (L.) Brenan

| 药 材 名 |

红毛草（药用部位：全草）。

| 形态特征 |

多年生陆生草本。茎长 10 ~ 50 cm，自基部发出多条，披散，下部节上生根，无毛。叶片禾叶状或披针形，先端钝或渐尖，两面无毛或疏生刚毛，长 2.5 ~ 10 cm，宽 5 ~ 10 mm；叶鞘长不及 1 cm，常全部被长刚毛，但也有仅口部一侧密生长刚毛而别处无毛。蝎尾状聚伞花序数个，排成顶生圆锥花序，或仅单个；花序梗纤细，长达 4 cm；下部的总苞片叶状，小于叶，上部的总苞片很小，长不及 1 cm；苞片早落；花梗细而挺直，长 3 ~ 5 mm；萼片草质，浅舟状，长约 3 mm；花瓣紫色，长约 3 mm；能育雄蕊 2，不育雄蕊 2 ~ 4，先端 3 全裂，花丝下部有须毛。蒴果卵圆状三棱形，长 3 ~ 4 mm；种子黄棕色，有深窝孔或白色瘤突。花果期 8 ~ 9 月。

| 生境分布 |

生于山坡路旁较潮湿处。分布于江苏连云港（东海）、无锡、常州（溧阳）等。

| 资源情况 | 野生资源较丰富。

| 采收加工 | 夏、秋季采收，洗净，鲜用或晒干。

| 药材性状 | 本品常缠绕成团，黄绿色，无毛。茎圆柱形，直径约 1.5 mm，有分枝及须根；表面光滑，有纵棱，节稍膨大；质柔软，断面中央有髓。叶互生，多皱缩、破碎；完整叶片展平后呈披针形，长 2 ~ 10 cm，宽 0.5 ~ 1 cm，全缘，叶稍有长睫毛；叶脉平行。花多脱落，总苞片条形，早落；花瓣皱缩，紫色。气微，味淡。

| 功能主治 | 淡，凉。清肺热，凉血解毒。用于肺热咳嗽，咯血，吐血，咽喉肿痛，目赤肿痛，疮痈肿毒。

| 用法用量 | 内服煎汤，15.5 ~ 31 g。外用适量，鲜品捣敷。

鸭跖草科 Commelinaceae 水竹叶属 *Murdannia* 凭证标本号 321112180724009LY

水竹叶 *Murdannia triquetra* (Wall.) Bruckn.

| 药 材 名 | 水竹叶（药用部位：全草）。

| 形态特征 | 多年生水生或沼生草本。具长而横走的根茎。茎肉质，基部匍匐，节处生须根，上部上升，常多分枝，长 10 ~ 30 cm，节间长 8 cm，密生 1 列白色硬毛，与下 1 叶鞘的 1 列毛相连续。叶无柄；叶片条状披针形或竹叶形，长 2 ~ 7 cm，宽 6 ~ 7 mm，平展或稍折叠，先端渐尖，基部鞘状，叶鞘边缘有白色柔毛。花序常仅有 1 花，生于分枝先端的叶腋内，花序梗中部有一条状的苞片，有时苞片腋中生 1 花；萼片绿色，狭长圆形，浅舟状，长 4 ~ 6 mm，无毛，宿存；花瓣倒卵圆形，粉红色、紫红色或蓝紫色；发育雄蕊 3，退化雄蕊先端戟状，不分裂。蒴果矩圆状三棱形，长 5 ~ 7 mm，两端较钝，3 瓣裂，每室有 1 ~ 3 种子；种子红灰色，表面有沟纹。花果期 8 ~

11 月。

| 生境分布 | 生于水稻田、湿地或浅水旁。分布于江苏南部等。

| 资源情况 | 野生资源较丰富。

| 采收加工 | 夏、秋季采收，洗净，鲜用或阴干。

| 药材性状 | 本品呈团块状，灰绿色。茎圆柱形，多分枝，下部节上生褐色须根。叶折皱，平展者呈线状披针形，长 1.5 ~ 3.5 cm，宽 4 ~ 6 mm，先端渐尖，基部鞘状抱茎，全缘，绿色，带紫色条纹。花序常仅有 1 花，花萼 3，绿色；花瓣蓝紫色；能育雄蕊 3，不育雄蕊 3；子房长圆形，无柄。蒴果两端钝，长 5 ~ 7 mm。气微，味甘。以干燥、枝叶多、色绿者为佳。

| 功效物质 | 全草含有 *β*- 蜕皮素，含量占全草干重的 0.2%，还含有 *α*- 脱羟 -*β*- 蜕皮素及微量的水龙骨素 B。

| 功能主治 | 甘，寒。归肺、膀胱经。清热解毒，利尿。用于发热，咽喉肿痛，肺热咳喘，咯血，热淋，热痢，痈疖疔肿，蛇虫咬伤。

| 用法用量 | 内服煎汤，9 ~ 15 g，鲜品 30 ~ 60 g。外用适量，捣敷。

鸭跖草科 Commelinaceae 杜若属 *Pollia* 凭证标本号 320102190627140LY

杜若 *Pollia japonica* Thunb.

| 药 材 名 |

竹叶莲（药用部位：全草或根茎）。

| 形态特征 |

多年生直立或上升草本，高 30 ~ 90 cm。有细长的横走根茎。茎直立或上升，不分枝，粗壮，被短柔毛。叶常聚集于茎顶；叶片长椭圆形，长 10 ~ 20 cm，宽 4 ~ 6.5 cm，先端渐尖，基部渐狭，暗绿色，叶面粗糙，叶背有细毛；无柄或叶片基部渐狭而成带翅的叶柄；叶鞘无毛。顶生圆锥花序常由轮生的蝎尾状聚伞花序组成，轮与轮之间较疏离，有长总梗，梗有白色细钩状毛，花序总梗长 15 ~ 30 cm，花序远伸出叶；总苞片披针形；花梗长 2 ~ 4 mm，有一膜质、披针形的苞片；萼片 3，长约 5 mm，无毛，宿存；花瓣白色，倒卵状匙形，长约 3 mm。果实圆球状，直径 5 ~ 7 mm，成熟时暗蓝色。花期 6 ~ 7 月，果期 8 ~ 10 月。

| 生境分布 |

生于山谷林下阴湿处。分布于江苏南京、无锡（宜兴）等。

| 资源情况 | 野生资源一般。

| 采收加工 | 夏、秋季采收，洗净，鲜用或阴干。

| 功能主治 | 辛，微温。清热利尿，解毒消肿。用于小便黄赤，热淋，疔痈疖肿，蛇虫咬伤。

| 用法用量 | 内服煎汤，6 ~ 12 g。外用适量，捣敷。

鸭跖草科 Commelinaceae 紫露草属 *Tradescantia* 凭证标本号 321322180430113LY

紫竹梅 *Tradescantia pallida* (Rose) D. R. Hunt

| 药 材 名 | 紫鸭跖草（药用部位：全草）。

| 形态特征 | 多年生草本。茎直立分节、壮硕、簇生。株丛高大，高 25 ~ 50 cm。叶互生，每株具 5 ~ 7 线形或披针形茎生叶。花序顶生，伞形；花紫色，花瓣、萼片均 3，卵圆形萼片为绿色，广卵形花瓣为蓝紫色；雄蕊 6，3 退化，2 可育，1 短而纤细、无花药；雌蕊 1，子房卵圆形，具 3 室，花柱细长，柱头锤状。蒴果近圆形，长 5 ~ 7 mm，无毛；种子橄榄形，长 3 mm。花期 6 ~ 10 月。

| 生境分布 | 江苏各地均有栽培。

| 资源情况 | 栽培资源较丰富。

| 采收加工 | 夏、秋季采收，洗净，鲜用或阴干。

| 功能主治 | 淡、甘，凉。归心、肝经。解毒，散结，利尿，活血。用于痈疮肿毒，瘰疬结核，毒蛇咬伤，淋证，跌打损伤。

| 用法用量 | 内服煎汤，9 ~ 15 g，鲜品 30 ~ 60 g。外用适量，捣敷；或煎汤洗。

| 附　　注 | 本种喜温暖、半阴、湿润环境，不耐寒，对土壤要求不严。

鸭跖草科 Commelinaceae 紫露草属 *Tradescantia*

吊竹梅 *Tradescantia zebrina* Bosse

| 药 材 名 |

吊竹梅（药用部位：全草）。

| 形态特征 |

多年生草本。茎长 40 ~ 80 cm，多分枝，披散或悬垂，有淡紫色斑纹，无毛或有柔毛，节上生根。叶互生；叶片卵状椭圆形，长 3 ~ 8 cm，宽 2 ~ 3 cm，稍肉质，先端渐尖，基部鞘状，无柄；叶鞘长 8 ~ 12 mm，薄，膜质，口部有长纤毛，其他部位无毛或有柔毛，两面无毛或疏生柔毛，先端锐尖或渐尖，基部圆形，叶面紫色或绿色，杂有 2 纵向白色条纹，叶背紫色。花簇生于 1 大 1 小、苞片状的苞腋内；苞片狭窄，具缘毛；萼片披针形至长圆状披针形，带白色；花瓣卵形，淡玫瑰色，长约 6 mm，先端钝；花柱丝状，柱头头状，3 圆裂。种子具皱纹。

| 生境分布 |

生于山边、村边、沟旁及路边较阴湿的草地上。江苏各地均有栽培。

| 资源情况 |

栽培资源较丰富。

| 采收加工 | 夏、秋季采收，洗净，鲜用或阴干。

| 功效物质 | 主要含有乙酰花色苷、吊竹梅素和单去咖啡酰基吊竹梅素等。

| 功能主治 | 甘、淡，寒。归膀胱、肺、大肠经。清热利湿，凉血解毒。用于水肿，小便不利，淋证，痢疾，带下，咳嗽咯血，目赤肿痛，咽喉肿痛，疮痈肿毒，烫火伤，毒蛇咬伤。

| 用法用量 | 内服煎汤，15 ~ 30 g，鲜品 60 ~ 90 g；或捣汁。外用适量，捣敷。

谷精草科 Eriocaulaceae 谷精草属 *Eriocaulon* 凭证标本号 320703150820424LY

长苞谷精草 *Eriocaulon decemflorum* Maxim.

| 药 材 名 | 长苞谷精草（药用部位：全草或花序）。

| 形态特征 | 草本。叶片长 5 ~ 11 cm，宽 1 ~ 2 mm，半透明，有多脉，横格不明显，具锐尖头，基部有横格；叶鞘长，具锐头。花序葶约 10，长 6 ~ 22 cm，有 3 ~ 5 纵沟；鞘状苞片口部斜裂；头状花序倒圆锥形至半球形，长 4 ~ 5 mm；总苞片长椭圆形，具锐头，长于花，花下的苞片倒卵状，背面上部有毛；雄花花梗短，外轮花被片披针形，常 2 深裂，具锐头，基部合生，内轮花被筒状，先端 2 裂，近先端有黑色至棕色的腺体，雄蕊 4，花药黑色；雌花花梗稍长，外轮花被离生，2 裂至单个裂片，线形，上部有毛，内轮花被片 2，倒披针状线形，近肉质，稍有毛，上部内侧有黑色腺体，子房 2 室，柱头 2 分叉。种子表面具横格及“T”形毛。花果期 8 ~ 10 月。

| 生境分布 | 生于湿地或水田。分布于江苏连云港（灌云、连云）等。

| 资源情况 | 野生资源较丰富。

| 采收加工 | 秋季采收全草或将花茎拔出，除净泥沙，晒干。

| 功能主治 | 甘，平。归肝经。清热止痛。

| 用法用量 | 内服煎汤，3 ~ 10 g；或研末冲水。

禾本科 Gramineae 看麦娘属 *Alopecurus* 凭证标本号 321023170422136LY

看麦娘 *Alopecurus aequalis* Sobol.

| 药 材 名 |

看麦娘（药用部位：全草）。

| 形态特征 |

一年生草本，高 15 ~ 40 cm。秆少数丛生，细瘦，光滑，节处常膝曲。叶鞘光滑，短于节间；叶舌膜质，长 2 ~ 5 mm；叶片扁平，长 3 ~ 10 cm，宽 2 ~ 6 mm。圆锥花序圆柱状，灰绿色，长 2 ~ 7 cm，宽 3 ~ 6 mm。小穗椭圆形或卵状长圆形，长 2 ~ 3 mm。颖片膜质，基部互相连合，具 3 脉，脊上有细纤毛，侧脉下部有短毛。外稃膜质，先端钝，等长或稍长于颖片，下部边缘互相连合，芒长 1.5 ~ 3.5 mm，约于稃体下部 1/4 处伸出，隐藏或稍外露。花药橙黄色，长 0.5 ~ 0.8 mm。颖果长约 1 mm。花果期 4 ~ 8 月。

| 生境分布 |

生于田边或潮湿处。江苏各地均有分布。

| 资源情况 |

野生资源丰富。

| 采收加工 | 春、夏季采收，鲜用或晒干。

| 功效物质 | 全草含有糖类、氨基酸类、核苷类、蛋白质类、维生素类等营养成分。

| 功能主治 | 淡，凉。清热利湿，止泻，解毒。用于水肿，水痘，泄泻，黄疸性肝炎，赤眼，毒蛇咬伤。

| 用法用量 | 内服煎汤，30 ~ 60 g。外用适量，捣敷；或煎汤洗。

禾本科 Gramineae 看麦娘属 *Alopecurus* 凭证标本号 321284190331011LY

日本看麦娘 *Alopecurus japonicus* Steud.

| 药 材 名 |

日本看麦娘（药用部位：全草）。

| 形态特征 |

一年生草本，高 20 ~ 50 cm。秆多数丛生，直立或基部膝曲，有 3 ~ 4 节，直径 3 ~ 4 cm。叶鞘疏松抱茎，平滑，无毛，其内常有分枝；叶舌膜质，长 2 ~ 5 mm；叶片柔软，蓝绿色，叶面粗糙，叶背光滑，长 3 ~ 12 cm，宽 3 ~ 7 mm。圆锥花序圆柱状，黄绿色，长 3 ~ 10 cm，宽 4 ~ 10 mm。小穗卵形至长圆形，长 5 ~ 6 mm。颖片草质，近基部相结合，具 3 脉，沿脊有纤毛。外稃略长于颖片，厚膜质，下部边缘连合，有芒，芒长 8 ~ 12 mm，近稃体基部伸出，上部粗糙，中部稍膝曲。花药淡黄色或白色，长约 1 mm。颖果半椭圆形，长 2 ~ 2.5 mm。花果期 2 ~ 5 月。

| 生境分布 |

生于麦田或草地。江苏各地均有分布。

| 资源情况 |

野生资源较丰富。

| 采收加工 | 春、夏季采收，鲜用或晒干。

| 功效物质 | 全草含有糖类、氨基酸类、核苷类、蛋白质类、维生素类、矿物元素等资源性成分。

| 功能主治 | 凉血，止血，活血。

禾本科 Gramineae 荩草属 *Arthraxon* 凭证标本号 320922180716043LY

荩草 *Arthraxon hispidus* (Thunb.) Makino

| 药 材 名 | 荩草（药用部位：全草）。

| 形态特征 | 一年生草本，高 30 ~ 60 cm。秆细弱，基部倾斜，分枝，多节，基部节着地易生根，无毛。叶鞘短于节间，有短硬疣毛；叶片卵状披针形，长 2 ~ 4 cm，宽 8 ~ 15 mm，基部心形，抱秆，除下部边缘生纤毛外，余均无毛。总状花序细弱，长 1.5 ~ 3 cm，2 ~ 10 成指状排列或簇生于秆顶；穗轴节间无毛，长为小穗的 1/4 ~ 1/3。有柄小穗退化成长 0.2 ~ 1 mm 的柄；无柄小穗两侧压扁，卵状披针形，长 4 ~ 4.5 mm，灰绿色或带紫色。第 1 颖草质，包住第 2 颖 2/3，边缘带膜质，有 7 ~ 9 脉，脉上粗糙，先端钝；第 2 颖与第 1 颖等长，舟形，近膜质，侧脉不明显，先端尖。第 1 外稃长为第 1 颖的 2/3，长圆形，透明膜质，先端尖；第 2 外稃与第 1 外稃等长，透明膜质，

近基部伸出一膝曲的芒，芒长 6 ～ 9 mm 或退化，下部扭转。雄蕊 2。颖果长圆球状。花果期 8 ～ 11 月。

| 生境分布 | 生于山坡、草地和阴湿处。分布于江苏南部等。

| 资源情况 | 野生资源丰富。

| 采收加工 | 7 ～ 9 月采收，晒干。

| 功效物质 | 叶和秆含有黄酮类、有机酸类等成分，黄酮类成分如荩草素、木犀草素及其苷类等，有机酸类成分如乌头酸。籽粒和壳含有三萜类成分，如羊齿烯醇、白茅素、异山柑子醇等。

| 功能主治 | 苦，平。止咳定喘，解毒杀虫。用于久咳气喘，肝炎，咽喉炎，口腔炎，鼻炎，淋巴结炎，乳腺炎，疮疡疥癣。

| 用法用量 | 内服煎汤，6 ～ 15 g。外用适量，煎汤洗；或捣敷。

禾本科 Gramineae 芦竹属 *Arundo* 凭证标本号 320621181124069LY

芦竹 *Arundo donax* L.

| 药 材 名 | 芦竹根（药用部位：根茎）、芦竹笋（药用部位：嫩苗）、芦竹沥（药材来源：茎秆经烧炙后沥出的汁液）。

| 形态特征 | 多年生草本，高 2 ~ 6 m。具发达根茎。秆直立，较芦苇质硬而味苦，直径 1 ~ 1.5 cm，质坚韧，具多数节，上部的节常有分枝。叶鞘长于节间，无毛；叶舌平截，长约 1.5 mm，先端具短纤毛；叶片扁平，长 30 ~ 60 cm，宽 2 ~ 5 cm，上面与边缘微粗糙，基部接近叶鞘处篾黄色，软骨质，略呈波状，抱茎。圆锥花序极大型，长 30 ~ 60 cm，宽 3 ~ 6 cm，分枝稠密，直立。小穗长 10 ~ 12 mm，有 2 ~ 4 小花；颖片披针形，近等长，长 8 ~ 10 mm。外稃的主脉延伸成长 1 ~ 2 mm 的短芒，背面中部以下密生长柔毛，毛长 5 ~ 7 mm，基盘长约 0.5 mm，两侧上部具短柔毛；第 1 外稃

长 8 ~ 10 mm；内稃长约为外稃之半。雄蕊 3。颖果细小，黑色。花果期 9 ~ 12 月。

| 生境分布 | 生于河岸、道旁。江苏各地均有分布。

| 资源情况 | 野生资源丰富。

| 采收加工 | **芦竹根**：夏季拔取全草，砍取根茎，洗净，剔除须根，切片或整条晒干。

芦竹笋：春季采收，洗净，鲜用。

芦竹沥：取鲜芦竹秆，截成长 30 ~ 50 cm 的段，两端去节，劈开，架起，中部用火烤之，两端即有汁液流出，以器盛之。

| 药材性状 | **芦竹根**：本品呈弯曲扁圆条形，长 10 ~ 18 cm，直径 2 ~ 2.5 cm，黄棕色，有纵皱纹，一端稍粗大，有大小不等的笋子芽孢突起，基部周围有须根断痕；有节，节上有淡黄色的叶鞘残痕，或全为叶鞘包裹。质坚硬，不易折断。以质嫩、干燥、茎秆短者为佳。

| 功效物质 | 根茎含有蟾毒色胺、去氢蟾毒色胺、蟾蜍特尼定、*N*,*N*- 二甲基色胺、5- 甲氧基 -*N*- 甲基色胺等多种吲哚衍生物。花同样含有多种吲哚衍生物，如禾草碱、禾草碱甲氢氧化物、*N*,*N*- 甲基色胺甲氢氧化物、3,3'- 双（吲哚甲基）二甲铵氢氧化物、胡颓子碱等。叶含有香树脂醇乙酸酯、无羁萜等三萜类，三十烷、三十醇等烷烃及其衍生物，以及豆甾醇、*β*- 谷甾醇、菜油甾醇等甾醇类成分。

| 功能主治 | **芦竹根**：苦、甘，寒。归肺、胃经。清热泻火，生津除烦，利尿。用于热病烦渴，虚劳骨蒸，吐血，热淋，小便不利，风火牙痛。

芦竹笋：苦，寒。清热泻火。用于肺热吐血，骨蒸潮热，头晕，热淋，聤耳，牙痛。

芦竹沥：苦，寒。清热镇惊。用于小儿高热惊风。

| 用法用量 | **芦竹根**：内服煎汤，15 ~ 30 g；或熬膏。外用适量，捣敷。

芦竹笋：内服煎汤，鲜品 15 ~ 60 g；或捣汁；或熬膏。外用适量，捣汁滴耳。

芦竹沥：内服开水冲，15 ~ 30 g。

禾本科 Gramineae 燕麦属 *Avena* 凭证标本号 320482180424529LY

野燕麦 *Avena fatua* L.

| 药 材 名 | 燕麦草（药用部位：全草）、野麦子（药用部位：种子）。

| 形态特征 | 一年生草本，高 60 ~ 120 cm。秆直立，光滑，无毛，有 2 ~ 4 节。叶鞘松弛，光滑，或基部有毛；叶舌透明膜质，长 1 ~ 5 mm；叶片扁平，长 11 ~ 30 cm，宽 4 ~ 12 mm，微粗糙，或叶面及边缘疏生柔毛。圆锥花序长 10 ~ 25 cm，开展，分枝有棱，粗糙。小穗有 2 ~ 3 小花，长 18 ~ 25 mm；小穗柄弯曲下垂，先端膨胀；小穗轴的节间常密生淡棕色或白色硬毛，节处易断落，第 1 节间长约 3 mm。颖草质，常有 9 脉；第 1 颖和第 2 颖近相等。外稃质坚硬，基盘密生短髭毛；第 1 外稃长 15 ~ 20 mm，背面中部以下具淡棕色或白色硬毛，芒自外稃中部稍下处伸出，膝曲，芒柱棕色，扭转，长 2 ~ 4 cm。颖果被淡棕色柔毛，腹面具纵沟，长 6 ~ 8 mm。花果期 4 ~ 9 月。

| 生境分布 | 生于荒野、路边或田间。江苏各地均有分布。

| 资源情况 | 野生资源丰富。

| 采收加工 | **燕麦草：**春、夏季未结实前采割，晒干。

野麦子：夏、秋季采收成熟果实，脱壳取出种子，晒干。

| 功效物质 | 粗蛋白质及粗纤维含量中等，无氮浸出物含量丰富。

| 功能主治 | **燕麦草：**甘，平。收敛止血，固表止汗。用于吐血，便血，自汗，盗汗，带下。

野麦子：甘，温。补虚止汗。用于虚汗不止。

| 用法用量 | **燕麦草：**内服煎汤，15 ~ 30 g。

野麦子：内服煎汤，10 ~ 15 g。

禾本科 Gramineae 燕麦属 *Avena* 凭证标本号 320323170511849LY

光稃野燕麦 *Avena fatua* L. var. *glabrata* Peterm.

| 药 材 名 |

燕麦草（药用部位：全草）。

| 形态特征 |

本种与野燕麦的区别在于外稃光滑无毛；小穗较大，长 18 ~ 25 mm；小穗轴节间密生淡棕色或白色硬毛。

| 生境分布 |

生于山坡草地、路旁、农田。江苏各地均有分布。

| 资源情况 |

野生资源较丰富。

| 采收加工 |

春、夏季未结实前采割，晒干。

| 功效物质 |

种子含有糖类、蛋白质类、氨基酸类等营养成分，此外尚含有有机酸类成分，如香草酸、杜鹃花酸、阿魏酸、对香豆酸等。

| 功能主治 | 收敛止血，固表止汗。用于吐血，便血，自汗，盗汗，带下。

| 用法用量 | 内服煎汤，15 ~ 30 g。

禾本科 Gramineae 簕竹属 *Bambusa* 凭证标本号 320621181125058LY

孝顺竹 *Bambusa multiplex* (Lour.) Raeuschel ex J. A. et J. H. Schult.

| 形态特征 | 根茎合轴丛生。秆高 4 ~ 7 m，直径 1.5 ~ 2.5 cm，节间长 30 ~ 50 cm，幼时薄被白粉，并于上半部被棕色至暗棕色小刺毛，老时则光滑无毛。秆箨幼时薄被白粉，早落；箨鞘呈梯形，先端稍向外缘一侧倾斜，呈不对称的拱形；箨耳极微小以至不明显，边缘有少许繸毛；箨舌高 1 ~ 1.5 mm，边缘呈不规则的短齿裂；箨片直立，易脱落，狭三角形，背面散生暗棕色脱落性小刺毛，基部宽度约与箨鞘先端近相等。叶片长 5 ~ 16 cm，宽 7 ~ 16 mm，下表面粉绿色而密被短柔毛。假小穗单生或数枝簇生于花枝各节；小穗含小花 5 ~ 13；花丝长 8 ~ 10 mm，花药紫色；子房卵球形，先端增粗而被短硬毛，基部具一长约 1 mm 的子房柄，柱头常 3，羽毛状。

| 生境分布 | 江苏南京等有栽培。

| 资源情况 | 栽培资源较少。

| 采收加工 | 夏季生长旺盛时采收，鲜用或晒干。

| 功效物质 | 叶含有挥发油类成分，水蒸气蒸馏法得率为 0.47%，主要成分为 3- 甲基 -2- 丁醇、2- 甲氧基 -4- 乙烯基苯酚、3,7,11- 三甲基 -1,6,10- 十二碳三烯 -3- 醇等醇类及酚类。

| 功能主治 | 全株，清热利尿，除烦。用于热淋，心烦失眠。竹叶，解热，清凉。用于鼻衄。

| 附　　注 | 本种不耐寒，喜光，耐半阴，生长快，耐修剪。喜温暖、湿润气候，喜通风良好环境，宜疏松、排水好的肥土。

禾本科 Gramineae 菵草属 *Beckmannia* 凭证标本号 320581180714010LY

菵草 *Beckmannia syzigachne* (Steud.) Fern

| 药 材 名 |

菵米（药用部位：种子）。

| 形态特征 |

一年生草本，高 15 ~ 90 cm。秆丛生，直立，质软，有 2 ~ 4 节。叶鞘无毛，多长于节间；叶舌透明膜质，长 3 ~ 8 mm；叶片扁平，长 5 ~ 20 cm，宽 3 ~ 10 mm，粗糙或叶背平滑。圆锥花序长 10 ~ 30 cm，分枝稀疏，直立或斜升。小穗扁平，圆形，灰绿色，常含 1 小花，长约 3 mm，粗糙或下面平滑。颖片草质，无毛或具糙硬毛，稍膨大，两侧扁平，背部灰绿色，有淡绿色横纹，边缘质薄，白色。外稃披针形，具 5 脉，常具伸出颖外之短尖头。花药黄色，长约 1 mm。颖果黄褐色，长圆形，长约 1.5 mm，先端具丛生短毛。花果期 4 ~ 9 月。

| 生境分布 |

生于水旁潮湿处。江苏各地均有分布。

| 资源情况 |

野生资源较丰富。

| 采收加工 | 秋季采收，晒干。

| 功效物质 | 含有糖类、脂肪类、蛋白质类、氨基酸类、核苷酸类等资源性成分。

| 功能主治 | 甘，寒。祛风止痛，消肿散结，杀虫止痒。用于头风，皮肤麻痹，痈肿，乳痈，瘰疬，喉痹，疝瘕，癣疥秃疮，风虫牙痛，体气。

| 用法用量 | 内服煮食，适量。

禾本科 Gramineae 雀麦属 *Bromus* 凭证标本号 320681170513093LY

雀麦 *Bromus japonicus* Thunb. ex Murr.

| 药 材 名 | 雀麦（药用部位：全草）、雀麦米（药用部位：种子）。

| 形态特征 | 一年生或二年生草本，高 30 ~ 100 cm。秆直立。叶鞘紧密贴生于秆，外面被柔毛；叶舌长 1.5 ~ 2 mm，先端近圆形，有不规则的裂齿；叶片长 5 ~ 70 cm，宽 2 ~ 8 mm，两面被毛或叶背无毛。圆锥花序开展，下垂，长达 30 cm，每节有 3 ~ 7 分枝，向下弯垂；分枝细，长 5 ~ 10 cm，上部着生 1 ~ 4 小穗。小穗幼时圆筒状，成熟后压扁，长 17 ~ 34 mm（包括芒），有 7 ~ 14 小花。颖片披针形，脊粗糙，边缘膜质；第 1 颖片长 5 ~ 6 mm，有 3 或 5 脉；第 2 颖片长 7 ~ 9 mm，有 7 或 9 脉。外稃卵圆形，长 8 ~ 10 mm，草质，边缘膜质，有 7 或 9 脉，微粗糙，先端钝三角形，微 2 裂，其下约 2 mm 处生芒，芒长 5 ~ 10 mm；第 1 外稃长 8 ~ 11 mm；内稃长 7 ~ 8 mm，

宽约 1 mm，两脊疏生细纤毛。花果期 5 ~ 7 月。

| 生境分布 | 生于山坡、荒野或路边。江苏各地均有分布。

| 资源情况 | 野生资源丰富。

| 采收加工 | **雀麦**：5 ~ 7 月采收，晒干。

雀麦米：5 ~ 7 月果实成熟时采收，去壳，取其种仁，晒干。

| 功效物质 | 含有膳食纤维、粗蛋白质、氨基酸等营养成分，膳食纤维能显著降低 2 型糖尿病患者空腹及餐后血糖、总胆固醇、低密度脂蛋白和甘油三酯水平。地上部分含有黄酮类及有机酸类成分，黄酮类成分苷元主要为木犀草素和槲皮素，有机酸类成分如咖啡酸。

| 功能主治 | **雀麦**：甘，平。止汗，催产。用于汗出不止，难产。

雀麦米：甘，平。滑肠，益肝和脾。

| 用法用量 | **雀麦**：内服煎汤，15 ~ 30 g。

雀麦米：内服煮食，适量。

禾本科 Gramineae 虎尾草属 *Chloris* 凭证标本号 320830150715014LY

虎尾草 *Chloris virgata* Sw.

| 药 材 名 | 虎尾草（药用部位：全草）。

| 形态特征 | 一年生草本，高 20 ~ 70 cm。秆直立或基部膝曲，光滑，无毛。叶鞘光滑，无毛，背部有脊，松弛抱秆，最上者常肿胀而包藏花序；叶舌长约 1 mm，无毛或具纤毛；叶片长 5 ~ 25 cm，宽 3 ~ 6 mm，两面平滑或叶面及边缘粗糙。穗状花序长 3 ~ 5 cm，5 ~ 10 或更多呈指状着生于秆顶，常直立而并拢成毛刷状，有时包藏于顶叶的膨胀叶鞘中；小穗无柄，长 3 ~ 4 mm（芒除外），幼时淡绿色，成熟后带紫色。颖片膜质，长 1.5 ~ 3 mm，具 1 脉，有长 0.5 ~ 1.5 mm 的短芒；第 1 颖长约 1.8 mm；第 2 颖等长或略短于小穗，中脉延伸成长 0.5 ~ 1 mm 的小尖头。第 1 外稃纸质，两侧压扁，呈倒卵状披针形，长 3 ~ 4 mm，有 3 脉，边脉有长柔毛，着生于中部以上的长

毛约与稃体等长，先端尖或有时具 2 微齿，芒自先端向下伸出，长 5 ~ 15 mm；内稃稍短于外稃，基盘具短毛。第 2 小花仅存外稃，长约 1.5 mm，芒长 4 ~ 8 mm。颖果纺锤状。花果期 6 ~ 10 月。

| 生境分布 | 生于路旁、荒野、沙地或屋檐上。江苏各地均有分布。

| 资源情况 | 野生资源丰富。

| 采收加工 | 夏、秋季采收，鲜用或晒干。

| 功效物质 | 茎叶含有毛萼甲素、毛萼乙素、毛萼晶等二萜类成分，金丝桃苷等黄酮类成分，熊果酸、2*α*- 羟基熊果酸等五环三萜类成分，香茶菜苷等苯乙醇衍生物，以及棕榈酸等脂肪酸类成分。根和茎黄酮类成分的含量低于叶和花。

| 功能主治 | 辛、苦，微温。清热除湿，杀虫，止痒。用于感冒头痛，风湿痹痛，泻痢腹痛，疝气，脚气，痈疮肿毒，刀伤。

| 用法用量 | 内服煎汤，3 ~ 9 g。外用适量，捣绒敷。

禾本科 Gramineae 薏苡属 *Coix* 凭证标本号 320982150721140LY

薏米 *Coix lacryma-jobi* L. var. *ma-yuen* (Roman.) Stapf

| 药 材 名 |

薏苡仁（药用部位：种仁）。

| 形态特征 |

一年生或多年生草本，高 1 ~ 1.5（~ 2）m。秆粗壮，具 10 余节，多分枝。叶鞘短于其节间，光滑；叶舌干膜质，长约 1 mm；叶片条状披针形，长 10 ~ 30（~ 40）cm，宽 1 ~ 4 cm，先端渐尖，基部圆形或近心形，中脉粗厚，在下面隆起，边缘粗糙，常无毛。总状花序腋生成束，长 4 ~ 10 cm，直立或下垂，具长梗。雌小穗位于花序下部，外面包以骨质念珠状的总苞；总苞卵圆形，长 7 ~ 10 mm，直径 6 ~ 8 mm，珐琅质，坚硬，有光泽；第 1 颖卵圆形，先端渐尖成喙状，具 10 余脉，包围着第 2 颖及第 1 外稃；第 2 外稃短于颖，具 3 脉，第 2 内稃较小；雄蕊常退化；雌蕊具细长柱头，从总苞先端伸出。雄小穗 2 ~ 3 对，着生于总状花序上部，长 1 ~ 2 cm；无柄雄小穗长 6 ~ 7 mm，第 1 颖草质，边缘内折成脊，先端钝，第 2 颖舟形，外稃与内稃膜质，第 1 及第 2 小花常具雄蕊 3；有柄雄小穗与无柄者相似。花果期 6 ~ 12 月。

| 生境分布 | 生于沟边、山谷、田野、屋旁。江苏各地均有栽培或逸为野生。

| 资源情况 | 野生及栽培资源较丰富。

| 采收加工 | 9 ~ 10 月茎叶枯黄、果实呈褐色且大部分成熟（约 85% 成熟）时割下植株，集中立放 3 ~ 4 天后脱粒，筛去茎叶杂物，晒干或烤干，用脱壳机械脱去总苞和种皮，即得。

| 药材性状 | 本品宽卵形或长椭圆形，长 4 ~ 8 mm，宽 3 ~ 6 mm。表面乳白色，光滑，偶有残存的黄褐色种皮。一端钝圆，另一端较宽而微凹，有 1 淡棕色点状种脐。背面圆凸，腹面有一较宽而深的纵沟。质坚实，断面白色，粉质。气微，味微甜。以粒大充实、色白、无破碎者为佳。

| 功效物质 | 根含有薏苡素、苯并恶嗪衍生物等生物碱类成分，4- 酮基松脂酚等木脂素类成分，丁香基甘油等苯丙素衍生物，以及醌类、多糖类等资源性成分。种皮含有苯丙素类、木脂素类、酚类、生物碱类、黄酮类等成分。种仁含有粗蛋白 13% ~ 14%、脂类 2% ~ 8%；此外，还含有薏苡内酰胺、薏苡螺内酰胺、胡椒碱、胡椒新碱等生物碱类成分，十八碳烯酸、油酸、亚油酸等不饱和脂肪酸类成分，薏苡仁酯、十八碳酰酯等脂肪烃酯类成分，具促排卵作用的阿魏酰豆甾醇、阿魏酰菜油甾醇等甾醇酯类成分，以及具有抗补体、降血糖作用的薏苡多糖等资源性成分。

| 功能主治 | 甘、淡，微寒。归脾、胃、肺经。利水渗湿，健脾止泻，除痹，排脓，解毒散结。用于水肿，脚气，小便不利，脾虚泄泻，湿痹拘挛，肺痈，肠痈，赘疣，恶性肿瘤。

| 用法用量 | 内服煎汤，10 ~ 30 g；或入丸、散剂；或浸酒；或煮粥；或作羹。

禾本科 Gramineae 香茅属 *Cymbopogon* 凭证标本号 3211831511051161LY

橘草 *Cymbopogon goeringii* (Steud.) A. Camus.

| 药 材 名 | 野香茅（药用部位：全草）。

| 形态特征 | 多年生草本，高 60 ~ 100 cm。秆丛生，节下被白粉或微毛。叶鞘无毛，下部的聚集于秆基，质较厚，内面棕红色，老后向外反卷，上部的短于节间；叶舌长 0.5 ~ 3 mm，两侧有三角形耳状物，并下延为叶鞘边缘的膜质部分；叶片长 15 ~ 40 cm，宽 3 ~ 5 mm，先端长渐尖成丝状，边缘微粗糙，仅叶背基部被微毛。伪圆锥花序长 15 ~ 30 cm，狭窄；佛焰苞长 1.5 ~ 2 cm，带紫色；总状花序长 1.5 ~ 2 cm，向后反折；总状花序轴节间与小穗柄长 2 ~ 3.5 mm，先端杯形，边缘被长 1 ~ 2 mm 的柔毛，毛向上渐长。无柄小穗长圆状披针形，长约 5.5 mm，基盘具长约 0.5 mm 的短毛或近无毛，第 1 颖背部扁平，上部具宽翼，翼缘密生锯齿状微粗糙，第 2 外稃

长约 3 mm，芒从先端 2 裂齿间伸出，芒长约 12 mm，中部膝曲；有柄小穗长 4 ~ 5.5 mm，第 1 颖具 7 ~ 9 脉，边缘具纤毛。花果期 7 ~ 10 月。

| 生境分布 | 生于山坡草地。江苏各地均有分布。

| 资源情况 | 野生资源较丰富。

| 采收加工 | 夏、秋季于阴天或早晨采收，晾干。

| 药材形状 | 本品长可达 1 m。秆丛生，较细软，无毛。叶片条形，长约 25 cm，宽 3 ~ 4 mm，两面无毛，有白粉；叶鞘基部破裂反卷，内面红棕色。全体有香气。

| 功效物质 | 全草富含芳香油，其挥发油类成分如香茅醛、芳樟醇、冰片、冰片乙酸酯、月桂烯、香叶醇、表蓝桉醇等。

| 功能主治 | 辛，温。止咳平喘，祛风除湿，通经止痛，止泻。用于急、慢性支气管炎，支气管哮喘，风湿性关节炎，头痛，跌打损伤，心胃气痛，腹痛，水泻。

| 用法用量 | 内服煎汤，30 ~ 60 g。外用适量，煎汤洗。

禾本科 Gramineae 狗牙根属 *Cynodon* 凭证标本号 321112180723008LY

狗牙根 *Cynodon dactylon* (L.) Pers.

| 药 材 名 | 狗牙根（药用部位：全草）。

| 形态特征 | 多年生草本，高 10 ~ 30 cm。具根茎。秆细，质坚韧，下部匍匐地面，蔓延，节上常生不定根，光滑，无毛，有时两侧略压扁。叶鞘有脊，无毛或疏生柔毛，鞘口常具柔毛；叶舌仅为 1 轮纤毛；叶片线形，长 1 ~ 6 cm，宽 1 ~ 3 mm，互生，在下部者因节间短缩似对生，常两面无毛。穗状花序（2 ~ ）3 ~ 5（ ~ 6），长 1.5 ~ 5 cm。小穗灰绿色或带紫色，常有 1 小花，长 2 ~ 2.5 mm。颖片有膜质边缘，长 1.5 ~ 2 mm，近等长或第 2 颖片稍长，均具 1 脉，背部成脊而边缘膜质。外稃草质，与小穗等长，具 3 脉，背部明显成脊，脊上被柔毛；内稃与外稃近等长，具 2 脉。花药黄色或紫色，长 1 ~ 1.5 mm；子房无毛，柱头紫红色。颖果长圆柱状。花果期 5 ~ 10 月。

| 生境分布 | 生于路旁和草地。江苏各地均有分布。

| 资源情况 | 野生资源丰富。

| 采收加工 | 夏、秋季采收，洗净，鲜用或晒干。

| 药材性状 | 本品根茎细长，呈竹鞭状。匍匐茎部分长可达 1 m，直立茎部分长 10 ~ 30 cm。叶线形，长 1 ~ 6 cm，宽 1 ~ 3 mm；叶鞘具脊，鞘口通常具柔毛。气微，味微苦。

| 功效物质 | 全草含有麦角甾醇类甾体成分，芦竹素、无羁萜等三萜类成分，冰草炔等炔烃类成分，以及古柯间二酸、丝核菌酸、单甲基硫赭曲菌素等芳香类成分。

| 功能主治 | 苦、微甘，凉。归肝经。祛风活络，凉血止血，解毒。用于风湿痹痛，半身不遂，劳伤吐血，鼻衄，便血，跌打损伤，疮疡肿毒。

| 用法用量 | 内服煎汤，30 ~ 60 g；或浸酒。外用适量，捣敷。

禾本科 Gramineae 马唐属 *Digitaria* 凭证标本号 320721181018332LY

马唐 *Digitaria sanguinalis* (L.) Scop.

| 药 材 名 | 马唐（药用部位：全草）。

| 形态特征 | 一年生草本，高 40 ~ 100 cm。秆基部常倾斜，着土后节易生根。叶鞘常疏生疣基软毛，稀无毛；叶舌长 1 ~ 3 mm；叶片线状披针形，长 8 ~ 17 cm，宽 5 ~ 15 mm，两面疏生软毛或无毛，边缘变厚而粗糙。总状花序 3 ~ 10，长 5 ~ 18 cm，常呈指状排列于秆顶；穗轴宽约 1 mm，中肋白色，约占宽的 1/3。小穗长 3 ~ 3.5 mm，披针形，双生穗轴各节，一有长柄，另一有极短的柄或近无柄。第 1 颖片钝三角形，长约 0.2 mm；第 2 颖片长为小穗的 1/2 ~ 3/4，狭窄，有很不明显的 3 脉，边缘有短纤毛。第 1 外稃与小穗等长，有 5 ~ 7 脉，中央 3 脉明显，脉间距离较宽而无毛，侧脉甚接近，有时不明显，无毛或于脉间贴生柔毛；第 2 外稃灰绿色。花果期 6 ~ 10 月。

| 生境分布 | 生于草地和荒野路旁。江苏各地均有分布。

| 资源情况 | 野生资源较丰富。

| 采收加工 | 夏、秋季采割，晒干。

| 药材性状 | 本品长 40 ~ 100 cm。秆分枝，下部节上生根。完整叶片条状披针形，长 8 ~ 17 cm，宽 5 ~ 15 mm，先端渐尖或短尖，基部钝圆，两面无毛或疏生柔毛；叶鞘疏松抱茎，无毛或疏生柔毛。

| 功效物质 | 全草含有挥发油类、核苷类等成分，挥发油类成分中含量最高的为 2,5- 二乙基苯酚，其次为间异丙基苯酚，此外尚含有樟脑烯醛、龙脑等成分。

| 功能主治 | 甘，寒。明目，润肺。用于调中，明耳目。

| 用法用量 | 内服煎汤，9 ~ 15 g。

禾本科 Gramineae 稗属 *Echinochloa* 凭证标本号 320581180828294LY

光头稗 *Echinochloa colonum* (L.) Link

| 药 材 名 | 光头稗子（药用部位：根）。

| 形态特征 | 一年生草本，高达 60 cm。秆直立或上升。叶鞘压扁而背具脊，无毛；叶舌无；叶片扁平，细条形，长 3 ~ 20 cm，宽 3 ~ 7 mm，无毛，先端尖，边缘稍粗糙。圆锥花序狭窄，长 5 ~ 10 cm；主轴具 3 棱，常无毛，棱边上粗糙；总状花序分枝长 1 ~ 2 cm，分枝不再生出小枝，排列稀疏，直立上升或贴向主轴，穗轴无疣基长毛或仅基部被 1 ~ 2 疣基长毛。小穗卵圆球状，长 2 ~ 2.5 mm，具小硬毛，无芒，较规则的呈 4 行排列于穗轴的一侧。第 1 颖三角形，长约为小穗的 1/2，具 3 脉；第 2 颖与第 1 外稃等长而同形，先端具小尖头，具 5 ~ 7 脉，间脉常不达基部。第 1 小花常中性或两性，其外稃具 7 脉，内稃膜质，稍短于外稃，脊上被短纤毛；第 2 外稃长约 2 mm，

光滑无毛，有小尖头，边缘内卷，包着同质的内稃。花果期 7 ~ 11 月。

| 生境分布 | 生于田野、湿地或水田。江苏各地均有分布。

| 资源情况 | 野生资源较丰富。

| 采收加工 | 夏、秋季采挖，洗净，鲜用或晒干。

| 功效物质 | 根含有糖类、氨基酸类等成分。

| 功能主治 | 微苦，平。利水消肿，止血。用于水肿，腹水，咯血。

| 用法用量 | 内服煎汤，30 ~ 120 g，大剂量可用至 180 g。

禾本科 Gramineae 稗属 *Echinochloa* 凭证标本号 321283190907006LY

稗 *Echinochloa crusgalli* (L.) Beauv.

| 药 材 名 |

稗根苗（药用部位：根、苗叶）、稗米（药用部位：种子）。

| 形态特征 |

一年生或多年生草本。秆基部倾斜或膝曲，光滑无毛，高 50 ~ 130 cm。叶鞘疏松裹秆，平滑无毛；叶舌无；叶片线形，长 10 ~ 35 cm，宽 5 ~ 20 mm，光滑无毛。圆锥花序长 9 ~ 18 cm，主轴较粗壮，有角棱而粗糙。小穗长约 3 mm（芒除外），与分枝及小枝均有硬刺疣毛。第 1 颖三角形，长为小穗的 1/3 ~ 1/2，常有 5 脉，有短硬毛或疣毛；第 2 颖先端渐尖成小尖头，有 5 脉，脉上有刺疣毛，脉间被短硬毛。第 1 外稃革质，有 7 脉，脉上有硬刺疣毛，脉间被短硬毛。先端延伸成一粗糙的芒，芒长 5 ~ 10 mm，粗糙；第 1 内稃与外稃等长，薄膜质，有 2 脊，脊上糙涩；第 2 外稃先端成粗糙的小尖头。花果期夏、秋季。

| 生境分布 |

生于水田、沼泽或路边。江苏各地均有分布。

| 资源情况 | 野生资源较丰富。

| 采收加工 | **稗根苗**：夏季采收，鲜用或晒干。

稗米：夏、秋季采收成熟果实，舂去壳，晒干。

| 功效物质 | 种子含有三萜类成分，如稗草素。

| 功能主治 | **稗根苗**：甘、苦，微寒。止血生肌。用于金疮，外伤出血。

稗米：辛、甘、苦，微寒。益气宜脾。用于金疮，外伤出血。

| 用法用量 | **稗根苗**：外用适量，捣敷；或研末撒。

禾本科 Gramineae 稗属 *Echinochloa* 凭证标本号 320621181124110LY

孔雀稗 *Echinochloa crusgalli* (H. B. K.) Schult.

| 药 材 名 |

孔雀稗（药用部位：全草）。

| 形态特征 |

多年生、偶一年生草本，高 1.2 ~ 1.8 m。秆粗壮，常在基部匍匐，形成一大丛。叶鞘松散，光滑，无毛；叶片细条形，茂密，长 10 ~ 40 cm，宽 1 ~ 1.5 cm，无毛，中脉宽而呈白色，边缘粗糙。花序大而疏松，长 15 ~ 25 cm，下垂；分枝大部分再有许多小分枝。小穗很多，簇生于次生小枝上，较细小，带紫堇色，卵状披针形，长 2 ~ 3 mm，脉具糙硬毛，毛基部无疣。第 1 颖片长为小穗的 1/3 ~ 2/5；第 2 颖片具喙。第 1 小花不育，外稃草质，具 5 或 7 脉，有粗壮、长 1 ~ 1.5 cm 的芒；第 2 外稃长 2 ~ 2.5 mm。花果期夏、秋季。

| 生境分布 |

生于溪边或湿地。江苏各地均有分布。

| 资源情况 |

野生资源较丰富。

| 采收加工 | 夏、秋季采挖，洗净，鲜用或晒干。

| 功效物质 | 全草含有纤维素类、半纤维素类、黄酮类、三萜类等成分。

| 功能主治 | 止血，生肌。用于金疮及损伤出血，麻疹。

禾本科 Gramineae 稗属 *Echinochloa* 凭证标本号 320102190718177LY

无芒稗 *Echinochloa crusgalli* (L.) Beauv. var. *mitis* (Pursh) Peterm.

| 药 材 名 | 无芒稗（药用部位：全草）。

| 形态特征 | 一年生或多年生草本。秆高 50 ~ 120 cm，直立，粗壮。叶片长 20 ~ 30 cm，宽 6 ~ 12 mm。圆锥花序直立，长 10 ~ 20 cm。分枝条斜上举而开展，常再分枝。小穗卵状椭圆形，长约 3mm，无芒或具极短芒，芒长不及 0.5 mm，脉上被疣基硬毛。

| 生境分布 | 生于水田、沼泽或路边。江苏各地均有分布。

| 资源情况 | 野生资源较丰富。

| 采收加工 | 夏、秋季采挖，洗净，鲜用或晒干。

| 功效物质 | 全草含有纤维素类、半纤维素类、黄酮类、甾体类等资源性成分。

| 功能主治 | 止血，生肌。用于金疮及损伤出血，麻疹。

禾本科 Gramineae 䅟属 *Eleusine* 凭证标本号 320581180829108LY

牛筋草 *Eleusine indica* (L.) Gaertn.

| 药 材 名 | 牛筋草（药用部位：全草或根）。

| 形态特征 | 一年生草本，高 15 ~ 90 cm。根系极发达。秆丛生，基部倾斜向四周开展。叶鞘两侧压扁，有脊，松弛抱秆，无毛或疏生疣毛，鞘口常有柔毛；叶舌长约 1 mm；叶片扁平或卷折，长 10 ~ 15 cm，宽 3 ~ 5 mm，无毛或上面常生疣基柔毛。穗状花序长 3 ~ 10 cm，宽 3 ~ 5 mm，2 至数枚呈指状着生于秆顶。小穗有 3 ~ 6 小花，长 4 ~ 7 mm，宽 2 ~ 3 mm。颖片披针形，脊上粗糙；第 1 颖长 1.5 ~ 2 mm；第 2 颖长 2 ~ 3 mm。第 1 外稃长 3 ~ 4 mm，卵形，膜质，具脊，脊上有狭翼；内稃短于外稃，具 2 脊，沿脊有小纤毛。鳞被 2，折叠，具 5 脉。种子卵球状，长约 1.5 mm，基部下凹，具明显的波状皱纹。花果期 6 ~ 10 月。

| 生境分布 | 生于荒地、路边。江苏各地均有分布。

| 资源情况 | 野生资源丰富。

| 采收加工 | 8 ~ 9 月采挖，去或不去茎叶，洗净，鲜用或晒干。

| 药材性状 | 本品根呈须状，黄棕色，直径 0.5 ~ 1 mm。秆呈扁圆柱形，淡灰绿色，有纵棱，节明显，节间长 4 ~ 8 mm，直径 1 ~ 4 mm。叶线形，长达 15 cm，叶脉平行条状。穗状花序数个呈指状排列于秆先端，常为 3。气微，味淡。

| 功效物质 | 茎叶含有异荭草素、牡荆素、异牡荆素、小麦黄素、三色堇黄酮苷等黄酮类成分，以及棕榈酰基谷甾醇糖苷类甾体成分。

| 功能主治 | 甘、淡，凉。清热利湿，凉血解毒。用于伤暑发热，小儿惊风，流行性乙型脑炎，流行性脑脊髓膜炎，黄疸，淋证，小便不利，痢疾，便血，疮疡肿痛，跌打损伤。

| 用法用量 | 内服煎汤，9 ~ 15 g，鲜品 30 ~ 90 g。

禾本科 Gramineae 画眉草属 *Eragrostis* 凭证标本号 320282170702502LY

知风草 *Eragrostis ferruginea* (Thunb.) Beauv.

|药 材 名| 知风草（药用部位：根）。

|形态特征| 多年生草本，高 30 ~ 80 cm。秆丛生，基部常稍倾斜，粗壮，直径约 4 mm。叶鞘两侧极压扁，鞘口有毛，脉上有腺体；叶舌退化为 1 圈短毛，长约 0.3 mm；叶片扁平或内卷，质较坚韧，叶背光滑，叶面粗糙或近基部疏生长柔毛，长 20 ~ 30 cm，宽 4 ~ 6 mm，上部叶超出花序，常光滑无毛或上面近基部偶疏生毛。圆锥花序开展，长 20 ~ 30 cm，分枝单生或 2 ~ 3 聚生，枝腋间无毛。小穗柄长 5 ~ 15 mm，有腺体；小穗常带紫色至紫黑色，长 5 ~ 10 mm，有 7 ~ 12 小花。颖片披针形，有 1 脉，先端锐尖至渐尖。外稃卵状披针形，先端稍钝，侧脉明显而突出；第 1 外稃长约 3 mm；颖片与外稃自下向上脱落；内稃宿存或迟落。花药长约 1 mm。颖果棕红色，

长约 1.5 mm。花果期 7 ～ 11 月。

| 生境分布 | 生于路边、山坡草地。江苏各地均有分布。

| 资源情况 | 野生资源较丰富。

| 采收加工 | 8 月采挖，洗净，鲜用或晒干。

| 功效物质 | 含有无羁萜、芦竹素、羊齿烯醇、印白茅素、香树脂醇等五环三萜类成分，以及异海松二烯衍生物类二萜成分。

| 功能主治 | 甘，平。舒筋散瘀。用于跌打内伤，筋骨疼痛。

| 用法用量 | 内服煎汤，6 ～ 9 g。外用适量，捣敷。

禾本科 Gramineae 画眉草属 *Eragrostis* 凭证标本号 320831181013165LY

乱草 *Eragrostis japonica* (Thunb.) Trin.

| 药 材 名 | 香榧草（药用部位：全草）。

| 形态特征 | 一年生草本，高 30 ~ 100 cm。秆直立或膝曲丛生，直径 1.5 ~ 2.5 mm，具 3 ~ 4 节。叶鞘光滑，大多长于节间，无毛；叶舌长约 0.5 mm，干膜质；叶片长 10 ~ 26 cm，宽 3 ~ 6 mm，扁平或内卷，光滑无毛。圆锥花序长圆形，长超过植株的一半，宽 2 ~ 6 cm；分枝细弱，簇生或近轮生，腋间无毛。小穗卵圆形，成熟后变紫色，长 1 ~ 2 mm，有 4 ~ 8 小花；小穗轴由上而下逐节断落。颖片近等长，先端钝，具 1 脉，长 0.5 ~ 0.8 mm。外稃卵圆形，先端钝，长 0.8 ~ 1 mm，具 3 脉，侧脉明显；内稃与外稃近等长，先端为 3 齿，具 2 脊，脊上疏生短纤毛。雄蕊 2。颖果棕红色并透明，卵圆形，长约 0.5 mm。

花果期 7 ~ 10 月。

| 生境分布 | 生于田野、路旁、河边与低湿处。江苏各地均有分布。

| 资源情况 | 野生资源较丰富。

| 采收加工 | 夏季采收，晒干。

| 功效物质 | 含有挥发油类、甾醇类、萜类等成分。

| 功能主治 | 咸，平。凉血止血。用于咯血，吐血。

| 用法用量 | 内服煎汤，30 ~ 60 g。

禾本科 Gramineae 画眉草属 *Eragrostis* 凭证标本号 320621181124057LY

小画眉草 *Eragrostis minor* Host

| 药 材 名 |

小画眉草（药用部位：全草）。

| 形态特征 |

一年生草本，新鲜时有腥臭味。秆纤细，丛生，膝曲上升，高 15 ~ 50 cm，具 3 ~ 4 节，节下常有 1 圈腺体。叶鞘脉上有腺体，鞘口具柔毛；叶舌退化成 1 圈长柔毛；叶片线形，扁平或内卷，长 3 ~ 15 cm，宽 2 ~ 4 mm，下面光滑，上面粗糙并疏生柔毛，主脉及边缘常有腺体。圆锥花序长 6 ~ 15 cm，花序轴、小枝及柄上均有腺体。小穗长圆形，长 3 ~ 8 mm，含 3 ~ 16 小花，绿色或深绿色；小穗柄长 3 ~ 6 mm。颖锐尖，具 1 脉，脉上有腺点，第 1 颖长约 1.6 mm；第 2 颖长约 1.8 mm。第 1 外稃长约 2 mm，具 3 脉，内稃主脉上有腺体，稍短于外稃，脊上具极短的纤毛，宿存。雄蕊 3，花药长约 0.3 mm。颖果红褐色，近球形，直径约 0.5 mm。花果期 6 ~ 9 月。

| 生境分布 |

生于荒野、草地与路旁。江苏各地均有分布。

| 资源情况 | 野生资源丰富。

| 采收加工 | 夏季采收，鲜用或晒干。

| 功效物质 | 含有甾醇类、萜类等成分。

| 功能主治 | 淡，凉。疏风清热，凉血，利尿。用于目赤云翳，崩漏，热淋，小便不利。

| 用法用量 | 内服煎汤，15 ~ 30 g，鲜品 60 ~ 120 g；或研末。外用适量，煎汤洗。

禾本科 Gramineae 画眉草属 *Eragrostis* 凭证标本号 320722181016327LY

画眉草 *Eragrostis pilosa* (L.) Beauv.

| 药 材 名 | 画眉草（药用部位：全草）。

| 形态特征 | 一年生草本，高 20 ~ 60 cm。秆直立，斜上升或基部膝曲，直径 1.5 ~ 2.5 mm，常具 4 节，光滑。叶鞘稍压扁，长于或短于节间，鞘口常有长柔毛；叶舌退化为 1 圈纤毛，长约 0.5 mm；叶片线形，扁平或卷缩，长 6 ~ 20 cm，宽 2 ~ 3 mm，叶背光滑，叶面粗糙。圆锥花序较开展，长 15 ~ 25 cm，分枝腋间有长柔毛。小穗成熟后暗绿色或带紫黑色，长 2 ~ 7 mm，有 3 ~ 14 小花。颖片先端钝或第 2 颖片稍尖；第 1 颖片长 0.5 ~ 0.8 mm，常无脉；第 2 颖片长 1 ~ 1.2 mm，有 1 脉。外稃侧脉不明显；第 1 外稃长 1.5 ~ 2 mm；内稃作弓形弯曲，长 1.2 ~ 1.5 mm，迟落或宿存，2 脊粗糙至有纤毛。雄蕊 3，花药长约 0.3 mm。颖果长圆形，长约 0.8 mm。花果期 8 ~

11 月。

| 生境分布 | 生于荒野、草地与路旁。江苏各地均有分布。

| 资源情况 | 野生资源丰富。

| 采收加工 | 夏、秋季采收，洗净，晒干。

| 功效物质 | 含有糖类、蛋白质类、甾醇类、萜类等成分。蛋白质的氨基酸组成为谷氨酸、亮氨酸、缬氨酸、丙氨酸、天冬氨酸、苯丙氨酸、异亮氨酸、甲硫氨酸、赖氨酸、苏氨酸等 17 种氨基酸。

| 功能主治 | 甘、淡，凉。利尿通淋，清热活血。用于热淋，石淋，目赤痒痛，跌打损伤。

| 用法用量 | 内服煎汤，9 ~ 15 g。外用适量，烧存性研末，调搽；或煎汤洗。

禾本科 Gramineae 野黍属 *Eriochloa* 凭证标本号 320482180623511LY

野黍 *Eriochloa villosa* (Thunb.) Kunth.

| 药 材 名 | 野黍（药用部位：颖果）。

| 形态特征 | 一年生草本，高 30 ~ 100 cm。秆直立或基部蔓生，基部分枝，节有髭毛。叶鞘无毛、被微毛或鞘缘一侧被毛，松弛抱秆；叶舌有长约 1 mm 的纤毛；叶片扁平，长 5 ~ 25 cm，宽 5 ~ 15 mm，叶面具微毛，叶背光滑，边缘粗糙。圆锥花序狭长，长 7 ~ 15 cm，由 2 ~ 8 总状花序组成；总状花序长 1.5 ~ 4 cm，密生柔毛，常排列于主轴的一侧。小穗卵状椭圆形，长 4.5 ~ 5 mm；基盘长约 0.6 mm；小穗柄极短，密生长柔毛。第 2 颖具 5 ~ 7 脉，第 1 外稃具 5 脉，二者皆等长于小穗，均为膜质，被细毛；第 2 小花椭圆状卵形，外稃革质，稍短于小穗，先端钝，具细点状皱纹。鳞被 2，折叠，长约 0.8 mm，具 7 脉；雄蕊 3；花柱分离。颖果卵圆球状，长约 3 mm。花果期 7 ~

11 月。

| 生境分布 | 生于旷野、山坡和潮湿处。江苏各地均有分布。

| 资源情况 | 野生资源丰富。

| 采收加工 | 应于黄熟期及时收获种子，以防自然落粒而减产。

| 功效物质 | 谷粒含有淀粉。

| 功能主治 | 用于目赤。

禾本科 Gramineae 大麦属 *Hordeum* 凭证标本号 321283190401004LY

大麦 *Hordeum vulgare* L.

| 药 材 名 | 麦芽（药材来源：果实经发芽干燥的炮制加工品）。

| 形态特征 | 一年生栽培作物，高 50 ~ 100 cm。秆粗壮，光滑无毛，直立。叶鞘松弛抱秆，多无毛或基部具柔毛；叶鞘两侧有较大的叶耳；叶舌膜质，长 1 ~ 2 mm；叶片长 9 ~ 20 cm，宽 6 ~ 20 mm，扁平，微粗糙或叶背光滑。穗状花序的长度随栽培措施而变化，长 3 ~ 8 cm（芒除外），直径约 1.5 cm，每节着生 3 完全发育的小穗。小穗稠密，常无柄，长 1 ~ 1.5 cm（除芒外）。颖片线形至线状披针形，微有短柔毛，先端延伸成长 5 ~ 15 mm 的芒。外稃背部无毛，有 5 脉，先端延伸成长芒，芒长 8 ~ 15 cm，边棱具细刺；内稃与外稃近等长。颖果成熟后与内、外稃黏着，不易脱落。

| 生境分布 | 生长环境很广，而且具有春、冬生长习性。江苏各地均有栽培，主

要分布于徐州、宿迁、连云港、淮安等。

| 资源情况 | 栽培资源较丰富。

| 采收加工 | 将大麦以水浸透，捞出置筐内，上盖蒲包，经常洒水，待芽长 3 ~ 5 mm 时，取出，晒干。

| 药材性状 | 本品颖果两端狭尖，略呈梭形，长 8 ~ 15 mm，直径 1 ~ 3 mm。表面淡黄色，背面浑圆，为外稃包围，具 5 脉，先端长芒已断落；腹面为内稃包围，有 1 纵沟。除去内、外稃后，基部胚根处长出胚芽及须根，胚芽长披针状线形，黄白色，长约 5 mm，须根数条，纤细而弯曲。质硬，断面白色，粉性。气无，味微甘。

| 功效物质 | 麦芽主要含有淀粉酶、过氧化异构酶等活性蛋白质类、氨基酸类、维生素类、核苷类等资源性成分；此外，尚含有大麦芽碱、大麦芽胍碱、麦芽毒素等生物碱类成分，以及小麦黄素等黄酮类成分。叶含异金雀花素、异荭草素、异牡荆素及其糖苷等黄酮类成分，以及丁腈糖苷等。

| 功能主治 | 甘，平。归脾、胃经。行气消食，健脾开胃，回乳消胀。用于食积不消，脘腹胀痛，脾虚食少，乳汁郁积，乳房胀痛，妇女断乳，肝郁胁痛，肝胃气痛。

| 用法用量 | 内服煎汤，10 ~ 15 g，大剂量可用 30 ~ 120 g；或入丸、散剂。

禾本科 Gramineae 白茅属 *Imperata* 凭证标本号 320621180415025LY

白茅 *Imperata cylindrica* (L.) Beauv.

| 药 材 名 |

白茅根（药用部位：根茎）。

| 形态特征 |

多年生草本，高 25 ~ 80 cm。具粗壮的长根茎。秆直立，具 1 ~ 3 节，节上有长 4 ~ 10 mm 的柔毛，有时疏生毛或无毛。叶鞘聚集于秆基，远长于节间，老时常破碎成纤维状；叶舌膜质，长约 2 mm，紧贴其背部或鞘口具柔毛；基生叶扁平，长 5 ~ 60 cm，主脉明显突出于叶背，并向基部渐粗大而质硬，叶背及边缘粗糙；秆生叶长 1 ~ 3 cm，窄线形，常内卷，质硬，被白粉，基部上面具柔毛。圆锥花序圆柱状，长 5 ~ 20 cm，宽 1.5 ~ 3 cm，分枝短缩、密集。小穗长 3 ~ 5 mm，基部密生长 10 ~ 15 mm 的丝状柔毛。2 颖近相等，草质，边缘膜质，具 5 ~ 9 脉，常具纤毛，脉间疏生长丝状毛。第 1 外稃卵状披针形，长为颖片的 2/3，透明膜质，无脉，先端尖或齿裂；第 2 外稃与其内稃近相等，长约为颖的一半，卵圆形，先端具齿裂及纤毛。雄蕊 2；柱头 2，紫黑色，羽状。花果期 5 ~ 9 月。

| 生境分布 | 生于路旁、山坡、草地。江苏各地均有分布。

| 资源情况 | 野生资源较丰富。

| 采收加工 | 春、秋季采挖，除去地上部分和鳞片状的叶鞘，洗净，鲜用或扎把晒干。

| 药材性状 | 本品呈长圆柱形，有时分枝，长短不一，直径 2 ~ 4 mm。表面黄白色或淡黄色，有光泽，具纵皱纹，环节明显，节上残留灰棕色鳞叶及细根，节间长 1 ~ 3 cm。体轻，质韧，折断面纤维性，黄白色，多具放射状裂隙，有时中心可见 1 小孔。气微，味微甜。以条粗、色白、味甜者为佳。

| 功效物质 | 根茎含有芦竹素、印白茅素、薏苡素、羊齿烯醇等三萜类成分，白茅苷、木脂素及苷类成分，以及糖类、有机酸类等资源性成分。其中单、寡糖成分以蔗糖、葡萄糖含量较多，果糖、木糖含量较少，白茅根多糖具有免疫调节及耐缺氧活性；有机酸类成分如枸橼酸、草酸、苹果酸等。

| 功能主治 | 甘，寒。归心、肺、胃、膀胱经。凉血止血，清热生津，利尿通淋。用于血热出血，热病烦渴，胃热呕逆，肺热喘咳，小便淋沥涩痛，水肿，黄疸。

| 用法用量 | 内服煎汤，10 ~ 30 g，鲜品 30 ~ 60 g；或捣汁。外用适量，鲜品捣汁涂。

禾本科 Gramineae 柳叶箬属 *Isachne* 凭证标本号 320722181016351LY

柳叶箬 *Isachne globosa* (Thunb.) O. Kuntze

| 药 材 名 | 柳叶箬（药用部位：全草）。

| 形态特征 | 多年生草本，高 30 ~ 60 cm。秆丛生，下部常倾卧，节上无毛。叶鞘短于节间，光滑，无毛，但一侧边缘的全部或上部有细小疣基纤毛；叶舌纤毛状，长 1 ~ 2 mm；叶片细条状披针形，长 3 ~ 10 cm，宽 3 ~ 9 mm，两面粗糙，边缘质稍厚，粗糙而略呈微波状。圆锥花序卵圆形，长 3 ~ 11 cm，分枝斜升或开展，每 1 分枝着生 1 ~ 3 小穗；分枝、小枝及小穗柄上均有黄色腺点。小穗椭圆状球形，长 2 ~ 2.5 mm，绿色而带紫色。2 颖有 6 ~ 8 脉，近等长，无毛或上部粗糙，先端钝或圆，边缘狭膜质。第 1 小花为雄花，较第 2 小花稍窄而长，内、外稃质亦较软；第 2 小花为雌花，广椭圆形，无毛。颖果近球状。花果期 7 ~ 10 月。

| 生境分布 | 生于低湿处。江苏各地均有分布。

| 资源情况 | 野生资源较丰富。

| 采收加工 | 夏、秋季采收，晒干。

| 功效物质 | 全草含有糖类、萜类、黄酮类、甾醇类等资源性成分。

| 功能主治 | 用于小便淋痛，跌打损伤。

禾本科 Gramineae 千金子属 *Leptochloa* 凭证标本号 320621181124045LY

千金子 *Leptochloa chinensis* (L.) Nees

| 药 材 名 |

油草（药用部位：全草）。

| 形态特征 |

一年生或多年生草本，高 30 ～ 90 cm。秆直立，膝曲或外倾，平滑无毛，节上生根。叶鞘无毛，大多短于节间；叶舌膜质，长 1 ～ 2 mm；叶片扁平或多少折卷，先端渐尖，长 5 ～ 25 cm，宽 2 ～ 6 mm，两面粗糙或叶背平滑。圆锥花序长 10 ～ 30 cm，开展，稍弯曲，分枝及主轴均微粗糙。小穗紫色或褐绿色，狭椭圆形至长圆形，侧扁，长 2 ～ 4 mm，有 3 ～ 7 小花。第 1 颖片长 1 ～ 1.5 mm，第 2 颖片长 1.2 ～ 1.8 mm。外稃先端钝，椭圆形至长圆形，龙骨状，无毛或下部有微毛；第 1 外稃长约 1.5 mm；内稃脊上微具糙硬毛。花药长约 0.5 mm。颖果长圆球形，长约 1 mm。花果期 8 ～ 11 月。

| 生境分布 |

生于潮湿地。江苏各地均有分布。

| 资源情况 |

野生资源较丰富。

| 采收加工 | 夏、秋季采收，晒干。

| 药材性状 | 本品种子呈椭圆形或倒卵形，长约 5 mm，直径约 4 mm。表面灰棕色或灰褐色，具不规则网状皱纹，网孔凹陷处灰黑色，形成细斑点。一侧有纵沟状种脊，先端为凸起的合点，下端为线形种脐，基部有类白色、凸起的种阜或脱落后的痕迹。种皮薄脆，种仁白色或黄白色，富油质。气微，味辛。以粒饱满、种仁白色、油性足者为佳。

| 功效物质 | 种子含有续随子醇苯甲酸酯、续随子醇苯乙酸酯等二萜醇类成分。

| 功能主治 | 辛，温；有毒。归肝、肾、大肠经。行水破血，化痰散结。用于癥瘕积聚，久热不退。

| 用法用量 | 内服制霜入丸、散剂，1 ～ 2 g。外用适量，捣敷；或研末醋调涂。

禾本科 Gramineae 淡竹叶属 *Lophatherum* 凭证标本号 320581180515094LY

淡竹叶 *Lophatherum gracile* Brongn.

| 药 材 名 | 淡竹叶（药用部位：地上部分）。

| 形态特征 | 多年生草本，高 40 ~ 100 cm。具木质根头；须根中部膨大成纺锤形小块根。秆直立，疏丛生，具 5 ~ 6 节。叶鞘光滑或一边有纤毛；叶舌短小，质硬，长 0.5 ~ 1 mm，褐色，背面有糙毛；叶片披针形，长 5 ~ 20 cm，宽 2 ~ 3.5 cm，具横脉，基部收缩成柄状，无毛或两面均有柔毛或小刺状疣毛。圆锥花序长 10 ~ 30 cm；分枝斜升或开展，长 5 ~ 18 cm。小穗线状披针形，长 7 ~ 12 mm，宽 1.5 ~ 2.5 mm，有极短的柄。颖片先端钝，常有 5 脉，边缘较薄；第 1 颖片长 3 ~ 4.5 mm；第 2 颖片长 4.5 ~ 5 mm。第 1 外稃长 6 ~ 7 mm，宽约 3 mm，具 7 脉，先端具尖头；内稃较短，其后具长约 3 mm 的小穗轴；不育外稃向上渐狭小，互相密集包卷，先端有长 1 ~ 2 mm

的短芒。颖果长椭圆状。花果期 6 ~ 10 月。

| 生境分布 | 生于山坡下或背阴处。江苏各地均有分布。

| 资源情况 | 野生资源丰富。

| 采收加工 | 6 ~ 7 月花开时，自离地 2 ~ 5 cm 处割起地上部分，晒干，理顺扎成小把。

| 药材性状 | 本品茎呈圆柱形，长 25 ~ 30 cm，直径 1.5 ~ 2 mm；表面淡黄绿色，有节，节上抱有叶鞘，断面中空。叶多皱缩、卷曲，叶片披针形，长 5 ~ 20 cm，宽 1 ~ 3.5 cm；表面浅绿色或黄绿色，叶脉平行，具横行小脉，形成长方形的网格状，下表面尤为明显；叶鞘长约 5 cm，开裂，外面具纵条纹，沿叶鞘边缘有白色长柔毛。体轻，质柔韧。气微，味淡。以叶大、色绿、不带根及花穗者为佳。

| 功效物质 | 根茎及地上部分富含三萜类成分，如芦竹素、印白茅素、蒲公英赛醇、无羁萜等，此外还含有荭草素、异荭草素、牡荆素、异牡荆素、小麦黄素等黄酮类成分，对羟基桂皮酸、香草酸等有机酸类成分，以及腺嘌呤、胸腺嘧啶等核苷类成分。

| 功能主治 | 甘、淡，寒。归心、胃、小肠经。清热泻火，除烦止渴，利尿通淋。用于热病烦渴，小便短赤涩痛，口舌生疮。

| 用法用量 | 内服煎汤，9 ~ 15 g。

禾本科 Gramineae 臭草属 *Melica* 凭证标本号 321183151104988LY

广序臭草 *Melica onoei* Franch. et Sav.

| 药 材 名 | 广序臭草（药用部位：全草）。

| 形态特征 | 多年生草本。须根细弱。茎少数丛生，直立或基部斜升，近圆柱形，直径 2 ~ 3 mm，具 10 余节，高 80 ~ 150 cm。叶长 10 ~ 25 cm，宽 3 ~ 14 mm，扁平或干燥后卷折，上面带白粉，两面均粗糙；叶鞘闭合，几达鞘口，紧密抱茎，长于节间，无毛或在基部被倒生柔毛；叶舌质硬，短小，长 0.5 mm，先端平截。圆锥花序开展，呈金字塔形，长 15 ~ 40 cm，每节具 2 ~ 3 分枝。小穗柄细弱，先端弯曲，被微毛；小穗长椭圆形，长 5 ~ 8 mm，具光泽，含 2 能育小花。颖薄膜质，先端尖；第 1 颖长 2 ~ 3 mm，具 1 脉；第 2 颖长 3 ~ 4.5 mm，具 3 ~ 5 脉。外稃绿色，边缘和先端膜质，先端稍钝，细点状粗糙，具隆起脉 7；第 1 外稃长 4.5 ~ 5.5mm；内稃等长于或稍

短于外稃，先端钝或具 2 微齿，脊上光滑或粗糙。雄蕊 3，花药长 1.5 mm。颖果纺锤形，长 3 mm。

| 生境分布 | 生于山坡或林下。江苏各地均有分布。

| 资源情况 | 野生资源较丰富。

| 采收加工 | 冬季采收，晒干。

| 功效物质 | 含有挥发油类、黄酮类、香豆素类、有机酸类资源性成分。

| 功能主治 | 清热利尿，通淋。用于小便赤涩淋痛，水肿，感冒发热，黄疸，消渴。

禾本科 Gramineae 臭草属 *Melica* 凭证标本号 320323170511855LY

臭草 *Melica scabrosa* Trin.

| 药 材 名 | 猫毛草（药用部位：全草）。

| 形态特征 | 多年生草本，高 30 ~ 70 cm。须根细弱，较稠密。秆丛生，直立或基部膝曲，直径 1 ~ 3 mm，基部密生分蘖。叶鞘光滑或微粗糙，闭合近鞘口，常撕裂，光滑或微粗糙，下部者长于节间或上部者稍短于节间；叶舌透明膜质，长 1 ~ 3 mm，先端撕裂，两侧下延；叶片柔软，质较薄，扁平，干时常卷折，长 6 ~ 15 cm，宽 2 ~ 7 mm，两面粗糙或上面疏被柔毛。圆锥花序狭窄，长 8 ~ 16 cm，宽 1 ~ 2 cm，分枝直立或斜向上升，主枝长达 5 cm。小穗柄短，线状弯曲，上部被微毛；小穗长 5 ~ 7 mm，有 2 ~ 4 孕性小花，淡绿色或乳白色，先端由数个不育外稃集成小球形；小穗轴节间长约 1 mm，光滑。颖片近等长，长 4 ~ 7 mm，膜质，狭披针形，有 3 或 5 脉，主脉常有

微小纤毛。外稃草质，先端尖或钝，近膜质，背面有7隆起的脉及粒状凸起的颖片；第1外稃长4.5 ~ 6 mm；内稃短于外稃或等长，倒卵形，先端钝，具2脊，脊上被微小纤毛。雄蕊3，花药长约1.3 mm。颖果褐色，纺锤形，有光泽。花果期5 ~ 8月。

| 生境分布 | 生于山坡草地、荒野或田野。江苏各地均有分布。

| 资源情况 | 野生资源较丰富。

| 采收加工 | 冬季采收，晒干。

| 功效物质 | 全草含有挥发油类、黄酮类、香豆素类、生物碱类、蒽醌类等成分。其中，挥发油类成分如桉叶素、蒎烯、芳樟醇、莰烯、樟脑烯、2- 壬酮、2- 壬醇及其乙酸酯等，黄酮类成分如芸香苷，香豆素类成分如佛手柑内酯、补骨脂素、花椒毒素、东莨菪素、芸香枯亭、潘当归素等，生物碱类成分如芸香碱、香草木宁碱、茵芋碱、6- 甲氧基白鲜碱、芸香吖啶酮等，蒽醌类成分如大黄酸等。

| 功能主治 | 甘，凉。利尿通淋，清热退黄。用于尿路感染，肾炎水肿，感冒发热，黄疸性肝炎，糖尿病。

| 用法用量 | 内服煎汤，30 ~ 60 g。

禾本科 Gramineae 芒属 *Miscanthus* 凭证标本号 320703141017034LY

荻 *Miscanthus sacchariflorus* (Maxim.) Nakai

| 药 材 名 | 巴茅根（药用部位：根茎）。

| 形态特征 | 多年生草本。地下茎与秆的粗细随生长环境与生长年限而异，在肥沃湿润的土壤中生长者，其秆高达 4 m，直径约 2 cm。叶片的长短与宽度随秆的高矮而异，主脉均特别明显；叶舌有 1 圈纤毛。圆锥花序扇形，长 20 ～ 30 cm，主轴与分枝均无毛，仅在枝腋间有小柔毛。小穗无芒，藏于白色丝状毛内，基盘上的白色丝状毛远长于小穗。第 1 颖的 2 脊缘有白色长丝状毛；第 2 颖舟形，稍短于第 1 颖，上部有 1 脊，脊缘有丝状毛，边缘透明膜质，有纤毛。花果期 8 ～ 10 月。

| 生境分布 | 生于干燥的山坡至湿润的滩地。分布于江苏南部等。

| 资源情况 | 野生资源丰富。

| 采收加工 | 全年均可采挖，洗净，切段，晒干。

| 药材性状 | 本品呈扁圆柱形，常弯曲，直径 2.5 ~ 5 mm。表面黄白色，略具光泽及纵纹。节部常有极短的毛茸或鳞片，节距 0.5 ~ 1.9 cm。质硬脆，断面皮部裂隙小，中心具 1 小孔，孔周围粉红色。气微，味淡。

| 功效物质 | 茎含有纤维素、半纤维素。籽粒和壳含有白茅素、稗草素、无羁萜、蒲公英赛醇等三萜类成分。

| 功能主治 | 甘，凉。清热活血。用于干血痨，潮热，产妇失血口渴，牙痛。

| 用法用量 | 内服煎汤，60 ~ 90 g。

禾本科 Gramineae 芒属 *Miscanthus* 凭证标本号 3211831511051176LY

芒 *Miscanthus sinensis* Anderss.

| 药 材 名 | 芒茎（药用部位：茎）、芒气笋子（药用部位：含寄生虫的幼茎）、芒根（药用部位：根茎）、芒花（药用部位：花序）。

| 形态特征 | 多年生苇状草本，高 1 ～ 2 m。秆无毛或在花序以下疏生柔毛。叶鞘无毛；叶舌膜质，长 1 ～ 3 mm，先端及其后面具纤毛；叶片线形，长 20 ～ 50 cm，宽 6 ～ 10 mm，叶背疏生柔毛并被白粉，边缘粗糙。圆锥花序直立，长 15 ～ 40 cm，全展开呈扇形，主轴无毛，延伸至花序的中部以下，节与分枝腋间具柔毛；分枝较粗硬，直立，不再分枝或基部分枝具第 2 次分枝，长 10 ～ 30 cm。小穗柄短者长 2 mm，长者长 4 ～ 6 mm；小穗披针形，长 4.5 ～ 5 mm，黄色，有光泽，基盘具等长于或稍短于小穗、白色或淡黄色的丝状毛。第 1 颖具 3 ～ 4 脉，边脉上部粗糙，背部无毛；第 2 颖常具 1 脉，粗糙，

上部内折之边缘具纤毛。第 1 外稃长圆形，膜质，边缘具纤毛；第 2 外稃明显短于第 1 外稃，先端 2 裂，裂片间具 1 芒，芒长 9 ～ 10 mm，棕色，膝曲，芒柱稍扭曲，长约 2 mm。颖果长圆形，暗紫色。花果期 7 ～ 11 月。

| 生境分布 | 生于山坡或荒芜的田野。分布于江苏南部等。

| 资源情况 | 野生资源丰富。

| 采收加工 | **芒茎：**夏、秋季采收，洗净，切段，鲜用或晒干。

芒气笋子：夏季采收，晒干。

芒根：秋、冬季采收，晒干。

芒花：秋季采收，晒干。

| 功效物质 | 茎叶含有小麦黄素等黄酮类成分。籽粒和壳含有羊齿烯醇、无羁萜、异山柑子醇等三萜类资源性成分。

| 功能主治 | **芒茎：**甘，平。归膀胱经。清热利尿，解毒，散血。用于小便不利，虫兽咬伤。

芒气笋子：甘，平。补肾，止呕。用于肾虚阳痿，妊娠呕吐。

芒根：甘，平。止咳，利尿，活血，止渴。用于咳嗽，小便不利，干血痨，带下，热病口渴。

芒花：甘，平。活血通经。用于月经不调，闭经，产后恶露不净，半身不遂。

| 用法用量 | **芒茎：**内服煎汤，3 ～ 6 g。

芒气笋子：内服煎汤，5 ～ 10 g；或研末。

芒根：内服煎汤，60 ～ 90 g。

芒花：内服煎汤，30 ～ 60 g。

禾本科 Gramineae 求米草属 *Oplismenus* 凭证标本号 320124151031032LY

求米草 *Oplismenus undulatifolius* (Arduino) Beauv.

| 药 材 名 | 求米草（药用部位：全草）。

| 形态特征 | 一年生或多年生草本，高 30 ~ 50 cm。秆直立，较细弱，基部横卧于地面，节处生根。叶鞘遍布疣基刺毛或仅边缘有纤毛；叶舌膜质，长约 1 mm；叶片披针形，常皱而不平，有横脉，长 2 ~ 8 cm，宽 6 ~ 18 mm，常有细毛或疣毛，先端尖，基部略圆，稍不对称。圆锥花序长 2 ~ 10 cm，花序主轴密被疣基长刺柔毛；分枝短缩，有时下部的分枝延伸长达 2 cm。小穗卵球状，长 3.5 ~ 4 mm，簇生于主轴或部分孪生，被硬刺毛。颖草质；第 1 颖有 3 脉，长约为小穗之半，先端有长 7 ~ 13 mm 的直芒；第 2 颖有 5 脉，较第 1 颖长，先端有长 2 ~ 5 mm 的直芒。第 1 小花的外稃草质，与小穗等长，有 7 ~ 9 脉，先端无芒或有短尖，有或无内稃；第 2 小花的外稃

革质，长约 3 mm，平滑，结实时变硬，边缘包着同质的内稃。花果期 7 ~ 11 月。

| 生境分布 | 生于山野林下或阴湿处。江苏各地均有分布。

| 资源情况 | 野生资源较丰富。

| 采收加工 | 全年均可采收，洗净，切段，晒干。

| 功效物质 | 全草含有白茅素、无羁萜、异山柑子醇等三萜类成分。

| 功能主治 | 用于跌打损伤。

禾本科 Gramineae 稻属 *Oryza* 凭证标本号 320581180714113LY

稻 *Oryza sativa* L.

| 药 材 名 |

稻芽（药材来源：果实经发芽干燥的炮制加工品）。

| 形态特征 |

一年生草本。秆直立，高 0.5 ～ 1.5 m，随品种而异。叶鞘松弛，无毛；叶舌披针形，长 10 ～ 25 mm，两侧基部下延成叶鞘边缘，具 2 镰形、抱茎的叶耳；叶片线状披针形，长约 40 cm，宽约 1 cm，无毛，粗糙。圆锥花序大型疏展，长约 30 cm，分枝多，棱粗糙，成熟期向下弯垂。小穗含 1 成熟花，两侧甚压扁，长圆状卵形至椭圆形，长约 10 mm，宽 2 ～ 4 mm。颖极小，仅在小穗柄先端留下半月形的痕迹。退化外稃 2，锥刺状，长 2 ～ 4 mm；两侧孕性花外稃质厚，具 5 脉，中脉成脊，表面有方格形小乳状突起，厚纸质，遍布细毛端毛较密，有芒或无芒；内稃与外稃同质，具 3 脉，先端尖而无喙。雄蕊 6，花药长 2 ～ 3 mm。

| 生境分布 |

江苏各地均有栽培。

| 资源情况 | 栽培资源丰富。

| 采收加工 | 秋季颖果成熟时采收植株，脱下果实，晒干，除去稻壳。

| 药材性状 | 本品呈扁长椭圆形，两端略尖，长 7 ~ 9 mm，直径约 3 mm。外稃黄色，有白色细茸毛，具 5 脉。一端有 2 对称的白色条形浆片，长 2 ~ 3 mm，于 1 浆片内侧伸出弯曲的须根 1 ~ 3，长 0.5 ~ 1.2 cm。质硬，断面白色，粉性。无臭，味淡。

| 功效物质 | 种子含有糖类、脂肪类、氨基酸类、维生素类、蛋白质类等丰富的营养成分，此外还含有吲哚 -3- 乙酰基 - 肌肉肌醇等生物碱类成分。全草含有黄酮类、三萜类、甾体类、生物碱类等成分，黄酮类成分如夏佛塔雪轮苷、新夏佛塔雪轮苷、刺苞菊苷、异荭草素等，三萜类成分如阿魏酸环木菠萝醇酯、芦竹素、羊齿烯醇、无羁萜醇等，甾体类成分如麦角甾醇过氧化物、阿魏酸菜油甾醇酯，生物碱类成分如稻定碱、稻突变酸 A、喹诺酮衍生物等。此外，被稻瘟病菌感染的叶子含植物卡山烷类二萜成分。

| 功能主治 | 甘，温。归脾、胃经。消食和中，健脾开胃。用于食积不消，腹胀口臭，脾胃虚弱，不饥食少。

| 用法用量 | 内服煎汤，9 ~ 15 g。

| 附　　注 | 本种喜高温、多湿、短日照，对土壤要求不严，但以水稻土为最好。幼苗发芽最低温 10 ~ 12 ℃，最适温 28 ~ 32 ℃。分蘖期日均气温 20 ℃以上，穗分化适温 30℃左右；低温使枝梗和颖花分化延长。抽穗适温 25 ~ 35 ℃。开花最适温 30 ℃左右，低于 20 ℃或高于 40 ℃，严重影响授粉。

禾本科 Gramineae 稻属 *Oryza*

糯稻 *Oryza sativa* L. var. *glutinosa* Matsum

| 药 材 名 | 糯米（药用部位：去壳种仁）、糯稻根（药用部位：根及根茎）、稻草（药用部位：茎叶）、糯米泔（药材来源：淘洗糯米时第 2 次流出的米泔水）。

| 形态特征 | 一年生草本，高约 1 m。秆直立，圆柱状。叶鞘与节间等长，下部者长过节间；叶舌膜质而较硬，狭长披针形，基部两侧下延与叶鞘边缘相结合；叶片扁平披针形、长 25 ~ 60 cm，宽 5 ~ 15 mm，幼时具明显叶耳。圆锥花序疏松，颖片常粗糙；小穗长圆形，通常带褐紫色；退化外稃锥刺状，能育外释具 5 脉，被细毛，有芒或无芒；内稃 3 脉，被细毛；雄蕊 6；花柱 2，柱头自小花两侧伸出。颖果平滑，粒饱满，稍圆，色较白。花果期 7 ~ 8 月。

| 生境分布 | 江苏各地均有栽培。

| 资源情况 | 栽培资源丰富。

| 采收加工 | **糯米**：秋季颖果成熟时采收植株，脱下果实，用机械除去稻壳，取其种仁。

糯稻根：夏、秋季糯稻收割后挖取，除去残茎，洗净，晒干。

稻草：收获稻谷时，收集脱粒的稻秆，晒干。

糯稻泔：淘洗糯米时，取第二次滤出的米泔水。

| 药材性状 | **糯米**：本品长籽型呈长椭圆形，略扁，长 4 ~ 5 mm，宽 1.5 ~ 2 mm。一端钝圆，另一端歪斜，有胚脱落的痕迹。表面浅白色，不透明，平滑。质坚硬，断面粉性。蒸煮后韧性极强，有光泽。气微，味甘。圆籽型籽粒较短圆，长 3 ~ 4 mm，宽 1.5 ~ 2.5 mm，余同长籽型。

糯稻根：本品集结成疏松的团状，上端有分离的残茎，圆柱形，中空，长 2.5 ~ 6.5 cm，外面包有数层灰白色或黄白色的叶鞘；下端簇生多数须根。须根细长而弯曲，直径 1 mm。表面黄白色至黄棕色，表皮脱落后显白色，略具纵皱纹。体轻，质软，气微，味淡。

| 功效物质 | 种子含有糖类、脂肪类、氨基酸类、维生素类、蛋白质类等丰富的营养成分，此外还含有吲哚 -3- 乙酰基 - 肌肉肌醇等生物碱类成分。全草含有黄酮类、三萜类、甾体类、生物碱类等成分。

| 功能主治 | **糯米**：甘，温。归脾、胃、肺经。补中益气，健脾止泻，缩尿，敛汗，解毒。用于脾胃虚寒泄泻，霍乱吐逆，消渴，自汗，痘疮，痔疮。

糯稻根：甘，平。归肺、肾经。养阴除热，止汗。用于阴虚发热，自汗盗汗，口渴咽干，肝炎，丝虫病。

稻草：辛，温。归脾、肺经。宽中，下气，消食，解毒。用于噎膈，反胃，食滞，腹痛，泄泻，消渴，黄疸，喉痹，痔疮，烫火伤。

糯米泔：甘，凉。除烦，止渴。用于霍乱，心烦口渴。

| 用法用量 | **糯米：**内服煎汤，30 ~ 60 g；或入丸、散剂；或煮粥。外用适量，研末调敷。

糯稻根：内服煎汤，15 ~ 30 g，大剂量可用 60 ~ 120 g，以鲜品为佳。

稻草：内服煎汤，15 ~ 150 g；或烧灰淋汁澄清。外用适量，煎汤洗。

糯米泔：内服加热温饮，100 ~ 200 ml。

| 附　注 | 本种喜高温、多湿、短日照，对土壤要求不严，但以水稻土为最好。幼苗发芽最低温 10 ~ 12 ℃，最适温 28 ~ 32 ℃。分蘖期日均气温 20 ℃以上，穗分化适温 30 ℃左右；低温使枝梗和颖花分化延长。抽穗适温 25 ~ 35 ℃。开花最适温 30 ℃左右，低于 20 ℃或高于 40 ℃严重影响授粉。

禾本科 Gramineae 雀稗属 *Paspalum* 凭证标本号 320482181013071LY

雀稗 *Paspalum thunbergii* Kunth ex Steud.

| 药材名 | 雀稗（药用部位：全草）。

| 形态特征 | 多年生草本，高 25 ~ 80 cm。秆直立，常丛生，有 2 ~ 3 节，节有柔毛。叶鞘松弛，长于节间，有脊，多聚集于秆基作跨生状，被柔毛；叶舌膜质，长 0.5 ~ 1 mm；叶片细条形，长 8 ~ 25 cm，宽 4 ~ 8 mm，两面密生柔毛，边缘粗糙。总状花序 3 ~ 6，长 5 ~ 10 cm，互生于长 3 ~ 8 cm 的主轴上，形成总状圆锥花序，分枝腋间具长柔毛。穗轴宽约 1 mm；小穗绿色或带紫色，倒卵状长圆形，长 2.5 ~ 2.8 mm，先端微凸，边缘被微毛（稀见无毛者），柄长 0.5 ~ 1 mm；同行的小穗彼此略分离。第 2 颖与第 1 外稃相等，膜质，具 3 脉，边缘有明显微柔毛。第 2 小花与小穗等长，外稃卵状圆形，灰白色，革质，具光泽，细点状粗糙。花果期 6 ~ 10 月。

| 生境分布 | 生于荒野、道旁和潮湿处。江苏各地均有分布。

| 资源情况 | 野生资源较丰富。

| 采收加工 | 夏季采收，鲜用或晒干。

| 功效物质 | 全草含有脂肪酸类成分。

| 功能主治 | 用于目赤肿痛，风热咳喘，肝炎，跌打损伤。

| 附　　注 | 本种的全草民间常用作清热利尿药。

禾本科 Gramineae 狼尾草属 *Pennisetum* 凭证标本号 320111151015002LY

狼尾草 *Pennisetum alopecuroides* (L.) Spreng.

| 药 材 名 | 狼尾草（药用部位：全草）、狼尾草根（药用部位：根及根茎）。

| 形态特征 | 多年生草本，高 30 ~ 120 cm。秆丛生，直立，花序下常密生柔毛。叶鞘两侧压扁，基部彼此跨生，除鞘口有毛外，其余均光滑无毛；叶舌具长约 2.5 mm 的纤毛；叶片细条形，长 15 ~ 50 cm，宽 2 ~ 6 mm，先端长渐尖，基部生疣毛。圆锥花序直立，长 5 ~ 25 cm，宽 1.5 ~ 3.5 cm；主轴硬，密生柔毛；刚毛长 1 ~ 2.5 cm，粗糙，淡绿色或紫色。小穗常单生，偶有双生，线状披针形，长 6 ~ 8 mm；成熟后常呈黑紫色。第 1 颖微小或缺，长 1 ~ 3 mm，膜质，先端钝，脉不明显或具 1 脉；第 2 颖长为小穗的 1/3 ~ 1/2，卵状披针形，先端短尖，有 3 ~ 5 脉。第 1 小花中性，第 1 外稃草质，与小穗等长，具 7 ~ 10 脉，边缘常包着第 2 小花；第 2 外稃与小穗等长，披针形，

具 5 ～ 7 脉，边缘包着同质的内稃。鳞被 2，楔形；雄蕊 3，花药先端无毫毛；花柱基部连合。颖果长圆形，长约 3.5 mm。花果期 8 ～ 10 月。

| 生境分布 | 生于田岸、路旁或山坡、林缘。江苏各地均有分布。

| 资源情况 | 野生资源丰富。

| 采收加工 | **狼尾草：**夏、秋季采收，洗净，晒干。

狼尾草根：全年均可采挖，洗净，鲜用或晒干。

| 功效物质 | 谷子含有菜油甾醇、*β*- 谷甾醇及豆甾醇等甾醇类成分。

| 功能主治 | **狼尾草：**甘，平。清肺止咳，凉血明目。用于肺热咳嗽，目赤肿痛。

狼尾草根：甘，平。清肺止咳，解毒。用于肺热咳嗽，疮毒。

| 用法用量 | **狼尾草：**内服煎汤，9 ～ 15 g。

狼尾草根：内服煎汤，30 ～ 60 g。

禾本科 Gramineae 虉草属 *Phalaris* 凭证标本号 320681170513106LY

虉草 *Phalaris arundinacea* L.

| 药 材 名 | 虉草（药用部位：全草）。

| 形态特征 | 多年生草本，高 60 ~ 140 cm。有根茎。秆似芦苇，直立，常单生，少数丛生，有 6 ~ 8 节。叶鞘无毛，上部者短于节间；叶舌薄膜质，长 2 ~ 3 mm；叶片扁平，绿色，幼嫩时微粗糙，长 6 ~ 30 cm，宽 1 ~ 1.8 cm，先端细尖。圆锥花序长 8 ~ 15 cm，紧密狭窄，花序分枝直向上升；密生小穗。小穗长圆形，侧扁，长 4 ~ 6 mm，无毛或有微毛。颖狭披针形，无毛或被微柔毛，条纹淡绿色、深绿色或紫色，沿脊上粗糙，龙骨状，无翅或上部有极狭的翼，先端尖锐。可孕小花外稃宽披针形，长 3 ~ 4 mm，上部有贴伏短柔毛，内稃舟形，有 2 极不明显的脉，具短缘毛；不孕小花外稃 2，退化为线形，长 1.5 ~ 1.8 mm，具长柔毛。花果期 6 ~ 8 月。

| 生境分布 | 生于水湿处。江苏各地均有分布。

| 资源情况 | 野生资源较丰富。

| 采收加工 | 夏、秋季采收，晒干。

| 功效物质 | 全草含有生物碱类成分，如大麦芽碱、芦竹碱，以及色胺类、咔啉类等。花含有矢车菊素、芍药素及其糖苷等黄酮类成分。麦芽和壳含有芦竹素、白茅素等三萜类成分。

| 功能主治 | 苦、微辛，平。调经，止带。用于月经不调，赤白带下。

| 用法用量 | 内服煎汤，9 ~ 15 g。

| 附　　注 | 民间常以本种的全草治疗赤白带下、月经不调等。

禾本科 Gramineae 显子草属 *Phaenosperma* 凭证标本号 320282170627468LY

显子草 *Phaenosperma globosa* Munro ex Benth.

| 药 材 名 | 显子草（药用部位：全草）。

| 形态特征 | 多年生草本，高 1 ~ 1.5 m。秆单生或少数丛生，直立，坚硬，光滑，无毛，有 4 ~ 5 节。叶鞘光滑，无毛，常短于节间；叶舌质较硬，长 5 ~ 15（~ 25）mm，两侧下延；叶片宽条形，长 10 ~ 14 cm，宽 1 ~ 3 cm，两面粗糙或平滑，基部窄狭，先端渐尖细，常反卷而使叶面向下成灰绿色，叶背向上成深绿色。圆锥花序长达 40 cm，分枝在下部者多轮生，长达 10 cm，幼时向上斜升，成熟时极开展。小穗长 4 ~ 4.5 mm，背腹压扁。2 颖不等长；第 1 颖长 2.5 ~ 3 mm，具明显的 1 脉或具 3 脉，两侧脉甚短；第 2 颖长约 4 mm，有 3 脉。外稃长约 4 mm，具 3 或 5 脉，两边脉几不明显。颖果长约 3 mm，黑褐色，表面有皱纹。花果期 5 ~ 9 月。

| 生境分布 | 生于山坡林下。江苏各地均有分布。

| 资源情况 | 野生资源较丰富。

| 采收加工 | 夏、秋季采收，洗净，晒干。

| 功效物质 | 全草含有黄酮类、萜类、甾醇类等成分。

| 功能主治 | 甘、微涩，平。补虚健脾，活血调经。用于病后体虚，闭经。

| 用法用量 | 内服煎汤，15 ~ 30 g；或浸酒。

禾本科 Gramineae 梯牧草属 *Phleum* 凭证标本号 320830170517009LY

鬼蜡烛 *Phleum paniculatum* Huds.

| 药 材 名 | 蜡烛草（药用部位：全草）。

| 形态特征 | 一年生草本，高 10 ~ 45 cm。秆丛生，细弱，直立或在基部膝曲，有 3 ~ 5 节。叶鞘紧密或松弛，短于节间，常无毛，上部稍膨大；叶舌膜质，长 2 ~ 4 mm，两侧下延与鞘口边缘相结合；叶片扁平，柔软，长 3 ~ 15 cm，宽 2 ~ 6 mm，无毛，边缘粗糙，先端尖，基部常倾斜。圆锥花序紧密，呈窄圆柱状，长 2 ~ 10 cm，宽 4 ~ 8 mm，黄绿色。小穗轴延伸；小穗楔状倒卵形，长 2 ~ 3 mm。颖片有 3 脉，脉间有深沟，脊上无毛或有硬纤毛，先端有长约 0.5 mm 的小尖头。外稃卵形，长 1.5 ~ 2 mm，具 5 脉，贴生短毛；内稃与外稃近等长。花药长约 0.8 mm。颖果长约 1 mm。花果期 5 ~ 8 月。

| 生境分布 | 生于潮湿地。江苏各地均有分布。

| 资源情况 | 野生资源较丰富。

| 采收加工 | 夏、秋季采收，洗净，晒干。

| 功效物质 | 全草含有黄酮类、甾醇类等成分。

| 功能主治 | 清热，利尿。用于顿咳，跌打损伤，狂犬咬伤。

禾本科 Gramineae 芦苇属 *Phragmites* 凭证标本号 320703160906469LY

芦苇 *Phragmites australis* (Cav.) Trin. ex Steud.

| 药 材 名 | 芦根（药用部位：根茎）。

| 形态特征 | 多年生草本，高 1 ~ 3 m。根茎十分发达。秆直立，具 20 余节，节下常有白粉。叶鞘下部者短于其节间，上部者长于其节间；叶舌极短，平截，边缘密生一圈长约 1 mm 的短纤毛，两侧缘毛长 3 ~ 5 mm，易脱落；叶片长披针状，长 30 cm，宽 2 cm，无毛，先端长渐尖成丝形。圆锥花序大型，长 20 ~ 40 cm，宽约 10 cm，分枝多数，长 5 ~ 20 cm，着生稠密、下垂的小穗。小穗柄长 2 ~ 4 mm，无毛；小穗长约 12 mm，含 4 花。颖片具 3 脉，第 1 颖片长 4 mm；第 2 颖片长约 7 mm。第 1 不孕外稃雄性，长约 12 mm；第 2 外稃长 11 mm，具 3 脉，先端长渐尖，基盘延长，棒状，两侧密生等长于外稃的丝状柔毛，与无毛的小穗轴连接处具明显的关节，成熟后易

自关节上脱落；内稃长约 3 mm，两脊粗糙。雄蕊 3，花药长 1.5 ~ 2 mm，黄色。颖果长约 1.5 mm。花果期 7 ~ 11 月。

| 生境分布 | 生于海滩、池沼、河岸、道旁的湿润处。江苏各地均有分布。

| 资源情况 | 野生资源丰富。

| 采收加工 | 栽后 2 年即可采挖。一般在夏、秋季采挖，除掉泥土，剪去须根，切段，鲜用或晒干。

| 药材性状 | 本品鲜根茎呈长圆柱形，有的略扁，长短不一，直径 1 ~ 2 cm。表面黄白色，有光泽，外皮疏松可剥离。节呈环状，有残根及芽痕。体轻，质韧，不易折断。折断面黄白色，中空，壁厚 1 ~ 2 mm，有小孔排列成环。无臭，味甘。干根茎呈压扁的长圆柱形。表面有光泽，黄白色。节处较硬，红黄色，节间有纵皱纹。质轻而柔韧。无臭，味微甘。均以条粗均匀、色黄白、有光泽、无须根者为佳。

| 功效物质 | 根茎含有蛋白质类（5%）、脂肪类（1%）、糖类（51%）等营养成分，其中芦笋多糖具有免疫调节、保肝、抗氧化、抗衰老等生物活性。此外，全草含有薏苡素、β- 香树脂醇、蒲公英赛醇、蒲公英赛酮等三萜类成分，花含有日当药黄素、异日当药黄素及其糖苷等黄酮类成分。

| 功能主治 | 甘，寒。归肺、胃、膀胱经。清热泻火，生津止渴，除烦，止呕，利尿。用于热病烦渴，肺热咳嗽，肺痈吐脓，胃热呕哕，热淋涩痛。

| 用法用量 | 内服煎汤，15 ~ 30 g，鲜品 60 ~ 120 g；或鲜品捣汁。外用适量，煎汤洗。

禾本科 Gramineae 刚竹属 *Phyllostachys*

刚竹 *Phyllostachys sulphurea* (Carr.) A. et C. Riv. var. *virdis* R. A. Young

| 药 材 名 |

斑竹（药用部位：根及根茎）、桂竹壳（药用部位：箨叶）、桂竹花（药用部位：花）。

| 形态特征 |

多年生草本。竿高 6 ~ 15 m，直径 4 ~ 10 cm，绿色，无毛，微被白粉，但在节下有较厚的白粉，在 10 倍放大镜下可见猪皮状小凹穴或白色晶体状小点；节间长 20 ~ 45 cm；竿环在较粗大的竿中于不分枝的各节上不明显；箨环微隆起。箨鞘背面呈乳黄色或绿黄褐色又多少带灰色，有绿色脉纹，无毛，微被白粉，有淡褐色或褐色、略呈圆形的斑点及斑块；箨耳及鞘口縫毛俱缺；箨舌绿黄色，拱形或截形，边缘生淡绿色或白色纤毛；箨片狭三角形至带形，外翻，微皱曲，绿色，但具橘黄色边缘。末级小枝有 2 ~ 5 叶；叶片长圆状披针形或披针形，长 5.6 ~ 13 cm，宽 1.1 ~ 2.2 cm。笋期 5 月中旬。

| 生境分布 |

分布于江苏宜溧山区等。江苏各地均有栽培。

| 资源情况 | 栽培资源丰富。

| 采收加工 | **斑竹**：9 ~ 10 月采挖，洗净，切段，晒干。

桂竹壳：4 ~ 7 月采收，去毛，鲜用或晒干。

| 功效物质 | 全株含有维生素类、木质素类、纤维素类、矿物元素等资源性成分。叶含有异荭草素、羟基苯糖苷等酚性成分。

| 功能主治 | **斑竹**：淡、微苦，寒。祛风除湿。用于气喘咳嗽，四肢顽痹，筋骨疼痛。

桂竹壳：苦，寒。清血热，透斑疹。用于热病身发斑疹。

桂竹花：用于烂喉丹痧。

| 用法用量 | **斑竹**：内服煎汤，15 ~ 30 g。

桂竹壳：内服煎汤，6 ~ 9 g；或烧灰存性，冲服。

禾本科 Gramineae 刚竹属 *Phyllostachys*

淡竹 *Phyllostachys glauca* McClure

| 药 材 名 |

竹沥（药材来源：茎竿烧炙后的液汁）、竹茹（药用部位：茎竿的干燥中间层）。

| 形态特征 |

多年生草本。竿高 5 ~ 12 m，直径 2 ~ 5 cm，幼竿密被白粉，无毛，老竿灰黄绿色；节间最长可达 40 cm，壁薄，厚仅约 3 mm；竿环与箨环均稍隆起，同高。箨鞘背面淡紫褐色至淡紫绿色，常有深浅相同的纵条纹，无毛，具紫色脉纹及疏生的小斑点或斑块，无箨耳及鞘口繸毛；箨舌暗紫褐色，高 2 ~ 3 mm，截形，边缘有波状裂齿及细短纤毛；箨片线状披针形或带形，开展或外翻，平直或有时微皱曲，绿紫色，边缘淡黄色。末级小枝具 2 ~ 3 叶；叶耳及鞘口繸毛均存在但早落；叶舌紫褐色；叶片长 7 ~ 16 cm，宽 1.2 ~ 2.5 cm，下表面沿中脉两侧稍被柔毛。花枝呈穗状，长达 11 cm，基部有 3 ~ 5 逐渐增大的鳞片状苞片；佛焰苞 5 ~ 7，无毛或一侧疏生柔毛，鞘口繸毛有时存在，少数，短细，缩小叶狭披针形至锥形，每苞内有 2 ~ 4 假小穗，但常仅 1 或 2 发育正常，侧生假小穗下方所托的苞片披针形，先端有微毛。

小穗长约 2.5 cm，狭披针形，含 1 ～ 2 小花，常以最上端 1 成熟；小穗轴最后延伸成刺芒状，节间密生短柔毛。颖不存在或仅 1。外稃长约 2 cm，常被短柔毛；内稃稍短于其外稃，脊上生短柔毛。鳞被长 4 mm；花药长 12 mm；柱头 2，羽毛状。笋期 4 月中旬至 5 月底，花期 6 月。

| 生境分布 | 江苏南部、北部农村房前屋后均有栽培。

| 资源情况 | 栽培资源丰富。

| 采收加工 | **竹沥：**取鲜竹竿，截成 30 ～ 50 cm 长段，两端去节，劈开，架起，中间用火烤，两端即有液汁流出，用容器盛放。

竹茹：夏、冬季砍伐当年生长的新竹，除去枝叶，锯成段，刮去外层青皮，将中间层刮成丝状，摊放，晾干。

| 药材性状 | **竹沥：**本品为青黄色或黄棕色的透明液体。具竹香气，味微甜。

竹茹：本品呈不规则的丝状或薄带状，常卷曲扭缩而缠结成团或呈刨花状，长短不一，宽 0.5 ～ 0.7 cm，厚 0.3 ～ 0.5 cm。全体淡黄白色、浅绿色、青黄色、灰黄色、灰黄绿色、黄绿色或金黄色。质轻而韧，有弹性。气稍清香，味微甜。

| 功效物质 | 竹茹含有抑制磷酸二酯酶活性的苯醌、挥发油类等成分，苯醌类成分如 2,5- 二甲氧基 - 对 - 苯醌，挥发油类成分如对 - 羟基苯甲醛、丁香醛、松柏醛等。叶含有维生素 C。

| 功能主治 | **竹沥：**甘、苦，寒。归心、肝、肺经。清热降火，滑痰利窍。用于中风痰迷，肺热痰壅，惊风，癫痫，热病痰多，壮热烦渴，子烦，破伤风。

竹茹：甘，微寒。归脾、胃、胆经。清热化痰，除烦止呕，安胎凉血。用于肺热咳嗽，烦热惊悸，胃热呕呃，妊娠恶阻，胎动不安，吐血，衄血，尿血，崩漏。

| 用法用量 | **竹沥：**内服冲饮，30 ～ 60 g；或入丸剂；或熬膏。外用适量，调敷；或点眼。

竹茹：内服煎汤，5 ～ 10 g；或入丸、散剂。外用适量，熬膏贴。

禾本科 Gramineae 刚竹属 *Phyllostachys*

毛竹 *Phyllostachys heterocycla* (Carr.) Mitford cv. Pubescens

| 药 材 名 |

毛笋（药用部位：幼苗）、毛竹叶（药用部位：叶）、毛竹根茎（药用部位：根茎）。

| 形态特征 |

多年生草本。根茎为单轴散生。竿高达20 m，直径可达20 cm；幼竿密被细柔毛及厚白粉，箨环有毛；老竿无毛，白粉脱落而节下逐渐变黑色，顶稍下垂，中部节间长达40 cm或更长，壁厚约1 cm；竿环平，不明显，箨环凸起而使粗壮的竹竿各节仅有1环（但小竹竿可有2环）。箨鞘未出土前为灰黄色而带赤色斑点，出土后色泽加深，背面黄褐色或紫褐色，具黑褐色斑点，密生棕色刺毛；箨耳微小，繸毛发达；箨舌宽短，强隆起乃至为尖拱形，边缘具粗长纤毛；箨片较短，长三角形至披针形，绿色，初时直立，后外翻。末级小枝具2 ~ 4叶；叶片较小、较薄，披针形，长4 ~ 11 cm，宽0.5 ~ 1.2 cm。笋期4月，花期5 ~ 8月。

| 生境分布 |

生于向阳、背风的山坡上。分布于江苏南部等。江苏淮安（盱眙）、徐州等有少量栽培。

| 资源情况 | 野生资源丰富。

| 采收加工 | **毛笋**：4 月采挖，鲜用。

毛竹叶：全年均可采摘，鲜用。

毛竹根茎：全年均可采收，鲜用。

| 功效物质 | 竹笋主要含有多糖类成分，水解后有木糖、阿拉伯糖和半乳糖等；此外，尚含有铁、镁、钙、钠、钾、铜等矿物元素。竹皮含有苯醌类成分。叶含有挥发油类成分。籽粒含有羽扇豆醇、羽扇豆烯酮、无羁萜等三萜类成分。

| 功能主治 | **毛笋**：甘，寒。化痰，消胀，透疹。用于小儿痘疹不透。

毛竹叶：清热利尿，活血，祛风。用于烦热，消渴，小儿发热，高热不退，疳积。

毛竹根茎：用于风湿关节痛。

| 用法用量 | **毛笋**：内服煎汤，30 ~ 60 g；或煮食。

毛竹叶：内服煎汤，15.5 ~ 31 g。

毛竹根茎：内服煎汤，62 ~ 155 g。

禾本科 Gramineae 刚竹属 *Phyllostachys* 凭证标本号 NAS00584931

紫竹 *Phyllostachys nigra* (Lodd. ex Lindl.) Munro

| 药 材 名 | 紫竹根（药用部位：根茎）。

| 形态特征 | 多年生草本。竿高 4 ~ 8 m，直径（2 ~ ）3 ~ 4 cm；幼竿绿色，密被细柔毛及白粉，箨环有毛，一年生以后的竿逐渐先出现紫斑，最后全部变为紫黑色，无毛，节间长 25 ~ 30 cm。箨鞘背面红褐色或带绿色，无斑点或常具极微小不易观察的深褐色斑点，被微量白粉及较密的淡褐色刺毛；箨耳长圆形至镰形，紫黑色，边缘生有紫黑色縫毛；箨舌拱形至尖拱形，紫色，边缘生有长纤毛；箨片三角形至三角状披针形，绿色，但脉为紫色。末级小枝具 2 ~ 3 叶。笋期 4 月下旬。

| 生境分布 | 江苏各地均有栽培。

| 资源情况 | 栽培资源丰富。

| 采收加工 | 全年均可采挖，洗净，晒干。

| 功效物质 | 竿含有纤维素类、多戊糖类、木质素等成分。叶含有异荭草素、荭草素、牡荆素、书带蕨黄酮、鱼藤酮等黄酮类成分，以及对香豆酸、香豆酸等苯丙素类成分。

| 功能主治 | 辛、淡，凉。祛风除湿，活血解毒。用于风湿热痹，筋骨酸痛，闭经，癥瘕，狂犬咬伤。

| 用法用量 | 内服煎汤，15 ~ 30 g。

禾本科 Gramineae 早熟禾属 *Poa* 凭证标本号 320621181124044LY

早熟禾 *Poa annua* L.

| 药 材 名 | 早熟禾（药用部位：全草）。

| 形态特征 | 一年生或二年生草本，高 8 ~ 30 cm。全体平滑，无毛。秆柔软，直立或倾斜。叶鞘光滑无毛，稍压扁，常自中部以下闭合，长于节间或上部者短于节间；叶舌圆头形，长 1 ~ 2 mm；叶片扁平或对折，柔软，常有横脉纹，先端船形，边缘微粗糙，长 2 ~ 10 cm，宽 1 ~ 5 mm。圆锥花序开展，卵圆形，绿色，长 3 ~ 7 cm，每节有 1 ~ 3 分枝；分枝光滑。小穗卵形，长 3 ~ 6 mm，有 3 ~ 5 小花。颖片质薄，具宽膜质边缘，先端钝；第 1 颖披针形，长 1.5 ~ 2（~ 3）mm，具 1 脉；第 2 颖长 2 ~ 3（~ 4）mm，具 3 脉。外稃卵圆形，边缘及先端宽膜质，具明显的 5 脉，脊及边脉中部以下有长柔毛，间脉的基部也常有柔毛，基盘无绵毛，第 1 外稃长 3 ~ 4 mm；内稃与外稃

等长或稍短于外稃，2 脊有长柔毛。花药黄色，长 0.6 ~ 0.8 mm。颖果纺锤形，长约 2 mm。花期 4 ~ 5 月，果期 6 ~ 7 月。

| 生境分布 | 生于路边及草地。江苏各地均有分布。

| 资源情况 | 野生资源丰富。

| 采收加工 | 夏、秋季采收，除去须根及泥土，鲜用或晒干。

| 功效物质 | 全草含有维生素类、有机酸类、黄酮类、三萜类等成分，黄酮类成分如木犀草素糖苷，三萜类成分如无羁萜醇等。

| 功能主治 | 用于咳嗽，湿疹，跌打损伤。

| 用法用量 | 内服煎汤，10 ~ 15 g。

禾本科 Gramineae 早熟禾属 *Poa* 凭证标本号 320681170513109LY

硬质早熟禾 *Poa sphondylodes* Trin. ex Bunge

| 药 材 名 |

硬质早熟禾（药用部位：地上部分）。

| 形态特征 |

多年生草本，高 30 ~ 60 cm。秆直立，丛生，有 3 ~ 4 节，顶节位于下部 1/3 ~ 1/2 处，紧接花序以下及节下处常稍糙涩。叶鞘无脊，无毛，基部叶鞘有时为淡紫色，长于叶片；叶舌膜质，长约 4 mm，先端尖；叶片扁平，稍粗糙，长 3 ~ 7 cm，宽约 1 mm。圆锥花序紧缩，近呈穗状，长 3 ~ 10 cm，宽约 1 cm；分枝长 1 ~ 2 cm，主轴各节具 4 ~ 5 枝，粗糙。小穗柄短于小穗；小穗着生于侧枝基部，绿色，成熟后草黄色，长 5 ~ 7 mm，有 4 ~ 6 小花。颖片披针形，长 2.5 ~ 3 mm，先端锐尖，稍粗糙，有 3 脉；第 1 颖稍短于第 2 颖。外稃披针形，具 5 脉，先端有极狭的膜质，在膜质下常带黄铜色，脊下部 2/3 处和边脉下部 1/2 处有长柔毛，基部有绵毛；第 1 外稃长约 3 mm；内稃与外稃等长，或上部小花的内稃稍长于外稃。颖果长约 2 mm，腹面有凹槽。花果期 5 ~ 8 月。

| 生境分布 | 生于山坡草地。江苏各地均有分布。

| 资源情况 | 野生资源丰富。

| 采收加工 | 秋季采割，洗净，晒干，切段。

| 功效物质 | 全草含有芦竹素、无羁萜、*β*- 香树脂醇和羊齿烯醇等三萜类成分。

| 功能主治 | 甘、淡，平。清热解毒，利尿通淋。用于小便淋涩，黄水疮。

| 用法用量 | 内服煎汤，6 ~ 9 g。

禾本科 Gramineae 棒头草属 *Polypogon* 凭证标本号 320323170511833LY

棒头草 *Polypogon fugax* Nees ex Steud.

| 药 材 名 | 棒头草（药用部位：全草）。

| 形态特征 | 一年生草本。秆丛生，基部膝曲，大都光滑，高 10 ~ 75 cm。叶鞘光滑无毛，大都短于节间或下部者长于节间；叶舌膜质，长圆形，长 3 ~ 8 mm，常 2 裂或先端具不整齐的裂齿；叶片扁平，微粗糙或下面光滑，长 2.5 ~ 15 cm，宽 3 ~ 4 mm。圆锥花序穗状，长圆形或卵形，较疏松，具缺刻或有间断，分枝长可达 4 cm。小穗长约 2.5 mm（包括基盘），灰绿色或部分带紫色。颖片长圆形，疏被短纤毛，先端 2 浅裂，芒从裂口处伸出，细直，微粗糙，长 1 ~ 3 mm。外稃光滑，长约 1 mm，先端具微齿，中脉延伸成长约 2 mm 而易脱落的芒。雄蕊 3，花药长 0.7 mm。颖果椭圆形，一面扁平，长约 1 mm。花果期 4 ~ 9 月。

| 生境分布 | 生于潮湿处。江苏各地均有分布。

| 资源情况 | 野生资源较丰富。

| 采收加工 | 夏、秋季采收，洗净，晒干，切段。

| 功效物质 | 含有糖类、矿物元素、三萜皂苷类、脂肪类、生物碱类、黄酮类等资源性成分。

| 功能主治 | 用于关节痛。

禾本科 Gramineae 囊颖草属 *Sacciolepis* 凭证标本号 320722181016350LY

囊颖草 *Sacciolepis indica* (L.) A. Chase

| 药 材 名 | 囊颖草（药用部位：全草）。

| 形态特征 | 一年生草本，高 20 ~ 100 cm，有时下部节上生根。叶鞘具棱脊，短于节间，常松弛；叶舌膜质，长 0.2 ~ 0.5 mm，先端被短纤毛；叶片线形，长 5 ~ 20 cm，宽 2 ~ 5 mm，基部较窄，无毛或被毛。圆锥花序紧缩成圆筒状，长 1 ~ 16 cm 或更长，宽 3 ~ 5 mm，向两端渐狭或下部渐狭，主轴无毛，具棱，分枝短。小穗卵状披针形，向先端渐尖而弯曲，绿色或染以紫色，长 2 ~ 2.5 mm，无毛或被疣基毛。第 1 颖为小穗长的 1/3 ~ 2/3，通常具 3 脉，基部包裹小穗；第 2 颖背部囊状，与小穗等长，具明显的 7 ~ 11 脉，通常 9 脉。第 1 外稃等长于第 2 颖，通常具 9 脉；第 1 内稃退化或短小，透明膜质；第 2 外稃平滑而光亮，长约为小穗的 1/2，边缘包着较其小而同质的

内稃。鳞被 2，阔楔形，折叠，具 3 脉；花柱基分离。颖果椭圆形，长约 0.8 mm，宽约 0.4 mm。花果期 7 ～ 11 月。

| 生境分布 | 生于稻田旁或潮湿处。江苏各地均有分布。

| 资源情况 | 野生资源较丰富。

| 采收加工 | 夏、秋季采收，洗净，晒干，切段。

| 功效物质 | 含有糖类、矿物元素、脂肪类、黄酮类等资源性成分。

| 功能主治 | 用于疮疡，跌打损伤。

禾本科 Gramineae 狗尾草属 *Setaria* 凭证标本号 320115150726018LY

大狗尾草 *Setaria faberii* Herrm.

| 药 材 名 | 大狗尾草（药用部位：全草或根）。

| 形态特征 | 一年生草本，高 50 ~ 120 cm。秆直立，粗壮而高大，直立或基部膝曲，常具支柱根，较狗尾草坚硬而高大，直径达 6 mm，光滑，无毛。叶鞘松弛，边缘常有细纤毛，余则无毛；叶舌退化为长 1 ~ 2 mm 的纤毛；叶片条状披针形，长 10 ~ 40 cm，宽 5 ~ 15 mm，先端渐尖、细长，基部钝圆或渐窄狭成柄状，边缘具细锯齿，无毛或上面有细疣毛，少数下面具细疣毛。圆锥花序圆柱状，下垂，长 5 ~ 15 cm，宽 6 ~ 13 mm（不含芒），常垂头；主轴有柔毛。小穗椭圆形，长约 3 mm；下托以 1 ~ 3 较粗而直的刚毛，刚毛长 5 ~ 15 mm，常绿色，少为浅褐紫色，粗糙。第 1 颖长为小穗的 1/3 ~ 1/2，广卵形，先端尖，有 3 脉；第 2 颖长为小穗的 3/4，有 5 脉。第 1 外稃与小穗等长，

有 5 脉，其膜质内稃极退化；第 2 小花先端尖，与小穗等长，有细横皱纹，成熟后背部极膨胀隆起。颖果椭圆形，先端尖。花果期 7 ~ 10 月。

| 生境分布 | 生于荒野及山坡。江苏各地均有分布。

| 资源情况 | 野生资源丰富。

| 采收加工 | 春、夏、秋季采收，鲜用或晒干。

| 功效物质 | 种子含有 *β*- 香树脂醇等三萜类成分，以及菜油甾醇、*β*- 谷甾醇等甾醇类成分。

| 功能主治 | 甘，平。清热消疳，祛风止痛。用于疳积，风疹，牙痛。

| 用法用量 | 内服煎汤，10 ~ 30 g。

禾本科 Gramineae 狗尾草属 *Setaria* 凭证标本号 320721181018355LY

金色狗尾草 *Setaria glauca* (L.) Beauv.

| 药 材 名 |

金色狗尾草（药用部位：全草）。

| 形态特征 |

一年生草本，高 20 ~ 90 cm。秆直立或基部倾斜膝曲，近地面节可生根。叶鞘光滑，无毛，边缘薄膜质；叶舌退化为一圈长约 1 mm 的柔毛；叶片线状披针形或狭披针形，长 5 ~ 40 cm，宽 2 ~ 8 mm，先端长渐尖，基部钝圆，叶面粗糙，叶背光滑，近基部疏生长柔毛。圆锥花序圆柱形，直立，宽 4 ~ 8 mm（刚毛除外），主轴有微毛；刚毛金黄色或稍带紫色，粗糙，长 4 ~ 8 mm；常在一簇中仅具 1 发育小穗。小穗长 3 ~ 4 mm，先端尖。第 1 颖长约为小穗的 1/3，广卵形，先端尖，有 3 脉；第 2 颖长约为小穗的 1/2，宽卵形，先端钝，有 5 ~ 7 脉。第 1 小花雄性或中性，第 1 外稃与小穗等长，有 5 脉，有等长的膜质内稃；第 2 小花两性，外稃革质，先端尖，成熟时有明显的横皱纹，背部极隆起，常黄色。花果期 6 ~ 10 月。

| 生境分布 |

生于丘陵山区的密林下阴湿处。江苏各地均有分布。

| 资源情况 | 野生资源丰富。

| 采收加工 | 夏、秋季采收，晒干。

| 功效物质 | 种子油含有棕榈酸、油酸、亚油酸和亚麻酸等脂肪酸类成分。茎叶含有异荭草素、木犀草素芸香糖苷等黄酮类成分。

| 功能主治 | 甘、淡，平。清热，明目，止痢。用于目赤肿痛，眼睑炎，赤白痢疾。

| 用法用量 | 内服煎汤，9 ~ 15 g。

禾本科 Gramineae 狗尾草属 *Setaria* 凭证标本号 320621181110026LY

粱 *Setaria italica* (L.) Beauv.

| 药材名 |

谷芽（药用部位：种仁）。

| 形态特征 |

一年生栽培作物，高 0.1 ~ 1 m 或更高，因栽培措施而异。秆粗壮，直立。叶鞘松弛，密具疣毛或无毛，近边缘及与叶片交接处的叶背毛更密，边缘密具纤毛；叶舌为 1 圈纤毛；叶片长披针形或线状披针形，长 10 ~ 45 cm，宽 5 ~ 33 mm，先端尖，基部钝圆，叶面粗糙，叶背稍光滑。圆锥花序长 10 ~ 40 cm，宽 1 ~ 5 cm，常因品种的不同而多变异，呈圆柱状或近纺锤状，常下垂；主轴密生柔毛；刚毛显著长于或稍长于小穗。小穗椭圆形或近圆球形，黄色、褐色或紫色，长 2 ~ 3 mm。第 1 颖长为小穗的 1/3 ~ 1/2，有 3 脉；第 2 颖略短于小穗，或为其长的 1/4 ~ 3/4，先端钝，有 5 ~ 9 脉。第 1 外稃与小穗等长，有 5 ~ 7 脉，第 1 内稃短小；第 2 小花稍长于第 1 外稃，卵形或圆球形，有细点状皱纹，成熟后易脱落。花果期 6 ~ 8 月。

| 生境分布 |

江苏各地均有栽培，北部栽培较多。

| 采收加工 | 秋季采收成熟果实，打下种子，去净杂质，晒干。

| 药材性状 | 本品果实呈稍扁的长椭圆形，两端略尖，长6 ~ 9 mm，宽约3 mm。外稃坚硬，表面黄色，具短细毛，有脉 5。基部有白色线形的浆片 2，长约 2 mm，淡黄色，膜质，由一侧的浆片内伸出淡黄色、弯曲的初生根。内稃薄膜状，光滑，黄白色，内藏果实，质坚，断面白色，有粉性。气无，味微甜。

| 功效物质 | 种子富含糖类、氨基酸类、脂肪类、蛋白质类等营养性成分，其蛋白质构成以谷氨酸、脯氨酸、丙氨酸、甲硫氨酸为主。叶含有金雀花素、荭草素、牡荆素及其糖苷等黄酮类成分，甲氧基香豆素等香豆素类成分。

| 功能主治 | 甘，平。归脾、胃经。消食和中，健脾开胃。用于食积不消，腹胀口臭，脾胃虚弱，不饥食少。

| 用法用量 | 内服煎汤，10 ~ 15 g，大剂量可用至 30 g；或研末。

| 附　　注 | 本种喜温、喜光，在生育期间所需的温度比玉米高，并有一定的耐高温特性，全生育期适温 20 ~ 30 ℃。高粱是 C_4 作物，全生育期都需要充足的光照。根系发达，根细胞具有较高的渗透压，从土壤中吸收水分的能力强。

禾本科 Gramineae 狗尾草属 *Setaria* 凭证标本号 320111150919004LY

皱叶狗尾草 *Setaria plicata* (Lam.) T. Cooke

| 药 材 名 | 皱叶狗尾草（药用部位：全草）。

| 形态特征 | 多年生草本，高 80 ~ 130 cm。秆直立或基部倾斜，直径 3 ~ 5 mm。叶鞘的鞘口及边缘常有纤毛，鞘节无毛或被短毛；叶舌退化为长 1 ~ 2 mm 的纤毛；叶片披针形至线状披针形，长 10 ~ 25 cm，宽 1 ~ 2.5 cm，较薄，有纵向折皱。圆锥花序长 15 ~ 25 cm；分枝斜向上升，长 1 ~ 7 cm。小穗卵状披针形，长 3 ~ 3.5 mm。第 1 颖长为小穗的 1/4 ~ 1/3，广卵形，先端钝圆，有 3 脉；第 2 颖长为小穗的 1/2 ~ 3/4，先端尖或钝，有 5 ~ 7 脉。第 1 小花常雄性，第 1 外稃与小穗等长，先端尖，有 5 脉，第 1 内稃膜质，有 2 脉；第 2 小花等长或稍短于第 1 外稃，有明显的横皱纹，先端有硬而小的尖头。花果期 6 ~ 10 月。

| 生境分布 | 生于山谷和山坡草地。江苏各地均有分布。

| 资源情况 | 野生资源较丰富。

| 采收加工 | 秋后采收，晒干。

| 功效物质 | 含有黄酮类、香豆素类等成分。

| 功能主治 | 淡，平。解毒，杀虫。用于疥癣，丹毒，疮疡。

| 用法用量 | 内服煎汤，15 ~ 30 g。外用适量，捣敷。

禾本科 Gramineae 狗尾草属 *Setaria* 凭证标本号 320830150703005LY

狗尾草 *Setaria viridis* (L.) Beauv.

| 药 材 名 |

狗尾草（药用部位：全草）、狗尾草子（药用部位：种子）。

| 形态特征 |

一年生草本，高 10 ~ 100 cm。秆直立或基部膝曲，高大植株具支柱根。叶鞘松弛，无毛或疏具柔毛或疣毛，边缘具较长的密绵毛状纤毛；叶舌极短，有长 1 ~ 2 mm 的纤毛；叶片扁平，长三角状狭披针形或线状披针形，长 4 ~ 30 cm，宽 2 ~ 18 mm，先端长渐尖或渐尖，基部钝圆形，近呈截状或渐窄，常无毛或疏被疣毛，边缘粗糙。圆锥花序紧密成圆柱状或基部稍疏离，直立或稍弯垂，主轴被较长柔毛，长 2 ~ 15 cm，宽 4 ~ 13 mm（刚毛除外），刚毛长 4 ~ 12 mm，粗糙或微粗糙，直或稍扭曲，常绿色或褐黄色至紫红色或紫色。小穗 2 ~ 5 簇生于主轴上或更多的小穗着生于短小枝上，椭圆形，先端钝，长 2 ~ 2.5 mm，铅绿色。第 1 颖长约为小穗的 1/3，卵形或宽卵形，具 3 脉；第 2 颖与小穗近等长，椭圆形，具 5 或 7 脉。第 1 外稃与小穗等长，具 5 ~ 7 脉，先端钝，其内稃短小、狭窄；第 2 外稃椭圆形，先端钝，具细点状皱纹，边缘内卷，狭窄。颖果灰白色。花果期 5 ~ 10 月。

| 生境分布 | 生于荒野、道旁。江苏各地均有分布。

| 资源情况 | 野生资源丰富。

| 采收加工 | **狗尾草：** 夏、秋季采收，鲜用或晒干。

狗尾草子： 秋季采收成熟果穗，搓下种子，去除杂质，晒干。

| 功效物质 | 种子含有淀粉；地上部分含有小麦黄素、牡荆素、荭草素及其糖苷等黄酮类成分，以及对羟基桂皮酸等酚酸类成分。

| 功能主治 | **狗尾草：** 清热利湿，祛风明目，解毒，杀虫。用于风热感冒，黄疸，疳积，痢疾，小便涩痛，目赤肿痛，痈肿，寻常疣，疮癣。

狗尾草子： 解毒，止泻，截疟。用于蛇串疮，泄泻，疟疾。

| 用法用量 | **狗尾草：** 内服煎汤，6 ~ 12 g，鲜品可用至 30 ~ 60 g。外用适量，煎汤洗；或捣敷。

狗尾草子： 内服煎汤，9 ~ 15 g；或研末冲。外用适量，炒焦，研末调敷。

禾本科 Gramineae 高粱属 *Sorghum* 凭证标本号 320922180717012LY

高粱 *Sorghum bicolor* (L.) Moench

| 药材名 |

高粱（药用部位：种仁）、高粱米糠（药用部位：种皮）、高粱根（药用部位：根）。

| 形态特征 |

一年生作物，高 3 ~ 5 m。秆直立，较粗壮，基部节上具支柱根。叶鞘无毛或被白粉；叶舌硬纸质，先端圆，边缘有纤毛；叶片狭长披针形，长 40 ~ 70 cm，基部圆或微呈耳形，两面无毛，边缘软骨质，具微细小刺毛，中脉较宽，白色。圆锥花序疏松，长 15 ~ 45 cm，宽 5 ~ 10 cm，总梗直立或微弯曲；主轴裸露，具纵棱，分枝多，轮生、互生或对生；每 1 总状花序具 3 ~ 6 节，节间粗糙或稍扁。无柄小穗卵状椭圆形，长 5 ~ 6 mm，基盘有髯毛；颖片初时黄绿色，成熟后为淡红色至暗棕色，成熟时下部硬革质，光滑，无毛，上部及边缘有短柔毛；第 1 颖背部圆凸，边缘内折而具狭翼，向下变硬而有光泽，第 2 颖具 7 ~ 9 脉，背部圆凸；外稃透明膜质，第 2 外稃先端稍 2 裂，自裂齿间伸出一膝曲的芒；有柄小穗常雄性，宿存，褐色至暗红棕色；第 1 颖具 9 ~ 12 脉，第 2 颖具 7 ~ 10 脉。颖果倒卵球状，成熟后露出颖外。花果期 6 ~ 10 月。

| 生境分布 | 江苏各地均有栽培，主要分布于北部等。

| 资源情况 | 栽培资源较丰富。

| 采收加工 | **高粱：**秋季种子成熟后采收，晒干。

高粱米糠：收集加工高粱时舂下的种皮，晒干。

高粱根：秋季采挖，洗净，晒干。

| 功效物质 | 含有羽扇烷醇、香树脂醇、异山柑子醇等三萜类成分，28- 异岩藻甾醇等甾体类成分，3- 己烯 -1- 醇及其酯类，以及对羟基苯甲酸等芳香衍生物。根含有高粱醇等倍半萜类，以及高粱酮、5- 乙氧基高粱酮等苯醌类成分。幼苗含有蜀黍苷、蜀黍苷 -6'- 葡萄糖苷等苯酚苷类成分。

| 功能主治 | **高粱：**甘、涩，温。归脾、胃、肺经。健脾止泻，化痰安神。用于脾虚泄泻，霍乱，消化不良，痰湿咳嗽，失眠多梦。

高粱米糠：和胃消食。用于小儿消化不良。

高粱根：甘，平。平喘，利水，止血，通络。用于咳嗽喘满，小便不利，产后出血，血崩，足膝疼痛。

| 用法用量 | **高粱：**内服煎汤，30 ~ 60 g；或研末。

高粱米糠：内服炒香，每次 1.5 ~ 3 g，每日 3 ~ 4 次。

高粱根：内服煎汤，15 ~ 30 g；或烧存性研末。

| 附　　注 | 本种喜温暖、湿润环境，耐旱。

禾本科 Gramineae 大油芒属 *Spodiopogon* 凭证标本号 320703141018050LY

大油芒 *Spodiopogon sibiricus* Trin.

| 药 材 名 | 大油芒（药用部位：全草）。

| 形态特征 | 多年生的较高大草本，高约 1 m。根茎有覆瓦状鳞片。秆直立，有 7 ~ 9 节。叶鞘除在先端者外大多长于节间；叶舌干膜质，平截，长 1 ~ 2 mm；叶片宽线形，先端渐尖，基部渐狭，长 15 ~ 28 cm，宽 6 ~ 14 mm。圆锥花序长圆形，长 15 ~ 20 cm，宽 1 ~ 3 cm，主轴无毛，分枝腋处常有髯毛，分枝近轮生；穗轴节间及小穗柄两侧有较长纤毛。小穗灰绿色至草黄色，长 5 ~ 5.5 mm，基部有长为小穗 1/5 ~ 1/4 的短毛。2 颖近等长；第 1 颖遍体被较长的柔毛，先端较钝或有小尖头，有 6 ~ 9 脉；第 2 颖两侧压扁，背有脊，先端有小尖头，无柄小穗的第 2 颖常有 3 脉，除脊的上部及边缘有长柔毛外，余均无毛，有柄小穗的第 2 颖遍生柔毛，有 5 ~ 7 脉。第 1 小花雄性，

有 3 雄蕊。花果期秋季。

| 生境分布 | 生于山坡、路旁、树荫下。江苏各地均有分布。

| 资源情况 | 野生资源较丰富。

| 采收加工 | 夏、秋季采收，鲜用或晒干。

| 功效物质 | 含有粗纤维。

| 功能主治 | 用于胸闷，气胀，月经过多。

禾本科 Gramineae 鼠尾粟属 *Sporobolus* 凭证标本号 320722181016326LY

鼠尾粟 *Sporobolus fertilis* (Steud.) W. D. Glayt.

| 药 材 名 |

鼠尾粟（药用部位：全草或根）。

| 形态特征 |

多年生草本，高 60 ~ 100 cm。秆直立，丛生，基部直径 2 ~ 4 mm，质较坚硬，平滑，无毛。叶鞘疏松抱秆，基部者较宽，平滑，无毛或其边缘稀具极短的纤毛；叶舌极短，纤毛状，长约 0.2 mm；叶片长 15 ~ 65 cm，宽 2 ~ 4 mm，质较硬，平滑，无毛或叶背基部疏生柔毛，常内卷。圆锥花序紧缩，常间断，或稠密近穗形，长 14 ~ 19 cm，宽 0.5 ~ 1 cm；分枝直立，稍坚硬，密生小穗，与主轴贴生或倾斜，常长 1 ~ 2.5 cm，基部者较长，一般不超过 6 cm，但小穗密集着生于其上。小穗长约 2 mm，灰绿色且略带紫色。颖膜质；第 1 颖无脉，先端钝或平截，长约 0.5 mm，具 1 脉；第 2 颖卵圆形或卵状披针形，先端尖或钝，长 1 ~ 1.5 mm，有 1 脉。外稃等长于小穗，有 1 主脉及不明显的 2 侧脉。雄蕊 3。囊果成熟后呈红褐色，明显短于外稃和内稃。花果期 5 ~ 11 月。

| 生境分布 |

生于田野、路边和山坡草地。江苏各地均有

分布。

| 资源情况 | 野生资源较丰富。

| 采收加工 | 夏、秋季采收，鲜用或晒干。

| 功效物质 | 全草含有粗纤维。

| 功能主治 | 甘、淡，平。清热，凉血，解毒，利尿。用于流行性脑脊髓膜炎、流行性乙型脑炎高热神昏，病毒性肝炎，黄疸，痢疾，热淋，尿血，乳痈。

| 用法用量 | 内服煎汤，30 ～ 60 g，鲜品 60 ～ 120 g。

禾本科 Gramineae 菅属 *Themeda* 凭证标本号 320721181018292LY

黄背草 *Themeda japonica* (Willd.) Tanaka

| 药 材 名 | 黄背草（药用部位：全草）、黄背草苗（药用部位：幼苗）、黄背草根（药用部位：根）、黄背草果（药用部位：果实）。

| 形态特征 | 多年生草本，高 0.5 ~ 1.5 m。秆簇生，直立，光滑无毛，具光泽。叶鞘背部具脊，常生疣基硬毛；叶舌先端钝圆，有睫毛；叶片线形，长 10 ~ 50 cm，基部常近圆形，顶部渐尖，两面无毛或疏被柔毛，叶背常粉白色，边缘略卷曲，粗糙。大型伪圆锥花序多回复出，由具佛焰苞的总状花序组成；佛焰苞舟状，长 2 ~ 3 cm，有毛或无毛；总状花序长 1 ~ 2 cm，有 7 小穗；基部有 1 总苞状小穗对近轮生，无柄，为雄性或中性小穗；中部 2 小穗为雄性或中性，有柄而无芒；上部的 3 小穗中，1 为两性，有芒而无柄。无柄两性小穗（仅 1），纺锤形圆柱状，长 8 ~ 10 mm，基盘被褐色髯毛。第 1 颖革质，背

部圆形，先端钝，被短刚毛；第 2 颖与第 1 颖同质，等长，两边为第 1 颖所包卷。第 1 外稃短于颖；第 2 外稃退化为芒的基部，芒长 3 ~ 6 cm，1 ~ 2 回膝曲。颖果长圆球状。花果期 6 ~ 11 月。

| 生境分布 | 生于山坡、路旁等荒瘠土地上。江苏各地均有分布。

| 资源情况 | 野生资源较丰富。

| 采收加工 | **黄背草：**夏、秋季采收，晒干。

黄背草苗：春、夏季采收，晒干。

黄背草根：夏、秋季采收，洗净，晒干。

黄背草果：秋末果实成熟时采收，晒干。

| 功效物质 | 含有粗纤维。

| 功能主治 | **黄背草：**甘，温。活血通经，祛风除湿。用于闭经，风湿痹痛。

黄背草苗：甘，平。平肝。用于高血压。

黄背草根：甘，平。祛风湿。用于风湿痹痛。

黄背草果：甘，平。固表敛汗。用于盗汗。

| 用法用量 | **黄背草：**内服煎汤，30 ~ 60 g。

黄背草苗：内服煎汤，15 ~ 30 g。

黄背草根：内服煎汤，30 ~ 60 g。

黄背草果：内服煎汤，9 ~ 15 g。

禾本科 Gramineae 小麦属 *Triticum* 凭证标本号 321322180428115LY

普通小麦 *Triticum aestivum* L.

| 药 材 名 | 小麦（药材来源：种子或其面粉）、浮小麦（药用部位：干瘪轻浮的颖果）。

| 形态特征 | 一年生或二年生草本，高 60 ~ 100 cm。秆直立，丛生，中空，具 5 ~ 7 节，无毛。叶鞘松弛抱秆，下部者长于节间，上部者短于节间；叶舌膜质，长约 1 mm；叶片扁平，长披针形，常无毛，长 10 ~ 24 cm，宽 0.4 ~ 1.5 cm。穗状花序直立，疏松或致密，上部常缩小，横截面长方形或近正方形，长 5 ~ 10 cm（芒除外），宽 1 ~ 1.5 cm。小穗多达 29；穗轴坚韧而不逐节脱落，边缘具缘毛；节间长 3 ~ 4 mm；小穗含 3 ~ 9 小花，上部者不发育。颖片卵圆形，长 6 ~ 8 mm，近革质，主脉于背面上部具脊，于先端延伸为长约 1 mm 的齿，齿端钝、尖或呈短芒状，侧脉的背脊及顶齿均不明显。

外稃长圆状披针形，长 8 ～ 10 mm，厚纸质，具 5 ～ 9 脉，先端具芒或无芒；内稃与外稃近等长。花药黄色或紫色。颖果常与外稃和内稃分离。花果期 4 ～ 8 月。

| 生境分布 | 江苏各地均有栽培。

| 资源情况 | 栽培资源丰富。

| 采收加工 | **小麦：**成熟时采收，脱粒晒干，或机成面粉。

浮小麦：夏至前后，成熟果实采收后，取瘪瘦轻浮与未脱净皮的麦粒，筛去灰屑，用水漂洗，晒干。

| 药材性状 | **小麦：**本品呈长椭圆形，两端略尖，长 5 ～ 7 mm，直径 3 ～ 3. 5 mm，外表面淡黄色或淡棕黄色，具细皱纹，饱满，腹面有 1 深凹的纵沟，先端有黄白色柔毛，基部斜尖形。质坚，破碎面白色，粉性。气微，味淡。

浮小麦：本品呈长圆形，两端略尖，长约 7 mm，直径约 2.6 mm。表面黄白色，皱缩。有时尚带有未脱净的外稃与内稃。腹面有一深陷的纵沟，先端钝，带有浅黄棕色柔毛，另一端呈斜尖形，有脐。质硬而脆，易断，断面白色，粉性差。无臭，味淡。以粒均匀、轻浮、无杂质者为佳。

| 功效物质 | 种子含有淀粉 53% ～ 70%、糊精 2% ～ 10%、蛋白质约 11%、脂肪约 1.6%、粗

纤维约 2%。此外，种子还含有苯并恶嗪酮类生物碱类成分，新西兰牡荆苷、夏佛塔雪轮苷、异夏佛塔雪轮苷等黄酮类，2- 苯基乙醇、4- 乙烯基苯酚等芳香衍生物，以及二氢猕猴桃内酯、四氢猕猴桃内酯等内酯类成分。地上部分同样含有苯并恶嗪酮类生物碱类成分，此外还含有大麦黄素、小麦黄素、异荭草素、光牡荆素及其糖苷等黄酮类成分，以及茉莉酮等单萜类成分。根含戊二烯醛、十五二烯醛等醛类成分，以及聚炔类成分。

| 功能主治 | **小麦**：甘，凉。归心、脾、肾经。养心，益肾，除热，止渴。用于脏躁，烦热，消渴，泻痢，痈肿，外伤出血，烫伤。

浮小麦：甘，凉。归心经。除虚热，止汗。用于阴虚发热，盗汗，自汗。

| 用法用量 | **小麦**：内服煎汤，50 ~ 100 g；或煮粥；或小麦面炒黄，温水调服。外用适量，小麦炒黑，研末调敷；或小麦面干撒；或小麦面炒黄调敷。

浮小麦：内服煎汤，15 ~ 30 g；或研末。止汗宜微炒用。

| 附　　注 | 土层深厚、结构良好、耕层较深的土壤有利于蓄水保肥，促进根系发育。如砂土、重黏土结构不良，难以形成高产。土壤结构是指固体 (有机体和无机体)、液体、气体的组成比例，它与土壤水分、空气，温度、养分有着密切关系，温度的高低受地理纬度和海拔的影响，即纬度和海拔愈高，气温愈低，播种期可早些。冬型品种适宜的日平均温度为 16 ~ 18 ℃，半冬型为 14 ~ 16 ℃，春型为 12 ~ 14 ℃。本种为长日照作物（每天 8 ~ 12 小时光照），如果日照条件不足，无法抽穗结实。光照阶段在春化阶段之后。

禾本科 Gramineae 玉蜀黍属 *Zea* 凭证标本号 320621180721024LY

玉蜀黍 *Zea mays* L.

| 药 材 名 | 玉蜀黍（药用部位：种子）、玉米油（药材来源：种子榨取的脂肪油）、玉米须（药用部位：花柱和柱头）、玉米花（药用部位：雄花穗）、玉米轴（药用部位：穗轴）、玉蜀黍苞片（药用部位：苞片）、玉蜀黍叶（药用部位：叶）、玉蜀黍根（药用部位：根）。

| 形态特征 | 一年生草本，高 1 ～ 4 m。秆直立，常不分枝，基部各节具气生支柱根。叶鞘具横脉；叶舌膜质，长约 2 mm；叶片扁平宽大，条状披针形，基部圆形，呈耳状，无毛或具柔毛，中脉粗壮，边缘微粗糙。顶生雄性圆锥花序大型，主轴与总状花序轴及其腋间均被细柔毛。雄小穗孪生，长达 1 cm，小穗柄分别长 2 ～ 4 mm、1 ～ 2 mm，被细柔毛；2 颖近等长，膜质，约具 10 脉，被纤毛；外稃及内稃透明膜质，稍短于颖。雌花序被多数宽大的鞘状苞片所包藏。雌小穗孪

生，成 16 ~ 30 纵行排列于粗壮的花序轴上；2 颖等长，宽大，无脉，具纤毛；外稃及内稃透明膜质；雌蕊具极长而细弱的线形花柱。颖果近球状或极扁球状，成熟后露出颖片和稃片之外，长 5 ~ 10 mm，宽略超过长。花果期 8 ~ 12 月。

| 生境分布 | 江苏各地均有栽培。

| 资源情况 | 栽培资源丰富。

| 采收加工 | **玉蜀黍：**于成熟时采收玉米棒，脱下种子，晒干。

玉米油：于玉米成熟时采集种子，晒干，榨取油。

玉米须：于玉米成熟时采收，晒干。

玉米花：夏、秋季采收，晒干。

玉米轴：于玉米成熟时采收玉米棒，脱去种子，晒干。

玉蜀黍苞片：秋季采收种子时收集，晒干。

玉蜀黍叶：夏、秋季采收，晒干。

玉蜀黍根：秋季采挖，洗净，鲜用或晒干。

| 功效物质 | 种子含有淀粉达 61.2%、脂肪类成分 4.2% ~ 4.75%、生物碱类成分约 0.21%；尚含维生素 B_1、维生素 B_2、维生素 B_6 等 B 族维生素，玉蜀黍黄质等类胡萝卜

素成分，以及槲皮素、异槲皮苷等黄酮类成分等。穗含有香茅醇、松樟酮、丁香酚等挥发油类，玉米黄酮苷、芹菜玉米黄酮苷、金圣草酚及其糖苷等黄酮类成分，以及玉米黄素、胡萝卜素 - 叶黄素复合物等类胡萝卜素成分。全株含有香树脂醇、无羁萜等三萜类成分。玉米穗黄酮苷的糖基组成包括半乳糖基、鼠李糖基、喹诺糖基、岩藻糖基、波依文糖基等。

| 功能主治 | **玉蜀黍：** 甘，平。归胃、大肠经。调中开胃，利尿消肿。用于食欲不振，小便不利，水肿，尿路结石。

玉米油： 降压，降血脂。用于高血压，高脂血症，动脉硬化，冠心病。

玉米须： 甘、淡，平。归膀胱、肝、胆经。利尿消肿，清肝利胆。用于水肿，小便淋沥，黄疸，胆囊炎，胆结石，高血压，糖尿病，乳汁不通。

玉米花： 甘，凉。疏肝利胆。用于肝炎，胆囊炎。

玉米轴： 甘，平。健脾利湿。用于消化不良，泻痢，小便不利，水肿，脚气，小儿夏季热，口舌糜烂。

玉蜀黍苞片： 甘，平。清热利尿，和胃。用于尿路结石，水肿，胃痛吐酸。

玉蜀黍叶： 微甘，凉。利尿通淋。用于石淋，小便涩痛。

玉蜀黍根： 甘，平。利尿通淋，祛瘀止血。用于小便不利，水肿，石淋，胃痛，吐血。

| 用法用量 | **玉蜀黍：** 内服煎汤，30 ~ 60 g；或煮食；或磨成细粉做饼。

玉米油： 内服煎汤，9 ~ 15 g。

玉米须： 内服煎汤，15 ~ 30 g，大剂量可用 60 ~ 90 g；或烧存性研末。外用适量，烧烟吸入。

玉米花： 内服煎汤，9 ~ 15 g。

玉米轴： 内服煎汤，9 ~ 12 g；或煅存性研末冲。外用适量，烧灰调敷。

玉蜀黍苞片： 内服煎汤，9 ~ 15 g。

玉蜀黍叶： 内服煎汤，9 ~ 15 g。

玉蜀黍根： 内服煎汤，30 ~ 60 g。

禾本科 Gramineae 菰属 *Zizania* 凭证标本号 320482180704530LY

菰 *Zizania latifolia* (Griseb.) Stapf

| 药 材 名 | 茭白（药用部位：嫩茎秆被菰黑粉菌刺激而形成的纺锤形肥大部分）、菰根（药用部位：根及根茎）、菰米（药用部位：果实）。

| 形态特征 | 多年生水生草本，高 1 ~ 2 m。具匍匐根茎。须根粗壮。秆直立，粗壮，基部节上有不定根。叶鞘肥厚，长于节间，基部者常有横脉纹；叶舌膜质，略呈三角形，长达 15 mm；叶片扁平，宽大，长 30 ~ 100 cm，宽 10 ~ 25 mm，叶面粗糙，叶背较光滑。圆锥花序长 30 ~ 60 cm，分枝多簇生，开花时上举，结果时开展。雄小穗长 10 ~ 15 mm，两侧压扁，常带紫色；外稃先端渐尖或有短尖头；内稃具 3 脉，中脉成脊，具毛。雌小穗长 15 ~ 25 mm，圆筒状；外稃有 5 脉，粗糙，芒长 15 ~ 30 mm；内稃具 3 脉。颖果圆柱状，长 9 ~ 12 mm。花果期秋季。

| 生境分布 | 江苏各地湖沼、水塘内常有栽培。

| 资源情况 | 栽培资源较丰富。

| 采收加工 | **茭白：**秋季采收，鲜用或晒干。

菰根：秋季采挖，洗净，鲜用或晒干。

菰米：9 ~ 10 月果实成熟后采收，搓去外皮，扬净，晒干。

| 药材性状 | **菰根：**本品根茎呈压扁的圆柱形，已切成短段，直径 0.6 ~ 1.8 cm。表面棕黄色或金黄色，有环状凸起的节，节上有根痕及芽痕，节间有细纵皱纹。体轻，质软而韧。断面中空，周壁厚约 1 mm，有排列成环的小孔。无臭，味淡。

菰米：本品呈圆柱形，长 1 ~ 1.5 cm，直径 1 ~ 2 mm，两端渐尖。表面棕褐色，有一因稃脉挤压而形成的沟纹，腹面从基部至中部有一条弧形的因胚体突出而形成的脊纹，脊纹两侧微凹下，长至 0.6 cm。折断面灰白色，富油质，质坚硬而脆。气微弱，味微甘。以籽粒饱满、无蛀者为佳。

| 功效物质 | 含有丰富的糖类、蛋白质、必需氨基酸和脂肪酸、维生素及各种微量元素，还含有大量生物活性成分，如抗性淀粉、膳食纤维、黄酮类、皂苷类、花色苷类、植物甾醇类等资源性成分。其中，蛋白质含量约为 2.82%，还原糖含量达 30.9%，水溶性果胶含量为 2.06%。

| 功能主治 | **茭白：**甘，寒。归肝、脾、肺经。解热毒，除烦渴，利二便。用于烦热，消渴，二便不通，黄疸，痢疾，热淋，目赤，乳汁不下，疮疡。

菰根：甘，寒。除烦止渴，清热解毒。用于消渴，心烦，小便不利，小儿麻疹高热不退，黄疸，鼻衄，烫火伤。

菰米：甘，寒。归胃、大肠经。除烦止渴，和胃理肠。用于心烦，口渴，二便不利，小儿泄泻。

| 用法用量 | **茭白：**内服煎汤，30 ~ 60 g。

菰根：内服煎汤，鲜品 60 ~ 90 g；或绞汁。外用适量，烧存性研末调敷。

菰米：内服煎汤，9 ~ 15 g。

棕榈科 Arecaceae 棕竹属 *Rhapis* 凭证标本号 NAS00586039

棕竹 *Rhapis excelsa* (Thunb.) Henry ex Rehd.

| 药 材 名 | 棕竹（药用部位：叶）、棕竹根（药用部位：根）。

| 形态特征 | 常绿灌木，高 2 ~ 3 m。茎丛生；茎干圆柱状，有节，包被有褐色、网状纤维状的鞘。叶片掌状深裂，在基部（即叶柄先端）1 ~ 4 cm 处连合，裂片 4 ~ 10，不均等，宽条形或条状椭圆形，具 2 ~ 5 肋脉，长 20 ~ 32 cm 或更长，宽 1.5 ~ 5 cm，先端宽，截状而具多对稍深裂的小裂片，边缘及肋脉上具稍锐利的锯齿，横小脉多而明显；叶柄两面凸起或上面稍平坦，边缘微粗糙，先端的小戟突略呈半圆形或钝三角形，被毛。肉穗花序多次分枝；总花序梗及分枝花序基部各有 1 佛焰苞包着，密被褐色弯卷绒毛；2 ~ 3 分枝，再有 1 ~ 2 分枝，呈小花穗状，花枝近无毛；花螺旋状着生于小花枝上；花淡黄色；花萼杯状，3 深裂，裂片半卵形；花冠 3 裂，裂片三角形。

果实球状倒卵形；种子球状。花期 6 ~ 7 月。

| 生境分布 | 江苏各地均有栽培。

| 资源情况 | 栽培资源一般。

| 采收加工 | **棕竹:** 全年均可采收，切碎，晒干。
棕竹根： 全年均可采挖，洗净，切段，鲜用或晒干。

| 功效物质 | 叶含有异牡荆素在内的黄酮类成分，以及甲基原薯蓣皂苷、甲基原棕榈皂苷 B、甲基原棕竹皂苷等甾体皂苷类成分。地下部分同样含有薯蓣皂苷、甲基原薯蓣皂苷、甲基原棕榈皂苷 B 等甾体皂苷类成分。茎中甾体皂苷类成分包括三角叶薯蓣苷、甲基原薯蓣皂苷、甲基原棕榈皂苷 B 等。

| 功能主治 | **棕竹：** 甘、涩，平。收敛止血。用于鼻衄，咯血，吐血，产后出血过多。
棕竹根： 甘、涩，平。祛风除湿，收敛止血。用于风湿痹痛，鼻衄，咯血，跌打劳伤。

| 用法用量 | **棕竹：** 内服煅炭研末冲，3 ~ 6 g。
棕竹根： 内服煎汤，9 ~ 20 g，鲜品 90 g。

| 附　　注 | 本种喜生于潮湿土壤。

棕榈科 Arecaceae 棕榈属 *Trachycarpus* 凭证标本号 320124170821040LY

棕榈 *Trachycarpus fortunei* (Hook.) H. Wendl.

| 药 材 名 |

棕榈（药用部位：叶柄）。

| 形态特征 |

常绿乔木，高 3 ~ 8 m。茎干直立，不分枝，其上被有老叶鞘基部、密集的网状纤维。叶片圆扇形，有狭长折皱，掌裂至中部，裂片 30 ~ 50，硬直，宽 2.5 ~ 4 cm，长 60 ~ 70 cm，先端 2 浅裂，老叶先端往往下垂；叶柄长 60 ~ 80 cm 或更长，两侧具细圆齿，先端有明显的戟突，常宿存。圆锥状花序从叶腋抽出，多次分枝，粗壮；常雌雄异株；雄花序长约 40 cm，具 2 ~ 3 分枝，常 2 回分枝，花冠长于花萼约 2 倍；雌花序长 80 ~ 90 cm，有 3 佛焰苞包着，具 4 ~ 5 圆锥状的分枝花序，2 ~ 3 回分枝，花冠长于萼片 1/3；花小，无梗，每 2 ~ 3 密集着生于小穗轴上，卵球形；萼片及花瓣均为卵形，黄色；雄蕊 6，花丝分离，花药短；柱头 3，常反曲。核果球形或长椭圆形，直径约 1 cm。花期 5 ~ 6 月，果期 8 ~ 9 月。

| 生境分布 |

江苏各地均有栽培，常逸为野生。

| 资源情况 | 野生及栽培资源较丰富。

| 采收加工 | 采棕时割取旧叶柄下延部分及鞘片，除去纤维状的棕毛，晒干。

| 药材性状 | 本品呈长条板状，一端较窄而厚，另一端较宽而稍薄，大小不等。表面红棕色，粗糙，有纵直皱纹；一面有明显的凸出纤维，纤维的两侧着生多数棕色茸毛。质硬而韧，不易折断，断面纤维性。无臭。味淡。

| 功效物质 | 叶及叶柄含有儿茶素、洋蓟糖苷、木犀草素糖苷等黄酮类成分，甲基原棕榈皂苷 B 等甾体类成分，以及没食子酸、原儿茶酸、原儿茶醛等鞣质类成分。花富含氨基酸类及挥发油类成分，氨基酸类成分如 5- 羟基高脯氨酸、γ- 氨基丁酸等，挥发油类成分主要包括丁香油酚、樟烯等。花序含有抗菌糖蛋白。种皮含有白花青素苷等花青素类成分。茎及地下部分均含有甾体类成分，如薯蓣皂苷、甲基原薯蓣皂苷等。

| 功能主治 | 苦、涩，平。归肺、肝、大肠经。收敛止血。用于吐血，衄血，尿血，便血，崩漏。

| 用法用量 | 内服煎汤，3 ~ 9 g，一般炮制后用。

| 附　　注 | 本种喜生于潮湿土壤。

天南星科 Araceae 菖蒲属 *Acorus* 凭证标本号 320681170514137LY

菖蒲 *Acorus calamus* L.

| 药 材 名 |

水菖蒲（药用部位：根茎）。

| 形态特征 |

多年生草本。根茎横走，分枝，粗大，直径 1 ~ 2.5 cm，外皮黄褐色，芳香，肉质根多数，具毛发状须根。叶基生；基部两侧膜质叶鞘宽 4 ~ 5 mm，向上渐狭，至叶长 1/3 处渐行消失、脱落；叶片剑状线形，长（20 ~ ）90 ~ 100（ ~ 150）cm，中部宽 1 ~ 2（ ~ 3） cm，基部宽、对折，中部以上渐狭，草质，绿色，光亮；中肋在两面均明显隆起，侧脉 3 ~ 5 对，平行，纤弱，大都伸延至叶尖。花序梗三棱状，长（15 ~ ）40 ~ 50 cm；叶状佛焰苞剑状线形，长 20 ~ 40 cm；肉穗花序斜向上或近直立，长 4 ~ 9 cm；花黄绿色，花被片长约 2.5 mm，宽约 1 mm；花丝长 2.5 mm，宽约 1 mm；子房长圆柱状，长 3 mm。浆果长圆形，红色，有种子 1 ~ 4。花期 6 ~ 7 月，果期 8 月。

| 生境分布 |

生于静水池塘、湖泊、水沟等。江苏各地均有分布。

| 资源情况 | 栽培资源较丰富。

| 采收加工 | 栽种2年后即可采挖。全年均可采挖，以8 ~ 9月采挖为佳，洗净泥沙，除去须根，晒干。

| 药材性状 | 本品呈扁圆柱形，少有分枝；长10 ~ 24 cm，直径1 ~ 1.5 cm。表面类白色至棕红色，有细纵纹；节间长0.2 ~ 1.5 cm，上侧有较大的类三角形叶痕，下侧有凹陷的圆点状根痕，节上残留棕色毛须。质硬，折断面海绵样，类白色或淡棕色；横切面内皮层环明显，有多数小空洞及维管束小点。气较浓烈而特异，味苦、辛。以根茎粗大、表面黄白色、去净鳞叶及须根者为佳。

| 功效物质 | 根及根茎、叶均含有挥发油。根及根茎主要含有表白菖酮、白菖酮、异白菖酮、水菖蒲二醇、异水菖蒲二醇、菖蒲醇酮、菖蒲二醇、菖蒲醇、菖蒲呋喃等倍半萜类成分，此外，尚含有2,4,5-三甲氧基苯甲酸等芳香衍生物，以及甾醇类和脂肪酸类成分。

| 功能主治 | 辛、苦，温。归心、肝、胃经。清热解毒，利尿祛湿。用于疮疡肿毒。

| 用法用量 | 内服煎汤，3 ~ 6 g；或入丸、散剂。外用适量，煎汤洗；或研末调敷。

天南星科 Araceae 菖蒲属 *Acorus* 凭证标本号 320105200402199LY

金钱蒲 *Acorus gramineus* Soland. ex Aiton

| 药 材 名 |

鲜菖蒲（药用部位：根茎）。

| 形态特征 |

多年生草本，高 20 ~ 30 cm。根茎较短，芳香，长 5 ~ 10 cm，横走或斜伸，上部多分枝，呈丛生状，外部淡黄色，节间长 1 ~ 5 mm；肉质根多数，须根密集。叶基对折，两侧膜质叶鞘棕色，下部宽 2 ~ 3 mm，上延至叶片中部以下，渐狭，脱落；叶片质较厚，线形，绿色，长 20 ~ 30 cm，宽不足 6 mm；无中肋，平行脉多数。花序梗长 2.5 ~ 9（~ 15）cm；叶状佛焰苞短，长 3 ~ 9（~ 14）cm，为肉穗花序长的 1 ~ 2 倍；肉穗花序圆柱状，长 3 ~ 9.5 cm，直径 3 ~ 5 mm。果序直径达 1 cm，黄绿色。花期 5 ~ 6 月，果实 7 ~ 8 月成熟。

| 生境分布 |

生于水旁湿地或岩石缝。江苏各地有少量栽培。

| 资源情况 |

野生及栽培资源一般。

| 采收加工 | 秋、冬季采挖根茎，剪去叶片和须根，洗净，晒干，撞去毛须即可。

| 功效物质 | 含有挥发油类成分，如 *β*- 细辛醚、石菖醚等。

| 功能主治 | 化痰开窍，化湿行气，祛风利痹，消肿止痛。用于热病神昏，痰厥，健忘，耳鸣，耳聋，脘腹胀痛，噤口痢，风湿痹痛，跌打损伤，痈疽疥癣。

天南星科 Araceae 菖蒲属 *Acorus* 凭证标本号 320481151023116LY

石菖蒲 *Acorus tatarinowii* Schott

| 药 材 名 | 石菖蒲（药用部位：根茎）。

| 形态特征 | 多年生草本。根茎芳香，直径 2 ~ 5 mm，上部分枝甚密，植株因而呈丛生状，分枝常被纤维状宿存叶基，外部淡褐色，节间长 3 ~ 5 mm；根肉质，具多数须根。叶无柄；叶片薄，基部两侧膜质叶鞘宽可达 5 mm，上延几达叶片中部，渐狭，脱落；叶片暗绿色，线形，长 20 ~ 30（~ 50）cm，基部对折，中部以上平展，宽 7 ~ 13 mm，先端渐狭；无中肋，平行脉多数，稍隆起。花序梗腋生，长 4 ~ 15 cm，三棱状；叶状佛焰苞长 20 ~ 40 cm，为肉穗花序长的 2 ~ 5 倍或更长，稀近等长；肉穗花序圆柱状，长（2.5 ~）4 ~ 6.5（~ 8.5）cm，直径 4 ~ 7 mm，上部渐尖，直立或稍弯；花白色。成熟果序长 7 ~ 8 cm，直径可达 1 cm；幼果绿色，成熟时黄绿色或黄白色。花果期 2 ~

6 月。

| 生境分布 | 生于沼泽边缘、潮湿土地上或岩石上、泉水附近。江苏各地均有分布。

| 资源情况 | 野生资源较丰富。

| 采收加工 | 早春或冬末采挖，剪去叶片和须根，洗净，晒干，撞去毛须即可。

| 药材性状 | 本品呈扁圆柱形，稍弯曲，常有分枝，长 3 ~ 20 cm，直径 0.2 ~ 0.5 cm。表面棕褐色、棕红色或灰黄色，粗糙，多环节，节间长 3 ~ 5 mm；上侧有略呈扁三角形的叶痕，左右交互排列，下侧有圆点状根痕，节部有时残留有毛鳞状叶基。质硬脆，折断面纤维性，类白色或微红色；横切面内皮层环明显，可见多数维管束小点及棕色油点。气芳香，味苦、微辛。以条粗、断面类白色、香气浓者为佳。

| 功效物质 | 根茎主要含有黄酮类、生物碱类、香豆素类、蒽醌类、苯丙素类、木脂素类、二萜类、芳香衍生物、甾体类等资源性成分。黄酮类成分如 8- 异戊烯基山柰酚，生物碱类成分如菖蒲碱、石菖蒲碱等，香豆素类成分如佛手柑内酯、印度榅桲素等，蒽醌类成分如大黄素，苯丙素类成分如石菖蒲酮、桉脂素等，二萜类成分如石菖蒲醇、石菖蒲苷等，倍半萜类成分如白菖酮、菖蒲烯酮等，芳香衍生物如细辛醛、麝香草酚等。

| 功能主治 | 辛、苦，微温。归心、肝、脾经。化痰开窍，化湿行气，祛风利痹，消肿止痛。用于热病神昏，痰厥，健忘，耳鸣，耳聋，脘腹胀痛，噤口痢，风湿痹痛，跌打损伤，痈疽疥癣。

| 用法用量 | 内服煎汤，3 ~ 6 g，鲜品加倍；或入丸、散剂。外用适量，煎汤洗；或研末调敷。

天南星科 Araceae 天南星属 *Arisaema* 凭证标本号 320282160606010LY

东北南星 *Arisaema amurense* Maxim.

| 药 材 名 | 天南星（药用部位：块茎）。

| 形态特征 | 多年生草本，高 30 ~ 70 cm。块茎扁球形，直径 1 ~ 2 cm。鳞片状叶 2，膜质，下部抱茎，紫色，上部披针形。叶 1，鸟足状全裂，裂片 5（幼叶 3），倒卵形或椭圆形，先端渐尖或锐尖，基部楔形，全缘，集合侧脉距边缘 3 ~ 6 mm，中裂片长 7 ~ 11 cm，宽 4 ~ 7 cm，具长 0.2 ~ 2 cm 的柄，侧裂片具长 0.5 ~ 1 cm 的柄，与中裂片近等大；叶柄长 10 ~ 20 cm。花序梗短于叶柄，长 9 ~ 15 cm；佛焰苞管部漏斗状，长 5 cm，白绿色，喉部边缘斜截形，狭，外卷，檐部直立，卵状披针形，渐尖，长 5 ~ 6 cm，绿色或紫色，具白色条纹；肉穗花序单性，从叶鞘中伸出，附属体具短柄，棒状，不超出佛焰苞外；雄花序长约 2 cm，上部渐狭，花疏；雌花序短圆锥形，

长 1 cm。果序圆锥形，长达 5 cm；浆果橘红色；种子 4，红色。花期 5 ～ 7 月，果期 8 ～ 9 月。

| 生境分布 | 生于山坡林下和沟旁。分布于江苏连云港、镇江（句容）等。

| 资源情况 | 野生资源一般。

| 采收加工 | 10 月采挖，去掉泥土及茎叶、须根，装入撞兜内撞去表皮，倒出用水清洗，对未撞干净的表皮再用竹刀刮净，最后用硫黄熏制，使之色白，晒干。

| 药材性状 | 本品呈扁圆形，直径 1 ～ 2 cm，中心茎痕大而稍平坦，呈浅皿状，环纹少，麻点状根痕细，排列不整齐，周围有微突出的小侧芽。气微，味辣，有麻舌感。以个大、色白、粉性足者为佳。

| 功效物质 | 含有植物凝集素、脂肪酸及其酯类，如琥珀酸、单硬脂酰甘油酯等。

| 功能主治 | 苦、辛，温；有毒。归肺、肝、脾经。散结消肿。外用于痈肿，蛇虫咬伤。

| 用法用量 | 内服煎汤，3 ～ 9 g，一般炮制后用；或入丸、散剂。外用适量生品，研末，以醋或酒调敷。

天南星科 Araceae 天南星属 *Arisaema* 凭证标本号 320111170509028LY

天南星 *Arisaema heterophyllum* Bl.

| 药 材 名 | 天南星（药用部位：块茎）。

| 形态特征 | 多年生草本，高 60 ~ 80 cm。块茎近球状或扁球状，直径 1.5 ~ 2.5 cm，周围生根，常有若干侧生芽眼。鳞芽 4 ~ 5，膜质。叶 1，鸟趾状全裂，裂片 11 ~ 17，常 13 左右，长圆形、倒披针形或长圆状倒卵形，先端渐尖，长 4 ~ 25（~ 31）cm，宽（0.7 ~）1 ~ 7 cm，基部楔形，全缘，叶面暗绿色，叶背淡绿色，中央裂片最小，长 4 ~ 15 cm，宽 1 ~ 5 cm，两侧裂片排列成蝎尾状，靠近中部者较大，向外者依次渐小。花序梗从叶柄鞘筒内抽出，长 25 ~ 50 cm；佛焰苞下部呈筒状，喉部截形，外缘稍外卷；檐部深绿色或淡绿色，卵形或卵状披针形，与管部近等长，下弯近呈盔状，先端骤狭渐尖；花序轴先端附属物鼠尾状，延伸于佛焰苞外甚多；肉穗花序顶生，

总花梗等长于或稍长于叶柄；两性花序或雄花序单性，前者为雄上雌下排列；雄花具梗，稀疏，有的退化为钻形、中性；雌花球形。浆果红色；种子黄色，具红色斑点。花果期 5 ~ 9 月。

| 生境分布 | 生于阴坡、林下及沟旁较为阴湿处。分布于江苏南部等。

| 资源情况 | 野生资源较少。

| 采收加工 | 10 月采挖，去掉泥土及茎叶、须根，装入撞兜内撞去表皮，倒出用水清洗，对未撞干净的表皮再用竹刀刮净，最后用硫黄熏制，使之色白，晒干。

| 药材性状 | 本品呈稍扁的圆球形，直径 1.5 ~ 2.5 cm。表面类白色或淡棕色，较光滑，先端有凹陷的茎痕，周围有一圈 1 ~ 3 列显著的根痕，周边偶有少数微凸起的小侧芽，有时已磨平。气微，味辣，有麻舌感。

| 功效物质 | 含有鸟氨酸、精氨酸等氨基酸类成分，二酮哌嗪类生物碱类成分，以及三萜皂苷类、有机酸类、木脂素类、甾醇类、矿物元素等资源性成分。

| 功能主治 | 苦、辛，温；有毒。归肺、肝、脾经。散结消肿。外用于痈肿，蛇虫咬伤。

| 用法用量 | 内服煎汤，3 ~ 9 g，一般炮制后用；或入丸、散剂。外用适量，生品研末，以醋或酒调敷。

天南星科 Araceae 天南星属 *Arisaema* 凭证标本号 321183150402002LY

云台南星 *Arisaema dubois-reymondiae* Engl.

| 药 材 名 | 云台南星（药用部位：块茎）。

| 形态特征 | 多年生草本，高 20 ~ 60 cm。块茎卵圆球状或近球状，直径约 2 cm。鳞叶 3，下部管状，上部略分离，圆钝，膜质。叶 2，鸟趾状全裂，裂片 7 ~ 11，长圆状倒披针形，先端渐尖，基部楔形，全缘或略呈波状，集合侧脉距边缘约 1.5 mm，中间裂片具短柄，长 6 ~ 7 cm，宽 2 ~ 2.5 cm，与两侧裂片大小相等或略小，侧裂片依次渐小。花序梗短于叶柄，高出叶柄鞘 2 ~ 4 cm；佛焰苞长约 15 cm，绿色或白色，内面具 3 或 5 白色纵条纹，下部筒状，长 5 ~ 7 cm，宽 2 ~ 2.5 cm，喉部宽 2 ~ 2.5 cm，边缘略反卷；檐部长圆形，长 7 cm，先端有长渐尖头；肉穗花序顶生，单性；雄花序长约 2 cm，花较疏，棒状，先端附属物长圆柱状，先端弯曲，无柄，长 4 ~ 6 cm，

基部有少数钻形中性花。花期 4 月，果期 5 月。

| 生境分布 | 生于深山沟、山坡灌丛下或林缘。分布于江苏连云港、镇江（句容）、常州（溧阳）、无锡（宜兴）等。

| 资源情况 | 野生资源较丰富。

| 采收加工 | 7 ~ 9 月茎叶枯萎时，挖出地下块茎，除去苗茎及须根，洗净泥沙，刮去粗皮，晒干或阴干；或采挖除去茎叶及须根后，堆放室内 2 ~ 3 天使其发汗，每日上下翻一次，带外皮起皱纹而易于用手指推脱时，放入竹篓中置流水处，用木棒捆上绳类进行擦洗，待外皮全部擦掉，沥干，摊放通风处晾干表皮水分，晒干。

| 功效物质 | 含有氨基酸类、生物碱类、有机酸类、甾体类等资源性成分。

| 功能主治 | 散结消肿。外用于痈肿，蛇虫咬伤。

天南星科 Araceae 芋属 *Colocasia* 凭证标本号 321284190702066LY

芋 *Colocasia esculenta* (L.) Schott

| 药 材 名 | 芋头（药用部位：根茎）、芋叶（药用部位：叶片）、芋梗（药用部位：叶柄）、芋头花（药用部位：花序）。

| 形态特征 | 多年生湿生草本，常作一年生作物栽培。块茎常卵形，直径 3 ~ 5 cm 或更大，常生多数小球茎，均富含淀粉。匍匐茎长或无。叶基生，2 ~ 5 簇生；叶片盾形、长圆状卵形至近圆形，长 15 ~ 50 cm，先端短尖或渐尖，基部耳形，弯缺较钝，侧脉 4 对，斜伸达叶缘；叶柄绿色或紫红色，长于叶，粗壮，基部呈鞘状。花序梗常单生，短于叶柄；佛焰苞长短不一，常长 20 cm 左右，管部绿色；檐部披针形，长约 17 cm，展开成舟状，边缘内卷，淡黄色至绿白色；肉穗花序短于佛焰苞，长约 10 cm，其中下部的雌花序长圆锥状，长 3 ~ 3.5 cm，中部的中性花序细圆柱状，长 3 ~ 3.3 cm，上部的雄花序圆柱状，长 4 ~ 4.5 cm，先端骤狭；有钻形附属物。浆果绿色。花期 8 ~ 9 月。

| 生境分布 | 江苏中部、南部等多有栽培。

| 资源情况 | 栽培资源丰富。

| 采收加工 | **芋头**：秋季采挖，去净须根，洗净，鲜用或晒干。

芋叶：7 ~ 8 月采收，鲜用或晒干。

芋梗：8 ~ 9 月采收，除去叶片，洗净，鲜用或切段，晒干。

芋头花：8 ~ 9 月花开时采收，鲜用或晒干。

| 药材性状 | **芋头**：本品呈椭圆形、卵圆形或圆锥形，大小不一。有的先端有顶芽，外表面褐黄色或黄棕色，有不规则的纵向沟纹，并可见点状环纹，环节上有许多毛须，或连成片状，外皮栓化，易撕裂。横切面类白色或青白色，有黏性，质硬。气特异，味甘、微涩，嚼之有黏性。

芋叶：本品呈不规则碎片，上表面黑绿色，下表面灰白色。质脆。气微，味微涩。

| 功效物质 | 块茎含有蛋白质类、淀粉类、脂类、B 族维生素类，以及钙、磷、铁等矿物元素。

| 功能主治 | **芋头**：甘、辛，平。归胃经。健脾补虚，散结解毒。用于脾胃虚弱，纳少乏力，消渴，瘰疬，腹中癖块，肿毒，赘疣，鸡眼，疥癣，烫火伤。

芋叶：辛、甘，平。止泻，敛汗，消肿，解毒。用于泄泻，自汗，盗汗，痈疽肿毒，黄水疮，蛇虫咬伤。

芋梗：辛，平。祛风，利湿，解毒，化瘀。用于荨麻疹，过敏性紫癜，腹泻，痢疾，小儿盗汗，黄水疮，无名肿毒，蛇头疔，蜂螫伤。

芋头花：辛，平；有毒。理气止痛，散瘀止血。用于气滞胃痛，噎膈，吐血，子宫脱垂，小儿脱肛，混合痔，鹤膝风。

| 用法用量 | **芋头**：内服煎汤，60 ~ 120 g；或入丸、散剂。外用适量，捣敷；或醋磨涂。

芋叶：内服煎汤，15 ~ 30 g，鲜品 30 ~ 60 g。外用适量，捣汁涂；或捣敷。

芋梗：内服煎汤，15 ~ 30 g。外用适量，捣敷；或研末掺。

芋头花：内服煎汤，15 ~ 30 g。外用适量，捣敷。

| 附　　注 | 本种喜潮湿环境。

天南星科 Araceae 半夏属 *Pinellia* 凭证标本号 320684160528027LY

虎掌 *Pinellia pedatisecta* Schott

| 药 材 名 | 天南星（药用部位：块茎）。

| 形态特征 | 多年生草本。块茎近圆球状，直径 2 ~ 4 cm，旁有若干小块茎。叶 1 ~ 3 或更多，鸟趾状分裂，裂片 6 ~ 11，披针形，渐尖，基部渐狭，楔形，中间裂片较大，长 15 ~ 18 cm，宽 3 cm，侧脉 6 ~ 7 对，离边缘 3 ~ 4 mm 处弧曲，连结为集合脉；叶柄纤细柔弱，淡绿色，长 45 ~ 65 cm，下部具鞘。花序梗与叶柄等长或稍长；肉穗花序顶生；佛焰苞淡绿色，披针形，下部筒状，长圆形，向下渐收缩；檐部长披针形，基部展平宽 1.5 cm，先端锐尖，长 8 ~ 15 cm；花单性同株；雄花着生在花序上部，雄蕊密集成圆筒状，有香蕉香气；雌花着生在花序下部，贴生于苞片上；花序先端附属物鼠尾状，长约 9 cm，直立或稍弯曲，略呈“S”形。浆果卵圆形，绿色，长 4 ~ 5 mm，

直径 2 ~ 3 mm，内含种子 1。花期 6 ~ 7 月，果期 8 ~ 10 月。

| 生境分布 | 生于林下、溪旁较阴湿处。江苏各地均有分布。

| 资源情况 | 野生资源较丰富。

| 采收加工 | 10 月采挖，去掉泥土及茎叶、须根，装入撞兜内撞去表皮，倒出用水清洗，对未撞干净的表皮再用竹刀刮净，最后用硫黄熏制，使之色白，晒干。

| 药材性状 | 本品呈扁平而不规则的类圆形，由主块茎及多数附着的小块茎组成，形如虎的脚掌，直径 2 ~ 4 cm。表面淡黄色或淡棕色，每 1 块茎中心都有 1 茎痕，周围有点状须根痕。质坚实而重，断面不平坦，色白，粉性。气微，味辣，有麻舌感。以个大、色白、粉性足者为佳。

| 功效物质 | 含有生物碱类、环肽类等成分。

| 功能主治 | 苦、辛，温；有毒。归肺、肝、脾经。祛风止痉，化痰散结。用于中风痰壅，口眼㖞斜，半身不遂，手足麻痹，风痰眩晕，癫痫，惊风，破伤风，咳嗽痰多，痈肿，瘰疬，跌仆损伤，毒蛇咬伤。

| 用法用量 | 内服煎汤，3 ~ 9 g，一般炮制后用；或入丸、散剂。外用适量，生品研末，以醋或酒调敷。

天南星科 Araceae 半夏属 *Pinellia* 凭证标本号 321322180819126LY

半夏 *Pinellia ternata* (Thunb.) Breit.

| 药 材 名 | 半夏（药用部位：块茎）。

| 形态特征 | 多年生草本。块茎圆球形，直径 1 ~ 2 cm，具须根。叶 2 ~ 5，有时 1；叶柄长 15 ~ 20 cm，基部具鞘，鞘内、鞘部以上或叶片基部（叶柄顶头）有直径 3 ~ 5 mm 的珠芽，珠芽在母株上萌发或落地后萌发；幼苗叶片卵状心形至戟形，为全缘单叶，长 2 ~ 3 cm，宽 2 ~ 2.5 cm；老株叶片 3 全裂，裂片绿色，背部色淡，长圆状椭圆形或披针形，两头锐尖，中裂片长 3 ~ 10 cm，宽 1 ~ 3 cm，侧裂片稍短，全缘或具不明显的浅波状圆齿，侧脉 8 ~ 10 对，细弱，细脉网状，密集，集合脉 2 圈。花序梗长 25 ~ 30（~ 35）cm，长于叶柄；佛焰苞绿色或绿白色，管部狭圆柱形，长 1.5 ~ 2 cm；檐部长圆形，绿色，有时边缘青紫色，长 4 ~ 5 cm，宽 1.5 cm，钝或锐

尖；雌肉穗花序长 2 cm，雄肉穗花序长 5 ~ 7 mm，其中间隔 3 mm；附属器绿色变青紫色，长 6 ~ 10 cm，直立，有时呈“S”形弯曲。浆果卵圆形，黄绿色，先端渐狭为明显的花柱。花期 5 ~ 7 月，果实 8 月成熟。

| 生境分布 | 生于山坡、溪边阴湿的草丛中或林下。江苏各地均有分布。

| 资源情况 | 野生资源较丰富。

| 采收加工 | 种子繁殖培育 3 年、珠芽繁殖培育在地 2 年、块茎繁殖培育当年 9 月下旬至 11 月采挖，筛去泥土，按大、中、小分开，放于筐内，于流水下用棍棒捣脱皮，也可用半夏脱皮机去皮，洗净，晒干或烘干。

| 药材性状 | 本品呈类球形，有的稍偏斜，直径 0.8 ~ 1.5 cm。表面白色或浅黄色，先端中心有凹陷的茎痕，周围密布棕色凹点状的根痕；下端钝圆，较光滑。质坚实，断面白色，富粉性。气微，味辛、辣，麻舌而刺喉。以个大、质坚实、色白、粉性足者为佳。

| 功效物质 | 含有多糖类、氨基酸类、蛋白质类、无机盐类等营养成分，以及生物碱类、蒽醌类、苯丙素类、木脂素类、萜类、环肽类、鞣质类等资源性成分。生物碱类成分如麻黄碱、胆碱吡咯烷衍生物等，苷类成分如半夏苷、异半夏苷、大豆脑苷等，苯丙素类成分如库叶红景天苷、松柏苷等，木脂素类成分如落叶松脂醇、异落叶松脂醇等，萜类成分如环木菠萝烯醇等。

| 功能主治 | 辛，温；有毒。归脾、胃、肺经。祛风止痉，化痰散结。用于中风痰壅，口眼㖞斜，半身不遂，手足麻痹，风痰眩晕，癫痫，惊风，破伤风，咳嗽痰多，痈肿，瘰疬，跌仆损伤，毒蛇咬伤。

| 用法用量 | 内服煎汤，3 ~ 9 g；或入丸、散剂。外用适量，生品研末，水、酒或醋调敷。

浮萍科 Lemnaceae 浮萍属 *Lemna* 凭证标本号 320982150720077LY

浮萍 *Lemna minor* L.

| 药 材 名 | 浮萍（药用部位：全草）。

| 形态特征 | 水生草本，植株漂浮于水面。叶状体对称，倒卵状椭圆形、倒卵形或近圆形，长 2 ~ 5 mm，宽 2 ~ 3 mm，上面稍凸起或沿中线隆起，具不明显的 3 脉，全缘，上表面绿色，下表面绿白色，有时呈浅黄色。叶状体下面具 1 根，长 3 ~ 4 cm，垂生，丝状，白色，根尖钝形，根鞘无附属物。叶状体背面两侧具囊，新叶状体于囊内形成，浮出后以极短的细柄与母体相连，随后脱落。果实近陀螺状；种子有深纵裂脉纹。花期 6 ~ 7 月。

| 生境分布 | 生于水田、池沼或其他静水中。江苏各地均有分布。

| 资源情况 | 野生资源丰富。

| 采收加工 | 6 ~ 9 月采收，除去杂质，洗净，晒干。

| 药材性状 | 本品叶状体呈卵形、卵圆形或卵状椭圆形，直径 3 ~ 4 mm。单个散生或 2 ~ 5 集生，上表面淡绿色至灰绿色，下表面紫绿色至紫棕色，边缘整齐或微卷，上表面两侧有 1 小凹陷，下表面该处生有数条须根。质轻，易碎。气微，味淡。以色绿、背色紫者为佳。

| 功效物质 | 全草含有果胶类、氨基酸类、核苷类等营养成分，果胶组成成分主要有芹糖、半乳糖、半乳糖醛酸、肌醇磷酸酯等；此外，尚含有黄酮类、萜类、有机酸类等资源性成分。黄酮类成分主要为木犀草素及其苷类，有机酸类成分主要为十六烷烯酸、茉莉酸等。

| 功能主治 | 辛，寒。归肺、膀胱经。发汗解表，透疹止痒，利水消肿，清热解毒。用于风热表证，麻疹不透，瘾疹瘙痒，水肿，癃闭，疮癣，丹毒，烫伤。

| 用法用量 | 内服煎汤，3 ~ 9 g，鲜品 15 ~ 30 g；或捣汁；或入丸、散剂。外用适量，煎汤熏洗；或研末撒；或研末调敷。

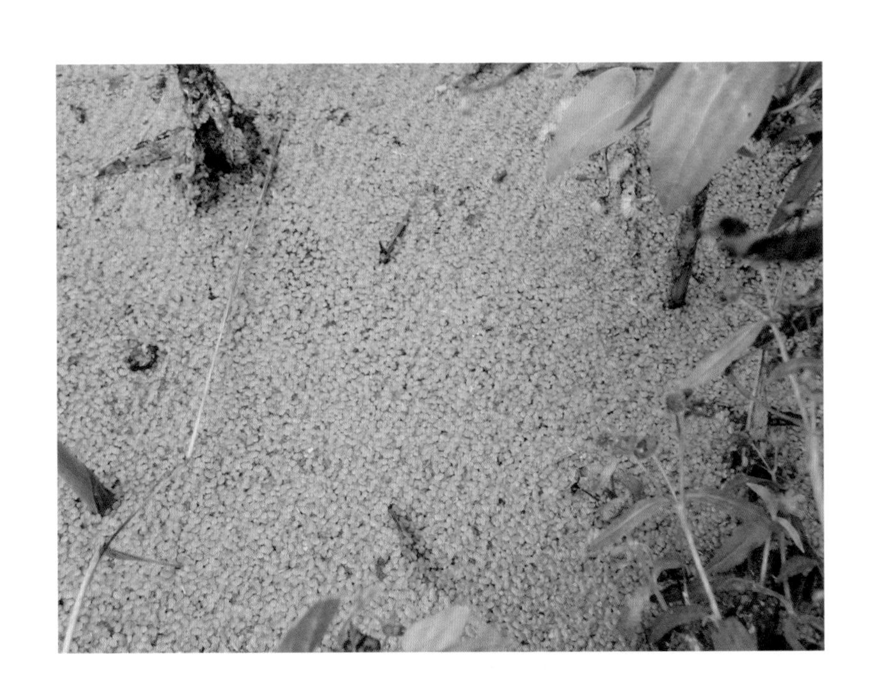

浮萍科 Lemnaceae 紫萍属 *Spirodela* 凭证标本号 320922180716041LY

紫萍 *Spirodela polyrrhiza* (L.) Schleid.

| 药 材 名 |

浮萍（药用部位：全草）。

| 形态特征 |

水生草本，浮生于水面。叶状体扁平，阔倒卵圆形，长 4 ~ 10 mm，宽 4 ~ 8 mm，先端钝圆，叶面绿色，有掌状脉 5 ~ 11，叶背紫色，有根 5 ~ 11。根聚生于叶状体下面的中央，白绿色，根冠尖，脱落，根基附近的一侧囊内形成圆形新芽，萌发后，幼小叶状体渐从囊内浮出，由一细弱的柄与母体相连。肉穗花序有 2 雄花和 1 雌花；花白色。果实圆形，有翅。花期 6 ~ 7 月。

| 生境分布 |

生于水田、水塘、湖湾、水沟。江苏各地均有分布。

| 资源情况 |

野生资源较丰富。

| 采收加工 |

6 ~ 9 月采收，除去杂质，洗净，晒干。

| 药材性状 | 本品叶状体呈卵形、卵圆形或卵状椭圆形，直径 3 ~ 6 mm。单个散生或 2 ~ 5 集生，上表面淡绿色至灰绿色，下表面紫绿色至紫棕色，边缘整齐或微卷，上表面两侧有 1 小凹陷，下表面该处生有数条须根。质轻，易碎。气微，味淡。以色绿、背色紫者为佳。

| 功效物质 | 全草含有荭草素、牡荆素、青兰苷、木犀草素、芹菜素糖苷等黄酮类成分，β-胡萝卜素、叶黄素、环氧叶黄素、蕈黄质、新黄质等类胡萝卜素成分，以及咖啡酰基奎宁酸、香豆酰基奎宁酸等酚酸类成分。此外，尚含 8% 的脂类及 24.4% 的蛋白质类成分，其中脂肪酸主要为亚麻酸、棕榈酸及亚油酸，蛋白质中亮氨酸、天冬氨酸、谷氨酸含量占 9.05% ~ 9.79%，必需氨基酸指数为 52.2 ~ 52.7。

| 功能主治 | 辛，寒。归肺、膀胱经。宣散风热，透疹，利尿。用于麻疹不透，风疹瘙痒，水肿尿少。

| 用法用量 | 内服煎汤，3 ~ 9 g，鲜品 15 ~ 30 g；或捣汁；或入丸、散剂。外用适量，煎汤熏洗；或研末撒；或研末调敷。

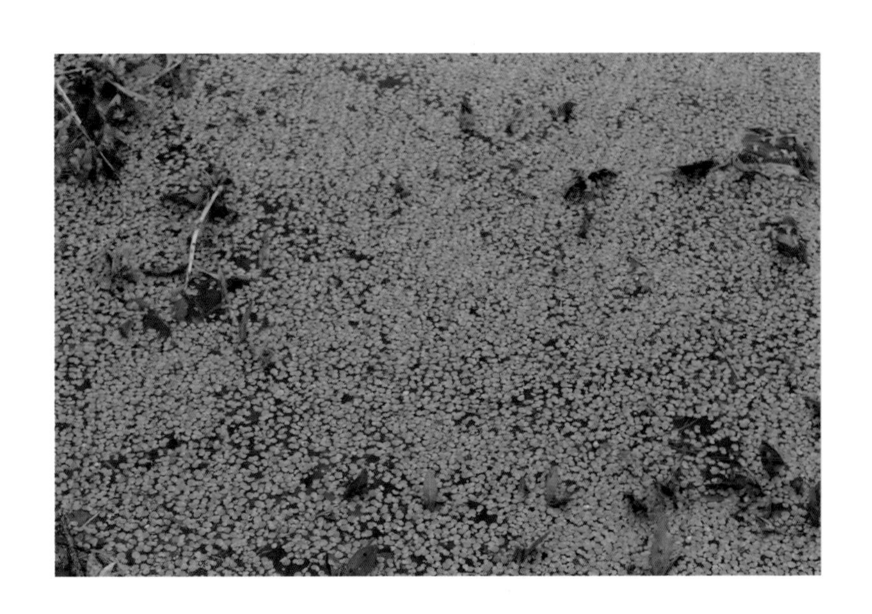

黑三棱科 Sparganiaceae 黑三棱属 *Sparganium* 凭证标本号 320506141010177LY

黑三棱 *Sparganium stoloniferum* (Graebn.) Buch.-Ham. ex Juz.

| 药 材 名 | 三棱（药用部位：块茎）。

| 形态特征 | 多年生水生或沼生草本植物，高 50 ~ 100 cm。根茎横走，具卵球形块茎。茎直立，伸出水面。叶片线形，与茎近等长，宽 8 ~ 18 mm，先端钝圆、黑色，下部三棱形，基部鞘状，常腐烂成纤维状。花序由叶腋抽出，具 3 ~ 7 侧枝，每个侧枝的上部生 7 ~ 11 雄性头状花序，下部生 1 ~ 2 雌性头状花序，主轴先端常具 3 ~ 5 雄性头状花序或更多，无雌性头状花序；雄花花被片匙形，膜质，先端浅裂，长 1 ~ 2 mm，早落，花丝丝状，弯曲，褐色，花药近倒圆锥形；雌花花被片长 5 ~ 7 mm，着生于子房基部，宿存，柱头分叉或否，向上渐尖，花柱长约 1.5 mm，子房无柄。果实倒圆锥状四棱形，上部常膨大成冠状，褐色，长 6 ~ 9 mm。花期 6 ~ 7 月，果期 7 ~ 8 月。

| 生境分布 | 生于池塘或湖边。分布于江苏南京（浦口、六合）、淮安（盱眙）等。

| 资源情况 | 野生资源较丰富。

| 采收加工 | 冬季苗枯时割去枯残茎叶，挖取块茎，洗净，晒至八成干时放入竹笼里，筛去须根和粗皮，或削去外皮，晒或炕至全干。

| 药材性状 | 本品呈圆锥形或倒卵形，略扁，上圆下尖，下端稍弯曲，长 2 ~ 10 cm，直径 2 ~ 4 cm。表面黄白色或灰黄色，有刀削痕，先端有茎痕；须根痕点状，略呈横向环状排列，两侧的须根痕较粗。体重，质坚实，难碎断，入水下沉。碎断面灰黄色或浅棕色，稍平坦，有多数散在的小点及条状横纹。气微，嚼之略苦涩、微麻、辣。以体重、质坚实、色黄白者为佳。

| 功效物质 | 块茎含有黄酮类、苯丙素衍生物、甾体类、三萜类、有机酸类、芳香衍生物等资源性成分，黄酮类成分如芦丁、鸡豆黄素等，甾体类成分如胆酸甲酯皂苷，三萜类成分结构母核主要为白桦脂酸、环木菠萝烷醇等，有机酸类成分如三棱酸甲酯、棕榈酸等，芳香衍生物如三棱双苯内酯、三棱二苯乙炔、苯乙基吡咯 -2-羧酸酯等。

| 功能主治 | 辛、苦，平。归肝、脾经。破血行气，消积止痛。用于癥瘕痞块，痛经，瘀血闭经，胸痹心痛，食积胀痛。

| 用法用量 | 内服煎汤，5 ~ 10 g；或入丸、散剂。

香蒲科 Typhaceae 香蒲属 *Typha* 凭证标本号 320506150702175LY

水烛 *Typha angustifolia* L.

| 药 材 名 | 蒲黄（药用部位：花粉）。

| 形态特征 | 多年生草本，高 1 ~ 3 m。叶片线形，宽 4 ~ 9 mm，下部背面凸起，横切面半圆形；叶鞘抱茎，鞘口两侧有膜质叶耳。雌、雄穗状花序远离；雄花序短于雌花序，花序轴被褐色柔毛，具叶状苞片 1 ~ 3，花后脱落；雌花序长 15 ~ 30 cm，基部具一常宽于叶片的叶状苞片，花后脱落；雄花雄蕊 3，有时 2 或 4，合生，花药长约 2 mm；雌花具小苞片，柱头窄条形或披针形，长 1.3 ~ 1.8 mm，花柱长 1 ~ 1.5 mm，子房纺锤形，长约 1 mm，具褐色斑点，子房柄纤细，长约 5 mm，不孕雌花子房倒圆锥形，生于子房柄基部的白色丝状毛与小苞片近等长，均低于柱头。小坚果长椭圆形，长约 1.5 mm，具褐色斑点，纵裂；种子深褐色。花期 6 ~ 9 月。

| 生境分布 | 生于池塘边缘和河岸浅水处。江苏各地均有分布。

| 资源情况 | 野生资源丰富。

| 药材性状 | 本品为黄色细粉，质轻松，易飞扬，手捻之有润滑感，入水不沉。无臭，味淡。以色鲜黄、润滑感强、纯净者为佳。

| 采收加工 | 6 ~ 9 月雄花花粉成熟时，选择晴天，摘下雄花，晒干，搓碎，用细筛筛去杂质。

| 功效物质 | 叶含有槲皮素、异鼠李素苷元及其苷等黄酮类成分，以及胡萝卜苷、谷甾醇等甾体类成分。花粉富含黄酮类成分，此外尚含有甾体类、有机酸类等成分，黄酮类成分如柚皮素、香蒲新苷、槲皮素及其糖苷等，有机酸类成分如棕榈酸、香草酸、硬脂酸等。

| 功能主治 | 甘、微辛，平。归肝、心、脾经。止血，化瘀，通淋。用于吐血，衄血，咯血，崩漏，外伤出血，闭经，痛经，胸腹刺痛，跌仆肿痛，血淋涩痛。

| 用法用量 | 内服煎汤，5 ~ 10 g，包煎；或入丸、散剂。外用适量，研末撒或调敷。散瘀止痛多生用，止血炒用，血瘀出血生熟各半。

香蒲科 Typhaceae 香蒲属 *Typha* 凭证标本号 321084180606053LY

香蒲 *Typha orientalis* Presl.

| 药 材 名 | 蒲黄（药用部位：花粉）。

| 形态特征 | 多年生草本，高约 1.5 m。叶片扁平，狭长线形，宽 5 ~ 8 mm，光滑无毛，下部背面凸起，横切面呈半圆形；叶鞘抱茎，有白色膜质边缘。雌、雄穗状花序紧密连接；雄花序较雌花序细瘦而短，基部或有时中部具 1 ~ 3 花后脱落的苞片；雌花序圆柱形，长 5 ~ 15 cm，基部具 1 花后脱落的苞片；雄花具雄蕊 3，稀 2 或 4，花药长约 3 mm；雌花无小苞片，柱头匙状披针形，花柱长 1.2 ~ 2 mm，子房纺锤形至披针形，子房柄细弱，长约 2.5 mm，不孕雌花子房纺锤形，子房柄上的白色柔毛稍超出或不超出柱头。小坚果长椭圆形，果皮具长形褐色斑点；种子褐色，微弯。花果期 5 ~ 8 月。

| 生境分布 | 生于山麓和平原河谷地带。分布于江苏南京、南通（如东）等。江

苏各地均有栽培。

| 资源情况 | 野生及栽培资源丰富。

| 采收加工 | 栽后第 2 年开花增多、产量增加时即可开始收获，6 ~ 7 月花期待雄花花粉成熟，选择晴天，用手把雄花捋下，晒干，搓碎，用细筛筛去杂质。

| 药材性状 | 本品为黄色细粉，质轻松，易飞扬，手捻之有润滑感，入水不沉。无臭，味淡。以色鲜黄、润滑感强、纯净者为佳。

| 功效物质 | 主要含有黄酮类成分，此外尚含有甾体类、有机酸及其衍生物等成分，黄酮类成分主要包括柚皮素、香蒲新苷、异鼠李素、泡桐素及其糖苷类，甾体类成分如谷甾醇，有机酸类成分如棕榈酸。

| 功能主治 | 甘、微辛，平。归肝、心、脾经。止血，化瘀，通淋。用于吐血，衄血，咯血，崩漏，外伤出血，闭经，痛经，胸腹刺痛，跌仆肿痛，血淋涩痛。

| 用法用量 | 内服煎汤，5 ~ 10 g，包煎；或入丸、散剂。外用适量，研末撒或调敷。散瘀止痛多生用，止血炒用，血瘀出血生熟各半。

莎草科 Cyperaceae 球柱草属 *Bulbostylis* 凭证标本号 320721181018386LY

球柱草 *Bulbostylis barbata* (Rottb.) Kunth

| 药 材 名 | 牛毛草（药用部位：全草）。

| 形态特征 | 一年生草本。无根茎。秆丛生，细，无毛，高 6 ~ 30 cm。叶纸质，极细，线形，长 4 ~ 10 cm，宽 0.4 ~ 0.8 mm，全缘，边缘微外卷，先端渐尖，背面叶脉间疏被微柔毛；叶鞘薄膜质，长 5 ~ 20 mm，边缘具白色长柔毛状缘毛，先端部分毛较长。总苞片 2 ~ 3，极细，线形，边缘外卷，背面疏被微柔毛，长 1 ~ 2.5 cm 或较短；长侧枝聚伞花序头状，具密聚的无柄小穗 3 ~ 15；小穗披针形或卵状披针形，长 3 ~ 6.5 mm，宽 1 ~ 1.5 mm，基部钝或近圆形，先端急尖，具 7 ~ 13 花；鳞片膜质，卵形或近宽卵形，长 1.5 ~ 2 mm，宽 1 ~ 1.5 mm，棕色或黄绿色，先端有向外弯的短尖，仅被疏缘毛或有时背面被疏微柔毛，背面具龙骨状突起，具黄绿色脉 1，稀 3；雄蕊 1，稀 2，

花药长圆形，先端急尖。小坚果三棱状倒卵形，长 0.8 mm，宽 0.5 ~ 0.6 mm，白色或淡黄色，表面细胞呈方形网纹，先端截形或微凹，具盘状的花柱基。花果期 4 ~ 10 月。

| 生境分布 | 生于田边、山坡草丛、海边或河滩沙地中。分布于江苏连云港、苏州等。

| 资源情况 | 野生资源较丰富。

| 采收加工 | 夏末秋初采收，除去泥土，晒干。

| 功效物质 | 主要含有黄酮类成分。

| 功能主治 | 辛，寒。凉血止血。用于呕血，咯血，衄血，尿血，便血。

| 用法用量 | 内服煎汤，3 ~ 9 g。

莎草科 Cyperaceae 薹草属 *Carex* 凭证标本号 320830160408013LY

无喙囊薹草 *Carex davidii* Franch.

| 药 材 名 | 长芒苔草（药用部位：全草）。

| 形态特征 | 多年生草本。根茎斜伸。秆丛生，高 20 ~ 65 cm，纤细，钝三棱形，基部叶鞘暗棕褐色，分裂成纤维状。叶短于秆，宽 2 ~ 5 mm，平展，边缘粗糙。苞片短叶状，短于花序，具长鞘，最下部的鞘长 1.5 ~ 3 cm。小穗 3 ~ 5，远离，顶生小穗雄性，棒状圆柱形，长 1.2 ~ 4 cm，宽 3 ~ 5 mm，小穗柄长 2.5 ~ 5.5 cm；侧生小穗雌性，圆柱形，长 1 ~ 3.5 cm，宽 3 ~ 6 mm，花稍密生，小穗柄最基部的伸出苞鞘，上部的包藏于苞鞘内，直立；雄花鳞片倒披针形，先端截形或楔形，长约 4 mm（不含芒），黄白色，具 1 ~ 3 脉，向先端延伸成芒尖，芒长 1 ~ 1.5 mm；雌花鳞片长圆形，长 2.5 ~ 3 mm，先端截形或微凹，淡黄白色，背面中间绿色，具 3 脉，向先端延伸成粗糙的芒，

芒长 2.5 ~ 3 mm。果囊倒卵状椭圆形或椭圆状三棱形，长约 3 mm，膜质，绿色，具多脉，被微柔毛，基部急收缩成短柄，柄长约 0.5 mm，先端急缩，近无喙，喙口近全缘；小坚果紧包于果囊中，倒卵状三棱形，长约 2 mm，棱面下部凹陷，先端缢缩成小环，但不成环盘；花柱基部稍膨大，柱头 3。花果期 4 ~ 6 月。

| 生境分布 | 生于山坡草地、林缘。分布于江苏南京等。

| 资源情况 | 野生资源较丰富。

| 采收加工 | 夏、秋季采收，洗净，切段，晒干。

| 功效物质 | 全草含有纤维素、半纤维素、甾体类、脂肪烃类等成分。

| 功能主治 | 用于风湿筋骨痛，半身不遂。

莎草科 Cyperaceae 薹草属 *Carex* 凭证标本号 320481170331233LY

披针薹草 *Carex lancifolia* C. B. Clarke

| 药 材 名 | 羊胡髭草（药用部位：全草）。

| 形态特征 | 多年生草本。根茎粗壮，斜升。秆密丛生，高 10 ~ 35 cm，纤细，直径约 1.5 mm，扁三棱状，上部稍粗糙。叶平展，宽 1 ~ 2.5 mm，质软，边缘稍粗糙，基部具紫褐色、分裂成纤维状的宿存叶鞘。总苞片佛焰苞状，苞鞘背部淡褐色，其余绿色，具淡褐色线纹，腹面及鞘口边缘白色膜质，下部的先端具刚毛状短苞叶，上部的突尖状；小穗 3 ~ 6，疏离；雄小穗顶生，线状圆柱小形，长 5 ~ 15 mm，直径 1.5 ~ 2 mm，低于其下的雌小穗或与之等高；雌小穗 2 ~ 5，侧生，长圆形或长圆状圆柱形，长 1 ~ 1.7 cm，直径 2.5 ~ 3 mm，花 5 ~ 10 或更多；小穗柄常不伸出苞鞘外，仅下部的 1 稍外露；小穗轴微曲折；雄花鳞片长圆状披针形，长 8 ~ 8.5 mm，先端急尖，

膜质，褐色或褐棕色，边缘白色膜质，中脉 1；雌花鳞片披针形或倒卵状披针形，长 5 ~ 6 mm，先端急尖或渐尖，具短尖，纸质，两侧紫褐色，边缘白色膜质，中间淡绿色，有 3 脉。果囊明显短于鳞片，倒卵状长圆形，钝三棱状，长约 3 mm，纸质，淡绿色，密被短柔毛，具 2 侧脉及隆起的细脉，基部骤缩成长柄，先端圆，具短喙，喙口截形；小坚果倒卵状椭圆形，三棱状，长 2.5 ~ 2.8 mm，基部具短柄，先端具外弯的短喙；花柱基部稍增粗，柱头 3。

| 生境分布 | 生于林下、山坡、林缘或路边。江苏各地均有分布。

| 资源情况 | 野生资源丰富。

| 采收加工 | 夏、秋季采收，洗净，切段，晒干。

| 功效物质 | 茎叶纤维素含量高达 40.97%。

| 功能主治 | 辛，凉。清热燥湿，解毒。用于湿疹，黄水疮，小儿羊须疮。

| 用法用量 | 外用适量，烧灰油调搽。

莎草科 Cyperaceae 薹草属 *Carex* 凭证标本号 321183150414629LY

青绿薹草 *Carex breviculmis* R. Br.

| 药 材 名 | 青绿薹草（药用部位：全草）。

| 形态特征 | 多年生草本。根茎短。秆丛生，高 8 ~ 40 cm，纤细，三棱形，上部稍粗糙，基部叶鞘淡褐色，撕裂成纤维状。叶短于秆，宽 2 ~ 3（~ 5）mm，平展，边缘粗糙，质硬。苞片最下部的叶状，长于花序，具短鞘，鞘长 1.5 ~ 2 mm，其余的刚毛状，近无鞘；小穗 2 ~ 5，上部的接近，下部的远离，顶生小穗雄性，长圆形，长 1 ~ 1.5 cm，宽 2 ~ 3 mm，近无柄，紧靠近其下面的雌小穗；侧生小穗雌性，长圆形或长圆状卵形，少有圆柱形，长 0.6 ~ 1.5（~ 2）cm，宽 3 ~ 4 mm，具稍密生的花，无柄或最下部的具长 2 ~ 3 mm 的短柄；雄花鳞片倒卵状长圆形，先端渐尖，具短尖，膜质，黄白色，背面中间绿色；雌花鳞片长圆形、倒卵状长圆形，先端截形或圆形，长

2 ~ 2.5 mm（不含芒），宽 1.2 ~ 2 mm，膜质，苍白色，背面中间绿色，具 3 脉，向先端延伸成长芒，芒长 2 ~ 3.5 mm。果囊近等长于鳞片，倒卵形或钝三棱形，长 2 ~ 2.5 mm，宽 1.2 ~ 2 mm，膜质，淡绿色，具多脉，上部密被短柔毛，基部渐狭，具短柄，先端急缩成圆锥状的短喙，喙口微凹；小坚果紧包于果囊中，卵形，长约 1.8 mm，栗色，先端缢缩成环盘；花柱基部膨大成圆锥状，柱头 3。花果期 3 ~ 6 月。

| 生境分布 | 生于山坡林下及路旁杂草中。江苏各地均有分布。

| 资源情况 | 野生资源较丰富。

| 采收加工 | 夏、秋季采收，洗净，切段，晒干。

| 功效物质 | 全草含有纤维素、半纤维素、甾体类、脂肪烃类等成分。

| 功能主治 | 用于肺热咳嗽，咯血，哮喘，顿咳。

莎草科 Cyperaceae 薹草属 *Carex* 凭证标本号 321183151104989LY

条穗薹草 *Carex nemostachys* Steud.

| 药材名 |

条穗薹草（药用部位：全草）。

| 形态特征 |

多年生草本，根茎粗短，木质，具地下匍匐茎。秆高 40 ~ 90 cm，粗壮，三棱形，上部粗糙，基部具黄褐色、撕裂成纤维状的老叶鞘。叶长于秆，宽 6 ~ 8 mm，较坚挺，下部常折合，上部平展，两侧脉明显，脉和边缘均粗糙。苞片下面的呈叶状，上面的呈刚毛状，长于或短于秆，无鞘；小穗 5 ~ 8，常聚生于秆的顶部，顶生小穗为雄小穗，线形，长 5 ~ 10 cm，近无柄；其余小穗为雌小穗，长圆柱形，长 4 ~ 12 cm，密生多数花，近无柄或下部的具很短的小穗柄；雄花鳞片披针形，长约 5 mm，先端具芒，芒常粗糙，膜质，边缘稍内卷；雌花鳞片狭披针形，长 3 ~ 4 mm，先端具芒，芒粗糙，膜质，苍白色，具 1 ~ 3 脉。果囊后期向外张开，稍短于鳞片（含芒），卵形、宽卵形或钝三棱形，长约 3 mm，膜质，褐色，具少数脉，疏被短硬毛，基部宽楔形，先端急缩成长喙，喙向外弯，喙口斜截形；小坚果较松地包于果囊内，宽倒卵形、近椭圆形或三棱形，长约 1.8 mm，淡棕黄色；柱头 3。花果期

9 ~ 12 月。

| **生境分布** | 生于小溪旁、沼泽地、林下阴湿处。分布于江苏南部等。

| **资源情况** | 野生资源较丰富。

| **采收加工** | 夏、秋季采收，洗净，切段，晒干。

| **功效物质** | 全草含有纤维素、半纤维素、甾体类、脂肪烃类等成分。

| **功能主治** | 利水。用于水肿。

莎草科 Cyperaceae 薹草属 *Carex* 凭证标本号 320722181016335LY

翼果薹草 *Carex neurocarpa* Maxim.

| 药 材 名 | 翼果薹草（药用部位：全草）。

| 形态特征 | 多年生草本。根茎短，木质。秆丛生，全株密生锈色点线，高 15 ~ 100 cm，宽约 2 mm，粗壮，扁钝三棱形，平滑，基部叶鞘无叶片，淡黄锈色。叶短于或长于秆，宽 2 ~ 3 mm，平展，边缘粗糙，先端渐尖，基部具鞘，鞘腹面膜质，锈色。苞片下部的叶状，显著长于花序，无鞘，上部的刚毛状；小穗多数，雄雌顺序，卵形，长 5 ~ 8 mm；穗状花序紧密，呈尖塔状圆柱形，长 2.5 ~ 8 cm，宽 1 ~ 1.8 cm；雄花鳞片长圆形，长 2.8 ~ 3 mm，锈黄色，密生锈色点线；雌花鳞片卵形至长圆状椭圆形，先端急尖，具芒尖，基部近圆形，长 2 ~ 4 mm，宽约 1.5 mm，锈黄色，密生锈色点线。果囊长于鳞片，卵形或宽卵形，长 2.5 ~ 4 mm，稍扁，膜质，密生锈色

点线，两面具多条细脉，无毛，中部以上边缘具宽而微波状、不整齐的翅，锈黄色，上部通常具锈色点线，基部近圆形，内面具海绵状组织，有短柄，先端急缩成喙，喙口 2 齿裂；小坚果疏松地包于果囊中，卵形或椭圆形，平凸状，长约 1 mm，淡棕色，平滑，有光泽，具短柄，先端具小尖头；花柱基部不膨大，柱头 2。花果期 6 ~ 8 月。

| 生境分布 | 生于水边湿地或草丛中。江苏各地均有分布。

| 资源情况 | 野生资源较丰富。

| 采收加工 | 夏、秋季采收，洗净，切段，晒干。

| 功效物质 | 全草含有纤维素、半纤维素、甾体类、脂肪烃类等成分。

| 功能主治 | 凉血，止血，解表透疹。用于痢疾，麻疹不出，消化不良。

莎草科 Cyperaceae 薹草属 *Carex* 凭证标本号 320803180531037LY

镜子薹草 *Carex phacota* Spreng.

| 药 材 名 | 三棱马尾（药用部位：带根全草）。

| 形态特征 | 多年生草本。根茎短。秆丛生，高 20 ~ 75 cm，锐三棱状，基部具淡黄褐色或深黄褐色的叶鞘，细裂成网状。叶与秆近等长，宽 3 ~ 5 mm，平展，边缘反卷。总苞片下部的叶状，明显长于花序，无鞘，上部的刚毛状；小穗 3 ~ 5，接近，先端 1 雄性，稀顶部有少数雌花，线状圆柱形，长 4.5 ~ 6.5 cm，宽 1.5 ~ 2 mm，具柄；雌小穗侧生，稀顶部有少数雄花，长圆柱状，长 2.5 ~ 6.5 cm，宽 3 ~ 4 mm，密花；小穗柄纤细，最下部的 1 长 2 ~ 3 cm，向上渐短，略粗糙，下垂；雌花鳞片长圆形，长约 2 mm（芒除外），先端截形或凹，具粗糙芒尖，中间淡绿色，两侧苍白色，具锈色点线，有 3 脉。果囊长于鳞片，宽卵形或椭圆形，长 2.5 ~ 3 mm，宽约 1.8 mm，

双凸镜状，密生乳头状突起，暗棕色，无脉，基部宽楔形，先端急尖成短喙，喙口全缘或微凹；小坚果稍松地包于果囊中，近圆形或宽卵形，长 1.5 mm，褐色，密生小乳头状突起；花柱长，基部不膨大，柱头 2。花果期 3 ～ 5 月。

| 生境分布 | 生于潮湿草地、山坡、水边和路旁潮湿处。江苏各地均有分布。

| 资源情况 | 野生资源较丰富。

| 采收加工 | 夏、秋季采收，洗净，切段，鲜用或晒干。

| 药材性状 | 本品块茎呈圆锥形或倒卵形，略扁，上圆下尖，下端稍弯曲，长 2 ～ 10 cm，直径 2 ～ 4 cm。表面黄白色或灰黄色，有刀削痕，先端有茎痕；须根痕点状，略呈横向环状排列，两侧的须根痕较粗。体重，质坚实，难碎断，入水下沉。碎断面灰黄色或浅棕色，稍平坦，有多数散在的小点及条状横纹。气微，嚼之略苦涩、微麻、辣。以体重、质坚实、色黄白者为佳。

| 功效物质 | 全草含有纤维素、半纤维素、甾体类、脂肪烃类等成分。

| 功能主治 | 辛，平。解表透疹。用于小儿痧疹不出。

| 用法用量 | 内服煎汤，6 ～ 15 g，鲜品 30 ～ 60 g。

莎草科 Cyperaceae 薹草属 *Carex* 凭证标本号 NAS00585985

白颖薹草 *Carex duriuscula* C. A. Mey. subsp. *rigescens* (Franch.) S. Y. Liang et Y. C. Tang

| 药 材 名 | 白颖薹草（药用部位：种子）。

| 形态特征 | 多年生草本。根茎细长、匍匐。秆高 5 ~ 20 cm，纤细，光滑，基部叶鞘灰褐色，细裂成纤维状。叶短于秆，宽 1 ~ 1.5 mm，平展，边缘稍粗糙。总苞片鳞片状；穗状花序卵形或球形，长 0.5 ~ 1.5 cm，宽 0.5 ~ 1 cm；小穗 3 ~ 6，卵形，密生，长 4 ~ 6 mm，雄雌顺序，具少数花；雌花鳞片宽卵形或椭圆形，长 3 ~ 3.2 mm，锈褐色，边缘及先端为白色膜质，较宽，先端锐尖，具短尖。果囊稍长于鳞片，宽椭圆形或宽卵形，长 3 ~ 3.5 mm，宽约 2 mm，平凸状，革质，锈色或黄褐色，成熟时稍有光泽，两面具多脉，基部近圆形，有海绵状组织，具粗的短柄，先端急缩成短喙，喙缘稍粗糙，喙口白色膜质，斜截形；小坚果稍疏松地包于果囊中，近圆形或宽椭圆形，

长 1.5 ～ 2 mm，宽 1.5 ～ 1.7 mm；花柱基部膨大，柱头 2。花果期 4 ～ 6 月。

| 生境分布 | 生于田边、干旱山坡。分布于江苏连云港、盐城等。

| 资源情况 | 野生资源一般。

| 采收加工 | 种子成熟时采收，除去杂质，晒干。

| 功效物质 | 全草含有纤维素、半纤维素、甾体类、脂肪烃类等成分。

| 功能主治 | 甘、苦、涩，平。清热，利尿，通淋。用于小儿秃疮，黄水疮。

| 用法用量 | 内服煎汤，50 ～ 100 g。

莎草科 Cyperaceae 莎草属 *Cyperus* 凭证标本号 320621181125034LY

风车草 *Cyperus alternifolius* L. subsp. *flabelliformis* (Rottb.) Kukenth.

| 药 材 名 | 伞莎草（药用部位：茎叶）。

| 形态特征 | 多年生草本，高 30 ~ 150 cm。根茎短粗，须根坚硬。秆稍粗壮，钝三棱状，上部稍粗糙，基部具无叶的鞘，鞘棕色。总苞片 14 ~ 24，叶状，近等长，长可达 30 cm，较花序长约 2 倍，宽 5 ~ 17 mm，边缘稍粗糙，向四周展开，平展至下垂；多次复出长侧枝聚伞花序具多数第一次辐射枝，辐射枝长 3 ~ 10 cm，每个第一次辐射枝具 4 ~ 10 第二次辐射枝，最长达 15 mm；小穗 3 ~ 9，密集于第二次辐射枝上端，狭卵形或长圆形，长 3 ~ 12 mm，宽 1.5 ~ 3 mm，压扁，具 8 ~ 36 花；小穗轴直，无翅；鳞片密，呈覆瓦状排列，膜质，卵形，先端渐尖，长约 2 mm，苍白色，具锈色斑点，或为黄褐色，具 3 ~ 5 脉；雄蕊 3，花药线形，长约 1 mm，先端具刚毛状附属物；

花柱短，柱头 3。小坚果宽椭圆形，近三棱状，长为鳞片的 1/4 ~ 1/3，褐色。

| 生境分布 | 生于池塘、水边。江苏各地均有分布。

| 资源情况 | 野生及栽培资源较丰富。

| 采收加工 | 全年均可采收，晒干。

| 功效物质 | 茎叶含有纤维素、半纤维素、黄酮类、挥发油类等成分。

| 功能主治 | 酸、甘、微苦，凉。行气活血，解毒。用于瘀血作痛，蛇虫咬伤。

| 用法用量 | 内服煎汤，9 ~ 15 g。外用适量，浸酒擦。

莎草科 Cyperaceae 莎草属 *Cyperus* 凭证标本号 320722181016322LY

扁穗莎草 *Cyperus compressus* L.

| 药 材 名 | 扁穗莎草（药用部位：全草）。

| 形态特征 | 丛生草本。根为须根。秆稍纤细，高 5 ~ 25 cm，锐三棱形，基部具较多叶。叶短于秆，或与秆近等长，宽 1.5 ~ 3 mm，折合或平展，灰绿色；叶鞘紫褐色。苞片 3 ~ 5，叶状，长于花序；长侧枝聚伞花序简单，具（1 ~ ）2 ~ 7 辐射枝，辐射枝最长达 5 cm；穗状花序近头状；花序轴很短，具 3 ~ 10 小穗；小穗排列紧密，斜展，线状披针形，长 8 ~ 17 mm，宽约 4 mm，近四棱形，具 8 ~ 20 花；鳞片紧贴，呈覆瓦状排列，稍厚，卵形，先端具稍长的芒，长约 3 mm，背面具龙骨状突起，中间较宽部分为绿色，两侧苍白色或麦秆色，有时有锈色斑纹，脉 9 ~ 13；雄蕊 3，花药线形，药隔突出于花药先端；花柱长，柱头 3，较短。小坚果倒卵形，三棱状，侧

面凹陷，长约为鳞片的 1/3，深棕色，表面具密的细点。花果期 7 ～ 12 月。

| 生境分布 | 生于空旷的田间和河岸旁。分布于江苏南部等。

| 资源情况 | 野生资源较丰富。

| 采收加工 | 夏、秋季采收，洗净，切段，晒干。

| 功效物质 | 全草含有糖类、氨基酸类、黄酮类、挥发油类等成分。

| 功能主治 | 养心，调经行气。外用于跌打损伤。

莎草科 Cyperaceae 莎草属 *Cyperus* 凭证标本号 320721181018385LY

长尖莎草 *Cyperus cuspidatus* H. B. K.

| 药 材 名 | 长尖莎草（药用部位：全草）。

| 形态特征 | 一年生草本。具须根。秆丛生，细弱，高 1.5 ~ 15 cm，三棱形，平滑。叶少，短于秆，宽 1 ~ 2 mm，常向内折合。苞片 2 ~ 3，线形，长于花序；简单长侧枝聚伞花序具 2 ~ 5 辐射枝，辐射枝最长达 2 cm；小穗 5 至多数排列成折扇状，线形，长 4 ~ 12 mm，宽约 1.5 mm，具 8 ~ 26 花；鳞片较松，呈覆瓦状排列，长圆形，长 1 ~ 1.5 mm，先端截形，背面具龙骨状突起，绿色，且延伸出先端，呈较长而向外弯的芒（芒长约为鳞片的 2/3），两侧紫红色或褐色，具 3 明显的脉；雄蕊 3，花药短，椭圆形；花柱长，柱头 3。小坚果长圆状倒卵形或长圆形，三棱状，长约为鳞片的 1/2，深褐色，具许多疣状小突起。花果期 6 ~ 9 月。

| 生境分布 | 生于河边沙地。分布于江苏连云港等。

| 资源情况 | 野生资源丰富。

| 采收加工 | 夏、秋季采收，洗净，切段，晒干。

| 功效物质 | 茎叶含有纤维素、半纤维素、黄酮类、挥发油类等成分。

| 功能主治 | 养心，调经行气。外用于跌打损伤。

莎草科 Cyperaceae 莎草属 *Cyperus* 凭证标本号 321084180822184LY

异型莎草 *Cyperus difformis* L.

| 药材名 | 王母钗（药用部位：带根全草）。

| 形态特征 | 一年生草本，高 2 ~ 65 cm。具须根。秆丛生，稍粗或细弱，扁三棱状，光滑。叶片短于秆，宽 2 ~ 6 mm，平展或折合；叶鞘稍长，褐色。总苞片 2，稀 3，叶状，长于花序；长侧枝聚伞花序简单，稀复出，具 3 ~ 9 辐射枝，辐射枝长 3 ~ 5 cm，有时近无花梗；头状花序球形，具极多数小穗，直径 5 ~ 15 mm；小穗密聚，披针形或线形，长 2 ~ 8 mm，宽约 1 mm，具 8 ~ 28 花；小穗轴无翅；鳞片排列稍松，膜质，近扁圆形，先端圆，长不及 1 mm，中间淡黄色，两侧深红紫色或栗色，具白色透明的边，具 3 不明显的脉；雄蕊 2，有时 1，花药椭圆形，药隔不突出于花药先端；花柱极短，柱头 3，短。小坚果倒卵状椭圆形，三棱状，与鳞片近等长，淡黄色。花果期 7 ~

10 月。

| 生境分布 | 生于稻田、浅水中或水边潮湿处。江苏各地均有分布。

| 资源情况 | 野生资源较丰富。

| 采收加工 | 7 ~ 8 月采收，采收时连根拔起，洗净，鲜用或晒干。

| 功效物质 | 全草含有糖类、氨基酸类、黄酮类、挥发油类等成分。

| 功能主治 | 咸、微苦，凉。利尿通淋，行气活血。用于热淋，小便不利，跌打损伤。

| 用法用量 | 内服煎汤，9 ~ 15 g，鲜品 30 ~ 60 g；或烧存性研末。

莎草科 Cyperaceae 莎草属 *Cyperus* 凭证标本号 320482180704251LY

碎米莎草 *Cyperus iria* L.

| 药 材 名 | 三楞草（药用部位：全草）。

| 形态特征 | 一年生草本，高 8 ~ 85 cm。无根茎。秆丛生，扁三棱状，基部具少数叶。叶片短于秆，宽 2 ~ 5 mm，平展或折合；叶鞘红棕色或棕紫色。叶状总苞片 3 ~ 5，下面的 2 ~ 3 常长于花序；长侧枝聚伞花序复出，稀简单，具 4 ~ 9 辐射枝，每个辐射枝具 5 ~ 10 或更多穗状花序；穗状花序卵形或长圆状卵形，具 5 ~ 22 小穗；小穗排列松散，斜展开，长圆形、披针形或线状披针形，压扁，长 4 ~ 10 mm，具 6 ~ 20 花；小穗轴上近无翅；鳞片排列疏松，长 1.5 mm，膜质，宽倒卵形，先端微缺，具极短的尖，不突出于鳞片先端，背面具龙骨状突起，绿色，有 3 ~ 5 脉，两侧呈黄色或草黄色，上端具白色透明的边；雄蕊 3，花丝着生在环状的胼胝体上，药隔不突出于花

药先端；花柱短，柱头 3。小坚果倒卵形或椭圆形，三棱状，与鳞片等长，褐色，具密的微凸起细点。花果期 6 ~ 10 月。

| 生境分布 | 生于田边、山坡、路旁阴湿处。江苏各地均有分布。

| 资源情况 | 野生资源较丰富。

| 采收加工 | 8 ~ 9 月抽穗时采收，洗净，晒干。

| 功效物质 | 全草含有糖类、氨基酸类、黄酮类、挥发油类等成分。

| 功能主治 | 辛，微温。归肝经。祛风除湿，活血调经。用于风湿筋骨疼痛，瘫痪，月经不调，闭经，痛经，跌打损伤。

| 用法用量 | 内服煎汤，10 ~ 30 g；或浸酒。

莎草科 Cyperaceae 莎草属 *Cyperus* 凭证标本号 320683201014021LY

毛轴莎草 *Cyperus pilosus* Vahl

| 药 材 名 |

毛轴莎草（药用部位：全草）。

| 形态特征 |

多年生草本，高 25 ~ 85 cm。秆散生，锐三棱状。叶片短于秆，宽 6 ~ 8 mm，边缘粗糙；叶鞘短，淡褐色。总苞片 3 ~ 5，基部 2 ~ 3 长于花序；复出长侧枝聚伞花序具 3 ~ 10 第一次辐射枝，再第二次分出 3 ~ 7 辐射枝，聚成宽金字塔形的轮廓；花序卵形或长圆形，长 2 ~ 3 cm，具较多小穗；花序轴上稍密被黄色粗硬毛；小穗 2 列，排列疏松，平展，线状披针形或线形，稍肿胀，长 2.5 ~ 14 mm，具 8 ~ 25 花；小穗轴具白色透明狭边；鳞片排列稍松，宽卵形，背面具不明显的龙骨状突起，绿色，先端具很短的尖或无，两侧褐色或红褐色，具白色透明的边缘；雄蕊 3，花药线状长圆形，红色，药隔突出于花药先端；花柱白色，具棕色斑点，柱头 3。小坚果宽椭圆形或倒卵形，三棱状，长为鳞片的 1/2 ~ 3/5，先端具短尖，成熟时黑色。花果期 8 ~ 11 月。

| 生境分布 |

生于水田边、河边潮湿处。分布于江苏南

部等。

| 资源情况 | 野生资源一般。

| 采收加工 | 夏、秋季采收，洗净，晒干。

| 功效物质 | 全草含有糖类、氨基酸类、黄酮类、挥发油类等成分，挥发油类成分如香附子烯、β- 芹子烯、α- 荜澄茄醇、金合欢醇、丁午烯、桧脑等。

| 功能主治 | 辛，温。活血散瘀，利水消肿。用于跌打损伤，浮肿。

| 用法用量 | 内服煎汤，3 ~ 9 g。

莎草科 Cyperaceae 莎草属 *Cyperus* 凭证标本号 320722181016329LY

香附子 *Cyperus rotundus* L.

| 药 材 名 |

香附（药用部位：根茎）。

| 形态特征 |

多年生草本，高 15 ~ 95 cm。匍匐根茎长，具椭圆形块茎。秆稍细弱，锐三棱状，光滑，基部块茎状。叶较多；叶片短于秆，宽 2 ~ 5 mm，平展；鞘棕色，常裂成纤维状。叶状总苞片 2 ~ 5，常长于花序；长侧枝聚伞花序简单或复出，具 2 ~ 10 辐射枝；穗状花序陀螺形，稍疏松，具 3 ~ 10 小穗；小穗斜展开，线形，长 1 ~ 3 cm，有时可达 6.5 cm，具 8 ~ 28 花；小穗轴具较宽的白色透明的翅；鳞片稍密地覆瓦状排列，膜质，卵形或长圆状卵形，长约 3 mm，先端急尖或钝，无短尖，中间绿色，两侧紫红色或红棕色，具 5 ~ 7 脉；雄蕊 3，花药线形，暗血红色，药隔突出于花药先端；花柱长，柱头 3，细长，伸出鳞片外。小坚果长圆状倒卵形，三棱状，长为鳞片的 1/3 ~ 2/5，具细点。花果期 5 ~ 11 月。

| 生境分布 |

生于山坡荒地草丛中、田间或水边潮湿处。江苏各地均有分布。

| 资源情况 | 野生资源丰富。

| 采收加工 | 秋季采挖，燎去毛须，置沸水中略煮或蒸透后晒干，或燎后直接晒干。

| 药材性状 | 本品呈纺锤形，或稍弯曲，长 2 ~ 3.5 cm，直径 0.5 ~ 1 cm。表面棕褐色或黑褐色，有不规则纵皱纹，并有 6 ~ 10 明显而略隆起的环节，节上有众多未除净的暗棕色毛须及须根痕；除净毛须的较光滑，有细密纵脊纹。质坚硬，蒸煮者断面角质样，棕黄色或棕红色；生晒者断面粉性，类白色，内皮层环明显，中柱色较深，点状维管束散在。气香，味微苦。以个大、质坚实、色棕褐、香气浓者为佳。

| 功效物质 | 根茎含有葡萄糖 8.3% ~ 9.1%、果糖 1% ~ 1.7%、淀粉 40% ~ 41.1%、挥发油 0.65% ~ 1.4%。挥发油中含有 β- 蒎烯、樟烯、香附子烯、香附酮、莎草醇、香附醇、异香附醇、环氧莎草奥、香附醇酮等倍半萜类。此外，根茎尚含有黄酮类、蒽醌类、生物碱类、甾体类等成分，生物碱类成分如香附子碱，甾体类成分如麦角甾烷衍生物。地上部分含有黄酮类、香豆素类、吡喃酮类、酚酸类、鞣质类等资源性成分。

| 功能主治 | 辛、甘、微苦，平。归肝、三焦经。理气解郁，调经止痛，安胎。用于胁肋胀痛，乳房胀痛，疝气疼痛，月经不调，脘腹痞满疼痛，嗳气吞酸，呕恶，经行腹痛，崩漏带下，胎动不安。

| 用法用量 | 内服煎汤，5 ~ 10 g；或入丸、散剂。外用适量，研末撒或调敷。

莎草科 Cyperaceae 荸荠属 *Eleocharis* 凭证标本号 320721180714265LY

荸荠 *Eleocharis dulcis* (Burm. f.) Trin. ex Henschel

| 药 材 名 | 荸荠（药用部位：球茎）、通天草（药用部位：地上部分）。

| 形态特征 | 多年生草本。匍匐茎纤细，先端生扁球形块茎。秆丛生，表面有节，干后明显，灰绿色，光滑无毛，有多数横隔膜。秆基部具 2 ~ 3 叶鞘，叶鞘近膜质，绿黄色、紫红色或褐色，鞘口斜截形，先端急尖；无叶片。小穗顶生，圆柱状，长 1.5 ~ 4 cm，直径 6 ~ 7 mm，浅绿色，先端钝或近急尖，花多数；小穗基部 2 鳞片内无花，抱小穗基部一周，其余鳞片具 1 花，疏松排列，宽长圆形或卵状长圆形，先端钝圆，长 3 ~ 5 mm，近革质，背部灰绿色，具淡棕色细点，边缘干膜质，微黄色，中脉 1；花被刚毛 7，被倒向毛；柱头 3。小坚果宽倒卵形，双凸镜状，长约 2.5 mm，成熟时棕色，光滑；宿存花柱基三角形，基部环状加厚，不为海绵质，宽约为小坚果的 1/2。花果期 5 ~ 10 月。

| 生境分布 | 生于河湖岸边或田边。江苏各地均有分布。

| 资源情况 | 野生及栽培资源丰富。

| 采收加工 | **荸荠：**冬季采挖，洗净泥土，鲜用或风干。

通天草：秋末采割，晒干。

| 药材性状 | **荸荠：**本品呈圆球形，稍扁，大小不等，大者直径可达 3 cm，下端中央凹陷，上部先端有数个聚生的嫩芽，外包枯黄的鳞片。表面紫褐色或黄褐色，节明显，环状，附残存的黄色膜质鳞叶，有时有小侧芽。质嫩脆，剖面白色，富含淀粉和水分。气微，味甜。以个大、肥嫩者为佳。

通天草：本品茎呈扁柱形，长 60 ~ 90 cm，直径 4 ~ 7 mm，先端有穗状花序，茎上部淡黄色，不易拉断，下部淡绿色，易拉断。表面皱缩，有纵纹，具光泽，节处稍膨大。质轻而松软，折断面中空或有白色膜状间隔，放大镜下观察呈蜂窝状。气微，味淡。

| 功效物质 | 主要含有单寡糖、淀粉、氨基酸、蛋白质、脂肪等营养性成分，此外尚含有异戊烯基取代腺苷等核苷类成分，以及荸荠素。

| 功能主治 | **荸荠：**甘，寒。归肺、胃经。清热生津，化痰，消积。用于温病口渴，咽喉肿痛，痰热咳嗽，目赤，消渴，痢疾，黄疸，热淋，食积，赘疣。

通天草：苦，凉。清热解毒，利尿，降逆。用于热淋，小便不利，水肿，疔疮，呃逆。

| 用法用量 | **荸荠：**内服煎汤，60 ~ 120 g；或嚼食；或捣汁；或浸酒；或澄粉。外用适量，煅存性研末撒；或澄粉点目；或生用涂擦。

通天草：内服煎汤，15 ~ 30 g。外用适量，捣敷。

莎草科 Cyperaceae 飘拂草属 *Fimbristylis* 凭证标本号 320703160906480LY

复序飘拂草 *Fimbristylis bisumbellata* (Forsk.) Bubani

| 药 材 名 |

复序飘拂草（药用部位：全草）。

| 形态特征 |

一年生草本。无根茎，具须根。秆密丛生，较细弱，高 4 ~ 20 cm，扁三棱形，平滑，基部具少数叶。叶短于秆，宽 0.7 ~ 1.5 mm，平展，先端边缘具小刺，有时背面被疏硬毛；叶鞘短，黄绿色，具锈色斑纹，被白色长柔毛。叶状苞片 2 ~ 5，近直立，下面的 1 ~ 2 较长或等长于花序，其余的短于花序，线形；长侧枝聚伞花序复出或多次复出，松散，具 4 ~ 10 辐射枝；辐射枝纤细，最长达 4 cm；小穗单生于第一次或第二次辐射枝先端，长圆状卵形、卵形或长圆形，先端急尖，长 2 ~ 7 mm，宽 1 ~ 1.8 mm，具 10 ~ 20 花；鳞片稍紧密地螺旋状排列，膜质，宽卵形，棕色，长 1.2 ~ 2 mm，背面具绿色龙骨状突起，有 3 脉；雄蕊 1 ~ 2，花药长圆状披针形，药隔稍突出；花柱长而扁，基部膨大，具缘毛，柱头 2。小坚果宽倒卵形，双凸镜状，长约 0.8 mm，黄白色，基部具极短的柄，表面具横的长圆形网纹。花果期 7 ~ 9 月，个别地区开花期延长至 11 月。

| 生境分布 | 生于水边潮湿处。分布于江苏北部等。

| 资源情况 | 野生资源较丰富。

| 采收加工 | 夏、秋季采收，洗净，切段，晒干。

| 功效物质 | 全草含有黄酮类、醌类成分。

| 功能主治 | 祛痰定喘，止血消肿。

莎草科 Cyperaceae 飘拂草属 *Fimbristylis* 凭证标本号 320507201027145LY

两歧飘拂草 *Fimbristylis dichotoma* (L.) Vahl

| 药 材 名 | 飘拂草（药用部位：全草）。

| 形态特征 | 一年生或多年生短命植物。秆高 15 ~ 50 cm，丛生，无毛或被疏柔毛。叶线形，略短于秆或与秆等长，宽 1 ~ 2.5 mm，被柔毛或无，先端急尖或钝；鞘革质，上端近截形，膜质部分较宽而呈浅棕色。总苞片 3 ~ 4，叶状，常有 1 ~ 2 长于花序，无毛或被毛；长侧枝聚伞花序复出，稀简单，长 5 ~ 9 cm，宽 3 ~ 6 cm，疏散或紧密；小穗单生于辐射枝先端，卵形、椭圆形或长圆形，长 4.5 ~ 8.5 mm，宽约 2.5 mm，花多数；鳞片卵形、长圆状卵形或长圆形，长 2.2 ~ 3 mm，褐色，有光泽，脉 3 ~ 5，中脉先端延伸成短尖；雄蕊 1 ~ 2，花丝短；花柱扁平，长于雄蕊，上部有缘毛，柱头 2。小坚果宽倒卵形，双凸镜状，长 0.6 ~ 1.2 mm，具 5 ~ 11 明显的纵肋，先端圆钝，网

纹近似横长圆形，无疣状突起，具褐色的柄。花果期 7 ~ 10 月。

| 生境分布 | 生于稻田、湖旁、河边潮湿处。江苏各地均有分布。

| 资源情况 | 野生资源一般。

| 采收加工 | 夏、秋季采收，洗净，晒干。

| 功效物质 | 全草含有黄酮类、醌类成分，醌类成分如双氢莎草醌、四氢莎草醌、莎草醌、羟基莎草醌、去甲莎草醌等。

| 功能主治 | 淡，寒。清热利尿，解毒。用于小便不利，湿热浮肿，淋病，小儿胎毒。

| 用法用量 | 内服煎汤，6 ~ 9 g。外用适量，煎汤洗。

莎草科 Cyperaceae 飘拂草属 *Fimbristylis* 凭证标本号 321084180821159LY

水虱草 *Fimbristylis miliacea* (L.) Vahl

| 药 材 名 |

水虱草（药用部位：全草）。

| 形态特征 |

一年生或多年生短命植物。无根茎。秆丛生，高 1.5 ~ 60 cm，扁四棱形，具纵槽，基部包着 1 ~ 3 无叶片的鞘；鞘侧扁，鞘口斜裂，向上渐狭窄，有时呈刚毛状，长 1.5 ~ 9 cm。叶长于或短于秆，或与秆等长，侧扁，套褶，剑状，边缘有稀疏细齿，向先端渐狭成刚毛状，宽 1 ~ 2 mm；鞘侧扁，背面呈锐龙骨状，前面具膜质、锈色的边，鞘口斜裂，无叶舌。总苞片 2 ~ 4，刚毛状，基部宽，具膜质、锈色的边，较花序短；长侧枝聚伞花序复出或多次复出，稀简单，小穗多数；辐射枝 3 ~ 6，细而粗糙，长 0.8 ~ 5 cm；小穗单生于辐射枝先端，球形或近球形，先端极钝，长 1.5 ~ 5 mm，宽 1.5 ~ 2 mm；鳞片膜质，卵形，先端极钝，长 1 ~ 1.3 mm，栗色，具白色狭边，背面具龙骨状突起，具 3 脉，沿侧脉处深褐色，中脉绿色；雄蕊 2，花药长圆形，先端钝，长约 0.7 mm，长为花丝的 1/2；花柱三棱状，基部稍膨大，无缘毛，柱头 3，长为花柱的 1/2。小坚果倒卵形或宽倒卵形，钝三棱状，长约 1 mm，草黄色，具疣状突起和横长圆形网纹。花果期 5 ~ 10 月。

| 生境分布 | 生于田间、山坡、路旁、水边。江苏各地均有分布。

| 资源情况 | 野生资源丰富。

| 采收加工 | 夏、秋季采收，洗净，鲜用或晒干。

| 功效物质 | 全草含有黄酮类、醌类成分。

| 功能主治 | 甘、淡，凉。清热利尿，活血解毒。用于风热咳嗽，小便短赤，胃肠炎，跌打损伤。

| 用法用量 | 内服煎汤，鲜品 30 ~ 60 g。外用适量，捣敷。

莎草科 Cyperaceae 水蜈蚣属 *Kyllinga* 凭证标本号 320703160909571LY

短叶水蜈蚣 *Kyllinga brevifolia* Rottb.

| 药 材 名 |

水蜈蚣（药用部位：全草）。

| 形态特征 |

多年生草本，高 2 ~ 30 cm。根茎长而匍匐，外面被膜质、褐色的鳞片，具多数节间，每节上长 1 秆。秆散生，细弱，扁三棱状，具 4 ~ 5 圆筒状叶鞘，下部 2 叶鞘常为干膜质，鞘口斜截形，先端渐尖，上部 2 ~ 3 叶鞘先端具叶片。叶片柔弱，短于或稍长于秆，长 5 ~ 15 cm，平展，上部边缘和背面中肋上具细刺。叶状总苞片 3；穗状花序单生，稀 2 ~ 3，球形或卵球形，长 5 ~ 11 mm，具极多数密生的小穗；小穗长圆状披针形或披针形，压扁，长约 3 mm，宽 0.8 ~ 1 mm，具 1 ~ 2 花；鳞片膜质，下面鳞片短于上面鳞片，白色，具锈色斑，稀草黄色，背面的龙骨状突起绿色，具刺，先端延伸成外弯的短尖；雄蕊 1 ~ 3；柱头 2，短于花柱的 1/2。小坚果倒卵状长圆形，扁双凸镜状，长 1 ~ 1.5 mm，长约为鳞片的 1/2，表面具密的细点。花果期 5 ~ 10 月。

| 生境分布 |

生于山坡、路旁、田边、溪边、海边沙滩。

江苏各地均有分布。

| 资源情况 | 野生资源丰富。

| 采收加工 | 5 ~ 9 月采收，洗净，鲜用或晒干。

| 药材性状 | 本品多皱缩交织成团。根茎细圆柱形；表面红棕色或紫褐色，节明显，具膜质鳞片，节上有细秆；断面粉白色。秆细，具棱，深绿色或枯绿色。叶线形，基部鞘状，紫褐色。有的可见球形穗状花序，黄绿色。果实卵状长圆形，绿色，具细点。气微。

| 功效物质 | 全草含有挥发油类成分，以及牡荆素等黄酮类成分。

| 功能主治 | 辛、微苦、甘，平。归肺、肝经。疏风解表，清热利湿，活血解毒。用于感冒发热头痛，急性支气管炎，百日咳，疟疾，黄疸，痢疾，乳糜尿，疮疡肿毒，皮肤瘙痒，毒蛇咬伤，风湿性关节炎，跌打损伤。

| 用法用量 | 内服煎汤，15 ~ 30 g，鲜品 30 ~ 60 g；或捣汁；或浸酒。外用适量，捣敷。

莎草科 Cyperaceae 水蜈蚣属 *Kyllinga* 凭证标本号 320721181018361LY

无刺鳞水蜈蚣 *Kyllinga brevifolia* Rottb. var. *leiolepis* (Franch. et Sav.) Hara

| 药 材 名 | 光鳞水蜈蚣（药用部位：全草或根茎）。

| 形态特征 | 本种与短叶水蜈蚣的区别在于最长的总苞片斜展至平展；小穗较宽，稍肿胀；鳞片背面的龙骨状突起上无刺，先端无短尖或具直的短尖。

| 生境分布 | 生于山沟、小河旁及路边。江苏各地均有分布。

| 资源情况 | 野生资源丰富。

| 采收加工 | 5 ~ 9 月采收，洗净，鲜用或晒干。

| 功效物质 | 全草含有挥发油类成分，以及牡荆素等黄酮类成分。

| 功能主治 | 疏风解表，清热利湿，止咳化痰，祛瘀消肿。用于风寒感冒，寒热头痛，

筋骨疼痛，咳嗽，疟疾，黄疸，痢疾，疮疡肿毒，跌打刀伤。

| 用法用量 | 内服煎汤，15 ~ 30 g，鲜品 30 ~ 60 g；或捣汁；或浸酒。外用适量，捣敷。

莎草科 Cyperaceae 砖子苗属 *Mariscus* 凭证标本号 320482180720311LY

砖子苗 *Mariscus umbellatus* Vahl

| 药 材 名 |

砖子苗（药用部位：全草）。

| 形态特征 |

多年生草本，高 10 ~ 60 cm。根茎短。秆疏丛生，锐三棱状，光滑。叶片短于秆或与秆近等长，宽 3 ~ 8 mm，下部常折合，向上渐成平展，边缘光滑；叶鞘褐色或红棕色。叶状总苞片 5 ~ 8，常长于花序，斜展；长侧枝聚伞花序简单，具 6 ~ 12 或更多辐射枝，辐射枝长短不等，极短或长 6 ~ 14 cm，具 1 ~ 5 穗状花序；穗状花序圆柱形或长圆形，长 10 ~ 50 mm，具多数密生的小穗；小穗平展或稍下垂，线状披针形，长 3 ~ 7 mm；小穗轴具宽翅，翅披针形，白色、透明；鳞片膜质，长圆形，先端钝，无短尖，边缘常内卷，淡黄色或绿白色，背面具多数脉，中间 3 脉明显，绿色；雄蕊 3，花药线形，药隔稍突出；花柱短，柱头 3，细长。小坚果狭长圆形，三棱状，长 1.8 ~ 2.2 mm，初期草黄色，表面具微凸起的细点。花果期 4 ~ 10 月。

| 生境分布 |

生于山坡阳处、路旁草地、溪边及林下。江

苏各地均有分布。

| 资源情况 | 野生资源较丰富。

| 采收加工 | 夏、秋季采收，洗净，切段，晒干。

| 药材性状 | 本品块茎呈圆锥形或倒卵形，略扁，上圆下尖，下端稍弯曲，长 2 ~ 10 cm，直径 2 ~ 4 cm。表面黄白色或灰黄色，有刀削痕，先端有茎痕；须根痕点状，略呈横向环状排列，两侧的须根痕较粗。体重，质坚实，难碎断，入水下沉。碎断面灰黄色或浅棕色，稍平坦，有多数散在的小点及条状横纹。气微，嚼之略苦涩、微麻、辣。以体重、质坚实、色黄白者为佳。

| 功效物质 | 全草含有纤维素类、挥发油类、黄酮类等成分。

| 功能主治 | 辛、微苦，平。祛风解表，止咳化痰，解郁调经。用于风寒感冒，咳嗽痰多，皮肤瘙痒，月经不调。

| 用法用量 | 内服煎汤，15 ~ 30 g。

莎草科 Cyperaceae 扁莎属 *Pycreus* 凭证标本号 320115150923051LY

球穗扁莎 *Pycreus globosus* (All.) Reichb.

| 药 材 名 |

球穗扁莎草（药用部位：全草）。

| 形态特征 |

多年生草本，根茎短，具须根。秆丛生，细弱，高 7 ~ 50 cm，钝三棱形，一面具沟，平滑。叶少，短于秆，宽 1 ~ 2 mm，折合或平展；叶鞘长，下部红棕色。苞片 2 ~ 4，细长，较长于花序；简单长侧枝聚伞花序具 1 ~ 6 辐射枝；辐射枝长短不等，最长达 6 cm，有时极短缩成头状，每一辐射枝具 2 ~ 20 小穗；小穗密聚于辐射枝上端，呈球形，辐射展开，线状长圆形或线形，极压扁，长 6 ~ 18 mm，宽 1.5 ~ 3 mm，具 12 ~ 34（~ 66）花；小穗轴近四棱形，两侧有具横隔的槽；鳞片稍疏松排列，膜质，长圆状卵形，先端钝，长 1.5 ~ 2 mm，背面的龙骨状突起绿色；具 3 脉，两侧黄褐色、红褐色或暗紫红色，鳞片背面具白色透明的狭边；雄蕊 2，花药短，长圆形；花柱中等长，柱头 2，细长。小坚果倒卵形，先端有短尖，双凸镜状，稍扁，长约为鳞片的 1/3，褐色或暗褐色，具白色、透明、有光泽的细胞层和微凸起的细点。花果期 6 ~ 11 月。

| 生境分布 | 生于田边、水边潮湿处。分布于江苏南部等。

| 资源情况 | 野生资源丰富。

| 采收加工 | 夏、秋季采收，洗净，切段，晒干。

| 功效物质 | 全草含有纤维素类、挥发油类、黄酮类、甾体类等资源性成分。

| 功能主治 | 破血行气，止痛。用于小便不利，跌打损伤，吐血，风寒感冒，咳嗽，百日咳。

莎草科 Cyperaceae 藨草属 *Scirpus* 凭证标本号 320721181018372LY

萤蔺 *Scirpus juncoides* Roxb.

| 药 材 名 | 野马蹄草（药用部位：全草）。

| 形态特征 | 多年生草本，高 18 ~ 70 cm。根茎短。秆丛生，稍坚挺，圆柱状，基部具 2 ~ 3 鞘。鞘口处呈斜截形，先端急尖或圆形，边缘干膜质；无叶片。总苞片 1，为秆的延长，直立，长 3 ~ 15 cm；小穗 3 ~ 7 聚成头状，假侧生，卵形或长圆状卵形，长 8 ~ 17 mm，棕色或淡棕色；花多数；鳞片宽卵形或卵形，先端骤缩成短尖，近纸质，长 3.5 ~ 4 mm，宽约 2 mm，背面绿色，具 1 中肋，两侧棕色或具深棕色条纹；花被刚毛 5 ~ 6，与小坚果等长或较短，有倒刺；雄蕊 3，花药长圆形，药隔突出；花柱中等长，柱头 2，稀 3。小坚果宽倒卵形或倒卵形，平凸状，长约 2 mm 或更长，稍皱缩，但无明显的横皱纹，成熟时黑褐色，具光泽。花果期 8 ~ 11 月。

| 生境分布 | 生于潮湿路边、荒地、水田、池塘边、沼泽地。江苏各地均有分布。

| 资源情况 | 野生资源较丰富。

| 采收加工 | 夏、秋季采收，洗净，晒干。

| 功效物质 | 全草含有纤维素类、黄酮类、甾体类等资源性成分。

| 功能主治 | 甘、淡，凉。清热凉血，解毒利湿，消积开胃。用于麻疹热毒，肺痨咯血，牙痛，目赤，热淋，白浊，食积停滞。

| 用法用量 | 内服煎汤，60 ~ 120 g。

莎草科 Cyperaceae 藨草属 *Scirpus* 凭证标本号 320803180703136LY

水毛花 *Scirpus triangulatus* Roxb.

| 药 材 名 | 蒲草根（药用部位：根）、水毛花（药用部位：全草）。

| 形态特征 | 多年生草本，高 50 ~ 130 cm。根茎粗短，无匍匐根茎。秆丛生，稍粗壮，锐三棱状，基部具 2 叶鞘。叶鞘棕色，长 7 ~ 25 cm，先端呈斜截形；无叶片。总苞片 1，为秆的延长，直立或稍展开，长 2 ~ 10 cm；小穗 2 ~ 20，聚集成头状，假侧生，卵形、长圆状卵形、圆柱形或披针形，先端钝圆或近急尖，长 10 ~ 20 mm，宽 4 ~ 6 mm；花多数；鳞片卵形或长圆状卵形，先端急缩成短尖，近革质，长 4 ~ 5 mm，宽近 3 mm，淡棕色，具红棕色短条纹，背面具 1 脉；花被刚毛 6，有倒刺，较小坚果长一半或与之等长，或较小坚果稍短；雄蕊 3，花药线形，药隔稍突出；花柱长约 4 mm，柱头 3。小坚果倒卵形或宽倒卵形，扁三棱状，长 2 ~ 2.5 mm，成熟时暗棕色，具

光泽，稍有皱纹。花果期 5 ~ 8 月。

| 生境分布 | 生于水塘边、沼泽地、溪边草地、湖边等。江苏各地均有分布。

| 资源情况 | 野生资源较丰富。

| 采收加工 | **蒲草根：**秋季采挖，洗净，鲜用或晒干。

水毛花：夏、秋季采收，洗净，切段，晒干。

| 功效物质 | 全草含有纤维素类、黄酮类、甾体类等资源性成分。

| 功能主治 | **蒲草根：**淡、微苦，凉。清热利湿，解毒。用于热淋，小便不利，带下，牙龈肿痛。

水毛花：苦、辛，凉。清热解表，宣肺止咳。用于感冒发热，咳嗽。

| 用法用量 | **蒲草根：**内服煎汤，9 ~ 15 g，鲜品 30 ~ 60 g。

水毛花：内服煎汤，9 ~ 30g。

莎草科 Cyperaceae 藨草属 *Scirpus* 凭证标本号 321084180606059LY

水葱 *Scirpus validus* Vahl

| 药材名 |

水葱（药用部位：地上部分）。

| 形态特征 |

多年生草本，高 1 ~ 2 m。匍匐根茎粗壮。秆圆柱状，秆基部具 3 ~ 4 叶鞘。叶鞘长可达 38 cm，管状，膜质，最上面 1 叶鞘具叶片；叶片线形，长 1.5 ~ 11 cm。总苞片 1，为秆的延长，钻状，常短于花序；长侧枝聚伞花序简单或复出，假侧生，具 4 ~ 13 或更多辐射枝；辐射枝长可达 5 cm，一面凸，另一面凹，边缘有锯齿；小穗 1 ~ 3 簇生于辐射枝先端，卵形或长圆形，先端急尖或钝圆，长 5 ~ 10 mm；花多数；鳞片椭圆形或宽卵形，先端稍凹，具短尖，膜质，长约 3 mm，棕色或紫褐色，有时基部色淡，背面有铁锈色凸起小点，脉 1，边缘具缘毛；花被刚毛 6，稀较少，等长于小坚果，红棕色，有倒刺；雄蕊 3，花药线形，药隔突出；花柱中等长，柱头 2，稀 3，长于花柱。小坚果倒卵球状或椭圆球状，双凸镜状，稀三棱状，长 2 ~ 2.5 mm。花果期 6 ~ 9 月。

| 生境分布 | 生于浅水中。江苏各地均有分布。

| 资源情况 | 野生资源丰富。

| 采收加工 | 夏、秋季采收，洗净，切段，晒干。

| 药材性状 | 本品干燥秆呈扁圆柱形或扁平状长条形，长 60 ～ 100 cm，直径 4 ～ 9 mm 或更粗。表面淡黄棕色或枯绿色，有光泽，具纵沟纹，节少，稍隆起，可见膜质叶鞘。有的可见淡黄色的花序。质轻而韧，不易折断，断面类白色，有许多细孔，似海绵状。气微，味淡。

| 功效物质 | 根茎富含各种营养性成分，其中粗蛋白质含量为 6.1%，酰胺类成分含量为 1.75%，粗脂肪含量为 2.68%，粗纤维含量为 40%。

| 功能主治 | 甘、淡，平。利水消肿。用于水肿胀满，小便不利。

| 用法用量 | 内服煎汤，5 ～ 10 g。

莎草科 Cyperaceae 藨草属 *Scirpus* 凭证标本号 320381180524075LY

藨草 *Scirpus triqueter* L.

| 药 材 名 |

藨草（药用部位：全草）。

| 形态特征 |

多年生草本，高 20 ~ 100 cm。匍匐根茎长，干后呈红棕色。秆散生，粗壮，三棱状，基部具 2 ~ 3 鞘。叶鞘膜质，横脉明显隆起，最上 1 叶鞘先端具叶片；叶片扁平，长 1.3 ~ 8 cm，宽 1.5 ~ 2 mm。总苞片 1，为秆的延长，三棱状，长 1.5 ~ 7 cm；简单长侧枝聚伞花序假侧生，有 1 ~ 8 辐射枝；辐射枝三棱状，棱上粗糙，长可达 5 cm，每辐射枝先端有 1 ~ 8 簇生的小穗；小穗卵形或长圆形，长 6 ~ 14 mm，密生多数花；鳞片长圆形、椭圆形或宽卵形，先端微凹或圆形，长 3 ~ 4 mm，膜质，黄棕色，背面具 1 中肋，稍延伸出先端成短尖，边缘疏生缘毛；花被刚毛 3 ~ 5，近等长或稍长于小坚果，全部生有倒刺；雄蕊 3，花药线形，药隔暗褐色；花柱短，柱头 2，细长。小坚果倒卵形，平凸状，长 2 ~ 3 mm，成熟时褐色，具光泽。花果期 6 ~ 9 月。

| 生境分布 |

生于水沟、水塘、山溪边或沼泽地。江苏各地均有分布。

| 资源情况 | 野生资源较丰富。

| 采收加工 | 秋季采收，洗净，切段，晒干。

| 功效物质 | 全草含有纤维素类、黄酮类、甾体类等资源性成分。

| 功能主治 | 甘、微苦，平。归脾、胃、膀胱经。开胃消食，清热利湿。用于饮食积滞，胃纳不佳，呃逆饱胀，热淋，小便不利。

| 用法用量 | 内服煎汤，15 ~ 30 g。

莎草科 Cyperaceae 藨草属 *Scirpus* 凭证标本号 320982150720042LY

扁秆藨草 *Scirpus planiculmis* F. Schmidt

| 药 材 名 | 扁秆藨草（药用部位：全草或根茎）。

| 形态特征 | 多年生草本，高 60 ~ 100 cm。具匍匐根茎和块茎。秆常较细，三棱状，近花序部分粗糙，基部膨大。具秆生叶；叶鞘长 5 ~ 16 cm；叶片扁平，宽 2 ~ 5 mm，向顶部渐狭。叶状总苞片 1 ~ 3，常长于花序，边缘粗糙；长侧枝聚伞花序短缩成头状，或有时具少数辐射枝，常具 1 ~ 6 小穗；小穗卵形或长圆状卵形，锈褐色，长 10 ~ 16 mm，宽 4 ~ 8 mm；花多数；鳞片膜质，长圆形或椭圆形，长 6 ~ 8 mm，褐色或深褐色，背面疏被柔毛，具一稍宽的中肋，先端多少缺刻状撕裂，具芒；花被刚毛 4 ~ 6，上生倒刺，长为小坚果的 1/2 ~ 2/3；雄蕊 3，花药线形，长约 3 mm，药隔稍突出于花药先端；花柱长，柱头 2。小坚果宽倒卵球状或倒卵球状，扁，两

面稍凹或稍凸，长 3 ~ 3.5 mm。花期 5 ~ 6 月，果期 7 ~ 9 月。

| 生境分布 | 生于河湖岸边湿地、浅水沼泽。江苏各地均有分布。

| 资源情况 | 野生资源较丰富。

| 采收加工 | 夏、秋季采收，洗净，晒干。

| 药材性状 | 本品块茎呈圆锥形或倒卵形，略扁，上圆下尖，下端稍弯曲，长 2 ~ 10 cm，直径 2 ~ 4 cm。表面黄白色或灰黄色，有刀削痕，先端有茎痕；须根痕点状，略呈横向环状排列，两侧的须根痕较粗。体重，质坚实，难碎断，入水下沉。碎断面灰黄色或浅棕色，稍平坦，有多数散在的小点及条状横纹。气微，嚼之略苦涩、微麻、辣。以体重、质坚实、色黄白者为佳。

| 功效物质 | 主要含有白桦脂醇等三萜类成分，以及甘露醇等多元醇类成分。

| 功能主治 | 苦，平。归肺、胃、肝经。止咳，破血，通经，补气，消积，止痛。用于咳嗽，癥瘕积聚，产后瘀阻腹痛，消化不良，闭经，胸腹胁痛。

| 用法用量 | 内服煎汤，15 ~ 30 g。

莎草科 Cyperaceae 藨草属 *Scirpus* 凭证标本号 320506141010247LY

荆三棱 *Scirpus yagara* Ohwi

| 药 材 名 | 三棱（药用部位：块茎）。

| 形态特征 | 多年生草本，高 60 ~ 150 cm。根茎粗而长，呈匍匐状，先端生球状块茎，常块茎又生匍匐根茎。秆高大粗壮，锐三棱状，基部膨大。具秆生叶；叶鞘长可达 20 cm；叶片扁平，线形，宽 5 ~ 10 mm，稍坚挺，上部叶片边缘粗糙。叶状总苞片 3 ~ 4，常长于花序；长侧枝聚伞花序简单，具 3 ~ 8 辐射枝；辐射枝最长达 7 cm，每辐射枝具 1 ~ 4 小穗；小穗卵形或长圆形，锈褐色，长 1 ~ 2 cm，宽 5 ~ 10 mm；花多数；鳞片密覆瓦状排列，膜质，长圆形，长约 7 mm，背面被短柔毛，具 1 中肋，先端具芒，芒长 2 ~ 3 mm；花被刚毛 6，与小坚果近等长，上有倒刺；雄蕊 3，花药线形，长约 4 mm；柱头 3。小坚果倒卵球形，三棱状，黄白色。花期 5 ~ 7 月。

| 生境分布 | 生于湖河边、浅水、沼泽湿地等，亦有栽培。江苏各地均有分布。

| 资源情况 | 野生资源较丰富。

| 采收加工 | 秋季采挖，除去根茎及须根，洗净，或削去外皮，晒干。

| 功效物质 | 主要含有白桦脂醇等三萜类成分，对羟基肉桂酸等酚酸类成分，白藜芦醇、云杉鞣酚等芪类成分，木犀草素、槲皮素等黄酮类成分，以及甘露醇等多元醇类成分。

| 功能主治 | 辛、苦，平。归肝、脾经。破血行气，消积止痛。用于癥瘕积聚，气血凝滞，心腹痛，闭经，产后瘀血腹痛，跌打损伤，疮肿坚硬。

| 用法用量 | 内服煎汤，5 ~ 10 g；或入丸、散剂。

芭蕉科 Musaceae 芭蕉属 *Musa* 凭证标本号 321284190718042LY

芭蕉 *Musa basjoo* Sieb. et Zucc.

| 药 材 名 |

芭蕉根（药用部位：假根）、芭蕉子（药用部位：种子）、芭蕉叶（药用部位：叶）、芭蕉花（药用部位：花蕾及花）、芭蕉油（药用部位：茎液汁）。

| 形态特征 |

多年生草本，高 2.5 ~ 4 m。叶片长圆形，长达 3 m，宽达 40 cm，先端钝，基部圆形或不对称，叶面鲜绿色，有光泽，中脉粗大，侧脉平行。花序顶生，下垂；苞片红褐色或紫色；雄花生于花序上部，雌花生于花序下部；雌花在每一苞片内有 10 ~ 16，排成 2 列；合生花被片长 4 ~ 4.5 cm，具 5（3 + 2）齿裂，离生花被片与合生花被片近等长，先端具小尖头。浆果三棱状，长圆形，长 5 ~ 7 cm，具 3 ~ 5 棱，近无柄，肉质，内具多数种子；种子黑色，具疣突及不规则棱角，宽 6 ~ 8 mm。花期 8 ~ 9 月。

| 生境分布 |

江苏各地多见栽培于庭园及农舍附近。

| 资源情况 |

栽培资源较丰富。

| 采收加工 |

芭蕉根：全年均可采挖，鲜用或晒干。

芭蕉子：夏、秋季果实成熟时采收，晒干。

芭蕉叶：全年均可采收，切碎，鲜用或晒干。

芭蕉花：花开时采收，鲜用或阴干。

芭蕉油：夏、秋季可将近根茎部底部刺破取流出液汁，用瓶子装好，密封；或以嫩茎捣烂得汁。

| 功效物质 |

主要富含蒽醌类、黄酮类、香豆素类、酚类、强心苷类、挥发油类、甾体类等资源性成分，具有良好的抗炎、镇痛、抑菌作用。

| 功能主治 |

芭蕉根：甘，寒。归胃、脾、肝经。清热解毒，止渴，利尿。用于热病，烦闷，消渴，痈肿疔毒，丹毒，崩漏，淋浊，水肿，脚气。

芭蕉子：止渴，润肺，通骨脉，填血髓。生食用于止渴，润肺；蒸熟用于通骨脉，填血髓。

芭蕉叶：甘、淡，寒。归心、肝经。清热，利尿，解毒。用于热病，中暑，水肿。

芭蕉花：甘、微辛，凉。化痰消痞，散瘀，止痛。用于胸膈饱胀，脘腹痞疼，吞酸反胃，呕吐痰涎，头目昏眩，心痛，怔忡，风湿疼痛，痢疾。

芭蕉油：甘，寒。清热，止渴，解毒。用于热病烦渴，惊风，癫痫，高血压头痛，疔疮痈疽，中耳炎，烫伤。

| 用法用量 |

芭蕉根：内服煎汤，15 ~ 30 g，鲜品 30 ~ 60 g；或捣汁。外用适量，捣敷；或捣汁涂；或煎汤含漱。

芭蕉子：内服适量，生食；或蒸熟取仁。

芭蕉叶：内服煎汤，6 ~ 9 g；或烧存性研末，0.5 ~ 1 g。外用适量，捣敷；或烧存性研末调敷。

芭蕉花：内服煎汤，5 ~ 10 g；或烧存性研末，6 g。

芭蕉油：内服，50 ~ 250 ml。外用适量，搽涂；或滴耳；或含漱。

姜科 Zingiberaceae 姜属 *Zingiber* 凭证标本号 320623190919212LY

蘘荷 *Zingiber mioga* (Thunb.) Roscoe

| 药 材 名 | 蘘荷（药用部位：根茎）。

| 形态特征 | 多年生草本，高 0.5 ~ 1 m。根茎圆柱状，淡黄色。叶片披针形或狭长椭圆形，长 20 ~ 35 cm，宽 3 ~ 5 cm，先端渐尖，基部渐狭成短柄，叶面无毛，叶背无毛或被稀疏的长柔毛；叶舌膜质，2 裂，长 0.3 ~ 1.2 cm；叶柄长 0.5 ~ 1.7 cm 或无柄。穗状花序椭圆形，长 5 ~ 7 cm；花序梗从没有到长达 15 cm，被长圆形鳞片状鞘；苞片披针形或椭圆形，长 3 ~ 4 cm，先端常带紫色，覆瓦状排列，具紫脉；花萼长 2.5 ~ 3 cm，一侧开裂；花冠裂片披针形，长 3 cm，宽约 7 mm，淡黄色；唇瓣倒卵形，3 裂，中裂片长 2.5 cm，宽 1.8 cm，中部黄色，边缘白色，基部两侧各有 1 小裂片，长 1.3 cm，宽 4 mm；花药、药隔附属体均长 1 cm。蒴果卵形，成熟时 3 瓣裂，果皮内面鲜红色；

种子黑色，被白色假种皮。花期 8 ～ 10 月。

| 生境分布 | 生于山坡。分布于江苏无锡（宜兴）、南通等。

| 资源情况 | 野生资源较少。

| 采收加工 | 夏、秋季采挖，鲜用或切片，晒干。

| 药材性状 | 本品呈不规则长条形，结节状，弯曲，长 6.5 ～ 11 cm，直径约 1 cm。表面灰棕黄色，有纵皱纹，上端有多个膨大凹陷的圆盘状茎痕。先端有叶鞘残基。周围密布细长圆柱形须根，直径 1 ～ 3 mm，有深纵皱纹和淡棕色短毛。质柔韧，不易折断，折断面黄白色，中心有淡黄色细木心。气香，味淡、微辛。

| 功效物质 | 根茎含有 *α*- 蒎烯、*β*- 蒎烯、*β*- 水芹烯等挥发油类成分，以及高良姜内酯等二萜类成分。花蕾含有高良姜萜醛、蘘荷二醛、蘘荷三醛等二萜类成分，蓼二醛等倍半萜类成分，辣椒素等生物碱类成分。

| 功能主治 | 辛，温；有小毒。活血调经，祛痰止咳，解毒消肿。用于月经不调，痛经，跌打损伤，咳嗽气喘，痈疽肿毒，瘰疬。

| 用法用量 | 内服煎汤，6 ～ 15 g；或研末；或鲜品绞汁。外用适量，捣敷；或捣汁含漱；或捣汁点眼。

姜科 Zingiberaceae 姜属 *Zingiber* 凭证标本号 321023160730089LY

姜 *Zingiber officinale* Roscoe

| 药 材 名 | 生姜（药用部位：新鲜根茎）、干姜（药用部位：干燥根茎）。

| 形态特征 | 多年生草本，高 0.5 ~ 1 m。根茎有短指状分枝，肉质，扁圆形，淡黄色，肥厚，有芳香及辛辣味。叶片披针形，长 15 ~ 30 cm，宽 2 ~ 2.5 cm，先端渐尖，基部狭窄，无毛；叶舌膜质，长 2 ~ 4 mm；无叶柄。穗状花序球果状，卵形至椭圆形，长 4 ~ 5 cm，由根茎上抽出，被覆瓦状、疏离的鳞片；花序梗长达 25 cm；苞片淡绿色或边缘淡黄色，卵形，长约 2.5 cm，先端有小尖头；花萼管长约 1 cm；花冠黄绿色，管部长 2 ~ 2.5 cm，裂片披针形，长不及 2 cm，唇瓣中央裂片长圆状倒卵形，短于花冠裂片，有紫色和黄白色斑点，侧裂片卵形，长约 5 mm；雄蕊暗紫色，花药长约 5 mm，药隔附属体钻状，长约 6 mm。蒴果长圆形。花期 8 ~ 10 月。

| 生境分布 | 江苏泰州（兴化）、无锡（宜兴）等有栽培。

| 资源情况 | 栽培资源丰富。

| 采收加工 | **生姜**：10 ~ 12 月茎叶枯黄时采收，挖起根茎，去掉茎叶，须根，晒干。

干姜：10 月下旬至 12 月下旬茎叶枯萎时挖取根茎，去掉茎叶、须根，烘干，干燥后去掉泥沙、粗皮。

| 药材性状 | **生姜**：本品呈不规则块状，略扁，具指状分枝，长 4 ~ 18 cm，厚 1 ~ 3 cm。表面黄褐色或灰棕色，有环节，分枝先端有茎痕或芽。质脆，易折断，断面浅黄色，内皮层环纹明显，维管束散在。气香，特异，味辛、辣。

干姜：本品呈不规则块状，略扁，具指状分枝，长 3 ~ 7 cm，厚 1 ~ 2 cm。表面灰棕色或浅黄棕色，粗糙，具纵皱纹及明显的环节。分枝处常有鳞叶残存，分枝先端有茎痕或芽。质坚实，断面黄白色或灰白色，呈粉性和颗粒性，有 1 明显圆环（内皮层），筋脉点（维管束）及黄色油点散在。气香，特异，味辛、辣。以质坚实、断面黄白色、粉性足、气味浓者为佳。

| 功效物质 | 主要含有烷基酚类、挥发油类、糖脂类、氨基酸类等资源性成分，烷基酚类成分如姜酮、异姜酮、姜二醇、庚酮衍生物等，挥发油类成分如姜黄烯、芳姜黄烯、姜醇、生姜内酯，糖脂类成分如姜糖脂。

| 功能主治 | **生姜**：辛，温。归肺、胃、脾经。解表散寒，温中止呕，化痰止咳，解鱼蟹毒。用于风寒感冒，胃寒呕吐，寒痰咳嗽，鱼蟹中毒。

干姜：辛，热。归脾、胃、心、肺经。温中散寒，回阳通脉，温肺化饮。用于脘腹冷痛，呕吐泄泻，肢冷脉微，寒饮喘咳。

| 用法用量 | **生姜**：内服煎汤，3 ~ 10 g；或捣汁冲。外用适量，捣敷；或炒热熨；或绞汁调搽。

干姜：内服煎汤，3 ~ 10 g；或入丸、散剂。外用适量，煎汤洗；或研末调敷。

| 附　　注 | 本种原产于热带多雨森林地带，要求温暖而阴湿的气候环境，其生长发育最适温为 25 ~ 32 ℃，低于 15 ℃或高于 35 ℃对生长发育均不利。既要有阳光，又不耐

烈日长晒，在 7 ~ 8 月高温强光暴晒下，若不经遮阴，叶片易枯萎死亡。根系不发达，抗旱能力弱，要求湿润土壤，同时又要防止渍水，以免引起腐烂病。土壤要求腐殖质多、土质肥沃的砂壤土。

美人蕉科 Cannaceae 美人蕉属 *Canna* 凭证标本号 320922180716026LY

大花美人蕉 *Canna generalis* Bailey

| 药 材 名 |

大花美人蕉（药用部位：根茎、花）。

| 形态特征 |

多年生草本，高 1.2 ~ 1.5 m，株幅宽 40 ~ 50 cm。茎绿色或紫色，带白粉，有黏液。叶互生；叶片深绿色、棕色或紫色，带白粉，椭圆形，下部为卵状长圆形，先端渐尖，基部阔楔形，抱茎，叶缘和叶鞘紫色。总状花序顶生，有蜡质白粉，连花序梗长 15 ~ 30 cm；花常（1 ~ ）2 聚生于同一苞片，苞片长圆形，较密集；萼片绿色或紫红色，苞片状，披针形，长约 2.5 cm；花冠管长 5 ~ 10 mm，花冠裂片披针形，黄绿色、紫红色、白色、黄色、红色、粉色，或橙色等，长 5 ~ 7 cm；外轮 3 退化雄蕊倒卵状披针形或倒卵状匙形，长 5 ~ 10 cm，常鲜艳，有深红色、橘红色、黄色等。蒴果近球形，有瘤状突起；种子黑色而坚硬。花果期 9 ~ 10 月。

| 生境分布 |

江苏各地均有栽培。

| 资源情况 | 栽培资源丰富。

| 采收加工 | 9 ~ 10 月采收，除去茎叶及须根，鲜用或切片，晒干。

| 功效物质 | 含有脂肪酸类、二萜类、甾体类成分，以及植物血凝素等。

| 功能主治 | 甘、淡，寒。清热利湿，解毒，止血。用于急性黄疸性肝炎，带下，跌打损伤，疮疡肿毒，子宫出血，外伤出血。

| 用法用量 | 内服煎汤，根茎 15 ~ 30 g，鲜品 60 ~ 90 g，花 9 ~ 15 g。外用适量，捣敷。

| 附　　注 | 本种喜温暖、湿润气候，生育适温 25 ~ 30 ℃，喜阳光充足、性强健，适应性强。不耐寒，稍耐水湿，怕强风和霜冻。对土壤要求不严，能耐瘠薄，在肥沃、湿润、排水良好的土壤中生长良好。

美人蕉科 Cannaceae 美人蕉属 *Canna* 凭证标本号 320115151104009LY

美人蕉 *Canna indica* L.

| 药 材 名 | 美人蕉根（药用部位：根及根茎）、美人蕉花（药用部位：花）。

| 形态特征 | 多年生草本。全株绿色，高可达 1.5 m。叶片卵状长圆形，长 10 ~ 30 cm，宽达 10 cm。总状花序疏花，略超出叶片之上。花单生；苞片卵形，绿色，长约 1.2 cm；萼片 3，披针形，长约 1 cm，绿色而有时带红色；花冠管长不及 1 cm，花冠裂片披针形，长 3 ~ 3.5 cm，绿色或红色；外轮退化雄蕊 2 ~ 3，鲜红色，其中 2 倒披针形，长 3.5 ~ 4 cm，宽 5 ~ 7 mm，另 1 如存在则特别小，长 1.5 cm，宽仅 1 mm；唇瓣披针形，长 3 cm，弯曲；发育雄蕊长 2.5 cm；花柱扁平，长 3 cm，一半和发育雄蕊的花丝连合。蒴果绿色，长卵形，有软刺，长 1.2 ~ 1.8 cm。花果期 9 ~ 11 月。

| 生境分布 | 江苏各地均有栽培。

| 资源情况 | 栽培资源丰富。

| 采收加工 | **美人蕉根：**全年均可采挖，除去茎叶，洗净，切片，鲜用或晒干。

美人蕉花：9 ~ 11 月花开时采收，阴干。

| 功效物质 | 根茎含有贝壳杉烷型二萜类成分，此外还含有棕榈酸及其酯类等脂肪酸衍生物成分，以及甾醇类成分。

| 功能主治 | **美人蕉根：**甘、微苦、涩，凉。清热解毒，调经，利水。用于月经不调，带下，黄疸，痢疾，疮疡肿毒。

美人蕉花：凉血止血。用于吐血，衄血，外伤出血。

| 用法用量 | **美人蕉根：**内服煎汤，6 ~ 15 g，鲜品 30 ~ 120 g。外用适量，捣敷。

美人蕉花：内服煎汤，6 ~ 15 g。

| 附　　注 | 本种喜光，稍耐阴，耐寒力较强，耐干旱，耐水湿；对土壤要求不严，能生长在偏碱性土壤上，在土壤含盐量为 0.31% 时也可正常生长。深根性，萌蘖力、萌芽力均强，适应性强。

兰科 Orchidaceae 白及属 *Bletilla* 凭证标本号 320124151017006LY

白及 *Bletilla striata* (Thunb. ex A. Murray) Rchb. f.

| 药 材 名 | 白及（药用部位：块茎）。

| 形态特征 | 多年生草本，连花序高 18 ~ 60 cm。假鳞茎扁球形，不规则。叶 4 ~ 6，叶片狭长圆形或披针形，长 8 ~ 29 cm，宽 1.5 ~ 4 cm，先端渐尖，无毛，基部鞘状套叠成假茎。花序有 3 ~ 10 花，不分枝或极罕分枝；苞片膜质，带红色；花紫红色或粉红色；萼片狭长圆形，长 2.5 ~ 3 cm，宽 6 ~ 8 mm；侧萼片稍镰状弯曲；花瓣较萼片稍宽；唇瓣较萼片及花瓣稍短，倒卵状椭圆形，抱蕊柱，白色带紫红色，具紫红色脉，3 裂，两侧裂片耳状，先端尖或稍尖，伸至中裂片旁，中裂片先端微凹或平截，边缘皱缩，上面有 5 纵褶片；蕊柱长 18 ~ 20 mm，柱状，具狭翅，稍弓曲。蒴果圆柱状，两端尖。花期 4 ~ 5 月，果期 7 ~ 10 月。

| 生境分布 | 生于林下阴湿处或山坡草丛中。分布于江苏连云港、南通、镇江（句容）、南京、无锡（宜兴）、常州（溧阳）等。

| 资源情况 | 野生及栽培资源较少。

| 采收加工 | 一般栽种 3 ~ 4 年后的 9 ~ 10 月采挖，将根茎浸水中约 1 小时，洗净泥土，除去须根，蒸煮至内面无白心时取出，晒或炕至表面干硬不黏结时，用硫黄熏一夜后，晒干或炕干，然后撞去残须，使表面成光洁淡黄白色，筛去杂质。

| 药材性状 | 本品略呈不规则扁圆形或菱形，有二至三分歧，似掌状，长 1.5 ~ 5 cm，厚 0.5 ~ 1.5 cm。表面灰白色或黄白色，有细皱纹，上面有凸起的茎痕，下面亦有连接另一块茎的痕迹；以茎痕为中心，有数个棕褐色同心环纹，环上残留棕色点状的须根痕。质坚硬，不易折断。断面类白色，半透明，角质样，可见散在点状维管束。粗粉遇水即膨胀，有显著黏滑感，水浸液呈胶质样。无臭，味苦，嚼之有黏性。以个大、饱满、色白、半透明、质坚实者为佳。

| 功效物质 | 块茎含联苄类、二氧菲类、联菲类、双菲醚、二氢菲并吡喃类、具螺内酯的菲类衍生物、菲类糖苷以及其他菲类化合物。联菲类化合物有白及联菲 A、白及联菲 B、白及联菲 C，白及联菲醇 A、白及联菲醇 B、白及联菲醇 C；双菲醚类化合物有白及双菲醚 A、白及联菲醚 B、白及联菲醚 C、白及联菲醚 D；二氢菲并吡喃类化合物有白及二氢菲并吡喃酚 A、白及二氢菲并吡喃酚 B、白及二氢菲并吡喃酚 C；具螺内酯的菲类衍生物有白及菲螺醇。还含有山药素Ⅲ、3'-*O*-甲基山药素Ⅲ、大黄素甲醚、对羟基苯甲酸、原儿茶酸、桂皮酸、对羟基苯甲醛。新鲜块茎另含白及甘露聚糖。

| 功能主治 | 苦、甘、涩，微寒。归肺、胃经。收敛止血，消肿生肌。用于咯血，吐血，外伤出血，疮疡肿毒，皮肤皲裂。

| 用法用量 | 内服煎汤，3 ~ 10 g；或研末，1.5 ~ 3 g。外用适量，研末撒或调涂。

兰科 Orchidaceae 头蕊兰属 *Cephalanthera*

金兰 *Cephalanthera falcata* (Thunb. ex A. Murray) Bl.

| 药 材 名 |

金兰（药用部位：全草）。

| 形态特征 |

地生草本，高 20 ~ 50 cm。茎下部具 3 ~ 5 长 1 ~ 5 cm 的鞘。叶 4 ~ 7，椭圆形、椭圆状披针形至卵状披针形，长 5 ~ 12（~ 15）cm，宽 1.5 ~ 3.5（~ 5）cm，先端急尖至钝。花序长 3 ~ 8 cm，有 5 ~ 10 花；苞片很小，最下面 1 苞片非叶状，长不超过花梗和子房；花黄色；萼片菱状椭圆形，长 1.2 ~ 1.7 cm，宽 3.5 ~ 4.5 mm，先端钝或急尖，基部狭，具 5 脉；花瓣与萼片相似，略短；唇瓣较短，长 8 ~ 9 mm，上半部近半圆形，3 裂，中裂片近扁圆形，有 5 ~ 7 纵褶，中央 3 纵褶较高，近先端处密生乳突，侧裂片三角形，略抱蕊柱；距圆锥形，明显伸出侧萼片基部之外，先端钝。蒴果狭椭圆状，长 2 ~ 2.5 cm，宽 5 ~ 6 mm。花期 4 ~ 5 月，果期 8 ~ 10 月。

| 生境分布 |

生于山坡丛林下及山沟内。分布于江苏南京、镇江（句容）、无锡（宜兴）等。

| 资源情况 | 野生资源较少。

| 采收加工 | 夏、秋季采收，洗净，鲜用或晒干。

| 功效物质 | 假鳞茎含有糖类、氨基酸类、核苷类、蛋白质类等成分。

| 功能主治 | 甘，寒。清热泻火，解毒。用于咽喉肿痛，牙痛，毒蛇咬伤。

| 用法用量 | 内服煎汤，9 ~ 15 g，鲜品加倍。外用适量，捣敷。

兰科 Orchidaceae 独花兰属 *Changnienia* 凭证标本号 321183150415668LY

独花兰 *Changnienia amoena* S. S. Chien

| 药 材 名 | 长年兰（药用部位：全草或假鳞茎）。

| 形态特征 | 多年生草本。假鳞茎近椭圆形或宽卵球形，肉质，近淡黄白色，被膜质鞘。叶片长 6.5 ~ 11.5 cm，宽 4.5 ~ 8.2 cm，先端急尖或短渐尖，基部圆形或近截形，背面紫红色，两面散生不规则紫色斑点。花葶紫色；鞘膜质，下部抱茎；苞片凋落；花大，白色而带浅红色或淡紫色晕；萼片长圆状披针形，长 2.7 ~ 3.3 cm，宽 7 ~ 9 mm，先端钝，有 5 ~ 7 脉，侧萼片稍歪斜；花瓣狭倒卵状披针形，略歪斜，长 2.5 ~ 3 cm，宽 1.2 ~ 1.4 cm，先端钝，具 7 脉；唇瓣略短于花瓣，3 裂，有紫红色斑点，基部有角状、稍弯曲的距，侧裂片直立，斜卵状三角形，较大，宽 1 ~ 1.3 cm，中裂片平展，宽倒卵状方形，先端和上部边缘具不规则波状缺刻；唇盘上在 2 侧裂片之间具 5 褶

片状附属物；蕊柱两侧有宽翅。花期 4 月。

| 生境分布 | 生于山坡疏林下腐殖质丰富的土壤中或山谷背阴处。分布于江苏镇江（句容）等。

| 资源情况 | 野生资源一般。

| 采收加工 | 夏、秋季采收，洗净，鲜用或晒干。

| 功效物质 | 假鳞茎含有寡糖类、氨基酸类、核苷类、蛋白质类等成分。

| 功能主治 | 苦，寒。清热，凉血，解毒。用于咳嗽，痰中带血，热疖疔疮。

| 用法用量 | 内服煎汤，15 ~ 30 g。外用适量，鲜品捣敷。

兰科 Orchidaceae 隔距兰属 *Cleisostoma* 凭证标本号 320282151017314LY

蜈蚣兰 *Cleisostoma scolopendrifolium* (Makino) Garay

| 药材名 | 蜈蚣兰（药用部位：全草）。

| 形态特征 | 常绿附生草本。茎细长，匍匐分枝，多节，节上生根。叶 2 列互生；叶片小而短，革质，两侧对折成半圆柱形，腹面有纵沟，长 5 ~ 10 mm，先端钝；基部叶鞘短，与茎合生。总状花序侧生，比叶短，有 1 ~ 2 花，基部被一宽卵形的膜质鞘；苞片卵形，先端稍钝；萼片与花瓣淡红色至近白色，直径约 8 mm，先端色均稍深；萼片展开，近长椭圆形，具钝头；花瓣近似萼片，稍短；唇瓣白色带黄色斑点，3 裂，中裂片舌状三角形或箭头状三角形，基部中央具一通向距内的褶脊；侧裂片近三角形，直立，先端黄色；距近球形，末端凹入，距内隔膜不发达；蕊柱短。蒴果长倒卵形。花期 6 ~ 7 月，果期 9 ~ 10 月。

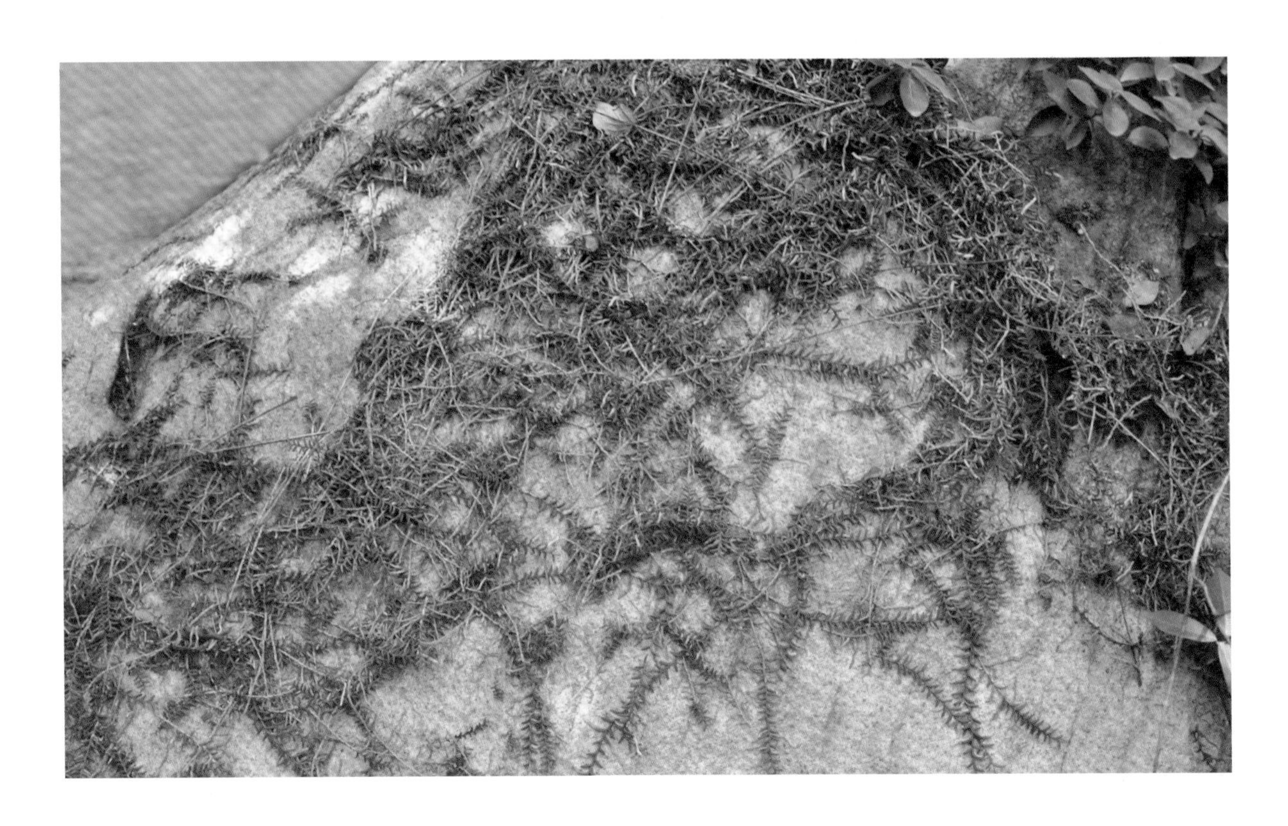

| 生境分布 | 附生于山坡石壁或树干上。分布于江苏连云港、南京、镇江（句容）、无锡（宜兴）等。

| 资源情况 | 野生资源较少。

| 采收加工 | 全年均可采收，鲜用或晒干。

| 功效物质 | 全草主要含有酚类、甾醇三萜、糖类等化合物。

| 功能主治 | 微苦，凉。清热解毒，润肺止血。用于气管炎，咯血，口腔炎，慢性鼻窦炎，咽喉炎，急性扁桃体炎，胆囊炎，肾盂肾炎，小儿惊风。

| 用法用量 | 内服煎汤，15 ~ 30 g。

兰科 Orchidaceae 石斛属 *Dendrobium* 凭证标本号 320581180516001LY

铁皮石斛 *Dendrobium officinale* Kimura et Migo

| 药 材 名 | 铁皮石斛（药用部位：茎）。

| 形态特征 | 草本。茎直立，圆柱形，长 9 ~ 35 cm，直径 2 ~ 4 mm，不分枝，具多节，节间长 1.3 ~ 1.7 cm，常在中部以上互生 3 ~ 5 叶。叶 2 列，纸质，长圆状披针形，长 3 ~ 4（~ 7）cm，宽 9 ~ 11（~ 15）mm，先端钝并且多钩转，基部下延为抱茎的鞘，边缘和中肋常带淡紫色；叶鞘常具紫色斑，老时其上缘与茎松离而张开，并且与节留下一环状铁青的间隙。总状花序常从落了叶的老茎上部发出，具 2 ~ 3 花；花序梗长 5 ~ 10 mm，基部具 2 ~ 3 短鞘；花序轴回折状弯曲，长 2 ~ 4 cm；花苞片干膜质，浅白色，卵形，长 5 ~ 7 mm，先端稍钝；花梗和子房长 2 ~ 2.5 cm；萼片和花瓣黄绿色，近相似，长圆状披针形，长约 1.8 cm，宽 4 ~ 5 mm，先端锐尖，具

5脉，侧萼片基部较宽阔，宽约1 cm，萼囊圆锥形，长约5 mm，末端圆形；唇瓣白色，基部具一绿色或黄色的胼胝体，卵状披针形，比萼片稍短，中部反折，先端急尖，不裂或不明显3裂，中部以下两侧具紫红色条纹，边缘多少呈波状；唇盘密布细乳突状的毛，并且在中部以上具1紫红色斑块；蕊柱黄绿色，长约3 mm，先端两侧各具1紫点，蕊柱足黄绿色带紫红色条纹，疏生毛；药帽白色，长卵状三角形，长约2.3 mm，先端近锐尖并且2裂。花期3～6月。

| 生境分布 | 生于海拔达1 600 m的山地半阴湿的岩石上。江苏各地均有栽培，主要分布于泰州（兴化）、南京（高淳）、无锡（宜兴）等。

| 资源情况 | 野生及栽培资源一般。

| 采收加工 | 栽后2～3年即可采收，生长年限愈长，茎数愈多，单产愈高。全年均可收割，新采收的石斛，鲜用者，除去须根及杂质，另行保存；干用者，去根洗净，搓去薄膜状叶鞘，晒干或烘干；或将洗净的石斛置开水中略烫，晒干或烘干，即为干石斛；或将长8 cm左右的石斛嫩茎，洗净，晾干，用文火均匀炒至柔软，搓去叶鞘，趁热将其扭成螺旋状或弹簧状，反复数次，晒干，即为耳环石斛，又名枫斗。

| 药材性状 | 本品叶鞘常短于节间，留有环状间隙，味淡或微苦。

| 功效物质 | 根茎主要含有菲类成分，如毛兰菲、石豆兰菲素等。茎含有铁皮石斛素、石斛酚、大叶兰酚等芳香类成分，以及联苄类成分等资源性成分。

| 功能主治 | 甘，微寒。归胃、肺、肾经。益胃生津，滋阴清热。用于热病津伤，口干烦渴，胃阴不足，食少干呕，病后虚热不退，阴虚火旺，骨蒸劳热，目暗不明，筋骨痿软。

| 用法用量 | 内服煎汤，6～15 g，鲜品加倍；或入丸、散剂；或熬膏。鲜石斛清热生津力强，热津伤者宜之；干石斛用于胃虚夹热伤阴者为宜。

| 附　　注 | 本种喜温暖、湿润气候和半阴半阳的环境，不耐寒。

兰科 Orchidaceae 绶草属 *Spiranthes* 凭证标本号 320684160528055LY

绶草 *Spiranthes sinensis* (Pers.) Ames

| 药 材 名 | 盘龙参（药用部位：全草或根）。

| 形态特征 | 多年生草本，细弱，连花序高 10 ~ 40 cm。根白色，肉质，簇生于茎基部。茎较短。叶 2 ~ 5，宽线形或宽线状披针形，极罕为狭长圆形，长 3 ~ 15 cm，宽 0.3 ~ 1 cm，先端急尖或渐尖，基部收狭，具柄状抱茎的鞘。花茎长 10 ~ 25 cm，上部被腺状柔毛至无毛；花序长 4 ~ 10 cm；花多数，粉红色、紫红色或白色；萼片长 3 ~ 4 mm，中萼片狭椭圆形，侧萼片偏斜，披针形，先端稍尖；花瓣斜菱状长圆形，与中萼片等长但较薄，具钝头；唇瓣宽长圆形，与萼片近等长，前半部上面具长硬毛且边缘具强烈皱波状啮齿，先端钝，基部凹陷成浅囊状，囊内具 2 胼胝体。蒴果椭圆形，长 5 ~ 6 mm。花期 5 ~ 7 月，果期 7 ~ 9 月。

| 生境分布 | 生于山坡、路边或杂草中。江苏各地均有分布。

| 资源情况 | 野生资源一般。

| 采收加工 | 夏、秋季采收，鲜用或晒干。

| 药材性状 | 本品茎呈圆柱形，具纵条纹，基部簇生数条小纺锤形块根，具纵皱纹，表面灰白色。叶条形，数枚基生，展平后呈条状披针形。有的可见穗状花序，呈螺旋状扭转。气微，味淡、微甘。

| 功效物质 | 根含有二氢菲类、甾醇类、有机酸酯类等成分。

| 功能主治 | 甘、苦，平。归心、肺经。益气养阴，清热解毒。用于病后虚弱，阴虚内热，咳嗽吐血，头晕，腰痛酸软，糖尿病，遗精，淋浊带下，咽喉肿痛，毒蛇咬伤，烫火伤，疮疡痈肿。

| 用法用量 | 内服煎汤，9 ~ 15 g，鲜全草 15 ~ 30 g。外用适量，鲜品捣敷。

附篇

江苏省药用动物、矿物资源

声　明

本书记载的动物药是对江苏既往文献中收录的动物药的汇总，在实际临床应用时，应遵守相关法律的规定，使用相关替代品。

药用动物

简骨海绵科 Haploscleridae 针海绵属 *Spongilla*

脆针海绵 *Spongilla fragilis* Leidy

| 药 材 名 | 紫梢花（药用部位：全体。别名：紫霄花）。

| 形态特征 | 全体呈棒状，表面凹凸不平，出水孔多，灰褐色。体内的海绵质纤维纵横交错，构成密网。体骨呈针状，表面光滑无刺，长 180 ~ 255 μm，直径 5 ~ 16 μm。芽球甚多，全体均有，为椭圆形或钝三角形的球状体。本种的主要特征是具多种芽球，有单个者，有 2 ~ 4 芽球组成群体者，各被一共同细胞层包围。每个芽球表面有分散存在的芽骨，并各有一长而弯曲的孔管，从细胞层内向细胞层外突出而开口。芽球直径为 250 ~ 500 μm，芽骨较体骨小很多，呈针状，长 68 ~ 125 μm，直径 3 ~ 10 μm，表面有大小不等的刺。

| 生境分布 | 生于清流或湖沼中，常附生于石块、树枝或水草等物体上。分布于江苏苏州、南京等。

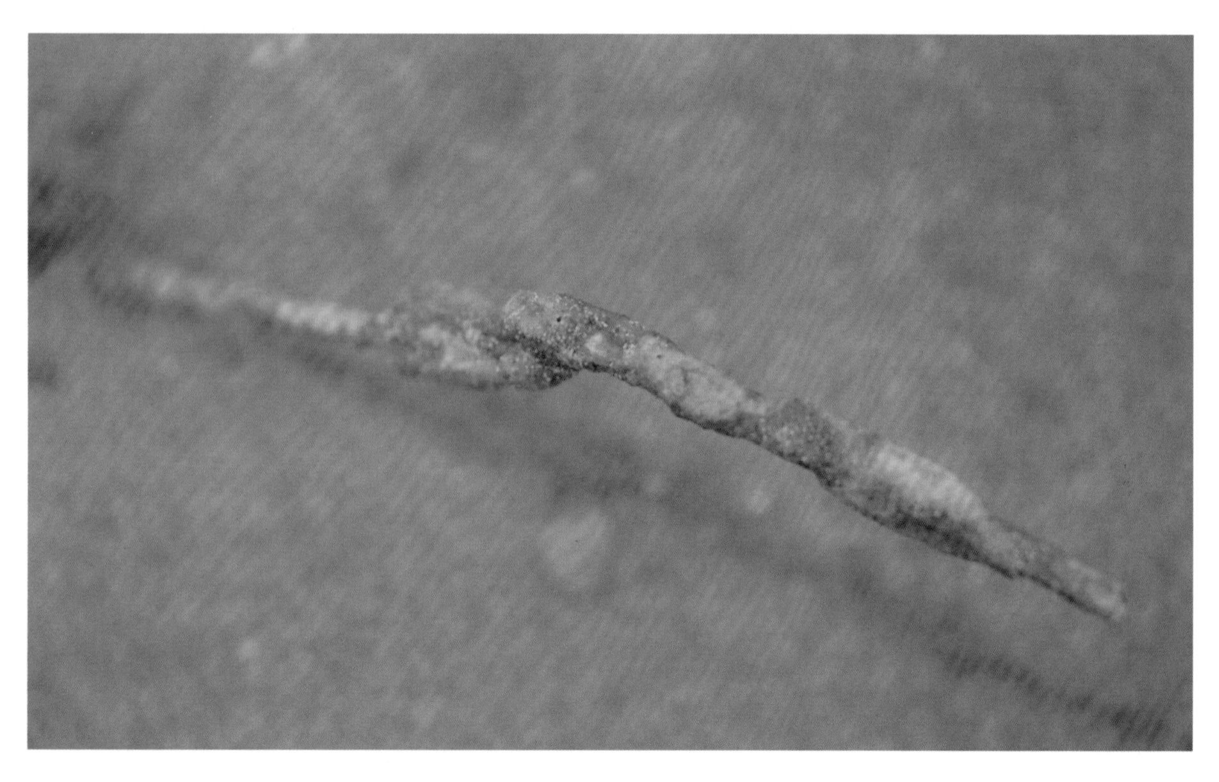

| 资源情况 | 野生资源一般。药材主要来源于野生。

| 采收加工 | 秋、冬季采收，多在水落后的河边、湖沼边拾取，也可在水中捞取，去掉两端植物枯秆及杂质，晒干。

| 药材性状 | 本品呈不规则的块状或棒状，形似蒲棒，大小不一，长 3 ~ 10 cm，直径 1 ~ 2.5 cm，中央常附有水草或树枝。表面灰绿色、灰白色或灰黄色。体轻，质松泡，有多数小孔，呈海绵状；断面呈放射网状，网眼内有灰黄色类圆形小颗粒（芽球），震摇易脱落。气无，味淡。

| 功能主治 | 甘，温。归肾经。补肾助阳，固精缩尿。用于阳痿，遗精，白浊，虚寒带下，小便失禁，阴囊湿痒。

| 用法用量 | 内服多入丸剂，2.5 ~ 7.5 g。

| 附　　注 | 本种的同属动物湖针海绵 *Spongilla lacustris* (Linnaeus) 的干燥群体亦作紫梢花药用。

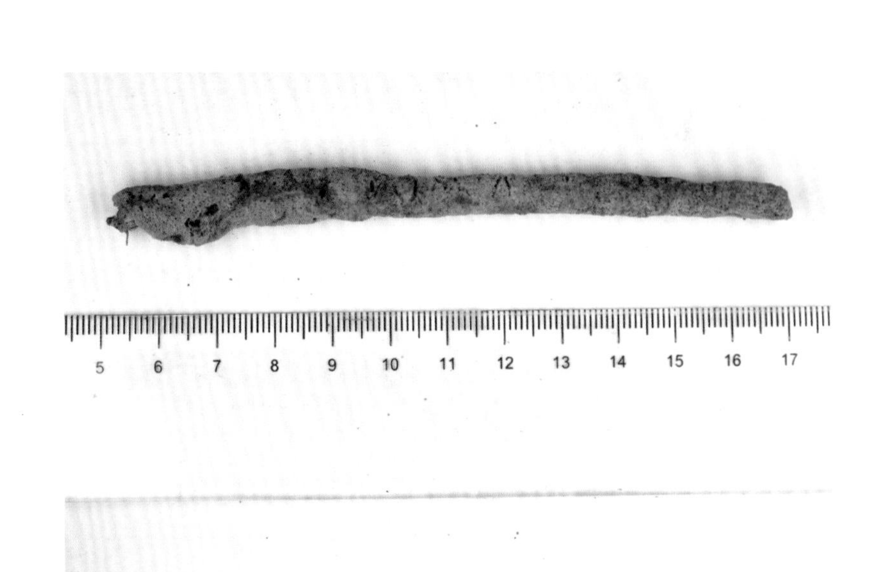

根口水母科 Rhizostomatidae 海蜇属 *Rhopilema*

海蜇 *Rhopilema esculentum* Kishinouye

| 药 材 名 | 海蜇（药用部位：全体。别名：石镜、水母、海蜇头）。

| 形态特征 | 生活时通常为淡蓝色至青蓝色。伞呈半球形，直径一般为 25 ～ 45 cm，最大可达 50 cm。伞体厚，边缘渐薄。外伞表面光滑，伞缘有 8 缺刻，缺刻内各有感觉器 1，位于主辐和间辐的末端缺刻间，伞缘的每 1/8 有缘瓣 14 ～ 20。内伞有发达的呈同心圆的环肌。在 4 间辐处各有一马蹄形的生殖腺，其下腔各有一小的疣状突起，与 4 口柱交互排列，向中央汇合至呈棱柱形的腕盘，由此向外伸出 8 对左右侧扁的肩板，每板上具 40 ～ 50 丝状物。肩板向下有 8 翼状的口腕，腕翼边缘的折皱上有许多吸口。口腕附属器乳白色或半透明状，有时口腕及肩板呈红褐色，吸口褐色。生殖腺黄色。雄性个体的色泽比雌性个体的色泽略淡。

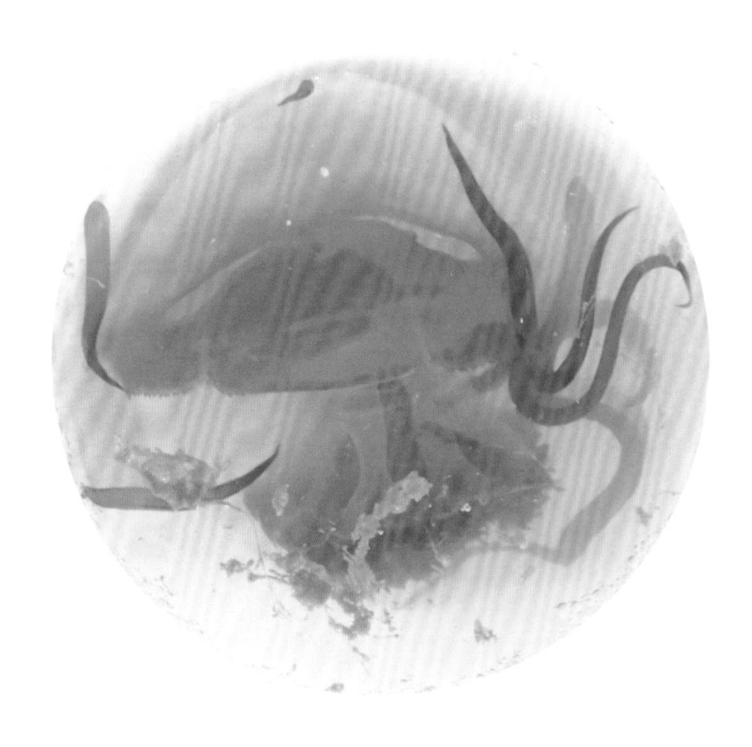

| 生境分布 | 生于河口附近及海湾内。8 ~ 9 月常成群浮游于海面，有时也可漂到外海。分布于江苏连云港、盐城（滨海、射阳）、南通（如东、启东、海门）等沿海地区。

| 资源情况 | 野生资源一般。养殖资源丰富。药材来源于野生和养殖。

| 采收加工 | 8 ~ 10 月，海蜇成群浮游于海上时用网捕捞。捕得后，将口腕部加工成“海蜇头”。鲜海蜇头可用清水浸漂，经常换水，除去咸味和沙子，切碎；经将矾、二矾、三矾、提干等步骤可制成为腌制海蜇头。

| 药材性状 | 本品呈不规则块状，半透明，被许多棕色毛须状物，各口腕又有分枝，重叠折皱。表面黄色、乳白色、淡黄色或红褐色，有的具黄褐色斑点。质脆。气腥，微甜。

| 功能主治 | 咸，平。归肝、肾、肺经。清热平肝，化痰消积，润肠。用于肺热咳嗽，痰热哮喘，食积痞胀，大便燥结，高血压。

| 用法用量 | 内服煎汤，30 ~ 60 g。

| 附　　注 | （1）吕四海蜇为江苏南通启东特产，为国家地理标志产品。其独特的传统加工工艺使得海蜇富含蛋白质、脂肪及无机元素，具有滋阴润肠、清热解毒的功效，为我国“海产八珍”之一，在国际上享有盛誉。

（2）海蜇毒素是活体海蜇体内一种重要的活性物质，海蜇的触手刺入人体皮肤会迅速释放刺胞毒素并引起皮肤瘙痒、水肿、肌痛、呼吸困难、低血压、休克甚至死亡，因此在海蜇捕捞过程中应注意防护。

（3）中药海蜇皮来源于根口水母科动物海蜇 *Rhopilema esculenta* Kishinouye 和黄斑海蜇 *Rhopilema hispidum* Vanhoeffen 的伞部，常用于咳嗽痰喘、痞积、头风、风湿关节痛、带下、疮疡肿毒。

（4）本种以硅藻和桡足类动物等为食。

海葵科 Actiniidae 侧花海葵属 *Anthopleura*

黄海葵 *Anthopleura xanthogrammica* (Berkly)

| 药 材 名 | 黄海葵（药用部位：全体。别名：海菊花、沙筒、海腚根）。

| 形态特征 | 体态多变，伸展时呈圆筒形，收缩时呈左右对称的相合状，体高 30 ~ 90 mm，宽 30 ~ 70 mm，多数为中等大小。体色变异较大，上部为灰褐色或灰绿色，下部为黄褐色或肉色。体的先端为口盘，其上有放射条纹和环纹构成的图案，口盘底色为深浅不一的灰白色和青褐色。口位于口盘中央，呈裂缝状，周围有浅粉红色的口唇。口盘边缘环生数圈触手，触手细长，可伸缩，呈浅褐色，有的为粉红色，排列整齐，按 12 的倍数排列，总数为 96，长约等于口盘直径，各触手长度略相等。触手向口面有白色斑；反口面的基部有灰白色结节约 20。

| 生境分布 | 生于沿海高潮线岩石上或残水坑沙中石上。分布于江苏连云港（灌

云）、南通（如东、启东、海门）等。

| 资源情况 | 野生资源丰富。药材主要来源于野生。

| 采收加工 | 全年均可采挖，洗净，鲜用。

| 功能主治 | 咸，平；有毒。归肝、脾、大肠经。收敛固涩，祛湿杀虫。用于痔疮，脱肛，带下，体癣，蛲虫病等。

| 用法用量 | 内服煎汤，1 个。外用适量，切碎敷；或化水敷。

| 附　　注 | 太平洋侧花海葵 *Anthopleura pacifica* Uchida 与本种功能相似，其体呈圆筒状，高 10 ~ 30 mm（不含触手），体上部灰绿色，下部肉红色，体上有疣状突起，呈绿色；边缘疣苍白色，触手较少，触手的向口面为粉红色，反口面带绿色；体壁上无壁孔。分布于我国沿海地区，尤以北戴河、大连、烟台、青岛及舟山沿海较多。

钜蚓科 Megascolecidae 环毛蚓属 *Pheretima*

通俗环毛蚓 *Pheretima vulgaris* Chen

| 药材名 | 地龙（药用部位：全体）。

| 形态特征 | 体长 130 ~ 150 mm，宽 5 ~ 7 mm，体节 102 ~ 110。背部呈草绿色，背中线为深青色。一般环带位于第 14 ~ 16 节，呈戒指状，无刚毛。体上刚毛环生，前端腹面疏而不粗。受精囊孔 3 对，在第 7 ~ 9 节间。受精囊盲管内侧 2/3 在同一平面左右弯曲，与外侧 1/3 的盲管有明显的区别，贮精囊 2 对，在第 11、第 13 节。卵巢 1 对，在第 12 ~ 13 隔膜下方。受精囊腔较深广，前后缘均隆肿，外面可见腔内大、小乳突各 1。雄交配腔亦深广，内壁多皱纹，腔底有平顶乳突 3，雄孔位于其中 1 孔突上，能全部翻出。

| 生境分布 | 栖息于深 10 ~ 20 cm 的潮湿、有机物多的泥洼中。江苏各地均有分布，主要分布于徐州、南通等。江苏徐州、南通、泰州等有养殖。

| 资源情况 | 野生资源一般。药材主要来源于野生和养殖。

| 采收加工 | 春季至秋季捕捉，洗去黏液，及时剖开腹部，除去内脏及泥沙，晒干或低温干燥。

| 药材性状 | 本品长 8 ~ 15 cm，宽 0.5 ~ 1.5 cm。全体具环节，背部棕褐色至黄褐色，腹部浅黄棕色；第 14 ~ 16 节为生殖带，较光亮。第 18 节有 1 对雄生殖孔。雄交配腔能全部翻出，呈花菜状或阴茎状。气腥，味微咸。

| 功能主治 | 咸，寒。归肝、脾、膀胱经。清热定惊，通络，平喘，利尿。用于高热神昏，惊痫抽搐，关节痹痛，肢体麻木，半身不遂，肺热喘咳，水肿尿少。

| 用法用量 | 内服煎汤，5 ~ 10 g。

| 附　　注 | 地龙养殖常采取生态环境友好的可持续模式，如江苏泰州养殖场采取厂内架棚和场外露天养殖相结合的方法，将城市污泥作为肥料饲养，不仅可将城市污泥变废为宝，还可增加产量；南通养殖场采用地上种植农副产品、地下养殖的方式，既经济又环保。

钜蚓科 Megascolecidae 环毛蚓属 *Pheretima*

威廉环毛蚓 *Pheretima guillelmi* Michaelsen

| 药 材 名 | 地龙（药用部位：全体）。

| 形态特征 | 体长 96 ~ 150 mm，宽 5 ~ 8 mm。背面青黄色或灰青色，背中线深青色。环带位于第 14 ~ 16 节，无刚毛。体上刚毛较细，前端腹面刚毛疏而不粗。雄生殖孔在第 18 节两侧的浅交配腔内，陷入时呈纵裂缝，内壁有折皱，折皱间有刚毛 2 ~ 3，在腔底突起上为雄孔，突起前面通常有孔头突。受精囊孔 3 对，在第 6 ~ 7、7 ~ 8、8 ~ 9 节间，孔在一横裂中的小突起上，无受精囊腔。第 8 ~ 9、9 ~ 10 节间缺隔膜，盲肠简单。受精囊的盲管内端 2/3 在平面上，左右弯曲，为纳精囊。

| 生境分布 | 栖息于深 10 ~ 20 cm 的潮湿、有机物多的泥洼中。主要分布于江苏徐州、南通等。江苏徐州、南通、泰州等有养殖。

| 资源情况 | 野生资源一般。养殖资源较丰富。药材来源于野生和养殖。

| 采收加工 | 春季至秋季捕捉，洗去黏液，及时剖开腹部，除去内脏及泥沙，晒干或低温干燥。

| 药材性状 | 本品长 8 ~ 15 cm，宽 0.5 ~ 1.5 cm。全体具环节，背部棕褐色至黄褐色，腹部浅黄棕色；第 14 ~ 16 节为生殖带，较光亮。第 18 节有 1 对雄生殖孔。雄交配腔孔呈纵向裂缝状。

| 功能主治 | 咸，寒。归肝、脾、膀胱经。清热定惊，通络，平喘，利尿。用于高热神昏，惊痫抽搐，关节痹痛，肢体麻木，半身不遂，肺热喘咳，水肿尿少。

| 用法用量 | 内服煎汤，5 ~ 10 g。

黄蛭科 Haemopidae 金线蛭属 *Whitmania*

宽体金线蛭 *Whitmania pigra* Whitman

| 药 材 名 | 水蛭（药用部位：全体。别名：马蜞、蚂蟥、马鳖）。

| 形态特征 | 体大型，体长 60 ~ 120 mm，宽 13 ~ 20 mm。背面暗绿色，有 5 纵纹，纵纹由黑色和淡黄色两种斑纹间杂排列组成。腹面两侧各有 1 淡黄色纵纹，其余部分为灰白色，杂有茶褐色斑点。体环数 107，前吸盘小。腭齿不发达，不吸血。雄、雌生殖孔分别位于第 33 ~ 34、38 ~ 39 环沟间。

| 生境分布 | 生于水田、沟渠、湖沼、溪流中。江苏南京（浦口）、扬州（宝应）、淮安（淮阴）、宿迁（沭阳）、南通（如皋）、苏州（张家港）等广泛养殖。

| 资源情况 | 野生资源丰富。养殖资源丰富。药材来源于野生和养殖。

| 采收加工 | 9 ~ 10 月捕捞，可用丝瓜络或草束浸上动物血，晾干后放入水中诱捕，2 ~ 3 小时后提出，抖下水蛭，拣大去小，反复多次将池中大部分成蛭捕尽；或选择晴天把池中水位降到 20 ~ 30 cm 后，在水面放置塑料泡沫板，第二天塑料泡沫板阴暗面会吸附水蛭，拣大去小，小水蛭留在原池继续养殖或转池养殖至越冬。捕后将水蛭洗净，用石灰或白酒将其闷死，或用沸水烫死，晒干或低温干燥。水蛭收获后的初加工方法有很多，其中普遍使用的是吊干法。

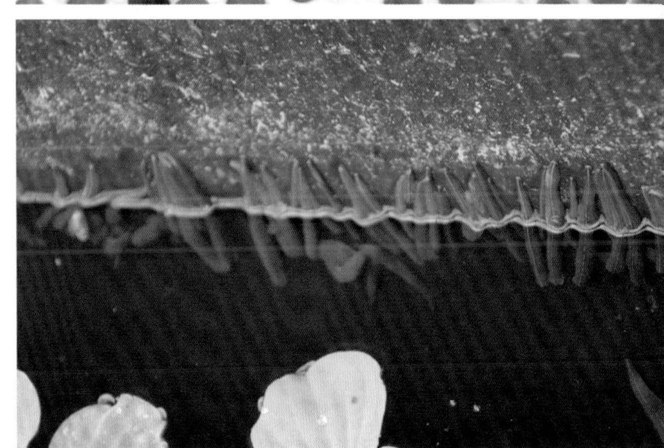

| 药材性状 | 本品呈扁平纺锤形，有多数环节，长 4 ~ 10 cm，宽 0.5 ~ 2 cm。背部黑褐色或黑棕色，稍隆起，用水浸后可见黑色斑点排成 5 纵纹；腹面平坦，橙黄色，两侧棕黄色。前端略尖，后端钝圆，两端各具 1 吸盘，前吸盘不显著，后吸盘较大。质脆，易折断，断面胶质状。气微腥。

| 功能主治 | 咸、苦，平；有小毒。归肝经。破血通经，逐瘀消癥。用于血瘀闭经，癥瘕痞块，中风偏瘫，跌仆损伤。

| 用法用量 | 内服煎汤，1 ~ 3 g。外用适量，捣敷。

| 附　　注 | 本种以浮游生物、小型昆虫、软体动物为食。

黄蛭科 Haemopidae 金线蛭属 *Whitmania*

柳叶蚂蟥 *Whitmania acranulata* (Whitman)

| 药 材 名 | 水蛭（药用部位：全体。别名：马蜞、马蟥、马鳖）。

| 形态特征 | 体型狭长而扁，似“柳叶”状，体长 25 ~ 28 mm，宽 5 ~ 6 mm。体呈柳叶形，扁平，背微凹，棕绿色，有细密的绿黑色斑点，由此构成 5 纵线。腹面浅黄色，甚平坦，散布不规则的暗绿色斑。体节由 105 环组成，各环宽度相等。雌、雄生殖孔相距 4 环，均开口于环与环之间。眼 10，排列成马蹄形。前吸盘不显著，后吸盘圆大，吸附力强。肛门开口于背面末端。消化道末端两侧各有 1 盲囊。

| 生境分布 | 生于水田、沟渠、湖沼、溪流中，有时吸附于水草的基部或阴影下的流水中或泥面上。江苏各地均有分布。

| 资源情况 | 野生资源丰富。养殖资源丰富。药材来源于野生和养殖。

| 采收加工 | 同“宽体金线蛭”。

| 药材性状 | 本品狭长而扁，长 5 ~ 12 cm，宽 0.1 ~ 0.5 cm。

| 功能主治 | 咸、苦，平；有小毒。归肝经。破血通经，逐瘀消癥。用于血瘀闭经，癥瘕痞块，中风偏瘫，跌仆损伤。

| 用法用量 | 内服煎汤，1 ~ 3 g。外用适量，捣敷。

鲍科 Haliotidae 鲍属 *Haliotis*

杂色鲍 *Haliotis diversicolor* Reeve

| 药 材 名 | 石决明（药用部位：壳）。

| 形态特征 | 贝壳呈长卵圆形，壳较厚，质坚硬，螺层约 3 层，自上而下急剧增大。基部缝合线较深，至顶部渐不明显。壳顶钝，稍低于体螺层的最高处，成体的壳顶多呈破蚀状，露出珍珠光泽。体螺层骤然膨大，占壳的绝大部分。由壳顶向下，自第 2 螺层中部开始至体螺层末端边缘有 1 行排列整齐而逐渐增大的突起和小孔，总数 20 余，其中靠体螺层边缘的 7 ~ 9 开孔，故又名“九孔鲍”。壳表面还生有不甚规则的螺肋和细密的生长线。生长线随不同生长时期而形成数个极为明显的褶襞。壳表面有褐色、绿色、黄色云斑，但因常附着苔藓虫、龙介虫、水螅等其他生物，故往往呈现灰褐色；壳内面银白色，具珍珠光泽。壳口为长卵形，大小与体螺层相等，外唇薄而坚硬，边

缘锋利；内唇厚，边缘向壳内延伸，形成一上端宽、基部略窄的片状遮缘。无厣。

| 生境分布 | 生于潮间带及低潮线附近，以腹足吸附于岩石下或岩石缝间。分布于江苏南通、盐城、连云港等。

| 资源情况 | 野生资源较丰富。养殖资源丰富。药材来源于野生和养殖。

| 采收加工 | 夏、秋季捕捞，去肉，洗净，晒干。

| 药材性状 | 本品呈长卵圆形，内面观略呈耳形，长 7 ~ 9 cm，宽 5 ~ 6 cm，高约 2 cm。表面暗红色，有多数不规则的螺肋和细密的生长线，螺旋部小，体螺部大，从螺旋部顶处开始向右排列有 20 余疣状突起，末端 7 ~ 9 开孔，孔口与壳面平。内面光滑，具珍珠样彩色光泽。壳较厚，质坚硬，不易破碎。气微，味微咸。

| 功能主治 | 咸，寒。归肝经。平肝潜阳，清肝明目。用于头痛眩晕，目赤翳障，视物昏花，青盲雀目。

| 用法用量 | 内服煎汤，6 ~ 20 g，先煎。

| 附　　注 | 本种属暖水性海洋贝类，喜栖息于风平浪静、水流通畅、水质清澈、盐度较高的水域。适宜生长水温为 10 ~ 28 ℃，生长最适温度 16 ~ 26 ℃，适宜盐度为 28‰ ~ 35‰。摄食以褐藻为主，兼食桂藻、绿藻及其他低等海洋植物。

田螺科 Viviparidae 圆田螺属 *Cipangopaludina*

中国圆田螺 *Cipangopaludina chinensis* Gray

| 药 材 名 | 田螺（药用部位：肉。别名：田中螺、螺蛳、黄螺）。

| 形态特征 | 贝壳大，呈圆锥形，壳质薄而坚硬。壳高 60 mm，宽 40 mm。有 6 ~ 7 螺层，各螺层高、宽增长迅速，壳面凸。缝合线极明显。螺旋部高起成圆锥形，其高度大于壳口高度。壳顶尖。体螺层膨大。贝壳表面光滑无肋，具细密而明显的生长线，有时在体螺层上形成褶襞。壳面黄褐色或绿褐色。壳口呈卵圆形，上方有 1 锐角，周缘具黑色框边，外唇简单，内唇上方贴覆于体螺层上，部分或全部遮盖脐孔。脐孔呈缝状。厣角质，为 1 黄褐色卵圆形薄片，具有明显的同心圆样生长纹，厣核位于内唇中央。

| 生境分布 | 生于水草茂盛的湖泊、水库、河沟、池塘及水田内。江苏各地均有分布。

拍摄人：戴仕林

| 资源情况 | 野生资源丰富。药材主要来源于野生。

| 采收加工 | 春季至秋季捕捉，洗净，鲜用。

| 功能主治 | 甘、咸，寒。归肝、脾、膀胱经。清热，利水，止渴，解毒。用于小便赤涩，目赤肿痛，黄疸，脚气，浮肿，消渴，痔疮，疔疮肿毒。

| 用法用量 | 内服适量，煎汤；或取涎；或煅存性研末。外用适量，取涎涂；或捣敷。

| 附　　注 | 本种常以宽大的足部在水库及水草上爬行，以多汁水生植物的叶及藻类为主要食料。

田螺科 Viviparidae 圆田螺属 *Cipangopaludina*

中华圆田螺 *Cipangopaludina cathayensis* (Heude)

| 药 材 名 | 田螺（药用部位：肉。别名：田中螺、黄螺）。

| 形态特征 | 本种形态与中国圆田螺相似，其特点是外形呈卵圆形；壳高 50 mm，宽 40 mm；各螺层表面膨大，在宽度上增长迅速，螺旋部较短而宽；体螺层特别膨大；壳顶尖锐，缝合线深；内唇肥厚，遮盖脐孔。

| 生境分布 | 生于池塘、湖泊、水田及缓流的小溪内。江苏各地广泛分布。

| 资源情况 | 野生资源丰富。药材主要来源于野生。

| 采收加工 | 春季至秋季捕捉，洗净，鲜用。

| 功能主治 | 同“中国圆田螺”。

| 用法用量 | 同“中国圆田螺”。

蚶科 Arcidae 毛蚶属 *Arca*

毛蚶 *Arca subcrenata* Lischke

| 药 材 名 | 瓦楞子（药用部位：贝壳）。

| 形态特征 | 贝壳短而宽，卵圆形。壳质坚厚，极膨胀，两壳不等大，左壳稍大。壳高 3 ～ 4 cm，长 4 ～ 5 cm，宽 3 cm。壳顶突出，尖端向内卷曲，超过韧带面，位置偏向前方，两壳顶距离不远。韧带梭形，具黑褐色角质。厚皮。壳前缘、腹缘均呈圆形，后缘呈截形，与腹缘相交处向后延伸，壳表面具放射肋 34 左右，肋上具结节，左壳较右壳更为明显；放射沟稍窄于放射肋。生长线明显，左壳腹缘呈明显的鳞片状，壳表面被棕褐色绒毛状壳皮，壳皮在壳顶部极易脱落，壳面白色或稍染淡黄色。壳内面白色，中部具放射状细纹，边缘有和放射肋相对应的凹陷。铰合部稍弯曲，铰合齿栉状，50 左右，前端大而疏，中间小而密。前闭壳肌痕小，呈菱形，后闭壳肌痕大，呈卵形。

| 生境分布 | 生于低潮线以下 4 ~ 20 m 深的泥沙质浅海，喜有淡水流入。分布于江苏连云港、盐城、南通等。

| 资源情况 | 野生资源较丰富。药材主要来源于野生。

| 采收加工 | 全年均可在浅海泥沙中拾取或秋、冬季至翌年春季捕捞，洗净，以沸水煮熟，去其肉，晒干。

| 药材性状 | 本品略呈三角形或扇形，长 4 ~ 5 cm，高 3 ~ 4 cm。壳外面隆起，有棕褐色茸毛或毛已脱落；壳顶突出，向内卷曲；自壳顶至腹面有延伸的放射肋 30 ~ 34。壳内面平滑，白色，壳缘有与壳外面放射肋相对应的凹陷，铰合部具 1 列小齿。质坚。气微，味淡。

| 功能主治 | 咸，平。归肺、胃、肝经。消痰化瘀，软坚散结，制酸止痛。用于顽痰胶结，黏稠难咯，瘿瘤，瘰疬，癥瘕痞块，胃痛泛酸。

| 用法用量 | 内服煎汤，9 ~ 15 g，先煎；或入丸、散剂。外用适量，研末调敷。

| 附　　注 | 本种适应性强，繁殖力强，2 ~ 3 龄性成熟，雌性成熟的生殖腺为红色，雄性生殖腺乳白色，产卵期 7 ~ 8 月，要求水温 25 ℃左右，每次产卵 250 万 ~ 300 万粒，受精卵 12 小时可孵化开始游泳，2 周后开始附着。幼贝脱离附着基转入潜居生活主要与水温及个体大小有关。当水温降至 19 ℃时，80% 体长 ≥4 mm 的幼贝开始脱离附着基，转入潜居生活的时间是在当年的 9 月中旬至 10 月上旬；体长 4 ~ 5 mm 的幼贝基本不脱离附着基。同种规格的幼贝潜居后比在附着基上生长快 36%。幼贝生长最适宜水温是 20 ~ 26 ℃，20 ℃以下生长逐步减慢，7 ℃时生长基本停止，停止摄食。

蚶科 Arcidae 毛蚶属 *Arca*

泥蚶 *Arca granosa* Linnaeus

| 药 材 名 | 瓦楞子（药用部位：贝壳）。

| 形态特征 | 贝壳质极坚厚，高略大于宽。两壳相等，极膨胀，卵圆形。壳顶突出，尖端向内卷曲，位置偏于前方，两壳顶相距较远。韧带面宽箭头状；韧带角质，具排列整齐的纵纹。壳前缘近圆形，与背缘约成直角；后缘向后方倾斜，与背缘成钝角；腹缘弧形。壳的中上部极突出，壳表面放射肋极发达，共 18 ~ 21，自壳顶至壳缘渐粗大，除后端数条外，肋上具显著的颗粒状结节，在壳边缘部分不甚显著，放射肋沟稍宽于放射肋。生长线明显，在腹缘呈鳞片状。壳表面白色，壳皮褐色，极易脱落。壳内面灰白色，边缘厚，具有与放射肋相对应的齿状突起。铰合部直，铰合齿约 40，两端者大，中间者小。前闭壳肌痕较小，呈三角形，后闭壳肌痕大，近圆形。

| 生境分布 | 埋栖于浅海泥滩中。分布于江苏连云港、盐城、南通等。

| 资源情况 | 野生资源较丰富。药材主要来源于野生。

| 采收加工 | 秋季至次年春季捕捞，洗净，置于沸水中略煮，去肉，干燥。

| 药材性状 | 本品长 2.5 ~ 4 cm，高 2 ~ 3 cm。壳外面无棕褐色茸毛，放射肋 18 ~ 21，肋上有颗粒状突起。气微，味淡。

| 功能主治 | 咸，平。归肺、胃、肝经。消痰化瘀，软坚散结，制酸止痛。用于顽痰积结、黏稠难咯，瘿瘤，瘰疬，癥瘕痞块，胃痛泛酸。

| 用法用量 | 同“毛蚶”。

| 附　　注 | 本种饵料以底栖硅藻为主。对海水的盐度要求不甚严格，对温度的适应能力也较强。1 ~ 2 龄生长迅速，3 龄以后生长速度大为下降，死亡率也随之增高，2 龄性成熟。产卵期为 8 ~ 10 月。成熟的雌性生殖腺为淡红色，雄性生殖腺为淡黄色。卵在水中受精孵化，幼虫随水漂流，幼贝生活于风浪小的细沙质潮间带。

蚶科 Arcidae 毛蚶属 *Arca*

魁蚶 *Arca inflata* Reeve

| 药 材 名 | 瓦楞子（药用部位：贝壳）。

| 形态特征 | 贝壳大型，质坚厚，形状似毛蚶，两壳相等。壳顶突出，向内弯曲，稍超过韧带面。韧带梭形，具黑褐色角质厚皮。壳前缘及腹缘均为圆形，后缘截形，中段稍隆起，与腹缘相交处呈向后下方延伸状。壳表面具放射肋 44 左右，放射肋较平滑，只在壳边缘呈结节状。放射肋沟稍窄于放射肋。生长线明显。壳表面被棕褐色绒毛状壳皮，顶部壳皮极易脱落，致使壳顶部为白色。壳内面白色，外套痕以内可见放射肋透过的纹理，边缘具有和放射肋相对应的齿状突起。铰合部直，两端稍向下延伸；铰合齿 60 左右，两端者大，且向外倾斜，中间者小，呈直立状。前闭壳肌痕小，卵形，后闭壳肌痕大，呈梨形。

| 生境分布 | 生于低潮线以下 5 至数十米深的浅海泥沙底中。分布于江苏连云港、

盐城、南通等。

| 资源情况 | 野生资源较丰富。药材主要来源于野生。

| 采收加工 | 同“毛蚶”。

| 药材性状 | 本品长 7 ~ 9 cm，高 6 ~ 8 cm。壳外面放射肋 42 ~ 48。

| 功能主治 | 同“毛蚶”。

| 用法用量 | 同“毛蚶”。

| 附　　注 | 本种的密度反次于毛蚶，但个体大，因此生物量常高于其他底栖类。产卵期为 6 ~ 9 月。

贻贝科 Mytilidae 贻贝属 *Mytilus*

厚壳贻贝 *Mytilus coruscus* Gould

| 药 材 名 | 淡菜（药用部位：肉。别名：东海夫人、壳菜、海蛀）。

| 形态特征 | 贝壳呈楔形，长约为高的 2 倍，为宽的 3 倍，一般壳长 116 ~ 160 mm。壳质厚，壳顶尖细，位于壳的最前端，稍向腹面弯曲，腹缘略直，足丝孔狭缝状，位于近壳顶处。背缘与腹缘成近 45° 角向后上方延伸，背缘与后缘相接处形成一较大的钝角，后缘圆。壳面由壳顶沿腹缘形成 1 隆起，将壳面分为上、下两部分，两壳闭合时在腹面形成 1 菱形平面。生长线极明显，但不规则，无放射肋。壳皮厚，棕黑色，壳的边缘向内卷曲成镶边状的红褐色狭缘。壳顶常剥蚀，露出白色壳质，干后壳皮常呈崩裂状。壳内面呈灰白色或灰蓝色，具珍珠样光泽，外套痕及闭壳肌痕明显，前闭壳肌痕小，卵圆形或心形，位于壳顶后方；后闭壳肌痕大，椭圆形，位于后端

略偏背缘。壳顶内面具铰合齿 2，小型，呈“八”字形。韧带褐色，位于背缘前方。外套缘具有分枝状的触手。足前端呈棒状，后端微扁，呈片状。足丝粗壮，淡黄褐色。

| 生境分布 | 生于海浪大、盐分高的海区，以足丝固着于低潮线以下的浅海岩石间。江苏连云港（赣榆）、盐城（射阳、大丰）、南通（如东、启东）有分布。

| 资源情况 | 野生资源一般。药材主要来源于野生。

| 采收加工 | 全年均可采捕，剥取其肉，晒干。

| 药材性状 | 本品呈椭圆状楔形。前端圆，后端扁，后端两侧有大而圆的闭壳肌。外质膜极发达，足小，呈棒状，2 外套膜间有明显的生殖腺。外套后端有一点愈合，形成明显的入水孔和出水孔，入水孔皆呈紫褐色，其周边的分枝状小触手色更深；出水孔紫褐色，全体深棕色。背部透过外套膜可见深褐色的脏团。生殖腺色较深。气微腥，味咸，嚼之有海米样鲜腥味。

| 功能主治 | 甘、咸，温。归肝、肾经。补肝肾，益精血，消瘿瘤。用于虚劳羸瘦，眩晕，盗汗，阳痿，腰痛，吐血，崩漏，带下，瘿瘤。

| 用法用量 | 内服煎汤，15 ~ 30 g；或入丸、散剂。

贻贝科 Mytilidae 贻贝属 *Mytilus*

贻贝 *Mytilus edulis* Linnaeus

|药 材 名| 淡菜（药用部位：肉。别名：东海夫人、壳菜、海蚌）。

|形态特征| 壳呈楔形或不等三角形，壳长不及高的 2 倍，宽为高的 1/4 ~ 1/3，一般壳长 60 ~ 80 mm。壳质薄，前端尖细，后端宽广。壳顶在壳的最前端，前方有淡褐色的菱形小月面。壳腹缘较直，足丝伸出处略凹入。背缘与腹缘形成的夹角大于 45°，后缘宽圆。壳表面自壳顶起沿腹缘向后凸起，达壳的中部后渐收缩。生长线细而明显，自壳顶始，或环形排列生长，放射肋不明显。壳皮黑褐色，具光泽，并包被壳的边缘，壳顶及腹缘常呈淡褐色，顶部壳皮易脱落，露出淡紫色壳质。壳内面白色或淡紫色，具珍珠样光泽。外套痕、闭壳肌痕明显，前闭壳肌痕小，半月形，位于壳顶下方；后闭壳肌痕大，椭圆形，位于后端略偏背缘。缩足肌痕、中足丝收缩肌痕及后足丝

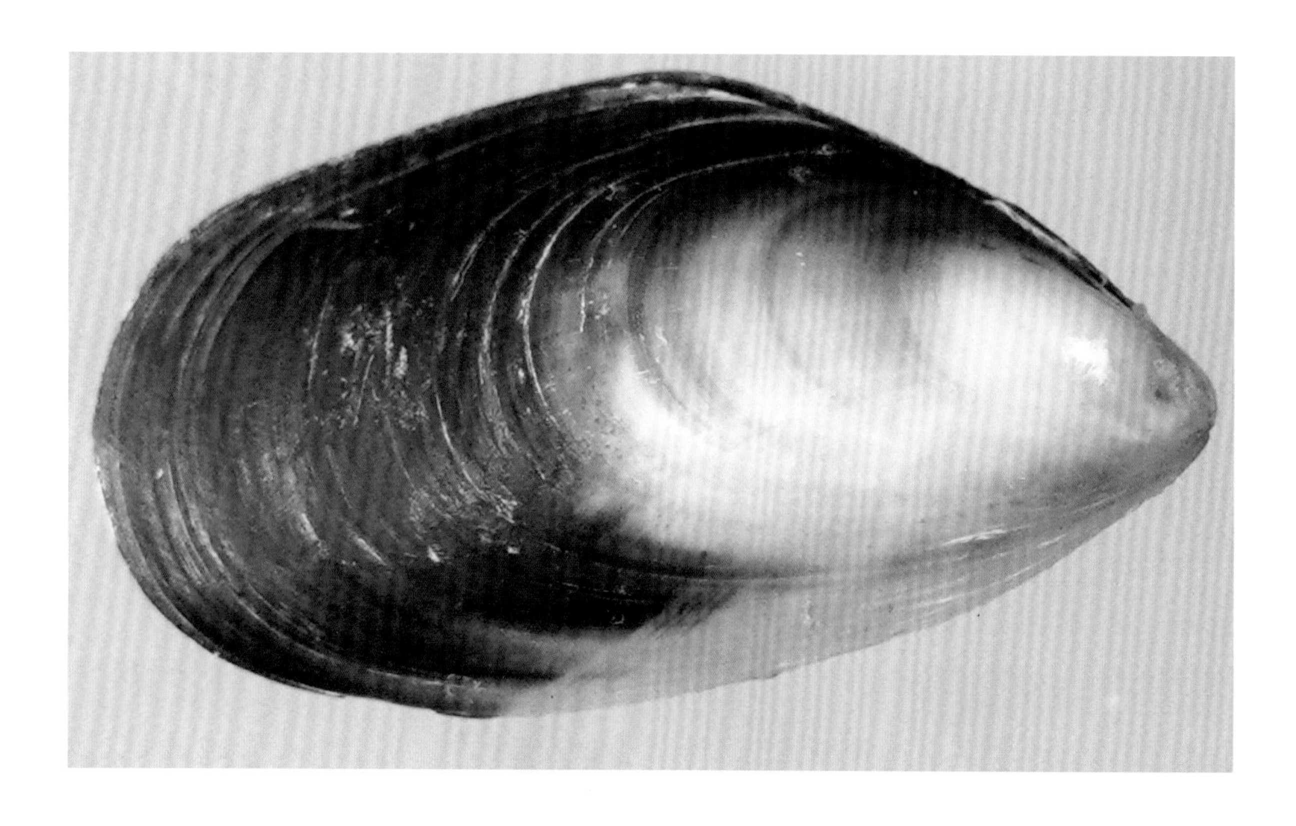

收缩肌痕愈合成一狭长的带状，并与后闭壳肌痕相连。铰合部长，约为壳长的1/2，有不发达的铰合齿 2 ～ 12。韧带深褐色，约与铰合部等长。足丝较细软，淡褐色。

| 生境分布 | 栖息于内湾浅海及近岸的岩石礁底，通常在低潮线附近至水深 2 m 左右分布较密，以足丝固着于岩石上及海港中各种建筑设施上。江苏连云港（赣榆）、盐城（射阳、大丰）、南通（如东、启东）有分布。

| 资源情况 | 野生资源丰富。药材主要来源于野生。

| 采收加工 | 全年均可采捕，剥取其肉，晒干。

| 药材性状 | 本品呈椭圆状楔形。前端圆，后端扁，后端两侧有大而圆的闭壳肌。外质膜极发达，足小，呈棒状，2 外套膜间有明显的生殖腺。外套后端有一点愈合，形成明显的入水孔和出水孔，入水孔皆呈紫褐色，其周边的分枝状小触手色更深；出水孔紫褐色，全体深棕色。背部透过外套膜可见深褐色的脏团。生殖腺色较深。气微腥，味咸，嚼之有海米样鲜腥味。

| 功能主治 | 同“厚壳贻贝”。

| 用法用量 | 同“厚壳贻贝”。

| 附　　注 | 本种雌雄异体，生殖腺成熟时雄性为乳黄色，雌性为橘红色。春、秋季 2 次产卵。繁殖很快，为养殖的优良品种。

贻贝科 Mytilidae 偏顶蛤属 *Modiolus*

偏顶蛤 *Modiolus modiolus* (Linnaeus)

| 药 材 名 | 淡菜（药用部位：肉。别名：东海夫人、壳菜、海蚌）。

| 形态特征 | 贝壳略呈卵圆形，壳质坚厚，长约为高的 2 倍，高约等于宽。壳顶位于壳前方，不达最前端，略高于铰合部。腹缘略凹，两壳间具狭缝状足丝孔，背缘呈弓形，后缘圆。铰合部稍弯曲，韧带极强大，在韧带下有一明显的长形脊突。壳极膨胀，由壳顶向后缘形成 1 隆起，由此向背面宽度骤减，向腹面则逐渐缩减。生长线细密，明显。壳皮棕褐色，可向壳内面包被壳缘，顶部壳皮极易磨损，呈白色或稍染紫色。壳背部、后部着生黄色扁形刚毛，老的个体刚毛常脱落。壳内面白色或蓝紫色，具珍珠样光泽。外套痕明显。闭壳肌痕不明显，前闭壳肌痕小，位于壳的最前端腹侧，长条形；后闭壳肌痕大，位于壳后方的背侧，卵圆形。足丝细软，黑褐色。

| 生境分布 | 生于自潮间带下区至水深 20 m 的浅海，以足丝固着在岩礁或泥沙海底。在较深一些的浅海（50 m），常有几十个个体相互固着成群栖状态。江苏连云港（赣榆、连云）、盐城（射阳）、南通（如东、启东）有分布。

| 资源情况 | 野生资源一般。药材主要来源于野生。

| 采收加工 | 全年均可采捕，剥取其肉，晒干。

| 功效物质 | 主要含有蛋白质、多糖、脂肪酸及多种微量元素。

| 功能主治 | 同“厚壳贻贝”。

| 用法用量 | 同“厚壳贻贝”。

牡蛎科 Ostreidae 牡蛎属 *Ostrea*

长牡蛎 *Ostrea gigas* Thunb.

| 药 材 名 | 牡蛎（药用部位：贝壳）。

| 形态特征 | 壳大，长条形，壳质坚厚。背、腹缘近平行，长为高的 3 倍左右。背侧也有卵圆形的个体。右壳较平如盖，自壳顶向后缘鳞片环生，呈波纹状，排列稀疏，层次较少。右壳表面平坦或具数个大而浅的凹陷，淡紫色、灰白色或黄褐色。壳内面瓷白色，闭壳肌痕大，呈马蹄形，棕黄色，位于壳后部的背侧。左壳稍凹，鳞片较右壳的更粗大，壳顶附着面小；顶部具有宽而长的韧带槽，长为宽的 2 倍以上；和右壳的色泽相同，闭壳肌痕也相当大。鳃呈直条状，不弯至背后角。心室淡粉红色。外套膜上有内、外 2 行触手，内行排列整齐，外行不整齐。

| 生境分布 | 生于盐度较低、自潮间带至低潮线以下数米的海区。分布于江苏连

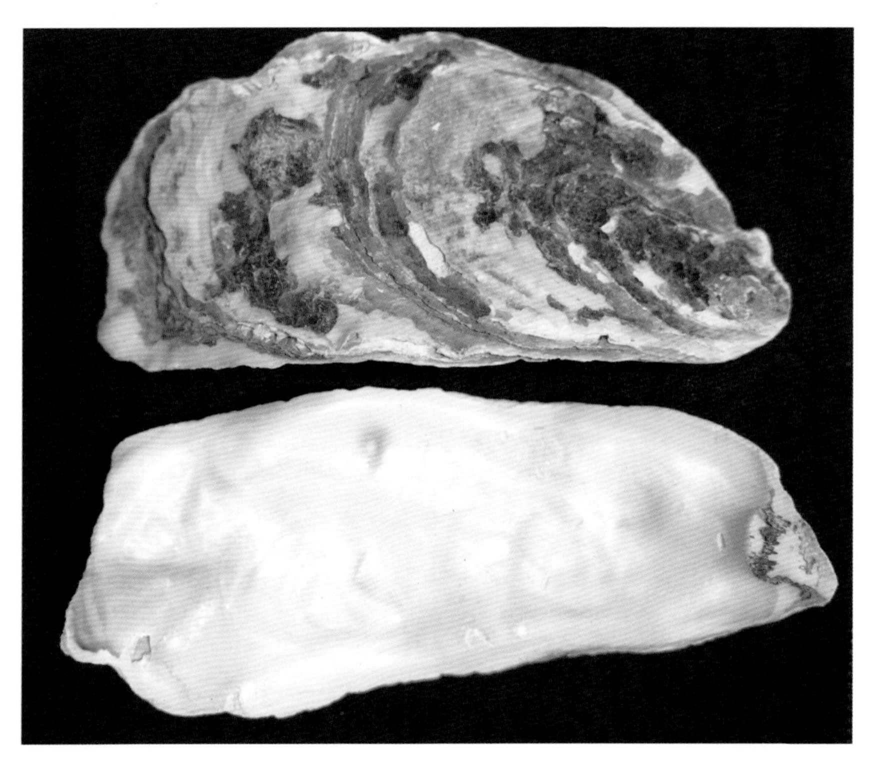

云港、盐城（东台）、南通等。

| 资源情况 | 野生资源丰富。养殖资源丰富。药材来源于野生和养殖。

| 采收加工 | 全年均可采收（最佳时期是 5 ~ 6 月），除去肉，洗净。

| 药材性状 | 本品呈长片状，背、腹缘近平行，长 10 ~ 50 cm，高 4 ~ 15 cm。右壳较小，鳞片坚厚，层状或层纹状排列；壳表面平坦或具数个凹陷，淡紫色、灰白色或黄褐色；内面瓷白色，壳顶两侧无小齿。左壳凹，鳞片较右壳的粗大，壳顶附着面小。质硬，断面层状，洁白。气微，味微咸。

| 功能主治 | 咸，微寒。归肝、胆、肾经。重镇安神，潜阳补阴，软坚散结。用于惊悸失眠，眩晕耳鸣，瘰疬痰核，癥瘕痞块。

| 用法用量 | 内服煎汤，9 ~ 30 g，先煎。

| 附　　注 | 本种一般栖息在咸淡水中的个体较大，在正常盐度的海水中个体较小，为河口及内湾养殖的优良种。

牡蛎科 Ostreidae 牡蛎属 *Ostrea*

大连湾牡蛎 *Ostrea talienwhanensis* Crosse

| 药 材 名 | 牡蛎（药用部位：贝壳）。

| 形态特征 | 贝壳大，壳质中等厚，壳顶尖，至后缘逐渐加宽，致贝壳略呈三角形。右壳平坦，壳顶部鳞片趋向愈合，且质坚厚，边缘部分鳞片疏松，较脆薄。鳞片起伏成波状，放射肋不明显。壳表面灰黄色，杂以紫褐色斑纹。壳内面白色，具光泽。左壳极凸，自壳顶部开始有数条放射肋，放射肋粗壮，鳞片质坚厚，近直立。壳表面色较淡，黄白色。壳内面极凹陷，白色。铰合部小，韧带槽长而深，三角形。闭壳肌痕大，圆形或长方形，黄紫色，位于壳之中央偏背侧。

| 生境分布 | 栖息于盐度偏高的近海岸低潮线以下或潮间带的蓄水处，固着在岩礁及他物上，大量集聚在海底，喜群聚。分布于江苏连云港、盐城（东台）、南通等。

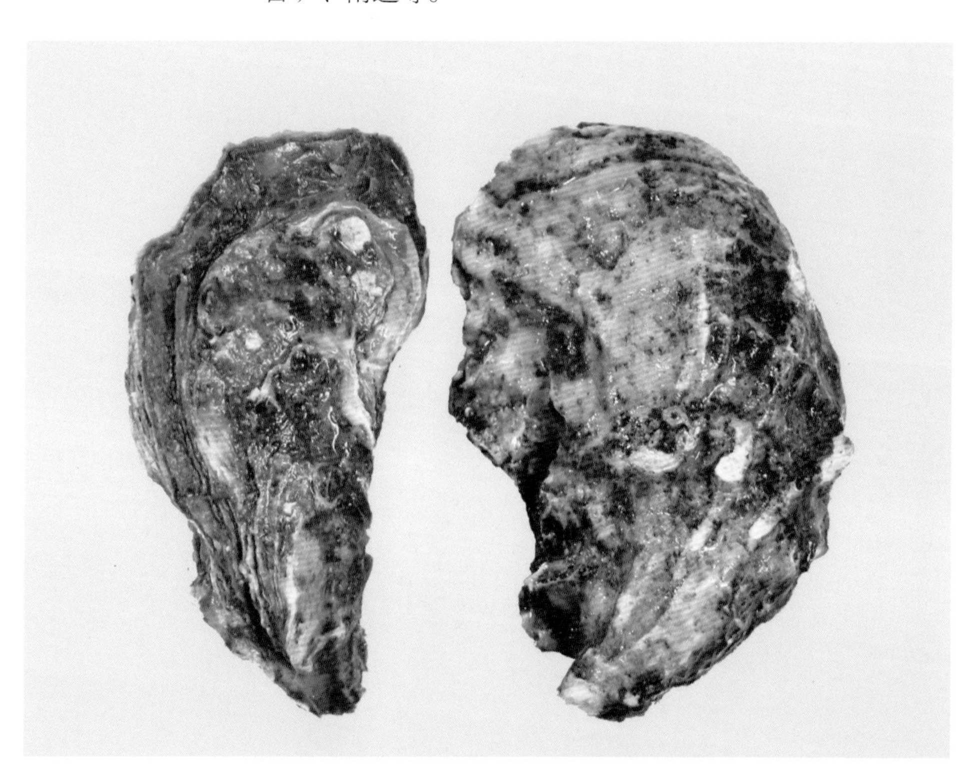

| 资源情况 | 野生资源丰富。药材主要来源于野生。

| 采收加工 | 全年均可采收（最佳时期是 5 ~ 6 月），除去肉，洗净。

| 药材性状 | 本品呈类三角形，背腹缘呈“八”字形。右壳外面淡黄色，具疏松的同心鳞片，鳞片起伏成波浪状，内面白色。左壳同心鳞片质坚厚，自壳顶部具数个放射肋，明显，内面凹下成盒状，铰合面小。气微，味微咸。

| 功能主治 | 同“长牡蛎”。

| 用法用量 | 同“长牡蛎”。

| 附　　注 | 本种属卵生型，6 ~ 8 月为繁殖期。性别不稳定，雌雄异体和雌雄同体都存在，相互间常转换，个体性别也常发生变化。体外受精。性腺成熟时，雄性体表呈乳白色，雌性体表略带黄色。1 龄可达性成熟。

牡蛎科 Ostreidae 牡蛎属 *Ostrea*

近江牡蛎 *Ostrea rivularis* Gould

|药 材 名| 牡蛎（药用部位：贝壳）。

|形态特征| 贝壳大，质坚厚，圆形或卵圆形，有时长形或三角形。右壳略扁平，较左壳表面环生极薄的黄褐色或暗紫色鳞片，鳞片平，层次少；1 ~ 2 年生的个体鳞片平，薄而脆，有时边缘游离；2 至数年生的个体鳞片平坦，有时后缘起伏成水波纹状；生长多年的个体鳞片层层相叠，坚厚如石。左壳同心鳞片的层次更少，质更坚实。贝壳内面白色，边缘为灰紫色，韧带槽长而宽，呈牛角形，韧带紫黑色。闭壳肌痕大，淡黄色，大多为卵圆形或肾形。贝壳呈长圆形、三角形或不规则形状，大小、厚薄不等，下壳俗称“左牡蛎”，多呈凹形而厚，外面层片分明而前后交错如鳞片堆砌，显灰褐色、灰白色或隐现紫色，上壳多扁平而薄，外面层片少。上下壳边缘常成波状起伏，内面平滑，

呈乳白色。体重，质硬，不易破碎，断面呈层状，色洁白，味微咸。

| 生境分布 | 栖息于低潮线附近至水深 7 m 左右的近海区域，河流入海一带的水域中数量最多。分布于江苏盐城（东台）、南通、连云港等。

| 资源情况 | 野生资源丰富。药材主要来源于野生。

| 采收加工 | 全年均可采收（最佳时期是 5 ~ 6 月），除去肉，洗净。

| 药材性状 | 本品呈圆形、卵圆形或三角形等。右壳外面稍不平，有灰色、紫色、棕色、黄色等，环生同心鳞片，幼体者鳞片薄而脆，多年生长后鳞片层层相叠，内面白色，边缘有的淡紫色。气微，味微咸。

| 功能主治 | 同“长牡蛎”。

| 用法用量 | 同“长牡蛎”。

蛙科 Unionidae 帆蚌属 *Hyriopsis*

三角帆蚌 *Hyriopsis cumingii* (Lea)

| 药 材 名 | 珍珠（药用部位：双壳类动物受刺激形成的珍珠。别名：真珠、蚌珠、真珠子）、珍珠母（药用部位：贝壳。别名：珠牡、珠母、真珠母）。

| 形态特征 | 贝壳大而扁平，壳质坚硬，略呈三角形。左右两壳顶紧接在一起，后背缘长，并向上凸起形成大的三角形帆状后翼，帆状部脆弱易断，前背缘短小，呈尖角状。腹缘近直线，略呈弧形。壳面不平滑，壳顶部刻有粗大的肋脉。生长线同心环状排列，距离宽。

| 生境分布 | 江苏苏州、无锡（宜兴）、泰州、镇江、淮安等有养殖。

| 资源情况 | 野生资源一般。养殖资源丰富。药材主要来源于养殖。

| 采收加工 | **珍珠**：人工养殖的无核珍珠，在接种后 2 ~ 3 年采收质量较好。秋末采收后置于饱和盐水中浸 5 ~ 10 分钟，洗去黏液后，再用清水洗

净即可。

珍珠母：全年均可采收，除去肉质、泥土，放入碱水中煮，后放入清水中浸洗，取出，刮去外层黑皮，晒干或烘干。

| 药材性状 | **珍珠**：本品呈类球形、长圆形、卵圆形或棒形，直径 1.5 ~ 8 mm。表面类白色、浅粉红色、浅黄绿色或浅蓝色，半透明，光滑或微有凹凸，具特有的彩色光泽。质坚硬，破碎面显层纹。气微，味淡。

珍珠母：本品略呈不等边四角形。壳面生长轮呈同心环状排列。后背缘向上凸起，形成大的三角形帆状后翼。壳内面外套痕明显；前闭壳肌痕呈卵圆形，后闭壳肌痕略呈三角形。左、右壳均具 2 拟主齿，左壳具 2 长条形侧齿，右壳具 1 长条形侧齿；具光泽。质坚硬。气微腥，味淡。

| 功能主治 | **珍珠**：甘、咸，寒。归心、肝经。安神定惊，明目消翳，解毒生肌，润肤祛斑。用于惊悸失眠，惊风癫痫，目赤翳障，疮疡不敛，皮肤色斑。

珍珠母：咸，寒。归肝、心经。平肝潜阳，安神定惊，明目退翳。用于头痛眩晕，惊悸失眠，目赤翳障，视物昏花。

| 用法用量 | **珍珠**：内服多入丸、散剂，0.1 ~ 0.3 g。外用适量，研末干撒、点眼或吹喉。

珍珠母：内服煎汤，10 ~ 25 g，先煎。

| 附　　注 | 养殖育珠蚌的水域需阳光充足、水源丰富、进排水方便，水域面积以 1 ~ 3 hm^2 为宜，水位稳定，落差不超过 0.5 m，常年水位保持在 2 ~ 3 m。养殖水体保持一定的营养程度，生长季节透明度保持在 20 ~ 30 cm，pH 7 ~ 8.5。水质需符合《无公害食品　淡水养殖用水水质标准》（NY5051-2001）规定。土质以黏土为佳，水底淤泥厚度小于 20 cm。

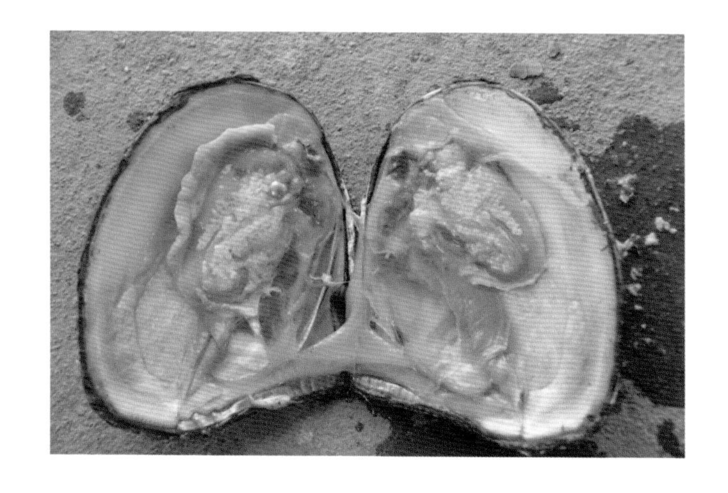

蛤蜊科 Mactridae 蛤蜊属 *Mactra*

四角蛤蜊 *Mactra veneriformis* Deshayes

|药 材 名| 蛤蜊（药用部位：肉。别名：吹蛤梨、蛤刺、吹潮）、蛤蜊粉（药材来源：贝壳加工后制成的粉。别名：蛤粉、海蛤粉）。

|形态特征| 贝壳质坚，呈四角形，壳顶突出，位于背缘中央略靠前方。小月面及盾面心形。壳面中部膨胀。壳表面具灰白色或棕黄色壳皮，壳顶白色。生长线略粗，形成凹凸不平的同心环纹。壳内面白色。铰合部狭长，左壳具 1 分叉主齿，右壳 2 主齿排列成“八”字形，两壳前后侧齿均呈片状。前闭壳肌痕略小，卵圆形；后闭壳肌痕稍大，近圆形。外套窦不甚深，末端钝圆。外套膜边缘双层，内缘有分枝的小触手。水管黄白色，末端具触手。足部发达，呈斧状。

|生境分布| 生于潮间带中、下区及浅海泥沙滩中。栖埋深度 50 ~ 100 mm，喜栖息于沿海近河口。江苏连云港（赣榆）、盐城（射阳、大丰）、

南通（如东、启东）有分布。

| 资源情况 | 野生资源丰富。药材主要来源于野生。

| 采收加工 | **蛤蜊：**全年均可采捕，用沸水烫过，剖壳取肉，鲜用或晒干。

蛤蜊粉：取蛤蜊壳入碳中烧煅，研磨成细粉。

| 药材性状 | **蛤蜊：**本品贝壳略呈四角形，两壳极膨胀，宽与高近相等。外表面有灰白色或污黄色壳皮，顶部白色，生长线粗大，呈凹凸不平的同心环纹。内表面灰白色。铰合部狭长。前闭壳肌痕稍小，卵圆形；后闭壳肌痕稍大，近圆形 。质坚，不厚。气微，味咸。

| 功能主治 | **蛤蜊：**咸，寒。归胃、肝、膀胱经。滋阴，利水，化痰，软坚。用于消渴，水肿，痰积，癖块，瘿瘤，崩漏，痔疮。

蛤蜊粉：咸，寒。归肺、肾、肝经。清热，化痰利湿，软坚。用于胃痛，痰饮喘咳，水气浮肿，小便不通，遗精，白浊，崩中，带下，痈肿，瘿瘤，烫伤。

| 用法用量 | **蛤蜊：**内服煮食，50 ~ 100 g。

蛤蜊粉：内服煎汤，50 ~ 100 g；或入丸、散剂，3 ~ 10 g。外用适量，调敷。

帘蛤科 Veneridae 青蛤属 *Cyclina*

青蛤 *Cyclina sinensis* (Gmelin)

| 药 材 名 | 海蛤壳（药用部位：贝壳）。

| 形态特征 | 壳薄，近圆形，两侧极膨圆，没有明显的小月面。壳表面无放射肋。同心生长轮脉先端者细密，不显著，至腹面变粗，突出壳面成细肋状。壳面淡黄色或带棕红色，生活标本黑色。铰合部有 3 主齿，无侧齿。前闭壳肌痕细长，略呈半月状；后闭壳肌痕椭圆形。

| 生境分布 | 生于近海泥沙质的海底，潮间带上、中、下区均有分布，以中、下区数量为最多，喜埋栖生活，前端向下、后端朝上埋栖于泥沙中，以斧足钻穴，一般只做上下移动，洞穴与滩面略倾斜，滩面穴口椭圆形，穴深随个体大小而异，最深可达 15 cm。以硅藻为食。江苏连云港（赣榆）、盐城（射阳、大丰）、南通（如东、启东）有分布。

| 资源情况 | 野生资源丰富。药材主要来源于野生。

| 采收加工 | 春季至秋季捕捉，去肉，取壳洗净，晒干，打碎，生用或煅用。放在无烟的炉火上煅红，取出放凉，碾碎即为煅蛤壳。

| 药材性状 | 本品呈类圆形，壳顶突出，位于背侧近中部。壳表面淡黄色或棕红色，同心生长纹凸出于壳面，略呈环肋状。壳内面白色或淡红色，边缘常带紫色并有整齐的小齿纹，铰合部左右两壳均具主齿 3，无侧齿。

| 功能主治 | 苦、咸，寒。归肺、肾、胃经。清热化痰，软坚散结，制酸止痛，收湿敛疮。用于痰火咳嗽，胸胁疼痛，痰中带血，瘰疬瘿瘤，胃痛吞酸；外用于湿疹，烫伤。

| 用法用量 | 内服煎汤，6 ~ 15 g，先煎，蛤粉包煎。外用适量，研极细粉撒布或油调敷。

| 附　　注 | 本种适应水温为 0 ~ 30 ℃，最适生长季节水温为 22 ~ 30 ℃；对盐度的适应范围也很广。

帘蛤科 Veneridae 文蛤属 *Meretrix*

文蛤 *Meretrix meretrix* (Linnaeus)

| 药 材 名 | 蛤壳（药用部位：贝壳）。

| 形态特征 | 贝壳质坚厚，背缘呈角形，腹缘略呈圆形。壳顶突出，位于背面稍靠前方。小月面狭长，呈矛头状，盾面宽大，卵圆形。韧带短粗，黑褐色，凸出于壳面。壳表面膨胀，光滑，被有一层黄褐色、光亮如漆的壳皮。同心生长轮脉清晰。由壳顶开始常有环形的褐色色带，花纹有变异，小型个体花纹丰富，变化较多；大型个体则较为恒定，一般为灰黄色底，被有褐色环带，近背缘部分有锯齿状或波纹状的褐色花纹。壳内面白色，前后缘有时略带紫色，无珍珠光泽。铰合部宽，右壳有 3 主齿及 2 前侧齿，左壳有 3 主齿及 1 前侧齿。外套痕明显，外套窦短，呈半圆形。后闭壳肌痕较大，呈卵圆形；前闭壳肌痕较狭，呈半圆形。

| 生境分布 | 生于近河口区的潮间带下区及低潮线以下的浅海沙质海底，幼体则生于更近河口处的潮间带中、上区，待长到能分泌胶质带或囊状物使身体悬浮于水中时，便借潮流向潮间带下区及低潮线以下迁移。江苏连云港（连云）、盐城（东台）、南通（如东、启东）有分布。

| 资源情况 | 野生资源丰富。药材主要来源于野生。

| 采收加工 | 春季至秋季捕捉，去肉，取壳洗净，晒干，打碎，生用或煅用。放在无烟的炉火上煅红，取出放凉，碾碎即为煅。

| 药材性状 | 本品呈扇形或类圆形，背缘略呈三角形，腹缘呈圆弧形，长 3 ～ 10 cm，宽 2 ～ 8 cm。壳顶突出，位于背面，稍靠前方。壳表面光滑，黄褐色，同心生长纹清晰，通常在背部有锯齿状或波纹状褐色花纹。壳内面白色，边缘无齿纹，前后壳缘有时略带紫色，铰合部较宽，右壳有主齿 3 和前侧齿 2；左壳有主齿 3 和前侧齿 1。质坚硬，断面有层纹。气微，味淡。

| 功能主治 | 苦、咸，寒。归肺、肾、胃经。清热化痰，软坚散结，制酸止痛，收湿敛疮。用于痰火咳嗽，胸胁疼痛，痰中带血，瘰疬瘿瘤，胃痛吞酸；外用于湿疹，烫伤。

| 用法用量 | 内服煎汤，6 ～ 15 g，先煎，蛤粉包煎。外用适量，研极细粉撒布或油调敷。

帘蛤科 Veneridae 文蛤属 *Dosinia*

日本镜蛤 *Dosinia japonica* (Reeve)

| 药 材 名 | 蛤壳（药用部位：贝壳）。

| 形态特征 | 贝壳近圆形，壳扁平而质坚厚。贝壳长略大于高。壳顶尖，向前弯曲。小月面心形，极凹，其周围形成很深的凹沟。壳背缘前端凹入，后端略呈截形，腹缘圆。壳表面略凸起，平滑，白色。无放射肋，同心生长轮脉极明显，轮脉间形成浅的沟纹。壳内面白色或淡黄色，具光泽。铰合部宽。右壳有主齿 3，前端 2 较小，呈“八”字形排列，与背缘垂直，后端 1 较长，斜向后方，末端分裂；左壳有主齿 3，前主齿为一耸立的薄片，中主齿粗壮，后主齿长，在前主齿前方有一椭圆形的前侧齿。外套窦深，前端尖细，呈尖锥状。

| 生境分布 | 生于潮间带中区的泥沙滩，栖息深度约 100 mm，低潮线以下的浅海部分也有分布。江苏连云港（连云）、盐城（射阳、东台）、南通（如

东、启东）有分布。

| 资源情况 | 野生资源丰富。药材主要来源于野生。

| 采收加工 | 春季至秋季捕捉，去肉，取壳洗净，晒干，打碎，生用或煅用。放在无烟的炉火上煅红，取出放凉，碾碎即为煅。

| 功能主治 | 同“文蛤”。

| 用法用量 | 同“文蛤”。

竹蛏科 Solenidae 竹蛏属 *Solen*

大竹蛏 *Solen grandis* Dunker

| 药 材 名 | 蛏壳（药用部位：贝壳。别名：蛏子壳）。

| 形态特征 | 贝壳呈竹筒状，质薄脆，一般壳长 72 ~ 140 mm，长为高的 4 ~ 5 倍。壳表面凸，被黄褐色壳皮。腹缘及后端壳皮向壳内包卷。生长线明显，有时有淡红色的彩色带。壳内面白色或稍带淡红紫色。各肌痕明显，前闭壳肌痕长形，后闭壳肌痕略呈三角形。足发达，前端尖，左右扁。水管短而粗。2 水管愈合，由若干环节组成，末端有触手。

| 生境分布 | 生于潮间带中、下区和浅海的泥沙滩，埋栖深度 300 ~ 500 mm，洞穴斜，与地面成 70° ~ 80° 角。江苏连云港（赣榆、连云）、盐城（东台）、南通（如东）有分布。

| 资源情况 | 野生资源丰富。药材主要来源于野生。

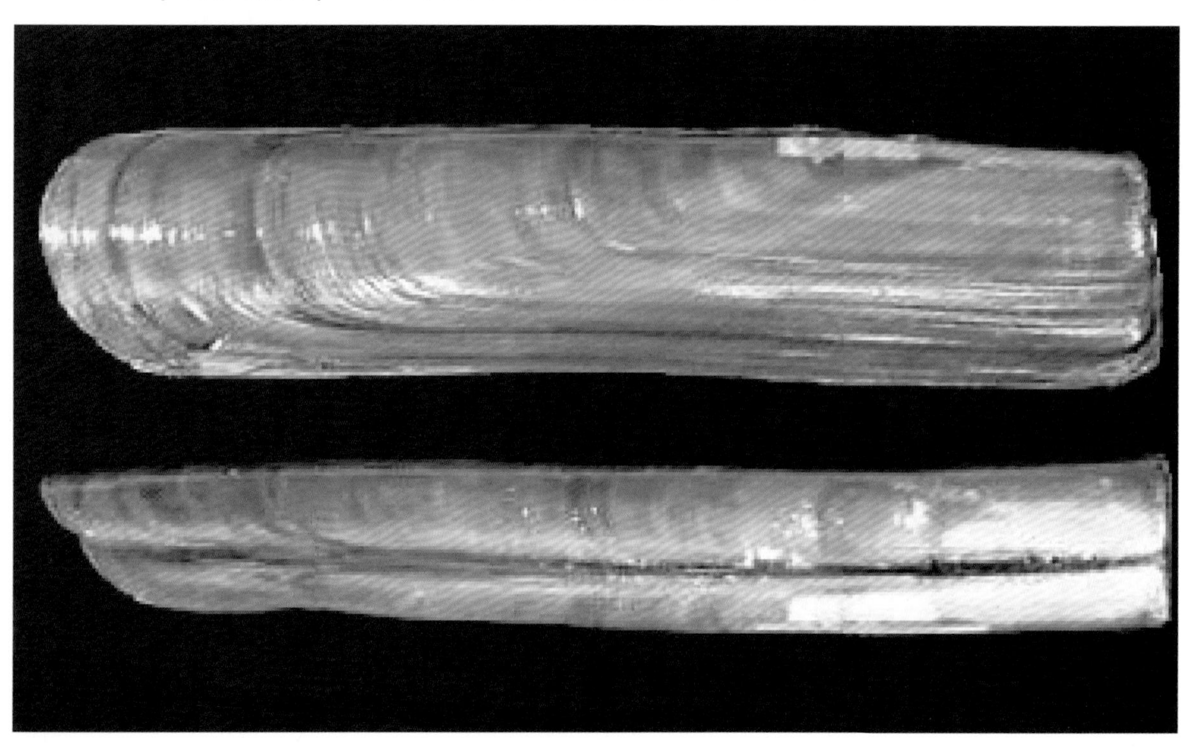

| 采收加工 | 春、夏季捕捞，捕得后，洗净泥沙，去肉，收集贝壳，晒干。

| 药材性状 | 本品呈长方形。壳长 72 ~ 140 mm，长为高的 4 ~ 5 倍。背、腹缘平行，前端斜截形，后端圆形。外表面突出，被有发亮的黄褐色外皮，生长线明显，呈弧形，有时显淡红色的彩色带；内表面白色或淡红色，铰合部小，左、右壳各具主齿 1。质薄脆，易碎。味咸。

| 功能主治 | 咸，凉。归肺、胃经。和胃，消肿。用于胃病，咽喉肿痛。

| 用法用量 | 内服煅存性研末入散剂，3 ~ 6 g。外用适量，研末调敷或吹喉。

竹蛏科 Solenidae 竹蛏属 *Solen*

长竹蛏 *Solen gouldii* Conrad

| 药 材 名 | 蛏壳（药用部位：贝壳。别名：蛏子壳）。

| 形态特征 | 贝壳窄而长，质脆薄，一般壳长 50 ~ 120 mm，长为高的 6 ~ 7 倍。壳顶位于壳的最前端，不突出，两壳包合成竹筒状，前、后端开口。壳前端呈截形，略倾斜；后端稍圆，背、腹缘直，或腹缘中部微凹，相互平行。外韧带黄褐色，狭长，长约为壳的 1/5。壳表面有黄褐色壳皮，光滑。生长线细匀，自前缘始似与腹缘平行；近背缘处呈下垂弧形，后端有时成褶襞。壳内面白色或淡黄色。铰合部小，每壳各有主齿 1。外套痕明显，前端背缘凹入。外套窦短，半圆形。前闭壳肌痕极细长，与韧带近相等；后闭壳肌痕呈弓形。足发达，细长，呈柱状。

| 生境分布 | 生于潮间带中、下区至浅海的沙质海底，埋栖深度 200 ~ 300 mm。

江苏沿海地区均有分布。

| 资源情况 | 野生资源丰富。药材主要来源于野生。

| 采收加工 | 同"大竹蛏"。

| 药材性状 | 本品呈长方形。壳长 50 ~ 120 mm，长为高的 6 ~ 7 倍，背、腹缘近平行，前端截形，后端圆形。外表面光滑，被有黄褐色外皮，生长线明显，呈弧形；内表面白色或淡黄色，铰合部小，左、右壳各具主齿 1。质薄脆，易碎。味微咸。

| 功能主治 | 同"大竹蛏"。

| 用法用量 | 同"大竹蛏"。

| 附　　注 | 本种为雌雄异体，春、夏季之间繁殖。

截蛏科 Solecurtidae 缢蛏属 *Sinonovacula*

缢蛏 *Sinonovacula constricta* (Lamarck)

| 药 材 名 | 蛏肉（药用部位：肉。别名：蛏肠）。

| 形态特征 | 贝壳长圆柱形，质薄而脆，近半透明，一般壳长 40 ~ 85 mm，高约为长的 1/3，宽为长的 1/5 ~ 1/4。壳顶略靠背缘前端约壳长的 1/3 处。背、腹缘近平行，前、后端稍圆，两壳关闭时前端开口。于壳顶稍后有棕黑色的纺锤状韧带，短而突出。自壳顶起斜向腹缘的中央有 1 凹沟，故名“缢蛏”。壳表面被 1 层黄绿色壳皮，顶部壳皮常脱落而呈白色。生长线明显。壳内面白色，壳顶下面有与壳表斜沟相应的隆起。铰合部小，左壳具 3 主齿，中央 1 较强大，分叉；右壳具 2 主齿，前面 1 与壳面垂直，后面 1 向后倾斜。外套痕显著，外套窦宽、深，前端呈圆形。闭壳肌痕三角形，前痕较小，后痕较大。足部发达，两侧扁，呈斧状，尖端平，形成一椭圆形的跖面。水管 2，

拍摄人：戴仕林

长而分开，末端均有触手。

| 生境分布 | 栖息于盐度较低的河口附近或有少量淡水流入的内湾，埋栖于中、低潮区软泥沙滩，一般潜入深度为 100 ~ 200 mm。江苏连云港（赣榆）、盐城（大丰）、南通（通州）有分布。

| 资源情况 | 野生资源丰富。药材主要来源于野生。

| 采收加工 | 全年均可采捕，去壳，取肉，鲜用或晒干。养殖者于春季播种后，当年 7、8 月即可收获。产区多制成蛏干，系将鲜蛏在海水中洗净后，置于锅内干煮至壳张开，剥去蛏壳，洗去泥沙，晒 1 ~ 2 天，至蛏肉呈淡黄色即成。

| 功能主治 | 咸，寒。归心、肝、肾经。补阴，清热，除烦。用于产后虚损，烦热口渴，盗汗。

| 用法用量 | 内服煮食，50 ~ 100 g，鲜品 250 g。

| 附　　注 | 本种主要以硅藻为食料。雌雄异体，繁殖期为 8 ~ 11 月。

枪乌贼科 Loliginidae 枪乌贼属 *Loligo*

火枪乌贼 *Loligo beka* Sasaki

| 药 材 名 | 枪乌贼（药用部位：全体）。

| 形态特征 | 胴部细长，长约 130 mm，后端尖，略大于日本枪乌贼。肉鳍位于胴部后两侧，长约为胴部的 1/2。腕式一般为 3>4>2>1，吸盘 2 行，各腕吸盘大小不等，以第 2、3 对腕上的吸盘较大，其角质环外缘具横方形齿，大而数量少，一般为 3 ~ 5。雄性左侧第 4 腕茎化，先端 2/3 特化为 2 行肉刺。触腕长超过胴部，触腕穗菱形，长为触腕的 1/4，吸盘 4 行，大小不一，中间大，两侧小，吸盘角质环外缘均具尖锥形小齿。内壳角质，薄而透明，中央有 1 纵肋，并向两侧发出细微的放射纹，呈羽状。

| 生境分布 | 生于近海，随季节变化依海流作短距离洄游。江苏连云港（赣榆）、南通（启东）有分布。

| 资源情况 | 野生资源较丰富。药材主要来源于野生。

| 采收加工 | 全年均可采捕，渔民多用钓具或张网捕捉，鲜用或加工制成鱿鱼干。

| 功能主治 | 甘、咸，平。祛风除湿，滋补，通淋。用于风湿腰痛，下肢溃疡，腹泻，石淋，带下，痈疮疖肿，病后或产后体虚，疳积。

| 用法用量 | 内服煮食，50 ~ 100 g。

乌贼科 Sepiidae 无针海贼属 *Sepiella*

无针乌贼 *Sepiella maindroni* de Rochebrune

|药 材 名| 海螵蛸（药用部位：内壳）。

|形态特征| 胴部盾形，略瘦，长约为宽的 2 倍。胴背具很多近椭圆形的白花斑，为致密的褐色色素斑所衬托，分外明显，雄性的白花斑较大，间杂一些小白花斑；雌性的白花斑较小而大小相近。肉鳍前狭后宽，位于胴部两侧全缘，在末端分离。无柄腕长度略有差异，腕式一般为 4>3>1>2 或 4>3>2>1；吸盘 4 行，各腕吸盘大小相近，雄性腕吸盘角质环尖齿明显而长，雌性腕吸盘角质环小齿不明显或为短栅状。雄性左侧第 4 腕茎化，全腕基部的吸盘骤然变小并稀疏；触腕穗狭柄形，长约为全腕的 1/4，吸盘约 20 行，小而密，大小相近，其角质环大都具颗粒状小齿，但有的雌性触腕穗吸盘角质环小齿也有少数略呈尖形。内壳椭圆形，长约为宽的 3 倍，外圆锥体后端特宽而薄，

半透明，并具纵横的稀疏细纹；壳的背面具同心环状排列的石灰质颗粒，细而密，中央具一明显隆起的纵肋，腹面前部甚为隆突，横纹面略呈椭圆形，横纹水波状，小而密，波顶较尖，壳的后端不具骨针，在胴腹后端生有一皮脂腺性质的腺孔。已知成体的最大胴长为 190 mm。

| 生境分布 | 每年春夏之际，从越冬的深水海区向岛屿附近浅水处进行产卵洄游，这时的适温在 16 ~ 19 ℃，适盐约在 30% 以上。分布于江苏盐城（东台）、南通、连云港等。

| 资源情况 | 野生资源较丰富。药材主要来源于野生。

| 采收加工 | 4 月下旬至 5 月初采捕，取内壳漂净，晒干。

| 药材性状 | 本品呈扁长椭圆形，中间厚，边缘薄，长 9 ~ 14 cm，宽 2.5 ~ 3.5 cm，厚约 1.3 cm。背面有瓷白色脊状隆起，两侧略显微红色，有不甚明显的细小疣点；腹面白色，自尾端到中部有细密波状横层纹；角质缘半透明，尾部较宽平，无骨针。体轻，质松，易折断，断面粉质，显疏松层纹。气微腥，味微咸。

| 功能主治 | 咸、涩，温。归脾、肾经。收敛止血，涩精止带，制酸止痛，收湿敛疮。用于吐血，衄血，崩漏，便血，遗精，滑精，赤白带下，胃痛吞酸；外用于损伤出血，湿疹，溃疡不敛。

| 用法用量 | 内服煎汤，5 ~ 10 g。外用适量，研末敷。

| 附　　注 | （1）本种的其他部位也可药用。肉，咸，平。归肝、肾经。具有养血滋阴之功效。主治血虚闭经、崩漏、带下等。蛋，咸，温。具有开胃利水之功效。主治胃虚寒、水肿等。墨，苦，温。具有温经止血之功效。主治血刺心痛、功能性子宫出血等。

（2）本种的卵子多产在海藻丛中，黑色胶膜包被，状似葡萄，长径 6 ~ 7 mm，水温 20 ~ 26 ℃时孵化期约 1 个月，刚孵出的稚仔与成体特征相近，背斑明显，活动性强。产卵时活动的中心区域具有潮流缓慢、水质澄清和盐度较高的特点，早晚常升至水的上层活动，白天多下沉至海底。趋光性强。肉食性，食物种类主要是甲壳类，也有小鱼；本身常是海鳗和鲨鱼的猎捕对象。

乌贼科 Sepiidae 乌贼属 *Sepia*

金乌贼 *Sepia esculenta* Hoyle

|药 材 名| 海螵蛸（药用部位：内壳）。

|形态特征| 胴部盾形，长约为宽的 2 倍。雄性胴背具较粗的横条斑，间杂致密的细点斑；雌性胴背的横条斑很不明显，仅偏向两侧或仅具致密的细点斑。背部黄色色素比较明显。肉鳍较宽，最大宽度约为胴宽的 1/4，位于胴部两侧全缘，在后端分离。无柄腕长度略有差异，腕式一般为 4>1>3>2；吸盘 4 行，各腕吸盘大小相近，角质环具钝头小齿。雄性左侧第 4 腕茎化，全腕中部的吸盘骤然变小并稀疏；触腕穗半月形，长约为全腕的 1/5，吸盘小而密，约 10 行，大小相近，角质环具钝头小齿。内壳椭圆形，长约为宽的 2.5 倍，背面具同心环状排列的石灰质颗粒，3 纵肋较平而不甚明显，腹面的横纹面略呈单峰型，峰顶略尖，中央有 1 纵沟，壳的后端骨针粗壮。已知成体的

最大胴长为 210 mm。

| 生境分布 | 栖息于外海水域。分布于江苏盐城（东台）、南通、连云港等。

| 资源情况 | 野生资源较丰富。养殖资源较丰富。药材来源于野生和养殖。

| 采收加工 | 4 月下旬至 5 月初采捕，取内壳漂净，晒干。

| 药材性状 | 本品长 13 ~ 23 cm，宽约 6.5 cm。背面疣点明显，略呈层状排列；腹面的细密波状横层纹占全体大部分，中间有纵向浅槽；尾部角质缘渐宽，向腹面翘起，末端有 1 骨针，多已断落。气微腥，味微咸。

| 功能主治 | 咸、涩，温。归脾、肾经。收敛止血，涩精止带，制酸止痛，收湿敛疮。用于吐血，衄血，崩漏，便血，遗精，滑精，赤白带下，胃痛吞酸；外用于损伤出血，湿疹，溃疡不敛。

| 用法用量 | 内服煎汤，5 ~ 10 g。外用适量，研末敷。

| 附　　注 | 本种喜弱光，白天下沉，夜间上浮。越冬场位于黄海中南部水深 70 ~ 90 m 的水域。中春季向西向北沿岸浅水区作生殖洄游，进入渤海三湾和鸭绿江口附近水域，喜在水深 5 ~ 10 m 的盐度较高、水清流缓、底质较硬、藻密礁多的岛屿附近产卵，产卵时有喷沙和穴居习性，生殖后亲体相继死亡。中秋季幼体由沿岸浅水向深水移动，初冬季开始陆续返回越冬场。主要食物为小型虾类。雌雄异体，行交配，体内受精。浅海性生活，栖息于深 10 ~ 100 m 的沙质海底，有时也穴居。生殖适温 13 ~ 16 ℃，适盐范围 28 ~ 31。

蛸科 Octopodidae 蛸属 *Octopus*

真蛸 *Octopus vulgaris* Lamarck

| 药 材 名 | 章鱼（药用部位：肉。别名：章举、望潮、小八梢鱼）。

| 形态特征 | 胴部椭圆形，全长约 80 cm。头部与胴部相连，短小，眼发达，周围常有小形刺状突起；头顶中央有口，四周有口膜，口内具角质颚，似鸟喙。漏斗尖筒状，漏斗器“W”形。胴体褐色，背部有稀疏的疣状突起及灰白色斑点。各腕稍长，长度相近，侧腕较长，腹腕较短，腕式一般为 2>3>1>4；吸盘 2 行，雄性右侧第 3 腕茎化，端器很小，略呈尖锥形，不明显，系两边皮肤向腹面卷曲而成，纵沟不清，腕侧膜较发达，形成输精沟。内壳退化。

| 生境分布 | 栖息于水深 20 ~ 200 m 的泥沙、碎贝壳底质沿岸海底，白天常潜伏于岩礁缝内，夜间活动觅食。江苏连云港、盐城、南通有分布。

| 资源情况 | 野生资源丰富。药材主要来源于野生。

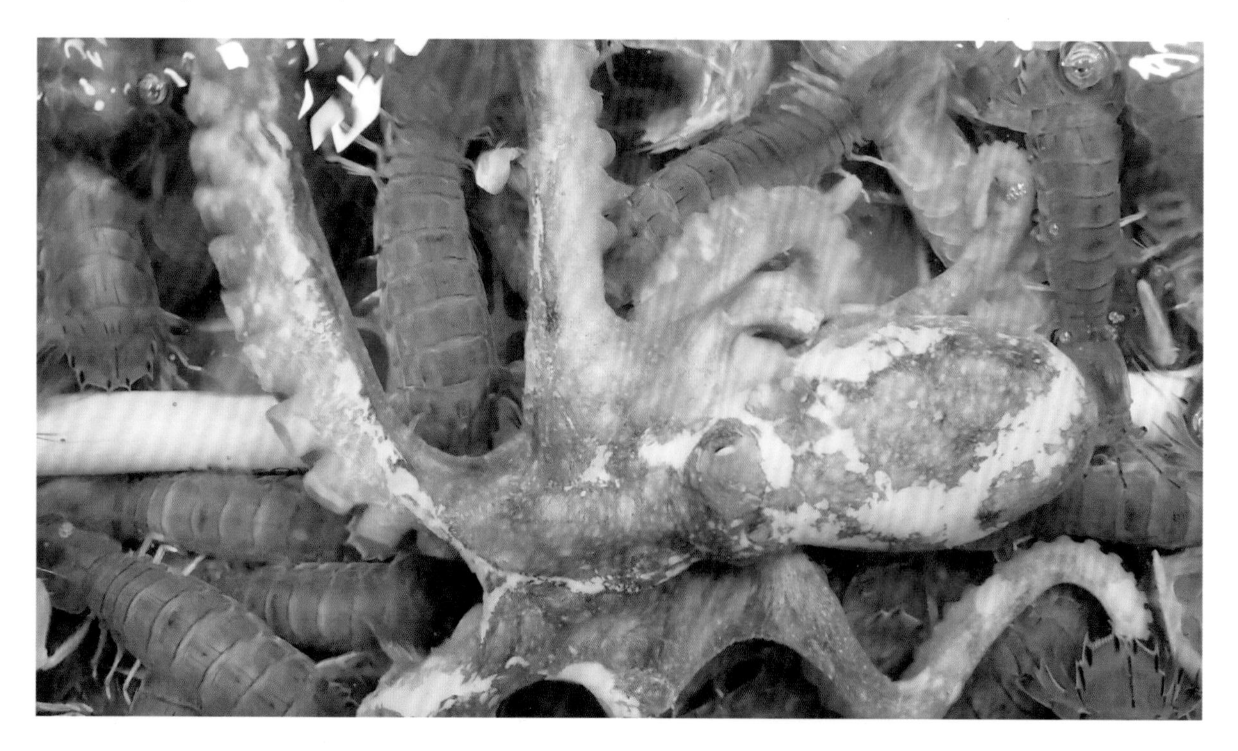

| 采收加工 | 春季或秋、冬季捕捉，用延绳钓法捕取，鲜用或制成章鱼干。

| 功能主治 | 甘、咸，平。养血通乳，解毒，生肌。用于血虚经行不畅，产后缺乳，疮疡久溃。

| 用法用量 | 内服煎汤，30 ～ 60 g，鲜品 150 g。外用适量，捣敷。

| 附　　注 | 本种体大力强，以蟹、虾及贝类为食。春、夏季分批产卵，卵很小，卵膜白色，长椭圆形。

蛸科 Octopodidae 蛸属 *Octopus*

长蛸 *Octopus variabilis* (Sasaki)

| 药 材 名 | 章鱼（药用部位：肉。别名：章举、望潮、小八梢鱼）。

| 形态特征 | 胴部长椭圆形，全长约 80 cm，体肉红色，背浓腹淡，表面光滑，漏斗器“W”形。各腕颇长，长度悬殊，腕式为 1>2>3>4，其中第 1 对腕最长，长约为第 4 对腕的 2 倍，约为头部和胴部总长的 6 倍；吸盘 2 行。雄性右侧第 3 腕茎化，长仅为左侧第 3 腕的 1/2，端器大而明显，匙形，长约为全腕的 1/5。

| 生境分布 | 栖息于海流较急的岩石间及水深 60 ~ 70 m 的沙质海底，有时至潮间带活动。江苏连云港（赣榆）、盐城（射阳）、南通（如东、启东）有分布。

| 资源情况 | 野生资源丰富。药材主要来源于野生。

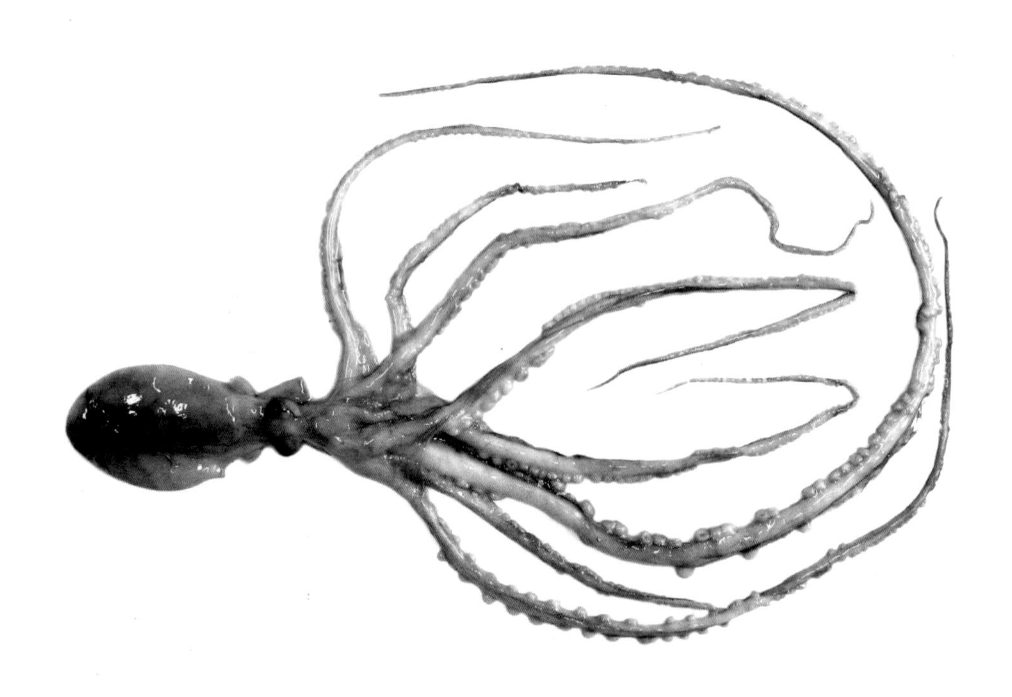

| 采收加工 | 春季或秋、冬季用延绳钓法捕捉，捕得后除去内脏，洗净，鲜用或干制。

| 功能主治 | 甘、咸，平。养血通乳，解毒，生肌。用于血虚经行不畅，乳汁不足，疮疡久溃。

| 用法用量 | 内服煎汤，30 ~ 60 g，鲜品 150 g。外用适量，捣敷。

| 附　　注 | 本种如遇人捕捉，能以腕吸石上而拒捕，故名石距（义同拒）。春、夏季分批产卵，卵子长茄形。

蛸科 Octopodidae 蛸属 *Octopus*

短蛸 *Octopus ocellatus* Gray

| 药 材 名 | 章鱼（药用部位：肉。别名：章举、望潮、小八梢鱼）。

| 形态特征 | 胴部卵圆形或球形，全长约 27 cm，体黄褐色。背面粒状突起密集，且两眼皮肤表面有浅色纺锤形或半月形的斑块，每眼的前方有一椭圆形的金色圈。漏斗器呈“W”形。各腕较短，长度相近，腕式为 4>3>2>1。余与真蛸近似。

| 生境分布 | 栖息于潮间带至水深 90 m 的泥沙海底，但以水深 20 ~ 30 m 较多，有时隐藏于石块下，退潮后可钻入泥沙中。江苏连云港（赣榆）、盐城（射阳）、南通（如东、启东）有分布。

| 资源情况 | 野生资源丰富。药材主要来源于野生。

| 采收加工 | 春季或秋、冬季用延绳钓法捕捉，捕得后除去内脏，洗净，鲜用或干制。

| 功能主治 | 甘、咸，平。养血通乳，解毒，生肌。用于血虚经行不畅，乳汁不足，疮疡久溃。

| 用法用量 | 同“长蛸”。

| 附　　注 | 本种春季产卵，卵子像大米粒，故又名“饭蛸”。

钳蝎科 Buthidae 钳蝎属 *Buthus*

东亚钳蝎 *Buthus martensi* Karsch

| 药 材 名 | 全蝎（药用部位：全体。别名：钳蝎、全虫）。

| 形态特征 | 体长约 60 mm，头胸部与前腹部绿褐色，后腹部土黄色。头胸部背甲梯形，侧眼 3 对。胸板三角形，螯肢的钳状上肢有 2 齿。触肢钳状，上下肢内侧有 12 行颗粒斜列。第 3、4 对步足胫节有距，各步足末端有 2 爪和 1 距。前腹部的前背板上有 5 隆脊线。生殖板由两个半圆形甲片组成。栉状器有 16 ~ 25 齿。后腹部尾状，前 4 节各有 10 隆脊线，第 5 节仅有 5 隆脊线，第 6 节的毒针下方无距。

| 生境分布 | 栖息于石底及石缝的潮湿阴暗处。分布于江苏徐州等。江苏徐州、南京（高淳）等有养殖。

| 资源情况 | 野生资源稀少。养殖资源一般。药材主要来源于野生和养殖。

拍摄人：戴仕林

| 采收加工 | 春末至秋初捕捉，除去泥沙，置沸水或沸盐水中煮至全身僵硬，捞出，置通风处，阴干。

| 药材性状 | 本品头胸部与前腹部呈扁平长椭圆形，后腹部呈尾状，皱缩弯曲，完整者体长约 6 cm。头胸部呈绿褐色，前面有 1 对短小的螯肢和 1 对较长大的钳状脚须，形似蟹螯，背面覆有梯形背甲，腹面有足 4 对，均为 7 节，末端各具 2 爪钩；前腹部由 7 节组成，第 7 节色深，背甲上有 5 隆脊线。背面绿褐色，后腹部棕黄色，6 节，节上均有纵沟，末节有锐钩状毒刺，毒刺下方无距。气微腥，味咸。

| 功能主治 | 辛，平；有毒。归肝经。息风镇痉，通络止痛，攻毒散结。用于肝风内动，痉挛抽搐，小儿惊风，中风口㖞，半身不遂，破伤风，风湿顽痹，偏正头痛，疮疡，瘰疬。

| 用法用量 | 内服煎汤，3 ~ 6 g。孕妇禁用。

园蛛科 Araneidae 园蛛属 *Araneus*

大腹园蛛 *Araneus ventricosus* (L. Koch)

|药 材 名| 蜘蛛（药用部位：全体。别名：蛛蝥、社公、网虫）、蜘蛛蜕壳（药用部位：蜕壳。别名：蜘蛛壳）。

|形态特征| 雌性成体长约 30 mm，雄性成体长约 15 mm。头胸部短于腹部，皆黑褐色。头胸部梨形，扁平，有小白毛，8 眼分聚于 3 眼丘，前缘中央眼丘上有 4 眼，两侧眼丘各有 2 眼。螯肢强壮，有 7 小齿。步足强大，多刺，上有深色环带。腹部近圆形而较大，肩部隆起，背面中央有清晰的叶状斑带，沿中线有 8 对细小圆斑。腹部有 1 对白斑。生殖厣黑色，呈舌状体，纺锤形。

|生境分布| 栖息于屋檐下、墙角、桥洞口和树间，结车轮状网，傍晚及夜间活动。江苏徐州、连云港、盐城、淮安、宿迁、扬州、泰州、南通、苏州、

拍摄人：杨自忠

无锡、常州、镇江、南京有分布。

| 资源情况 | 野生资源稀少。药材来源于野生。

| 采收加工 | **蜘蛛：**夏、秋季捕捉，入沸水烫死，晒干或烘干。

蜘蛛蜕壳：随采随用。

| 药材性状 | **蜘蛛：**本品全体呈圆形或椭圆形，头胸部赤褐色，边缘黑色。腹部黄褐色，有明显的黑色叶状斑纹，有 2 对黑色的肌斑。腹部前段中央有黄色或红色斑点，腹部下面灰黄色。纺器黑褐色。步足黄褐色或黑褐色，有赤褐色或黑褐色环纹，附肢 6 对，常残缺。体轻，质脆。气微，味微苦、咸。

| 功能主治 | **蜘蛛：**苦，寒；有毒。归肝经。祛风，消肿，解毒，散结。用于狐疝偏坠，中风口㖞，小儿慢惊，口噤，疳积，喉风肿闭，牙疳，聤耳，痈肿疔毒，瘰疬，恶疮，痔漏，脱肛，蛇虫咬伤。

蜘蛛蜕壳：杀虫，止血。用于虫牙，牙疳出血。

| 用法用量 | **蜘蛛：**内服酌量，研末。外用适量，缠扎；或研末撒。

蜘蛛蜕壳：外用适量，研末敷；或绵裹填塞。

| 附　　注 | 本种以昆虫为食。

龙虾科 Palinuridae 龙虾属 *Panulirus*

中国龙虾 *Panulirus stimpsoni* Holthuis

| 药 材 名 | 龙虾（药用部位：全体。别名：鳊、大红虾、海虾）。

| 形态特征 | 体长 200 ~ 350 mm，头胸甲宽 42 ~ 50 mm，个别更长大，头胸甲呈半圆柱形，散布许多大小棘刺，小刺的基部周围列生刚毛。无额角。眼大，无眼眶，有 1 对粗大而尖的眼上刺。触角板中央有 1 浅沟，板上有 2 对粗短的大棘和数对小棘，腹面前缘有 3 刺，中间 1 较大。第 1 触角柄的第 2 节几达第 2 触角柄的末端；第 2 触角鞭部很长，柄部具粗刺。第 1 步足粗短，其余 4 对稍细长，各步足指节的腹侧列生刚毛，雌体第 5 步足的指节基部内侧生 1 齿突，呈亚钳状。第 2 ~ 4 腹节背面左、右各有一较宽的横向凹陷，密生短绒毛。各腹节两侧末端有 1 向后弯曲的大棘，棘基部后缘生有细小锯齿。尾节呈长方形，长于内外肢，形成宽大的尾扇，其前半部背面有多数小刺和短刚毛。

拍摄人：戴仕林

背甲紫褐色或榄绿色，上部有许多很小的白色斑点。

| 生境分布 | 栖息于水深 70 m 以内的浅海多岩礁底质水域海底，喜在岩礁缝隙、石洞或珊瑚洞内活动。分布于江苏连云港、南通等。

| 资源情况 | 野生资源稀少。养殖资源较丰富。药材来源于养殖。

| 采收加工 | 春季捕捞，鲜用或加工成龙虾仁。

| 功能主治 | 甘、咸，温。补肾壮阳，滋阴，健胃，安神。用于阳痿，筋骨疼痛，手足搐搦，神经衰弱，皮肤瘙痒，头疮，疥癣。

| 用法用量 | 内服煎汤，25 ~ 50 g；或酒烫服；或炒食。外用适量，捣敷。

| 附　　注 | 本种江苏民间还用于治疗痰火后半身不遂、筋骨疼痛。

龙虾科 Palinuridae 龙虾属 *Panulirus*

锦绣龙虾 *Panulirus ornatus* Fabricius

| 药 材 名 | 龙虾（药用部位：全体。别名：鰝、大红虾、海虾）。

| 形态特征 | 体长 395 ~ 550 mm，头胸甲宽 95 ~ 132 mm，呈圆筒形，中部较宽，刺少且短小，无毛。无眼眶，眼上刺粗大，触角板上有 2 对大棘，中间还有 1 对小刺，腹面前缘有 3 刺。第 1 触角鞭长于其柄部，第 2 触角基部离得较开，鞭部很长，头胸甲后缘有 1 横沟，其中部较宽。第 2 ~ 6 腹节背面光滑平坦，无任何横沟或凹陷。头胸甲背面具美丽的五彩花纹，步足呈棕紫色，上有黄白色圆斑，腹部背面有棕色斑。最大个体可达 5 kg。

| 生境分布 | 栖息于水深 8 ~ 15 m 的岩石礁间或泥沙质的浅海底。分布于江苏连云港、南通等。

| 资源情况 | 野生资源较少。养殖资源较丰富。药材来源于养殖。

| 采收加工 | 春季捕捞，鲜用或加工成龙虾仁。

| 功能主治 | 同“中国龙虾”。

| 用法用量 | 同“中国龙虾”。

梭子蟹科 Portunidae 蟳属 *Charybdis*

日本蟳 *Charybdis japonica* (A. Milne-Edwards)

| 药 材 名 | 蟳蜂（药用部位：全体。别名：拨棹子、蟳、海蟳）。

| 形态特征 | 头胸甲呈横卵圆形，一般长约 60 mm，宽约 90 mm，表面隆起，胃、鳃区具横行的微细颗粒隆线。额稍突，分 6 锐齿，中间 2 齿稍突。前侧缘拱起，连外眼窝齿共具 6 锐齿。螯足壮大，不甚对称，长节前缘一般具 3 粗刺，基部 1 最小。腕节内末角具 1 壮刺，外侧面具 3 小刺，掌节内外面隆起。外基角具 1 刺，背面的 2 隆脊上各具 2 齿，两指比掌节长，表面有纵沟。步足各节背腹缘均具刚毛，前节与指节均扁平，呈桨状。腹肢退化，藏于退化的腹部内侧，雌体 4 对用以抱卵；雄体 2 对，转化为交接器。背面绿棕色或深紫色，螯足表面深紫色，指尖深黑色，步足上面紫棕色，下面色较浅。

| 生境分布 | 生于低潮线 10 m 水深内有海藻的泥沙质水底或石隙间。江苏沿海地

区均有分布。

| 资源情况 | 野生资源较丰富。养殖资源较丰富。药材主要来源于养殖。

| 采收加工 | 秋、冬季捕捞，补后洗净，鲜用；或用开水烫死，晒干。

| 功能主治 | 咸、微辛，温。活血化瘀，消食，通乳。用于血瘀闭经，产后瘀滞腹痛，消化不良，食积痞满，乳汁不足。

| 用法用量 | 内服煮熟，10 ~ 15 g；或焙干研末。

梭子蟹科 Portunidae 梭子蟹属 *Portunus*

三疣梭子蟹 *Portunus trituberculatus* (Miers)

| 药 材 名 | 梭子蟹（药用部位：全体。别名：海蟹、海螃蟹、枪蟹）、海蟹壳（药用部位：甲壳）。

| 形态特征 | 头胸甲呈梭形，一般长约 82 mm，宽约 150 mm，稍隆起，表面具分散细颗粒，胃区有横行颗粒线 1，左、右鳃区各有 1。有疣状突起 3，中胃区 1，心区 2，较小。额部平，分为 2 锐齿，较眼窝背缘的内齿略小；眼窝背缘的外齿及腹缘的内齿均大而尖。口上脊露出在两额齿间。前侧缘包括外眼窝共 9，末齿特别长大，相对呈梭状。螯足发达，长节棱柱状，前缘具 4 锐刺，腕节内外末缘各具 1 刺，掌节在雄体甚长，背面两隆脊的前端各具 1 刺，外基角具 1 刺，两指节内缘均具钝齿。第 4 对步足呈桨状，腕节短宽，前节与指节扁平，各节边缘均具短毛。雄体蓝绿色，雌体深紫色。

| 生境分布 | 生于水深 10 ~ 30 m 的泥沙质海底。分布于江苏连云港、南通、盐城等。

| 资源情况 | 野生资源较丰富。养殖资源丰富。药材来源于养殖。

| 采收加工 | **梭子蟹：**春、秋季捕捞，洗净，鲜用或晒干。

海蟹壳：秋、冬季捕捞，去肉，拣取外壳，洗净，晒干。

| 功能主治 | **梭子蟹：**咸，寒。滋阴养血，解毒疗伤。用于血枯闭经，漆疮，关节扭伤。

海蟹壳：咸，凉。消食化滞，活血止痛，解毒消肿。用于饮食积滞，跌伤瘀痛，痈肿疮毒。

| 用法用量 | **梭子蟹：**内服适量，煅存性研末。外用适量，捣敷；或煎汤洗。

海蟹壳：内服煅存性研末，3 ~ 10 g。外用适量，研末调敷。

| 附　　注 | 本种喜食动物尸体、小鱼虾及海藻等。4 ~ 7 月初为产卵季节，是我国产量最大的食用蟹。

方蟹科 Grapsidae 绒螯蟹属 *Eriocheir*

中华绒螯蟹 *Eriocheir sinensis* H. Milne-Edwards

| 药 材 名 | 蟹（药用部位：全体。别名：方海、河蟹、淡水蟹）、蟹爪（药用部位：爪）、蟹壳（药用部位：甲壳）。

| 形态特征 | 体型较大；头胸甲长 55 mm，宽 61 mm，个别可宽达 80 ~ 90 mm，呈圆方形，边缘有细颗粒，前半部窄于后半部，背面较隆起，前面有 6 突起，前后排列，前者 2 较大，后者 4 小，中间 2 较小而不明显，各个突起均有细颗粒。额分为 4 齿，齿缘有锐颗粒。眼窝缘近中部的颗粒较锐。前侧缘具 4 齿，第 1 齿最大，末齿最小，由此向内后侧方引入 1 斜行颗粒隆线，侧缘附近也具同样隆线；后缘宽而平直。螯足粗壮，长节背缘近末端有 1 齿突，内、外缘均有小齿，腕节内缘末半部具 1 颗粒隆线，向后伸至背面基部，内末角具 1 锐刺，刺后又有颗粒。雄性掌、指节基半部的内、外面均密具绒毛，而雌性

的绒毛仅着生于外侧，内侧无毛。

| 生境分布 | 生于河流中，以河口半咸水底层较多。分布于江苏淮安、宿迁、扬州、苏州、无锡、常州、南京、南通。

| 资源情况 | 野生资源较丰富。养殖资源丰富。药材来源于养殖。

| 采收加工 | **蟹：**春季捕捞，烫死，鲜用或晒干。

蟹爪：加工或食用螃蟹时，取蟹爪，洗刷干净，晒干。

蟹壳：加工或食用螃蟹时，剔除残余的蟹肉、蟹爪及杂质，洗净，干燥。

| 药材性状 | **蟹：**本品头胸甲呈圆方形，后半部宽于前半部，额宽，分 4 齿，前侧缘有 4 锐齿。螯足雄性较雌性大，掌节与指节基部的内、外侧密生绒毛，步足最后 3 对较为扁平，腕节与前节有刚毛。腹部雌圆雄尖，表面橘红色或土黄褐色。肢多脱落，壳硬脆，体软。气腥，味咸。

| 功能主治 | **蟹：**甘、咸，温。归肝、胃经。补肾壮阳，滋阴，健胃，安神。用于阳痿，筋骨疼痛，手足搐搦，神经衰弱，皮肤瘙痒，头疮，疥癣。

蟹爪：破血，催生。用于产后瘀血腹痛，难产，胎死腹中。

蟹壳：咸，寒。归肝、胃经。散瘀止血，解毒消肿。用于蓄血发黄，血瘀崩漏，痈疮肿毒，走马发疳，毒虫蜇伤。

| 用法用量 | **蟹：**内服适量，烧存性研末；或入丸剂，5 ~ 15 g。外用适量，鲜品捣敷；或绞汁滴耳；或焙干研末调敷。

蟹爪：内服煎汤，30 ~ 60 g；或煅存性研末。外用适量，研末调敷。

蟹壳：内服适量，煮熟。外用适量，取膏涂敷。

| 附　　注 | 本种秋季洄游近海繁殖，翌年 3 ~ 5 月间孵化，经多次变态，发育成幼蟹，再溯江河而上，在淡水中成长。

方蟹科 Grapsidae 绒螯蟹属 *Eriocheir*

日本绒螯蟹 *Eriocheir japonicus* de Haan

| 药 材 名 | 蟹（药用部位：全体。别名：方海、河蟹、淡水蟹）、蟹爪（药用部位：爪）、蟹壳（药用部位：甲壳）。

| 形态特征 | 头胸甲长 56 mm，宽 61 mm，前半部较后半部窄，表面与中华绒螯蟹颇为相似。额宽约为头胸甲最宽处的 1/3，前缘分 4 齿，居中的 2 齿较钝圆，两侧的较尖锐，额后部的突起亦不若中华绒螯蟹那样锋锐。眼窝背缘具 1 缝，外眼窝角锐。前侧缘（连外眼窝角在内）共分 4 齿，末齿几乎仅留痕迹，有时发展为小刺，但不如中华绒螯蟹的明显。螯足长节呈三棱形，内腹缘具刚毛，腕节内末角具 1 棘，掌节有厚密的绒毛，并扩展到腕节末端及两指的基部，两指内缘的齿较钝。步足长节前缘具刚毛，腕节的前缘及前节的前、后缘亦均有棕色的长刚毛，尤以前缘为甚，指节前、后缘具短刚毛。

拍摄人：张韬

| 生境分布 | 生于河流中，尤其在河口半咸水底层较为常见。分布于江苏连云港、南通等。

| 资源情况 | 野生资源较少。

| 采收加工 | **蟹**：秋季捕捉，烫死，晒干或鲜用。

蟹爪：加工或食用时取蟹爪，刷洗干净，晒干。

蟹壳：加工或食用时取蟹爪，剔净残余蟹肉、蟹爪及杂质，刷洗干净，晒干。

| 药材性状 | **蟹**：本品头胸甲前窄后宽，额宽约为头胸甲最宽处的 1/3，前缘分 4 齿，中间 2 齿钝圆，两侧齿尖锐，额后突起不及中华绒螯蟹锋利。

| 功能主治 | **蟹**：咸，寒。归肝、胃经。清热，散瘀，消肿解毒。用于湿热黄疸，产后瘀滞腹痛，筋骨损伤，痈肿，漆疮，烫伤。

蟹爪：破血，催生。用于产后血瘀腹痛，难产，胎死腹中。

蟹壳：散瘀止血。用于蓄血发黄，血瘀崩漏，痈疮肿毒，走马牙疳，毒虫蜇伤。

| 用法用量 | **蟹**：内服烧存性研末，5 ~ 10 g，或入丸、散剂。外用适量，鲜品捣敷；或绞汁滴耳；或焙干研末调敷。

蟹爪：内服煎汤，30 ~ 60 g；或烧存性研末。外用适量，研末调敷。

蟹壳：内服烧存性研末，5 ~ 10 g。外用适量，研末擦牙或调敷。

鳖蠊科 Polyphagidae 地鳖属 *Eupolyphaga*

地鳖 *Eupolyphaga sinensis* Walker

| 药 材 名 | 土鳖虫（药用部位：雌虫体。别名：地鳖虫、土元、地乌龟）。

| 形态特征 | 虫体呈椭圆形，前端较窄，后端相对较宽，背部微隆起，背甲呈覆瓦状排列，紫褐色或红褐色，有光泽；雌性成虫无翅，长约 3 cm。头部小，呈倒三角形，紫褐色，口器咀嚼式。头部先端具 1 对肾形复眼，向下有 1 对黄色单眼，单眼间距约等于复眼间距。单眼旁有 1 对丝状触角，较长且易脱落。头部不露出第 1 节前胸背板，第 2、3 节似梯形。9 节腹背板，第 6、7、8 节腹背板后缘弧形向内凹。肛上板横宽，且具中脊，后侧中央具缺刻。生殖板横宽，隆起。胸部足 3 对，具多数刚毛，胫节上具 5 ～ 20 刺，跗节 5，具 2 爪。腹部具 9 横环节，第 1、8、9 节较小，腹面为深棕色。尾部呈扇形，具 1 对螺丝状尾须。

| 生境分布 | 生于阴暗、潮湿、腐殖质丰富的松土中，怕光，白天潜伏，夜晚活

动。江苏各地均有分布。

| 资源情况 | 野生资源一般。养殖资源丰富。药材来源于养殖。

| 采收加工 | 土鳖虫寿命可达 4 ～ 5 年之久，当饲养的雌虫已达到成熟或产卵数量明显减退时即可采收，一般使用 8 mm 孔径筛子将雌虫从饲养土中筛出，置沸水中烫死，后置清水中漂洗，晒干或烘干。采收时宜选择晴朗天气，以防止虫蛀发霉。

| 药材性状 | 本品呈扁平卵形，长 1.3 ～ 3 cm，宽 1.2 ～ 2.4 cm。前端较窄，后端较宽，背部紫褐色，具光泽，无翅。前胸背板较发达，盖住头部。腹背板 9 节，呈覆瓦状排列。腹面红棕色，头部较小，有丝状触角 1 对，常脱落。胸部有足 3 对，具细毛和刺。腹部有横环节。质松脆，易碎。气微臭，味微咸。

| 功能主治 | 咸，寒；有小毒。归肝经。破瘀血，续筋骨。用于筋骨折伤，瘀血闭经，癥瘕痞块。

| 用法用量 | 内服煎汤，3 ～ 10 g。孕妇禁用。

| 附　　注 | 本种生长最适温 28 ～ 30 ℃，冬末与早春为冬眠期，夏、秋季繁殖能力最强。野生者在地下及沙土间多有生存，多见于粮仓下或油坊阴湿处。

螳科 Mantidae 大刀螂属 *Tenodera*

大刀螂 *Tenodera sinensis* Saussure

| 药 材 名 | 桑螵蛸（药用部位：卵鞘。别名：团螵蛸）。

| 形态特征 | 体形较大，长约 8 cm，黄褐色或绿色。头三角形，前胸背板、肩部较发达，后部至前肢基部稍宽。前胸细长。前翅革质，前缘带绿色，末端有较明显的褐色翅脉；后翅比前翅稍长，有深浅不等的黑褐色斑点散布其间。雌虫腹部特别膨大。足 3 对，前胸足粗大，镰状，中足和后足细长。

| 生境分布 | 栖息于草丛及树枝或向阳背风的灌木、矮小丛及草丛荒地。江苏各地均有分布。

| 资源情况 | 野生资源一般。药材来源于野生。

| 采收加工 | 深秋至翌年春季采收，除去杂质，蒸至虫卵死后，干燥。

拍摄人：戴仕林

| 药材性状 | 本品略呈圆柱形或半球形，由多数膜状薄层叠成，长 2.5 ~ 4 cm，宽 2 ~ 3 cm。表面浅黄褐色，上面带状隆起不明显，底面平坦或有凹沟。体轻，质松而韧。横断面可见外层为海绵状，内层为许多放射状排列的小室，小室内各有 1 细小椭圆形卵，深棕色，有光泽。气微腥，味微淡或微咸。

| 功能主治 | 甘、咸，平。归肝、肾经。益肾固精，缩尿，止浊。用于遗精，滑精，遗尿，尿频，白浊。

| 用法用量 | 内服煎汤，5 ~ 10 g。

螳科 Mantidae 污斑螳属 *Statilia*

小刀螂 *Statilia maculata* (Thunb.)

| 药 材 名 | 桑螵蛸（药用部位：卵鞘。别名：长螵蛸）。

| 形态特征 | 体形中等大小，长 4.8 ~ 6.5 cm，灰褐色至暗褐色，有黑褐色不规则的刻点散布其间。头部稍大，呈三角形。前胸背细长，侧缘细齿排列明显。侧角部的齿稍特殊。前翅革质，末端钝圆，带黄褐色或红褐色，有污黄色斑点；后翅翅脉为暗褐色。前胸足腿节内侧基部及胫节内侧中部各有一大形黑色斑纹。

| 生境分布 | 栖息于草丛及树枝或向阳背风的灌木、矮小丛及草丛荒地。江苏各地均有分布。

| 资源情况 | 野生资源较少。药材来源于野生。

| 采收加工 | 深秋至翌年春季采收，除去杂质，蒸至虫卵死后，干燥。

| 药材性状 | 本品略呈长条形，一端较细，长 2.5 ~ 5 cm，宽 1 ~ 1.5 cm。表面灰黄色，上面带状隆起明显，带的两侧各有一暗棕色浅沟和斜向纹理。质硬而脆。

| 功能主治 | 甘、咸，平。归肝、肾、膀胱经。固精缩尿，补肾助阳。用于遗精，早泄，阳痿，遗尿，小便失禁，白浊，带下。

| 用法用量 | 同“大刀螂”。

蝗科 Mantidae 广腹螳螂属 *Hierodula*

巨斧螳螂 *Hierodula patellifera* (Serville)

| 药 材 名 | 桑螵蛸（药用部位：卵鞘。别名：黑螵蛸）。

| 形态特征 | 体型中等大小，绿色。头呈三角形，触角丝状。复眼发达，单眼 3。前胸粗短，前半部两侧扩大，最大宽处为最狭处的 2 倍。两侧有明显的小齿。前翅革质，狭长如叶片状，外缘及基部青绿色，中部透明，外缘中间有淡黄色斑块；后翅膜质。前足镰状，基节下缘有 4 齿，中足和后足细长。

| 生境分布 | 生于农田附近的桑树、灌木上。江苏各地均有分布。

| 资源情况 | 野生资源较少。药材来源于野生。

| 采收加工 | 深秋至翌年春季采收，除去杂质，蒸至虫卵死后，干燥。

拍摄人：宋军辉

| 药材性状 | 本品略呈平行四边形，长 2 ~ 4 cm，宽 1.5 ~ 2 cm。表面灰褐色，上面带状隆起明显，两侧有斜向纹理，近尾端微向上翘。质硬而韧。

| 功能主治 | 甘、咸，平。归肝、肾、膀胱经。固精缩尿，补肾助阳。用于遗精，早泄，阳痿，遗尿，小便失禁，白浊，带下。

| 用法用量 | 同“大刀螂”。

拍摄人：郭瑞椿

蚁科 Formicidae 蚁属 *Formica*

丝光褐林蚁 *Formica fusca* Linnaeus

| 药 材 名 | 蚂蚁（药用部位：全体。别名：蚁、玄驹、蚍蜉）。

| 形态特征 | 公蚁体长约 13 mm。全体漆黑，平滑而有光泽。头圆三角形。复眼 1 对，椭圆形，单眼 3，“品”字形排列。触角屈膝状，12 节。前胸背板甚发达，中胸背板较小。足 3 对，胸部和腹部相接处缩小成细柄状，有向上的鳞片 1；腹部 5 节。兵蚁与工蚁相似。雌蚁与雄蚁相似，均有翅，触角细长，不呈屈膝状。幼虫头胸部细小，腹部较宽，体黄色，无足，蛹白色。

| 生境分布 | 穴居于植物根及树旁。营群体生活，常筑巢于地下。喜生于土质疏松、较干燥、可避雨水及周围有食物处。江苏各地均有分布。

| 资源情况 | 野生资源较少。药材来源于野生。

| 采收加工 | 尽量选择阴雨天，在蚁群大部分归巢、数量集中时采捕，连蚂蚁带土装入布袋，过筛，取成蚁置于 60 ℃水中迅速烫死（水温高于 60 ℃时蚁酸等药用成分会大量挥发），晾干。

| 药材性状 | 本品体长约 13 mm，黑色，平滑，有光泽。前胸背板甚发达，中胸背板较小，柄腹有一向上的鳞片。质脆，易碎，常有头足缺损，舐之有酸味。

| 功能主治 | 咸、酸，平。归肝、肾经。补肾益精，通经活络，解毒消肿。用于肾虚头昏耳鸣，失眠多梦，阳痿遗精，风湿痹痛，中风偏瘫，手足麻木，红斑狼疮，硬皮病，皮肌炎，痈肿疔疮，毒蛇咬伤。

| 用法用量 | 内服研末，2 ~ 5 g；或入丸剂；或浸酒。外用适量，捣敷。

蝼蛄科 Gryllotalpidae 蝼蛄属 *Gryllotalpa*

非洲蝼蛄 *Gryllotalpa africana* Palisot et Beauvois

| 药 材 名 | 蝼蛄（药用部位：全体。别名：蝼蝈、天蝼、螻蛄）。

| 形态特征 | 成虫全体淡黄褐色或暗褐色，全身密被短小软毛，体长 2.8 ~ 3.3 cm。头圆锥形，暗褐色，触角丝状，复眼卵形。口器咀嚼式。前胸背板坚硬膨大，卵形，背中央有一下陷的纵沟。前翅革质，软短，黄褐色；后翅大，透明膜质，淡黄色。前足发达，扁铲状；中足较小；后足长大，腿节发达，在胫节背侧内缘有 3 ~ 4 能活动的刺。腹部纺锤形，柔软，尾毛 1 对。

| 生境分布 | 栖息于庭院、田园及潮湿温暖的土壤中，尤其在大量施用过有机肥料处多而密集。江苏各地均有分布。

| 资源情况 | 野生资源较少。药材来源于野生。

拍摄人：王瑞阳

| 采收加工 | 夏、秋季夜晚用灯光诱捕或翻地时捕捉，捕后用沸水烫死，晒干或烘干。

| 药材性状 | 本品虫体多断碎，完整者长 2 ~ 3.3 cm，宽 4 ~ 10 mm。头部呈茶棕色杂有黑棕色；复眼黑色有光泽；后翅膜质，多破碎；足多碎落，后足胫节背侧内缘有刺 3 ~ 4。腹部近纺锤形，有节，皱缩，呈浅黄色。质软，易碎。有特殊臭气。

| 功能主治 | 咸，寒；有小毒。归膀胱、小肠、大肠经。利水通淋，消肿解毒。用于小便不利，水肿，石淋，瘰疬，恶疮。

| 用法用量 | 内服煎汤，3 ~ 4.5 g；或研末，1 ~ 2 g。外用适量，研末调涂。

蝼蛄科 Gryllotalpidae 蝼蛄属 *Gryllotalpa*

华北蝼蛄 *Gryllotalpa unispina* Saussure

| 药 材 名 | 蝼蛄（药用部位：全体。别名：蝼蝈、天蝼、螻蛄）。

| 形态特征 | 体型较大，体长 3.9 ~ 4.5 cm，体色较浅，全身密被短小软毛。头圆锥形，暗褐色，触角丝状，复眼卵形，黄褐色。口器咀嚼式。前胸背板坚硬膨大，卵形，背中央有一下陷的纵沟。前翅革质，软短，黄褐色；后翅大，透明膜质，淡黄色。前足发达，扁铲状；中足较小；后足长大，腿节发达，在胫节背侧内缘有活动的刺 1，有时消失。腹部圆筒形，柔软，尾毛 1 对。

| 生境分布 | 栖息于庭院、田园及潮湿温暖的土壤中，尤其在大量施用过有机肥料处多而密集。昼伏夜出，有很强的趋光习性。江苏各地均有分布。

| 资源情况 | 野生资源较丰富。药材来源于野生。

| 采收加工 | 夏、秋季夜晚用灯光诱捕或翻地时捕捉，捕后用沸水烫死，晒干或烘干。

| 药材性状 | 本品体型稍大，长 3.9 ~ 4.5 cm，体色稍浅。腹部圆筒状，后足胫节背侧内缘有刺 1。

| 功能主治 | 咸，寒；有小毒。归膀胱、大肠、小肠经。利水通淋，消肿解毒。用于小便不利，水肿，石淋，瘰疬，恶疮。

| 用法用量 | 同“非洲蝼蛄”。

蟋蟀科 *Gryllidae* 蟋蟀属 *Scapipedus*

蟋蟀 *Scapipedus aspersus* Walker

| 药 材 名 | 蟋蟀（药用部位：全体。别名：将军、斗鸡、夜鸣虫）。

| 形态特征 | 全体黑色，有光泽。头棕褐色，头顶短圆，头后有6短而不规则纵沟。复眼大，半球形，黑褐色。单眼3，位于头顶两端的较小，位于头顶中间的1较大。触角细长，淡褐色。腹部近圆筒形，背面黑褐色，腹面灰黄色。前翅棕褐色，后翅灰黄色。足3对，淡黄色，并有黑褐色斑及弯曲的斜线，后足发达，背面有单排的棘，腿节膨大。

| 生境分布 | 生于较潮湿的耕地、杂草丛中、枯枝烂叶及砖石之下。江苏各地均有分布。

| 资源情况 | 野生资源一般。药材来源于野生。

| 采收加工 | 夏、秋季于田间杂草堆下捕捉，捕后用沸水烫死，晒干或烘干。

拍摄人：戴仕林

| 药材性状 | 本品干燥虫体长 1.5 ~ 2.2 cm，宽约 5 mm。头略呈三角形；复眼 1 对，椭圆形，长径约 1 mm，触角 1 对，多数脱落。前胸背板略呈长方形，中、后胸被翅所覆盖，尾毛 1 对，长 1 ~ 3 mm；雌虫在尾毛间有 1 产卵管，长约 1 cm。足 3 对，多数脱落。

| 功能主治 | 辛、咸，温；有小毒。归膀胱、小肠经。利水消肿。用于癃闭，水肿，腹水，小儿遗尿。

| 用法用量 | 内服煎汤，4 ~ 6 只；或研末，1 ~ 3 只。外用适量，研末敷。

| 附　　注 | 本种性好斗，以植物为食。

蝉科 Cicadidae 黑蚱属 *Cryptotympana*

黑蚱 *Cryptotympana pustulata* Fabricius

| 药 材 名 | 蝉蜕（药用部位：幼虫羽化时脱落的皮壳。别名：蝉退、蝉衣、虫蜕）。

| 形态特征 | 体大，色黑而有光泽；雄虫长4.4 ~ 4.8 cm，翅展约12.5 cm，雌虫稍短。复眼1对，大形，两复眼间有单眼3，触角1对。口器发达，刺吸式，唇基梳状，上唇宽短，下唇延长成管状，长达第3对足的基部。胸部发达，后胸腹板上有一显著的锥状突起，向后延伸。足3对。翅2对，膜质，黑褐色，半透明，基部染有黄绿色，翅静止时覆在背部如屋脊状。腹部共7节，雄虫腹部第1节间有特殊的发音器官，雌虫同一部位有听器。

| 生境分布 | 栖息于杨、柳、榆、槐、枫杨等树上。江苏各地均有分布，主要分布于徐州、连云港等。

| 资源情况 | 野生资源较丰富。药材来源于野生。

| 采收加工 | 夏、秋季收集，除去泥沙，晒干。

| 药材性状 | 本品全体似蝉而中空，稍弯曲，长 3 ～ 4 cm，宽约 2 cm。表面黄棕色，半透明，有光泽。头部有丝状触角 1 对，多已断落，复眼突出。额部先端突出，口器发达，上唇宽短，下唇伸长成管状。胸部背面呈“十”字形裂开，裂口向内卷曲，脊背两旁具小翅 2 对；腹面有足 3 对，被黄棕色细毛。腹部钝圆，共 7 节。体轻，中空，易碎。无臭，味淡。

| 功能主治 | 甘，寒。归肺、肝经。散风除热，利咽，透疹，退翳，解痉。用于风热感冒，咽痛，音哑，麻疹不透，风疹瘙痒，目赤翳障，惊风抽搐，破伤风。

| 用法用量 | 内服煎汤，3 ～ 6 g；或入丸、散剂。外用适量，煎汤洗；或研末调敷。

蝉科 Cicadidae 蝉属 *Huechys*

黑翅红娘子 *Huechys sanguinea* de Geer

| 药 材 名 | 红娘子（药用部位：全体。别名：红娘虫、么姑虫、红蝉）。

| 形态特征 | 形似蝉而较小，瘦细，体长 15 ~ 25 mm，宽 5 ~ 7 mm。头、胸及足呈黑色，唇基朱红色；复眼褐色，凸起，呈半球形，单眼 3，淡红色，基部全被黑色长毛。前胸背板与头部等长，前窄后宽；胸部黑色，中胸背板两侧有一较大的朱红色斑块。腹部朱红色，基部黑色，具 8 环节，尾部尖。前翅黑色，翅脉黑褐色；后翅淡褐色，透明，翅脉黑褐色，有明显的细纹，有光泽。

| 生境分布 | 栖息于草间、低矮的树丛中。多生于丘陵地带，若虫生活于未开垦的砂壤土中，成虫栖息于低矮的树丛中。江苏各地均有分布。

| 资源情况 | 野生资源较少。药材来源于野生。

拍摄人：李昱霖

| 采收加工 | 夏、秋季捕捉，晒干或烘干。

| 药材性状 | 本品干燥虫体呈长圆形，尾部较狭。头黑臂红，复眼大而突出。颈部棕黑色，两肩红色。背部翅黑棕色，质脆，易破碎。胸部棕黑色，足 3 对，多已脱落。腹部红色，可见 8 环节，尾部尖。质松而轻，剖开后体内呈淡黄色。

| 功能主治 | 苦、辛，平。归心、肝、胆经。破瘀，散结，攻毒。用于血瘀闭经，腰痛，不孕症，瘰疬，疮癣，狂犬咬伤。

| 用法用量 | 内服研末入丸、散剂，1 ~ 3 g。外用适量，研末做饼敷。

蝉科 Cicadidae 蝉属 *Huechys*

短翅红娘子 *Huechys thoracica* Distant

| 药 材 名 | 红娘子（药用部位：全体。别名：红娘虫、么姑虫、红蝉）。

| 形态特征 | 形似蝉而较小，瘦细，体长 15 ~ 25 mm，宽 5 ~ 7 mm。头黑色，复眼褐色，凸起，呈半球形，单眼 3，淡红色，基部全被黑色长毛。胸部黑色，中胸背板两侧有一较大的朱红色斑块。腹部朱红色，基部黑色，具 8 环节，尾部尖。前翅暗褐色，不透明；后翅色稍淡，翅脉深灰褐色。

| 生境分布 | 栖息于草间、低矮的树丛中。分布于江苏无锡（宜兴）、常州（溧阳）等。

| 资源情况 | 野生资源较少。药材来源于野生。

| 采收加工 | 夏、秋季捕捉，晒干或烘干。

拍摄人：李智宏

| 功能主治 | 同“黑翅红娘子”。

| 用法用量 | 同“黑翅红娘子”。

椿科 Pentatomidae 兜椿属 *Aspongopus*

九香虫 *Aspongopus chinensis* Dallas

| 药 材 名 | 九香虫（药用部位：全体。别名：黑兜虫、瓜黑椿、屁板虫）。

| 形态特征 | 全体呈六角状扁椭圆形，腹面比背面更隆起，体长 1.7 ~ 2.2 cm，宽 1 ~ 1.2 cm，雌虫较宽。全体一般紫黑色，带铜色光泽，头部、前胸背板及小盾片较黑。头小，略呈三角形，边缘稍向上卷起；复眼突出，呈卵圆形，位于近基部两侧；单眼 1 对，橙黄色；喙较短，触角 1 对，各有 5 节，前 4 节黑色，第 1 节较粗，圆筒形，其余 4 节较细长而扁，第 2 节长于第 3 节，第 5 节红黄色或暗红色。前胸背板前狭后阔，前缘凹进，后缘略拱出，中部横直，侧角显著；表面密布细刻点并杂有黑皱纹，前方两侧各有一相当大的"眉形区"，色泽幽暗，仅中部具刻点。小盾片大。翅 2 对，前翅为半鞘翅，棕红色，翅末 1/3 为膜质，纵脉很密。足 3 对，后足最长，跗节 3。雌虫后足

拍摄人：杨自忠

胫节中间扩大，内侧有一长椭圆形的内凹，雄虫无。腹面密布细刻及皱纹。后胸腹板近前缘区有 2 气孔，位于后足基节前外侧，能由此放出臭气。雄虫第 9 节为生殖节，其端缘弧形，中央尤为弓凸。雌虫第 8 节分为 4 片，第 9 节分为 2 片，第 10 节极小。

| 生境分布 | 寄生于南瓜、冬瓜、西瓜、丝瓜等葫芦科植物上。江苏各地均有分布。

| 资源情况 | 野生资源较丰富。药材来源于野生。

| 采收加工 | 11 月至翌年 3 月前捕捉，置适宜容器内，加酒，盖紧，将其闷死。取出阴干；或置沸水中烫死，取出，晒干或烘干。

| 药材性状 | 本品略呈六角状扁椭圆形，长 1.6 ~ 2 cm，宽约 1 cm。表面棕褐色或棕黑色，略有光泽。头部小，略呈三角形，复眼突出，卵圆状，单眼 1 对，触角 1 对，各 5 节，多已脱落。背部有翅 2 对。胸部有足 3 对，多已脱落。腹部棕红色至棕黑色，每节近边缘处有凸起的小点。质脆，有特异臭气。味微苦。

| 功能主治 | 咸，温。归肝、脾、肾经。理气止痛，温中助阳。用于胃寒胀痛，肝胃气痛，肾虚阳痿，腰膝酸痛。

| 用法用量 | 内服煎汤，3 ~ 9 g；或入丸、散剂，0.6 ~ 1.2 g。

| 附　　注 | （1）在安徽、浙江、四川、广西和贵州等地区的九香虫商品中，常见有同科不同属昆虫小皱蝽、大皱蝽、锯齿蝽、麻皮蝽等混伪品，应注意鉴别。蝽科小皱蝽 *Cyclopelta parva* Distant. 的干燥虫体别名“小九香虫”，蝽科大皱蝽 *Cyclopelta obscura*（Lepletier et Serville）的干燥虫体别名“槐蝽”，蝽科锯齿蝽 *Megymenum gracilicone* Dailas 的干燥虫体别名“土九香虫”，蝽科麻皮蝽 *Erthesina fullo*（Thunberg）的干燥虫体别名“黄斑蝽”，亳州俗称“臭鳖鳖”。

（2）本种成虫越冬，隐藏于土块石块下及石缝中。幼虫无翅，成虫有翅能飞，均以瓜类植物藤蔓的汁液为食。

芫青科 Meloidae 斑蝥属 *Mylabris*

南方大斑蝥 *Mylabris phalerata* Pallas

| 药 材 名 | 斑蝥（药用部位：全体。别名：花斑蝥、花壳虫）。

| 形态特征 | 体长 1.5 ~ 3 cm，全体被黑毛，头圆三角形，具粗密刺点。复眼大，略呈肾形。触角 1 对。前胸长稍大于宽。鞘翅端部宽于基部，底色黑色。每翅基部各有 2 大黄斑，翅中央前后各有 1 黄色波纹状横带。翅面黑色部分刻点密集，黄色部分刻点甚粗。

| 生境分布 | 生于丘陵、山坡、河床沙地、荒漠等。成虫多寄生于野生植物、农业经济作物及杂草上，幼虫多集中在蝗虫卵密度大的地方。江苏各地均有分布。

| 资源情况 | 野生资源较丰富。药材来源于野生。

| 采收加工 | 夏、秋季捕捉，闷死或烫死，晒干。

拍摄人：杨自忠

| 药材性状 | 本品呈长圆形，长 1.5 ~ 2.5 cm，宽 0.5 ~ 1 cm。头及口器向下垂，有较大的复眼及触角，各 1 对，触角多已脱落。背部具革质翅 1 对，黑色，有 3 黄色或棕黄色的横纹；鞘翅下面有棕褐色薄膜状内翅 2。胸腹部乌黑色，腹部有足 3 对。有特殊臭气。

| 功能主治 | 辛，热；有大毒。归肝、胃、肾经。破血消癥，攻毒蚀疮，引赤发泡。用于癥肿块，积年顽癣，瘰疬，赘疣，痈疽不溃，恶疮死肌。

| 用法用量 | 内服炒炙研末，0.03 ~ 0.06 g；或入丸剂；炮制后多入丸、散剂。外用适量，研末敷贴发泡；或浸酒、醋；或制成油膏，涂敷；不宜大面积使用。

芫青科 Meloidae 斑蝥属 *Mylabris*

黄黑小斑蝥 *Mylabris cichorii* Linnaeus

| 药 材 名 | 斑蝥（药用部位：全体。别名：花斑蝥、花壳虫）。

| 形态特征 | 体型较小，体长 1 ~ 1.5 cm，全体被黑毛。头圆三角形，具粗密刺点。复眼大，略呈肾形。触角 1 对。前胸长稍大于宽。鞘翅端部宽于基部，底色黑色。每翅基部各有 2 大黄斑，翅中央前后各有一黄色波纹状横带。翅面黑色部分刻点密集，黄色部分刻点甚粗。

| 生境分布 | 生于丘陵、山坡、河床沙地、荒漠等。成虫多寄生于野生植物、农业经济作物及杂草，幼虫多集中在蝗虫卵密度大的地方。江苏各地均有分布。

| 资源情况 | 野生资源较丰富。药材来源于野生。

| 采收加工 | 夏、秋季捕捉，闷死或烫死，晒干。

拍摄人：李一凡

| 功能主治 | 同“南方大斑蝥”。

| 用法用量 | 同“南方大斑蝥”。

蛀科 Tabanidae 虻属 *Tabanus*

华虻 *Tabanus mandarinus* Schiner

| 药 材 名 | 虻虫（药用部位：雌性全体。别名：牛虻、牛蚊子、蜚虻）。

| 形态特征 | 雌虫体长 1.6 ~ 1.8 cm，灰黑色。头部复眼无带。前额黄灰色，基胛近卵圆形，黄棕色。触角第 1 环节基部棕红色，有明显的锐角突起。翅透明，翅脉棕色。胸背板灰色，有 5 明显的黑灰色纵带。腹背板黑色，圆钝形，有明显的白色斑。雄虫与雌虫相似，较雌虫稍大，仅腹部呈圆锥形。

| 生境分布 | 生于草丛及树林中。分布于江苏镇江、南京等。

| 资源情况 | 野生资源一般。药材来源于野生。

| 采收加工 | 夏、秋季捕捉，用沸水烫死，洗净，晒干。

| 药材性状 | 本品呈长椭圆形，长 1.3 ~ 1.7 cm，宽 0.5 ~ 1 cm。头部黑褐色，复眼大多已脱落。胸部黑褐色，背面呈壳状而光亮，翅长超过尾部，胸部下面突出，灰色，有 5 明显的黑灰色纵带，具足 3 对，多碎断。腹部有明显的白斑，有 6 体节。质松而脆，气臭，味苦、咸。

| 功能主治 | 苦、微咸，凉；有毒。归肝经。破血通经，逐瘀消癥。用于血瘀闭经，产后恶露不净，干血痨，癥瘕积块，跌打伤痛，痈肿，喉痹。

| 用法用量 | 内服煎汤，1.5 ~ 3 g；或研末，0.3 ~ 0.6 g；或入丸剂。外用适量，研末敷或调搽。

| 附　　注 | 本种性喜光，多在白昼活动。

蛀科 Tabanidae 黄虻属 *Atylotus*

双斑黄虻 *Atylotus bivittateinus* Takahasi

| 药 材 名 | 虻虫（药用部位：雌性全体。别名：牛虻、牛蚊子、蜚虻）。

| 形态特征 | 雌虫体长 1.3 ~ 1.7 cm，黄绿色。眼大型，中部有 1 细窄黑色横带。前额黄色或略带淡灰色。触角橙黄色，第 3 节有明显的钝角突。翅透明，翅脉黄色。腹部暗黄灰色，多金黄色毛及少数黑毛。背板两侧具大块黄色斑，腹板灰色。雄虫与雌虫相似，但体较小。

| 生境分布 | 生于草丛及树林中。江苏各地均有分布。

| 资源情况 | 野生资源较少。药材来源于野生。

| 采收加工 | 夏、秋季捕捉，用沸水烫死，洗净，晒干。

| 药材性状 | 本品为黄绿色，眼大型，中央有一细横的黑色带；翅透明，翅脉黄色。腹部暗灰黄色，有较多的金黄色毛茸及少数的黑色毛茸。

拍摄人：李一凡

| 功能主治 | 同“华虻”。

| 用法用量 | 同“华虻”。

| 附　　注 | 本种性喜光，多在白昼活动。

蚕蛾科 Bomycidae 家蚕属 *Bombyx*

家蚕 *Bombyx mori* Linnaeus

| 药 材 名 | 僵蚕（药用部位：感染白僵菌致死的幼虫全体。别名：白僵蚕、僵虫、天虫）、蚕砂（药用部位：粪便。别名：原蚕屎、晚蚕砂）。

| 形态特征 | 雌、雄蛾全身密被白色鳞片。体长 1.6 ~ 2.3 cm，翅展 3.9 ~ 4.3 cm。体翅黄白色至灰白色。前翅外缘顶角后方向内凹切，各横线色稍暗，不甚明显，端线与翅脉灰褐色，后翅较前翅色淡，边缘鳞毛稍长。雌蛾腹部肥硕，末端钝圆；雄蛾腹部狭窄，末端稍尖。幼虫体色灰白色至白色，胸部第 2、3 节稍见膨大，有皱纹。腹部第 8 节背面有 1 尾角。

| 生境分布 | 江苏各地均有养殖，主要分布于苏州、盐城、南通、淮安、徐州。

| 资源情况 | 野生资源稀少。养殖资源丰富。药材来源于养殖。

| 采收加工 | **僵蚕：**春、秋季收集感染白僵菌致死的蚕，以石灰吸收水分后，晒干，或微火焙干。

蚕砂：收集家蚕粪便，晒干，筛净杂质。

| 药材性状 | **僵蚕：**本品略呈圆柱形，多弯曲皱缩，长 2 ~ 5 cm，直径 0.5 ~ 0.7 cm。表面灰黄色，被有白色粉霜状的气生菌丝和分生孢子。头部较圆，足 8 对，体节明显，尾部略呈二分歧状。质硬而脆，易折断，断面平坦，外层白色，中间有亮棕色或亮黑色的丝腺环 4。气微腥，味微咸。

蚕砂：本品呈颗粒状六棱形，长 2 ~ 5 mm，直径 1.5 ~ 3 mm。表面灰黑色或黑绿色，粗糙，有 6 明显的纵沟及横向浅沟纹。气微，味淡。

| 功能主治 | **僵蚕：**咸、辛，平。归肝、肺、胃经。息风止痉，祛风止痛，化痰散结。用于肝风夹痰，惊痫抽搐，小儿急惊风，破伤风，中风口㖞，风热头痛，目赤咽痛，风疹瘙痒，痄腮。

蚕砂：甘、辛，温。归肝、脾、胃经。祛风除湿，和胃止浊，活血通经。用于风湿痹痛，肢体不遂，风疹瘙痒，吐泻转筋，闭经，崩漏。

| 用法用量 | **僵蚕：**内服煎汤，5 ~ 10 g；或入丸、散剂。

蚕砂：内服煎汤，10 ~ 15 g，纱布包煎；或入丸、散剂。外用适量，炒热熨；或煎汤洗；或研末调敷。

| 附　　注 | 江苏苏州、南通、盐城等地是蚕茧的传统产区，家蚕养殖规模较大。养殖户为提高蚕茧产量，采取一系列措施以避免或减少家蚕感染白僵菌，因此僵蚕药材产量较少。蚕砂药材产量较大，但作为药材的使用率较低。

胡蜂科 Vespoidae 长脚胡蜂属 *Polistes*

果马蜂 *Polistes olivaceous* (De Geer)

| 药 材 名 | 蜂房（药材来源：巢。别名：露蜂房、马蜂窝、蜂巢）。

| 形态特征 | 雌体长约 1.8 cm，大体黄色。头横形，宽接近胸，后头向前弧形凹入。两复眼顶部之间有 1 黑色横带贯串 2 后单眼，另有 2 黑斑分别自后单眼斜向前延伸，前单眼周围黑色。两触角窝之间隆突，有 1 黑色小斑，额沟明显。唇基盾形，下部有稀疏黄色短毛，宽稍大于长，周缘黑色，后缘平，前缘中央齿状凸出。上颚宽阔，有 4 黑色小齿，上方 1 特别短小。触角 12 节，黄褐色，柄节端部背面带黑褐色，第 1 鞭节长略短于第 2 ~ 4 鞭节之和。前胸背板黄色，两侧和下方有棕色斑，前缘中部稍向前突出，沿前缘边缘呈领状凸起；中胸背板稍隆起，中隆线可见，背板底色黑，中隆线两旁有 1 对大的黄色纵斑，两侧连接翅基片处有 1 对小的黄色纵斑。小盾片矩形，黄色，表面稍平，上方中央有 1 黑褐色短纵线，前缘近平直，后缘中部略向前

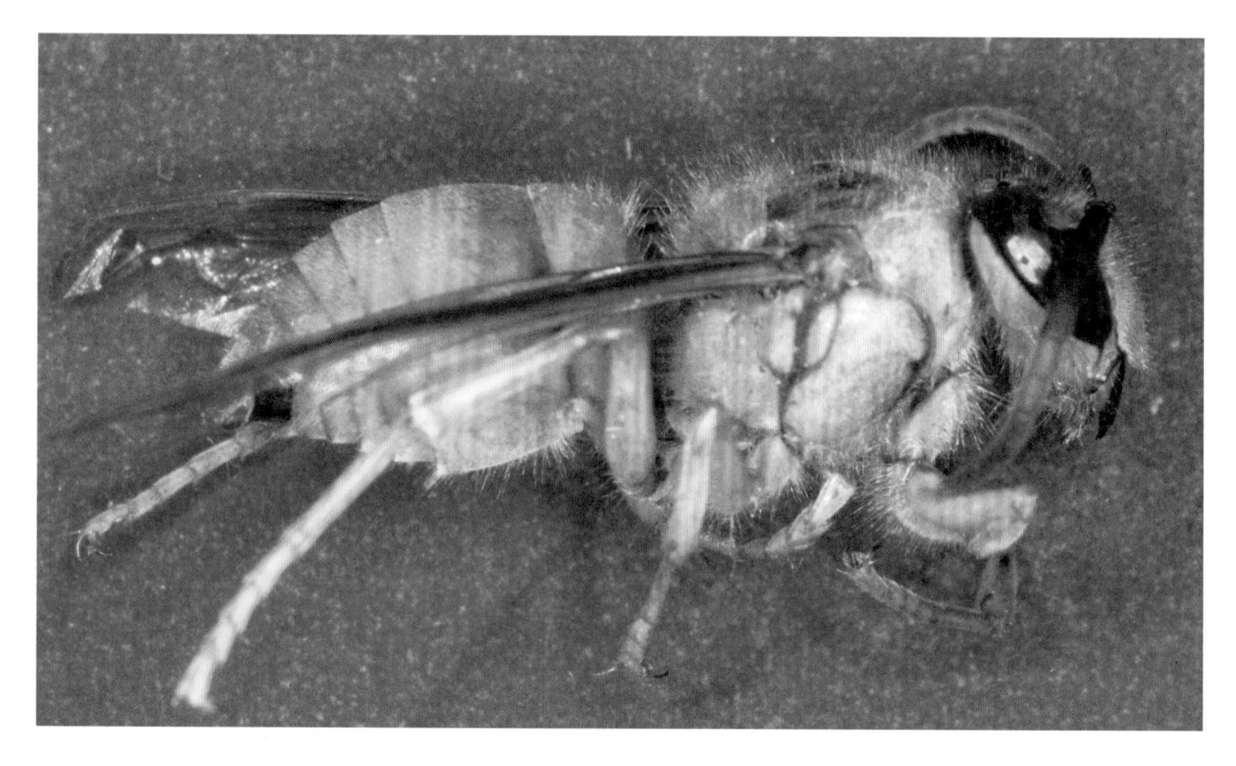

凹入；后小盾片横形，黄色，表面平，后缘中央向后凸出；小盾片和后小盾片两侧外方前部均黄色。胸腹节大体黄色，但基缘、端缘、中纵线及两侧端部边线为黑色，表面有粗横皱脊，背中有纵凹；中、后胸腹板和侧板黄色，侧板有淡棕色斑，周缘和侧片缝黑色。翅基片黄色，有 1 棕色斑；翅淡烟黄色，亚前缘脉黑褐色，其余脉褐色至黄褐色。各足黄褐色，后足胫节两端带棕色。爪无齿，黄褐色，尖端黑褐色。腹部纺锤形，黄褐色；第 1 节由基部向端部逐渐扩大，背面端部中央有 1 短纵黑色斑，近中部有 1 黑色横纹，背板两侧向下延伸，超过腹面；第 2 ～ 5 节背板基部带棕色，中部有 1 黑色至黑褐色波状横纹，该纹近两侧处强烈弯曲向后突出，各节背板端部中央有 1 暗褐色短纵纹，各节腹板颜色及斑纹与背板相似。雄蜂近似雌蜂，腹部 7 节。

| 生境分布 | 栖息于树枝和灌丛中。江苏各地均有分布。

| 资源情况 | 野生资源较丰富。药材来源于野生。

| 采收加工 | 秋、冬季采收，晒干；或略蒸，除去死蜂、死蛹，晒干。

| 药材性状 | 本品呈圆盘状或不规则扁块状，有的似莲房状，大小不一。表面灰白色或灰褐色。腹面有多数整齐的六角形房孔，孔径 3 ～ 4 mm 或 6 ～ 8 mm；背面有 1 或数个黑色短柄。体轻，质韧，略有弹性。气微，味辛、淡。

| 功能主治 | 甘，平。归胃经。祛风，攻毒，杀虫，止痛。用于龋齿痛，疮疡肿毒，乳痈，瘰疬，皮肤顽癣，鹅掌风。

| 用法用量 | 内服煎汤，5 ～ 10 g；或研末，2 ～ 5 g。外用适量，煎汤洗；或研末掺；或研末调敷。

蜜蜂科 Apidae 蜜蜂属 *Apis*

中华蜜蜂 *Apis cerana* Fabricius

| 药 材 名 | 蜂蜜（药材来源：所酿的蜜。别名：石蜜、石饴、食饴）。

| 形态特征 | 蜂群由工蜂、蜂王及雄蜂组成。工蜂是雌性生殖器官发育不完全的个体；体型小，体灰褐色，头、胸、背面密生灰黄色细毛；头略呈三角形，有复眼 1 对，单眼 3，触角 1 对，膝状弯曲，口器发达，适于咀嚼及吮吸；胸部 3 节；翅 2 对，透明膜质；足 3 对，股节、胫节及跗节等处均有采集花粉的构造；腹部圆锥形，背面黄褐色，第 1 ~ 4 节有黑色环节，末端尖锐，有毒腺、螫针，腹下有蜡板 4 对，内有蜡腺，分泌蜡质。蜂王，体最大；头部呈心形，上颚锋利，上颚腺特别发达，喙短；翅短小，翅长与体长的比例比工蜂和雄蜂小很多；腹部特别长，呈长圆锥形，占体长的 3/4，可见 6 腹节；生殖器发达，专营生殖产卵。雄蜂是蜂群中生殖器官发育完全的雄性蜂；头部比工蜂大，近似圆形体型较工蜂粗壮，体表绒毛多而长，腹部

尤甚，且体色较深；尾无毒腺和螫针；足上无采集花粉的构造；腹无蜡板及蜡腺；翅宽大，腿亦粗短。

| 生境分布 | 生于雨水较多、空气湿润、蜜粉源植物种类较多的山区、丘陵地区。在树洞、岩缝、土穴等防风避雨处营造巢穴。分布于江苏无锡（宜兴）、南京等。

| 资源情况 | 野生资源稀少。养殖资源丰富。药材来源于养殖。

| 采收加工 | 春季至秋季采集，取蜜时先将蜂巢割下，置于布袋中，挤出蜂蜜。新式取蜜法是将人工蜂巢取出，置于离心机内，离心，过滤，除去蜂蜡碎片及其他杂质。

| 药材性状 | 本品为半透明、带光泽、浓稠液体，白色至淡黄色或橘黄色至黄褐色，久置或遇冷有白色颗粒状结晶析出。气芳香，味极甜。

| 功能主治 | 甘，平。归肺、脾、大肠经。补中，润燥，止痛，解毒，生肌敛疮。用于脘腹虚痛，肺燥干咳，肠燥便秘，乌头类药物中毒；外用于疮疡不敛，烫火伤。

| 用法用量 | 内服冲调，15 ~ 30 g；或入丸、膏剂。外用适量，涂敷。

胡蜂科 Vespoidae 长脚胡蜂属 *Polistes*

日本长脚胡蜂 *Polistes japonicus* Saussure

| 药 材 名 | 蜂房（药材来源：巢。别名：露蜂房、马蜂窝、蜂巢）。

| 形态特征 | 体长 1.4 ~ 1.8 cm。外观近似中华蜜蜂，但体型较小，体色较淡，呈黄褐色。

| 生境分布 | 生于平地林缘和低海拔山区。江苏各地均有分布。

| 资源情况 | 野生资源较少。药材来源于野生。

| 采收加工 | 秋、冬季采收，晒干；或略蒸，除去死蜂、死蛹，晒干。

| 药材性状 | 本品呈圆盘状或不规则扁块状，有的似莲房状，大小不一。表面灰白色或灰褐色。腹面有多数整齐的六角形房孔，孔径 3 ~ 4 mm 或 6 ~ 8 mm；背面有 1 或数个黑色短柄。体轻，质韧，略有弹性。气微，

拍摄人：许威

味辛、淡。

| 功能主治 | 同“果马蜂”。

| 用法用量 | 同“果马蜂”。

胡蜂科 Vespoidae 异腹胡蜂属 *Parapolybia*

异腹胡蜂 *Parapolybia varia* Fabricius

| 药 材 名 | 蜂房（药材来源：巢。别名：露蜂房、马蜂窝、蜂巢）。

| 形态特征 | 体长 1.2 ~ 1.7 cm。体色黄褐色；体型较其他长脚蜂细长；腹部前方具细腰身，后方较圆。头宽与胸宽略等。两触角窝之间隆起，呈黄色。翅浅棕色，前翅前缘色略深。前足基节黄色，转节棕色，其余黄色。腹部第 1 节长柄状，背板上部褐色，第 2 节背板深褐色，两侧具黄色斑。

| 生境分布 | 生于中海拔以下的山区。江苏各地均有分布。

| 资源情况 | 野生资源较少。药材来源于野生。

| 采收加工 | 秋、冬季采收，晒干；或略蒸，除去死蜂、死蛹，晒干。

| 药材性状 | 本品呈圆盘状或不规则扁块状，有的似莲房状，大小不一。表面灰

拍摄人：王瑞阳

白色或灰褐色。腹面有多数整齐的六角形房孔，孔径 3 ~ 4 mm 或 6 ~ 8 mm；背面有 1 或数个黑色短柄。体轻，质韧，略有弹性。气微，味辛、淡。

| 功能主治 | 同“果马蜂”。

| 用法用量 | 同“果马蜂”。

圆马陆科 Julidae 马陆属 *Kronopolites*

宽附陇马陆 *Kronopolites svenhedin* (Virhoeff)

| 药 材 名 | 马陆（药用部位：全体。别名：百足、刀环虫、百节虫）。

| 形态特征 | 体呈圆柱形，长 26 ~ 30 mm，宽 2.5 ~ 3.5 mm，雄性略小。由 20 体节组成，可分成头、胸、腹 3 部分。头部有 1 对触角，无眼，有侧头器；胸部由第 1 ~ 4 体节组成，第 1 体节无足，第 2 ~ 4 体节各有步足 1 对；腹部由第 5 ~ 20 体节组成，第 5 ~ 18 体节的后环节腹面各有 2 对步足，第 19 ~ 20 体节无足。第 20 体节后端有肛门，称为肛节。侧突不甚发达，侧突后有嗅腺。胫节与跗节愈合成的胫跗节部宽大，是此种与同属其他种的区别点。

| 生境分布 | 栖息于山崖阴面有腐殖质的草丛中或树下阴凉处。江苏各地均有分布。

| 资源情况 | 野生资源较少。药材来源于野生。

| 采收加工 | 6 ~ 8 月捕捉，去净杂质、泥土，晒干或烘干。

| 功能主治 | 辛，温；有毒。破积，解毒，和胃。用于癥积，痞满，胃痛食少，痈肿，毒疮。

| 用法用量 | 内服研末，1 ~ 2 g；或制成片剂。外用适量，熬膏；或研末；或捣敷。

蜈蚣科 Scolopendridae 蜈蚣属 *Scolopendra*

少棘巨蜈蚣 *Scolopendra subspinipes mutilans* L. Koch.

| 药 材 名 | 蜈蚣（药用部位：全体。别名：百足虫、千足虫、金头蜈蚣）。

| 形态特征 | 成体体长 11 ~ 14 cm。头板和第 1 背板金黄色，自第 2 背板起为墨绿色或暗绿色，末背板有时近黄褐色，胸腹板和步足淡黄色。头板前部的两侧各有 4 单眼，集成左、右眼群；颚肢内部有毒腺，齿板前缘具小齿 5，内侧 3 小齿相接近。背板自第 4 ~ 20 节有 2 不显著的纵沟。腹板在第 2 ~ 19 节间有纵沟。第 3、5、8、10、12、14、16、18、20 体节的两侧各具气门 1 对。步足 21 对，最末步足最长，伸向后方，呈尾状；末对跗肢基侧板后端有 2 小棘；前腿节腹面外侧有 2 棘，内侧有 1 棘，背面内侧有 1 棘和 1 隅棘，隅棘先端有 2 小棘。

| 生境分布 | 生于温暖、潮湿、阴暗的环境中。江苏各地均有分布

| 资源情况 | 野生资源较丰富。养殖资源较少。药材主要来源于野生。

| 采收加工 | 冬、春季采捕（此时的蜈蚣未进新食，体内杂质少），捕后用两端削尖的竹片插入头尾，绷直晒干，如遇阴雨天则用文火或烘箱烘干。

| 药材性状 | 本品呈扁平长条形，长 9 ~ 14 cm，宽 0.5 ~ 1 cm。由头和躯干部组成，全体共22环节。头部暗红色或红褐色，略有光泽，有头板覆盖，头板近圆形，前端稍突出，两侧贴有颚肢 1 对；前端两侧有触角 1 对。躯干第 1 背板与头板同色，其余 20 背板为棕绿色或墨绿色，具光泽，第 4 ~ 20 背板常有 2 纵沟线；腹部淡黄色或棕黄色，皱缩；自第 2 节起每节两侧有步足 1 对；步足黄色或红褐色，偶有黄白色，呈弯钩形；最末 1 对步足尾状，故又称尾足，易脱落。质脆，断面有裂隙。气微腥，并有特殊刺鼻的臭气，味辛、微咸。

| 功能主治 | 辛，温；有毒。归肝经。息风镇痉，攻毒散结，通络止痛。用于小儿惊风，抽搐痉挛，中风口㖞，半身不遂，破伤风，风湿顽痹，疮疡，瘰疬，毒蛇咬伤。

| 用法用量 | 内服煎汤，3 ~ 5 g。外用适量，研末撒；或浸油涂；或研末调敷。

| 附　　注 | （1）本种药材焙干研末内服可用于结核病、急性颌下淋巴结炎。此外，蜈蚣在治疗恶性肿瘤方面有着显著疗效，对于恶性肿瘤溃疡患者疗效更加明显。可与全蝎配伍治疗中风及病毒性脑炎后遗症、产后手足麻木后遗症。

（2）白天潜居于杂草丛中或乱石堆下，夜晚活动，觅食。本种为典型的肉食性动物，食性广泛，尤喜小昆虫类，也食蛙、鼠、蜥蜴及蛇类等。

海盘车科 Asteriidae 海盘车属 *Asterias*

罗氏海盘车 *Asterias rollestoni* Bell

| 药 材 名 | 海盘车（药用部位：除去内脏的全体。别名：海星、五角星、星鱼）。

| 形态特征 | 体呈五角星状，很扁，盘略宽。腕 5，辐径约 12 cm，间辐径约 3 cm，腕基部略缩，末端渐细且翘起，边缘很锐。背板结合成不规则网状，上具很多结节，背棘短而稀疏，龙骨板上棘排列较规则整齐。背棘尖锥形或较宽而钝，先端截形，但不具纵沟槽。上缘板构成腕的边缘，各板普遍约有 3 上缘棘；下缘板在口面，各板有 2 下缘棘。侧步带棘交互排列成 2 纵行；内行棘尖较细长而弯曲，各载有 3 ~ 5 大而发达的直形叉棘。生活时背面为蓝紫色，腕边缘、棘和背面突起均为浅黄色至黄褐色，口面为黄褐色。

| 生境分布 | 栖息于潮间带的沙底或石砾底。江苏沿海地区均有分布。

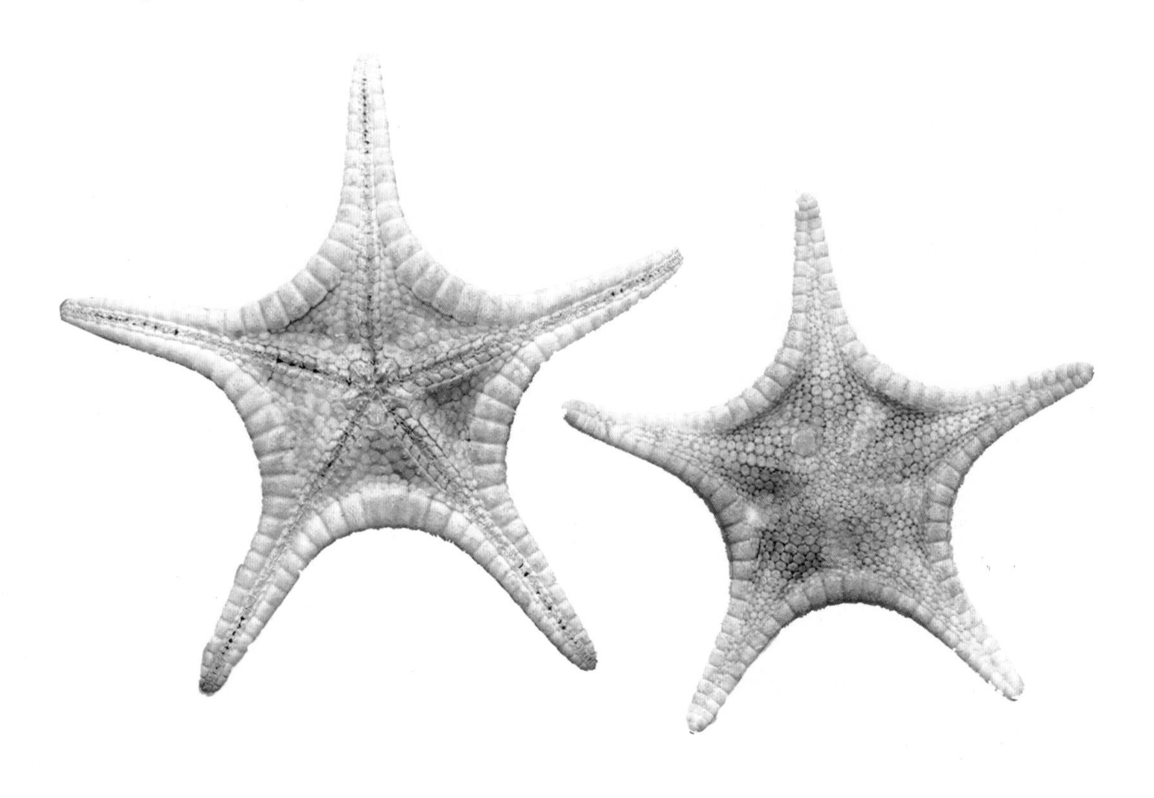

| 资源情况 | 野生资源丰富。药材来源于野生。

| 采收加工 | 夏、秋季（7 ~ 10 月）捕捞，除去内脏，洗净，晒干。

| 药材性状 | 本品呈五角星形，腕 5，较长，辐射状排列，自基部向先端渐细，先端微弯曲，具吸盘。反口面微隆起，有紫红色花纹，口面平坦，浅黄色，表面粗糙，具许多疣状突起和棘刺。质硬而脆，易折断。气微腥，味咸。

| 功能主治 | 咸，平。归肝、胃、肾经。平肝镇惊，制酸和胃，清热解毒。用于癫痫，胃痛吐酸，腹泻，甲状腺肿，中耳炎。

| 用法用量 | 内服煎汤，10 ~ 30 g；或研末，3 ~ 6 g。外用适量，研末涂。

| 附　　注 | 本种以幼贝为食。

海盘车科 Asteriidae 海盘车属 *Asterias*

多棘海盘车 *Asterias amurensis* Lutken

| 药 材 名 | 海盘车（药用部位：除去内脏的全体。别名：海星、五角星、星鱼）。

| 形态特征 | 体呈五角星状，扁，背面稍隆，口面很平。腕 5，辐径约为 14 cm，间辐径约为 3.7 cm，腕基部宽，略压缩，末端渐变细，边缘很薄。背板结成致密网状，背棘短小，分布不密，各棘末端稍宽且扁，带细锯齿。上缘板构成腕的边缘，上缘棘一般为 4 ~ 5（~ 6），也有 7，棘多呈短柱状，先端稍扩大，具纵沟棱。下缘板在口面，一般有 3 棘，有的具 2 或 4 棘，比上缘棘略长和粗壮，末端钝。侧步带棘很不规则，各刺上载有数个直形叉棘。生活时体色鲜艳，背面为鲜紫蓝色，腕边缘、棘和突起为浅黄色，口面浅黄色带褐色。

| 生境分布 | 栖息于潮间带至水深 40 m 的泥沙底、礁岩底、碎贝壳及岩石间或浅

海中。江苏沿海地区均有分布。

| 资源情况 | 养殖资源丰富。药材来源于养殖。

| 采收加工 | 7 ~ 10 月捕捞，除去内脏，洗净，晒干。

| 药材性状 | 本品呈五角星形，腕 5，较长，辐射状排列，自基部向先端渐细，先端微弯曲，具吸盘。反口面微隆起，有紫红色花纹，口面平坦，浅黄色，表面粗糙，具许多疣状突起和棘刺。质硬而脆，易折断。气微腥，味咸。

| 功能主治 | 同“罗氏海盘车”。

| 用法用量 | 同“罗氏海盘车”。

槭海星科 Astropectinidae 镶边海星属 *Craspidaster*

镶边海星 *Craspidaster hesperus* (Müller et Troschel)

| 药 材 名 | 海星（药用部位：除去内脏的全体。别名：五角星）。

| 形态特征 | 体呈五角星状，腕5，狭长，逐渐变细，长达5 cm。反口面密生小柱体，每个小柱体的顶上有半球形的颗粒1 ~ 20，周缘有7 ~ 20放射状排列的小棘，棘间有膜相连。上缘板约30，略呈长方形，大而厚，排列整齐，如镶边状。下缘板与上缘板上下相对，数目相等。上、下缘板表面生有玻璃状细颗粒，各板边缘具小棘，亦有膜相连。侧步带板小，菱形，沟缘有1行5 ~ 6、较大的棘；其他三边均生有较小的棘，内有1较大，呈拇指状。口面间辐部各有一些大小不等、排列不规则的腹侧板。生活时缘板边缘为紫褐色，反口面小柱体为黄褐色，口面为淡黄白色。

| 生境分布 | 栖息于水深17 ~ 176 m的泥质或泥沙海底。江苏沿海地区均有

分布。

| 资源情况 | 野生资源丰富。药材来源于野生。

| 采收加工 | 3 ~ 7 月捕捞，捕捉后，除去内脏，晒干。

| 药材性状 | 本品呈五角星状，腕 5，狭长，逐渐变细，末端钝圆，腕的上缘板大而厚，略呈长方形，排列整齐，下缘板表面具许多小颗粒，各缘板边缘具小棘。

| 功能主治 | 咸，平。归心、胃、大肠经。解毒散结，和胃止痛。用于甲状腺肿，瘰疬，胃痛泛酸，腹泻，中耳炎。

| 用法用量 | 内服煎汤，20 ~ 30 g；或研末，3 g。

球海胆科 Strongylocentrotidae 马粪海胆属 *Hemicentrotus*

马粪海胆 *Hemicentrotus pulcherrimus* (A. Agassiz)

| 药 材 名 | 海胆（药用部位：石灰质骨壳）。

| 形态特征 | 体呈低半球形，直径 3 ~ 6 cm，高约等于壳的半径。密生能活动的棘，除去棘后显出硬壳。扁凹面称口面；相对的隆起面称反口面。口面有 5 钙质齿，其四周为围口区，微向内凹，不生棘。反口面中央为肛门，其周围有筛板 1、生殖板 4 及眼板 5 接触围肛部。自先端向四周辐射排列的壳板为相间排列的 5 步带及 5 间步带，至赤道部步带和间步带几等宽。在步带板上生有管足，每 4 对管足孔排列成斜弧形，各间步带板有 1 大疣和 5 ~ 6 中疣，另外散生多数小疣，并生有多数大棘，棘长 5 ~ 6 mm。管足内常有“C”形骨片。生活时壳为暗绿色或灰绿色，棘的颜色变异很大，通常为暗绿色，也有带紫色、灰红色、灰白色、褐色等。

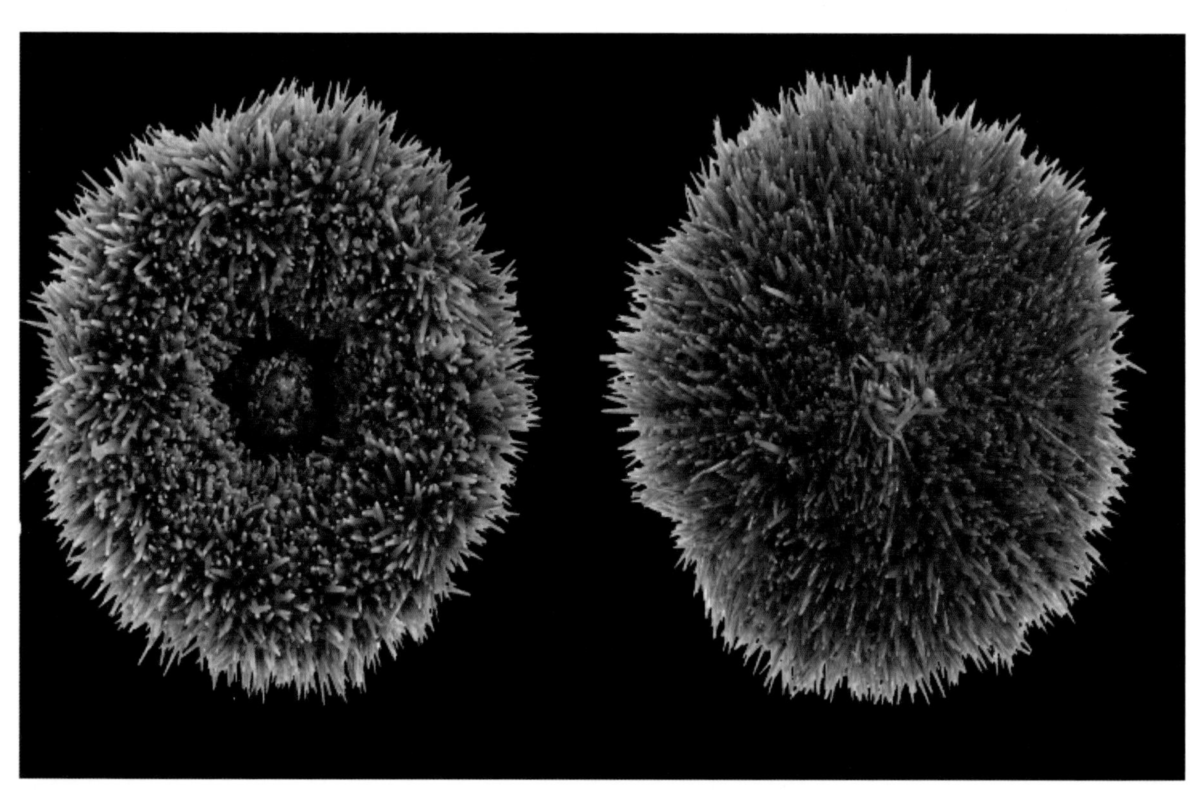

| 生境分布 | 栖息于潮间带至水深约 4 m 的海藻繁茂的岩礁间或沙砾底及石缝中。分布于江苏连云港等。

| 资源情况 | 野生资源一般。养殖资源较丰富。药材来源于养殖。

| 采收加工 | 夏、秋季捕捞，捕捉后，除去肉及棘刺，洗净，晒干。

| 药材性状 | 本品呈中空的扁球形，大小不一，直径 2.8 ~ 4 cm，厚 1.5 ~ 3 cm，扁平的一面为棕黄色，中央有圆形口孔，围口处略向内凹下，口内边缘着生 5“U”形互相连接的片状薄齿。背面隆起，棕色，中心有一十角星状的孔，为“先端系统”脱落后形成的，从“先端系统”至口孔有石灰质骨板辐射状排列，形成 10 带，其中 5 带较窄，疣状突起较小，外侧有无数细孔的步带区，与步带区间隔排列的 5 带有较大的疣状突起，而无细孔的为间步带区。质硬而轻，不易折断，断面呈淡蓝色。气微，味辛。

| 功能主治 | 咸，平；有小毒。归肝、肾、胃经。化痰软坚，散结，制酸止痛。用于瘰疬痰核，哮喘，胸胁胀痛，胃痛。

| 用法用量 | 内服煎汤，3 ~ 9 g；或研末，2 g。

球海胆科 Strongylocentrotidae 球海胆属 *Strongylocentrotus*

光棘球海胆 *Strongylocentrotus nudus* (A. Agassiz)

| 药 材 名 | 海胆（药用部位：石灰质骨壳）。

| 形态特征 | 体呈半球形，壳薄而脆，直径一般为 6 ~ 7 cm，也可达 8 ~ 10 cm。口面平坦，围口部边缘稍向内凹，相近的步带等于或略宽于间步带，但向上则步带较窄，宽约为间步带的 2/3，每个步带板上有 1 大疣、2 ~ 4 中疣和多数小疣，管足孔每 6 ~ 7 对排成斜弧形，管足内有"C"形骨片。赤道部各间步带板上有 1 大疣，其旁有中疣和小疣 15 ~ 22，排列成半环形。顶系稍隆起，肛门偏于后方，围肛部近圆形。大棘粗壮，长可达 3 cm。生活时壳为灰绿色或灰紫色，棘为紫黑色，幼小个体的棘为紫褐色或黑褐色。

| 生境分布 | 栖息于沿岸浅海至水深 180 m 的海藻较多的岩礁底。分布于江苏连云港沿海地区等。

拍摄人：曾晓起

| 资源情况 | 养殖资源较丰富。药材来源于养殖。

| 采收加工 | 夏、秋季捕捞，捕捉后，除去肉及棘刺，洗净，晒干。

| 药材性状 | 本品呈中空的扁球形，大小不一，直径 2.8 ~ 4 cm，厚 1.5 ~ 3 cm，扁平的一面为棕黄色，中央有圆形口孔，围口处略向内凹下，口内边缘着生 5“U”形互相连接的片状薄齿。背面隆起，棕色，中心有一十角星状的孔，为“先端系统”脱落后形成的，从“先端系统”至口孔有石灰质骨板辐射状排列，形成 10 带，其中 5 带较窄，疣状突起较小，外侧有无数细孔的步带区，与步带区间隔排列的 5 带有较大的疣状突起，而无细孔的为间步带区。质硬而轻，不易折断，断面呈淡蓝色。气微，味辛。

| 功能主治 | 同“马粪海胆”。

| 用法用量 | 同“马粪海胆”。

长海胆科 Echinometridae 紫海胆属 *Anthocidaris*

紫海胆 *Anthocidaris crassispina* (A. Agassiz)

| 药 材 名 | 海胆（药用部位：石灰质骨壳）。

| 形态特征 | 体呈半球形，壳坚固，直径 6 ~ 7 cm，高 2 ~ 3 cm。步带和间步带各有 2 纵行大疣，大疣两侧各有 1 纵行中疣，其间沿中线还有交错排列的 1 纵行中疣。赤道部的管足孔一般是 8 对排列成 1 斜弧，口面的管足孔对数减少，有孔带宽展成瓣状。顶系较小，第 1 和第 5 眼板接触围肛部。大棘强大，末端尖锐，常一侧长，另一侧短。管足内有弓形骨片，两端尖细，中有突起。生活时全体黑紫色，幼小个体壳暗绿色，棘常有灰褐色、灰紫色、灰绿色、紫色或红紫色，口面的棘常带斑纹。

| 生境分布 | 栖息于潮间带岩礁间、水洼中及水深 85 m 的沙砾底。江苏沿海地区均有分布。

拍摄人：曾晓起

| 资源情况 | 野生资源一般。养殖资源较丰富。药材来源于养殖。

| 采收加工 | 夏、秋季捕捞，捕捉后，除去肉及棘刺，洗净，晒干。

| 药材性状 | 本品呈中空的扁球形，大小不一，直径 2.8 ~ 4 cm，厚 1.5 ~ 3 cm，扁平的一面为棕黄色，中央有圆形口孔，围口处略向内凹下，口内边缘着生 5“U”形互相连接的片状薄齿。背面隆起，棕色，中心有 1 十角星状的孔，为“先端系统”脱落后形成的，从“先端系统”至口孔有石灰质骨板辐射状排列，形成 10 带，其中 5 带较窄，疣状突起较小，外侧有无数细孔的步带区，与步带区间隔排列的 5 带有较大的疣状突起，而无细孔的为间步带区。质硬而轻，不易折断，断面呈淡蓝色。气微，味辛。

| 功能主治 | 咸，平。归肝、肾经。制酸止痛，软坚散结，化瘀消肿，清热消炎。用于颈淋巴结结核，积痰不化，胸胁胀痛。

| 用法用量 | 同“马粪海胆”。

刻肋海胆科 Temnopleuridae 刻肋海胆属 *Temnopleurus*

细雕刻肋海胆 *Temnopleurus toreumaticus* (Leske)

| 药 材 名 | 海胆（药用部位：石灰质骨壳。别名：刺沙螺、刺锅子）。

| 形态特征 | 体呈高圆锥形，壳厚而坚，直径通常为 4 ~ 5 cm，步带宽约为间步带的 2/3，各步带板的缝合线处有明显的三角形凹痕。管足孔每 3 对排列成弧形。赤道部各步带板有 1 大疣、1 中疣和多数小疣，各间步带板上有 3 大疣和多数中、小疣。顶系稍凸起，各生殖板上有多数小疣，眼板不接触肛部。反口面的大棘短小成针状；赤道部的大棘最长，末端宽扁；口面的大棘较长，略弯曲；大棘灰绿色或黄褐色，带有 3 ~ 4 红紫色或紫褐色的横斑。生活时壳为黄褐色、灰绿色等，少数的个体全为白色。

| 生境分布 | 成群栖息于潮间带至水深 40 ~ 50 m 的泥沙底，常借海藻或碎壳隐蔽。江苏沿海地区均有分布。

| 资源情况 | 野生资源一般。养殖资源较丰富。药材来源于养殖。

| 采收加工 | 夏、秋季捕捞，捕捉后，除去肉及棘刺，洗净，晒干。

| 药材性状 | 本品呈中空的半球形，直径 3 ~ 4 cm，厚 2 ~ 3 cm，较扁平的一面为黄棕色，中央有圆形口孔，围口部略向内凹下，口内边缘着生 5“U”形互相连接的薄片状齿。背面棕色，隆起，中心有 1 十角星状的孔，为“先端系统”脱落后所形成，从“先端系统”至口孔有石灰质骨板，辐射状排列成 10 带，颇有规则，其中 5 带较狭，疣状突起较小，外侧有无数细孔的步带区，与步带区间隔排列的 5 带有较大的疣状突起，而无细孔的为间步带区。质坚硬而轻，不易折断，断面呈淡蓝色。气微，味辛。

| 功能主治 | 咸，平；有小毒。归肝、肾、胃经。化痰软坚，散结，制酸止痛。用于瘰疬痰核，哮喘，胸胁胀痛，胃痛。

| 用法用量 | 同“马粪海胆”。

刻肋海胆科 Temnopleuridae 刻肋海胆属 *Temnopleurus*

北方刻肋海胆 *Temnopleurus hardwickii* (Gray)

| 药 材 名 | 海胆（药用部位：石灰质骨壳。别名：刺沙螺、刺锅子）。

| 形态特征 | 本种形似细雕刻肋海胆，但壳较低平，壳一般直径为 3 cm，最大约 4.5 cm，高约 2 cm。步带狭窄，有孔带很窄，管足孔很小。间步带宽，各间步带板缝合线处的凹痕大而明显，边缘略倾斜，且内端深陷成孔状。反口面的大棘较短，为黄褐色，无横斑，但基部为黑褐色。口面的大棘稍扁平，颜色略浅。反口面各间步带的中线和缝合线的凹痕为灰白色。

| 生境分布 | 栖息于水深 5 ~ 35 m 浅海的沙砾、石块等底质中。江苏沿海地区均有分布。

| 资源情况 | 野生资源一般。养殖资源较丰富。药材来源于养殖。

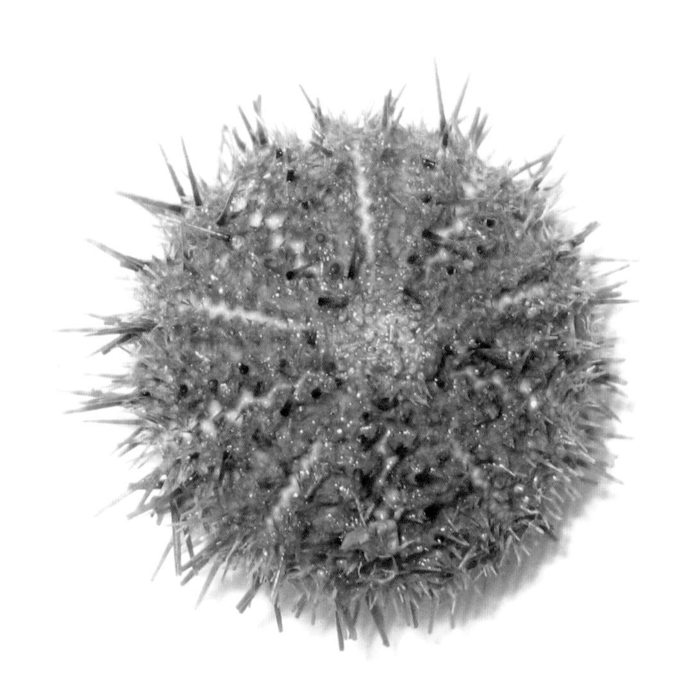

拍摄人：曾晓起

| 采收加工 | 夏、秋季捕捞，捕捉后，除去肉及棘刺，洗净，晒干。

| 药材性状 | 本品呈中空的半球形，直径 3 ～ 4 cm，较扁平的一面为黄棕色，中央有圆形口孔，围口部略向内凹下，口内边缘着生 5“U”形互相连接的薄片状齿。背面棕色，隆起，其中心有 1 十角星状的孔，为“先端系统”脱落后所形成，从“先端系统”至口孔有石灰质骨板，辐射状排列成 10 带，颇有规则，其中 5 带较狭，疣状突起较小，外侧有无数细孔的步带区，与步带区间隔排列的 5 带有较大的疣状突起，而无细孔的为间步带区。质坚硬而轻，不易折断，断面呈淡蓝色。气微，味辛。

| 功能主治 | 咸，平；有小毒。归肝、肾、胃经。化痰软坚，散结，制酸止痛。用于瘰疬痰核，哮喘，胸胁胀痛，胃痛。

| 用法用量 | 同“马粪海胆”。

海燕科 Asterinidae 海燕属 *Asterina*

海燕 *Asterina pectinifera* (Müller et Troschel)

| 药 材 名 | 海燕（药用部位：除去内脏的全体）。

| 形态特征 | 一般腕 5，也有 4 ~ 8，辐径约为 7.5 cm，间辐径约为 5 cm。反口面隆起，骨板有初级板和次级板之分，初级板大而呈新月形，其凹面弯向盘的中心；次级板呈圆形或椭圆形，成组地夹在初级板之间。各板生有很多小棘，没有叉棘。每个侧步板有棘 2 行。腹侧板为不规则多角形，或覆瓦状排列，每板上有栉状排列的棘。口板大而明显，各具棘 2 行。筛板大，圆形，一般为 1，少数为 2 或 3。生活时反口面为深蓝色，盘中央有丹红色斑交错排列，口面为橘黄色，但有时变异很大。

| 生境分布 | 生于潮间带浅水中的岩礁底处、砂石或破碎的贝壳之下。江苏沿海地区均有分布。

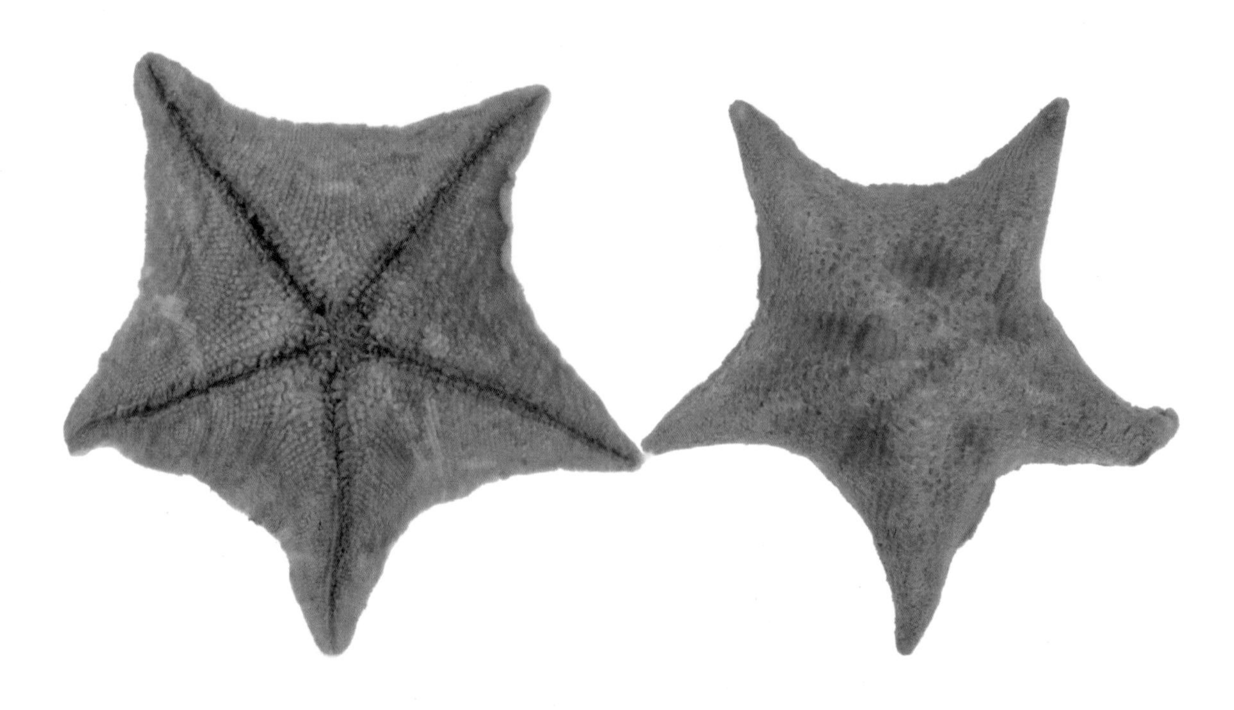

| 资源情况 | 野生资源较丰富。药材来源于野生。

| 采收加工 | 夏、秋季捕捞，捕捉后，除去内脏，晒干。

| 药材性状 | 本品呈扁平钝五角形，中央称体盘，体盘隆起面称反口面，颜色多变，具覆瓦状排列的骨板，有 1 或 2 ~ 3 筛板，呈粉白色。腹面称为口面，呈橘黄色，中央有口。体盘的外周有辐状短腕 5，有时可见 4 ~ 8 者。各腕中央反口面具棱，边缘尖锐，口面具步带沟，沟内列生管足 2 列，管足上具吸盘。质硬而脆，气微腥，味微咸。

| 功效物质 | 富含皂苷类成分，具有良好的软化血管、活血、强心、抗炎、镇静、促进生长发育的生理活性。

| 功能主治 | 咸，温。归肾、胃经。补肾，祛风湿，制酸，止痛。用于阳痿，风湿腰腿痛，劳伤疼痛，胃痛泛酸。

| 用法用量 | 内服煎汤，6 ~ 15 g；或研末，2 ~ 3 g。

海龙科 Syngnathidae 海马属 *Hippocampus*

大海马 *Hippocampus kuda* Bleeker

| 药 材 名 | 海马（药用部位：除去内脏的全体。别名：水马、马头鱼、龙落子鱼）。

| 形态特征 | 体侧扁，较高，体长 20 ~ 24 cm，为高的 5.5 ~ 5.8 倍。头上小棘发达，体上棱棘短钝、粗强，头冠较低，先端具 5 短钝粗棘。头长为吻的 2.2 ~ 2.3 倍，为眼径的 8.5 ~ 9.4 倍。吻细长，管状，吻等长于眼后头。鳃盖突出，具放射状嵴纹。头侧及眶上、颊下各棘均较粗强。体部骨环 11，尾部骨环 35 ~ 36。背鳍 17，臀鳍 4，胸鳍 16。腹部突出。体淡黄褐色，头部及体侧有细小暗色斑点，且散布细小的银白色斑点。背鳍有黑色纵列斑纹。臀鳍、胸鳍色淡。

| 生境分布 | 栖息于水藻及小甲壳动物较多、风浪不大的近海海域。江苏沿海地区均有分布。

| 资源情况 | 野生资源一般。养殖资源一般。药材来源于野生。

| 采收加工 | 全年均可捕捉，除去内脏，洗净，晒干；或除去外部灰色、黑色膜及内脏后，将尾盘起，晒干，选择大小相似者，用红线缠扎成对。

| 功能主治 | 甘、咸，温。归肝、肾经。温肾壮阳，散结消肿。用于阳痿，遗尿，肾虚作喘，癥瘕积聚，跌仆损伤；外用于痈肿疔疮。

| 用法用量 | 内服煎汤，3 ~ 9 g；或研末，1 ~ 1.5 g。外用适量，研末掺或调敷。

海龙科 Syngnathidae 海马属 *Hippocampus*

小海马 *Hippocampus japonicus* Kaup

| 药 材 名 | 海马（药用部位：除去内脏的全体。别名：水马、马头鱼、龙落子鱼）。

| 形态特征 | 体侧扁，较小，体长 7.6 ~ 10 cm。头冠低小，上有 5 短小钝棘。体长为头的 4.5 ~ 7.8 倍，头长为吻的 2.4 ~ 3.4 倍，为眼径的 4.1 ~ 6.4 倍。吻管短于眼后头。鳃盖突出，无放射状嵴纹。头侧及眶上各棘均特别发达。体部骨环 11，尾部骨环 37 ~ 38。以背侧棱棘最为发达，其次为腹侧棱棘，其他则短钝或不明显。腹部很突出，不具棱棘。背鳍 16 ~ 17，位于躯干最后 3 环和尾部第 1 环的背方。臀鳍 4，胸鳍 12 ~ 13。体灰褐色，头上、吻部、颊部及体侧具不规则斑纹。腹缘黑褐色。

| 生境分布 | 栖息于沿海及内湾的中、低潮线一带海藻丛中。江苏沿海地区均有分布。

| 资源情况 | 野生资源一般。养殖资源一般。药材来源于野生。

| 采收加工 | 全年均可捕捉，除去内脏，洗净，晒干；或除去外部灰色、黑色膜及内脏后，将尾盘起，晒干，选择大小相似者，用红线缠扎成对。

| 药材性状 | 本品体型小，长 7 ~ 10 cm，黑褐色，节纹和短棘均细小。

| 功能主治 | 同“大海马”。

| 用法用量 | 同“大海马”。

海龙科 Syngnathidae 刁海龙属 *Solenognathus*

刁海龙 *Solenognathus hardwickii* (Gary)

| 药 材 名 | 海龙（药用部位：全体。别名：杨枝鱼、钱串子）。

| 形态特征 | 体狭长侧扁，一般体长 37 ~ 50 cm，体高远大于宽，躯干五棱形，尾部前方六棱形，后方逐渐变细，呈四棱形，尾部卷曲。头长，与体轴在同一水平线上，或与体轴形成大钝角。吻特别延长，侧扁，长约为眼后头的 2 倍。眼大而圆，眼眶突出。鼻孔每侧 2，很小。口小，前位，口闭时，口裂几呈垂直状。两颌短小。鳃盖突出，具明显的放射状线纹，鳃孔小，位于近头侧背缘。眼眶四周、吻管背腹面及顶部的后端均被有大小不等、粗糙的颗粒状棘；颈部背方呈棱脊状，具颈棘 2；腹部中央棱较突出。肛门位于体 1/2 后方腹面。体无鳞，包被于骨质环中，体部骨环 25 ~ 26，尾部骨环 56 ~ 57。背鳍，较长 41 ~ 42，始于尾环第 1 节，止于第 10 或第 11 节。臀鳍 4，极短小。胸鳍 23，短宽。无尾鳍。体淡黄色，与躯干部上侧棱骨环相接

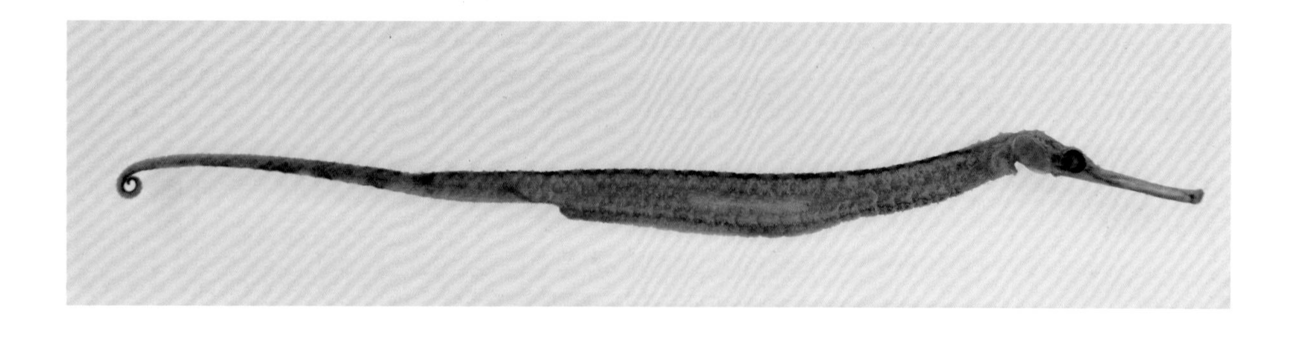

处有 1 列黑褐色斑点，各鳍色浅。雄体于尾部前方腹面有育儿囊。

| 生境分布 | 生于藻类繁茂的浅海中，常利用尾部缠在海藻上。江苏沿海地区均有分布。

| 资源情况 | 野生资源较丰富。养殖资源一般。药材来源于野生。

| 采收加工 | 夏、秋季捕捉，除去皮膜，洗净，晒干。

| 药材性状 | 本品体狭长侧扁，长 30 ~ 50 cm，躯干部宽 3 cm。表面黄白色或灰褐色。头部前方具一侧扁的管状长吻，口小，无牙，两眼圆而深陷，头与体轴略成钝角。躯干部五棱形。尾部前方六棱形，后方渐细成四棱形，尾端卷曲。背棱两侧各有 1 列灰黑色斑点状色带，腹部中央棱特别突出。全体被以具花纹的骨环及细横纹，各骨环内有突起粒状棘。胸鳍宽短，背鳍较长，有的不明显，无尾鳍。骨质坚硬。气微腥，味微咸。

| 功能主治 | 甘、咸，温。归肝、肾经。温肾壮阳，散结消肿。用于肾阳不足，阳痿，遗精，癥瘕积聚，瘰疬痰核，跌打损伤；外用于痈肿疔疮。

| 用法用量 | 内服煎汤，3 ~ 9 g；或研末，1.5 ~ 3 g。外用适量，研末敷。

| 附　　注 | 本种吸食浮游小型甲壳动物，卵在育儿囊内受精发育。

海龙科 Syngnathidae 拟海龙属 *Syngnathoides*

拟海龙 *Syngnathoides biaculeatus* (Bloch)

|药 材 名| 海龙（药用部位：全体。别名：杨枝鱼、钱串子）。

|形态特征| 体长形、平扁，一般体长 20 ~ 22 cm，体宽大于高，躯干部近四棱形，尾部前方六棱形，后方渐细，呈四棱形，尾端细尖、略卷。头长，与身体在同一水平线上。吻长而侧扁，长约为眶后头的 2 倍。眼较大而圆，眼眶稍突出。鳃盖上缘嵴纹较突出，止于鳃孔前方。鳃盖上缘、胸鳍基部前方各具一较大而突出的结节。头上除眼眶上缘各具 1 小棘外，余无棘刺。体无鳞，体部骨环 16 ~ 17，尾部骨环 51 ~ 53。躯干部与尾部上侧棱及下侧棱完全相连。背鳍 40 ~ 41，较长，起于体环最末节，止于尾部第 9 ~ 10 节。臀鳍 5 ~ 6，很小，紧位于肛门后方。胸鳍 20 ~ 22，短宽。无尾鳍。体鲜绿黄色，体侧及腹面均有大小不等的鲜黄色斑点，吻侧及下方具不规则深绿色网纹。

| 生境分布 | 生于藻类繁茂的浅海中，常利用尾部缠在海藻上。江苏沿海地区均有分布。

| 资源情况 | 野生资源较丰富。养殖资源一般。药材来源于野生。

| 采收加工 | 夏、秋季捕捉，除去皮膜，洗净，晒干。

| 药材性状 | 本品体平扁，全长 20 ~ 22 cm。表面灰黄色或黄白色。头常与体轴成一直线；躯干部粗壮，近四棱形，后方渐细成四棱形，尾部细尖，微卷曲，短于头与躯干部合长，无尾鳍。

| 功能主治 | 同“刁海龙”。

| 用法用量 | 同“刁海龙”。

| 附　　注 | 本种吸食浮游小型甲壳动物，卵在育儿囊内受精发育。

海龙科 Syngnathidae 海龙属 *Syngnathus*

尖海龙 *Syngnathus acus* Linnaeus

| 药 材 名 | 海龙（药用部位：全体。别名：杨枝鱼、钱串子）。

| 形态特征 | 体细长，鞭状，一般体长 11 ~ 20 cm，体高及宽近相等，躯干部七棱形，腹部中央棱微凹，尾部四棱形，尾后方渐细，不卷曲。头长而细尖，体长为头的 7.4 ~ 9.3 倍。吻细长，管状，头长为吻的 1.7 ~ 1.9 倍，为眼径的 6.9 ~ 8.4 倍。眼大而圆，眼眶微突。鳃盖上线状嵴短小，存在于基部 1/3 处，鳃孔很小。躯干部上侧棱与尾部上侧棱不相连，躯干部下侧棱与尾部下侧棱相连续，躯干部中侧棱与尾部上侧棱相接近。体无鳞，全为骨环所包，体部骨环 19，尾部骨环 36 ~ 41。背鳍 35 ~ 45，较长，始于最末体环，止于第 9 尾环。臀鳍 4，短小。胸鳍 12 ~ 13，扇形。尾鳍 9 ~ 10，后缘黑褐色，其他鳍色淡。

| 生境分布 | 生于藻类繁茂的浅海中，常利用尾部缠在海藻上。江苏沿海地区均

有分布。

| 资源情况 | 野生资源较丰富。养殖资源一般。药材来源于野生。

| 采收加工 | 夏、秋季捕捉，洗净，晒干。

| 药材性状 | 本品体细长，呈鞭状，长 10 ~ 20 cm，中部直径 4 ~ 5 mm。表面黄褐色或黄棕色，头长而细尖，吻细长而呈管状。躯干部七棱形，尾部四棱形，后方渐细，末端不卷曲，有尾鳍。腹部中央微凸出，有的腹面可见育儿囊。质较脆，易撕裂。

| 功能主治 | 同“刁海龙”。

| 用法用量 | 同“刁海龙”。

| 附　　注 | 本种吸食浮游小型甲壳动物，卵在育儿囊内受精发育。

石首鱼科 Sciaenidae 黄鱼属 *Pseudosciaena*

大黄鱼 *Pseudosciaena crocea* (Richardson)

| 药 材 名 | 鱼脑石（药用部位：头骨中的耳石。别名：石首鱼头石、石首鱼脑中枕）。

| 形态特征 | 体近长方形而侧扁，背缘及腹缘的前方隆凸而后方低。体长约30 cm。头大而侧扁，吻圆钝。眼中等大，侧上位；眼间隔宽而稍隆凸。鼻孔每侧2，前鼻孔圆而小，后鼻孔长形，较大，接近于眼。口前位，宽阔而斜。上、下颌相等，唇薄；上颌骨能伸缩。前鳃盖骨边缘有细锯齿，鳃盖骨后端有1扁棘。鳃孔大，鳃盖膜不与峡部相连。鳃耙较长。鳞片栉状，侧线鳞57；侧线下鳞较侧线上鳞为大。背鳍及臀鳍的鳍条部2/3以上均蒙小圆鳞。侧线前部较弯曲，后部较直。背鳍有8～10鳍棘，后连31软鳍条，起点在胸鳍起点的上方。臀鳍有2鳍棘，后连9软鳍条，起点约与背鳍鳍条的中部相对。胸鳍15，起点在鳃盖后。腹鳍小于胸鳍。尾

鳍楔形。体背侧灰黄色，下侧金黄色；背鳍及尾鳍灰黄色，胸鳍、腹鳍及臀鳍为黄色。

| 生境分布 | 栖息于水深 60 m 以内近海的中下层。暖温性洄游，春、秋季产卵场均在河口附近或岛屿、内湾近岸浅水区。分布于江苏连云港、盐城、南通等海域。

| 资源情况 | 野生资源较少。养殖资源一般。药材来源于养殖。

| 采收加工 | 在黄鱼汛期收集大黄鱼，将头骨中耳石取出，晾干。

| 药材性状 | 本品呈长卵形，三棱状，前端宽圆，后端狭尖，里缘及外缘弧形，长 1.5 ~ 2.3 cm，宽 0.8 ~ 1.5 cm。全体白色，具瓷样光泽。背面从里缘向外缘逐渐隆起成嵴状。近里侧及外侧底部可见到明显的层状生长纹，后端有 1 斜凹沟。背面有横向嵴棱数条。腹面平滑，前、后两端稍翘起。有 1 “蝌蚪”形印迹。“蝌蚪”的头区昂仰，近圆形，伸达前缘。尾区斜直，为 1 “T”形浅沟，尾端扩大，中央有 1 圆形突起，尾部直达后缘。边缘沟显著，宽而短，位于腹面里侧缘与“蝌蚪”形印迹之间。质坚硬而脆，断面可见纵向纹理和生长纹相互交织，具绢样光泽。气微，味淡、稍涩。

| 功能主治 | 甘、咸，寒。归膀胱经。化石，通淋，解毒。用于石淋，小便淋沥不畅，鼻渊，聤耳出脓。

| 用法用量 | 内服煎汤，5 ~ 15 g；或研末，1.5 ~ 3 g。外用适量，研末，吹鼻或麻油调匀滴耳。

| 附　　注 | 本种与小黄鱼的区别在于本种的鳞片较小而小黄鱼的鳞片较大而稀少；本种的尾柄较长而小黄鱼的尾柄较短；本种的臀鳍第 2 鳍棘等长于或大于眼径，而小黄鱼则小于眼径；本种的骸部具 4 不明显的小孔，而小黄鱼具 6 小孔；本种的下唇长于上唇，口闭时较圆，而小黄鱼上、下唇等长，口闭时较尖。

石首鱼科 Sciaenidae 黄鱼属 *Pseudosciaena*

小黄鱼 *Pseudosciaena polyactis* Bleeker

| 药 材 名 | 鱼脑石（药用部位：头骨中的耳石。别名：石首鱼头石、石首鱼脑中枕）。

| 形态特征 | 本种的外形与大黄鱼相近而小。体长约 20 cm。侧线鳞 60 ~ 63。背鳍有 9 鳍棘，后连 34 ~ 36 软鳍条，起点与胸鳍的起点相对。臀鳍有 2 鳍棘，后连 9 软鳍条，起点稍后于背鳍鳍条的中部。胸鳍 19，长而尖，末端超过腹鳍的末端。腹鳍稍短于胸鳍。尾鳍楔形。体背侧灰褐色，两侧及腹侧为黄色，背鳍边缘灰褐色。

| 生境分布 | 栖息于软泥或泥沙质海底。秋末冬初，鱼群南下作适温洄游。江苏沿海地区均有分布。

| 资源情况 | 野生资源较少。养殖资源一般。药材来源于养殖。

| 采收加工 | 在黄鱼汛期收集小黄鱼，将头骨中耳石取出，晾干。

| 药材性状 | 本品长 1 ～ 1.2 cm，宽 0.5 ～ 0.7 cm。以色洁白、质坚硬者为佳。

| 功能主治 | 同“大黄鱼”。

| 用法用量 | 同“大黄鱼”。

石首鱼科 Sciaenidae 梅童鱼属 *Collichthys*

棘头梅童鱼 *Collichthys lucidus* Richardson

| 药 材 名 | 梅童鱼（药用部位：肉。别名：朱梅鱼、梅子鱼）。

| 形态特征 | 体侧扁，长 8 ~ 16 cm。头大，圆钝，额部隆起，高低不平；黏液腔发达。头部枕骨棘棱显著，有前后 2 棘，中间有小棘 2 ~ 3。吻短钝，有吻缘孔 5。眼小，上侧位，眼间隔宽凸。口前位，口裂宽大深斜，上、下颌约等长，牙绒毛状，上颌外行牙及下颌内行牙稍大。颏孔 4，细小，不显著。鳃孔大，鳃耙（10 ~ 11）+（16 ~ 20），细长。体及头部被薄圆鳞，易脱落。侧线发达，下方黄色皮腺体较少。侧线鳞 49 ~ 50。第一背鳍有 7 鳍棘，第二背鳍有 1 鳍棘，后连 24 ~ 28 软鳍条，起点于胸鳍基部上方。臀鳍有 2 鳍棘，后连 11 ~ 13 软鳍条。胸鳍尖长，超过腹鳍末端。尾鳍尖形。体背侧面灰黄色。鳃腔白色

或灰白色。背鳍鳍棘边缘及尾鳍末端黑色，各鳍淡黄色。腹侧面金黄色。

| 生境分布 | 栖息于近岸浅海或江口。江苏沿海地区均有分布。

| 资源情况 | 野生资源较丰富。药材来源于野生。

| 采收加工 | 全年均可捕捞，剖腹，除去鳞片及内脏，洗净，鲜用。

| 功能主治 | 甘，温。归脾、肾经。益气健脾，养血补肾。用于病后体虚，消化不良，贫血，小儿发育不良，遗尿。

| 用法用量 | 内服适量，炖食；或蒸食。

| 附　　注 | 本种民间用于治疗食欲不振、骨骼发育不良、牙齿发育不全、脂溶性维生素缺乏症。

鳐科 Rajidae 鳐属 *Raja*

孔鳐 *Raja porosa* Günther

| 药 材 名 | 鳐鱼胆（药用部位：胆囊。别名：劳子鱼胆、老板鱼胆）。

| 形态特征 | 体盘亚圆形。吻稍突出，吻软骨前端愈合部比后端分离部约大2倍。尾较宽扁，尾上的结刺雌体5行，雄体3行，每行结刺10～20。眼小。背鳍2，间隔短，腹鳍分裂颇深。头后脊板上第1结刺前面正中具椭圆形或直条状综合一群黏液孔，有时呈“入”或“人”字形，上部连合，下部分离。腹面上腹腔后部两侧各具一群黏液孔。

| 生境分布 | 栖息于寒水性海区的海底。江苏沿岸咸、淡水水域均有分布。

| 资源情况 | 野生资源较丰富。养殖资源较少。药材来源于野生。

| 采收加工 | 捕杀后，取出胆囊，洗净，鲜用或阴干。

| 功能主治 | 苦，寒。归肾经。散瘀止痛，解毒敛疮。用于风湿关节痛，跌打肿痛，疮疖，溃疡。

| 用法用量 | 内服研末，干胆 3 ~ 6 g，鲜胆汁 5 ~ 10 滴。外用适量，干胆磨醋涂。

| 附　　注 | 本种以蟹、虾、端足类、小型甲壳动物，以及多毛类、贝类、小型鱼类和头足类动物为食。

鳀科 Engraulidae 鲚属 *Coilia*

刀鲚 *Coilia ectenes* Jordan et Seale

| 药 材 名 | 鲚鱼（药用部位：全体。别名：鮤、鱴刀、刀鱼）。

| 形态特征 | 体侧扁，后段更甚，一般长 24 ~ 37 cm。头短小，吻端略圆钝，突出。眼小，眼间隔圆凸。口大，前下位，口裂斜行，上颌骨向后伸达胸鳍基底，其下缘具细锯齿。牙细小，上下颌、犁骨、腭骨均具细牙。鳃孔宽大，鳃耙细长（17 ~ 18）+（24 ~ 25），肛门靠近臀鳍前方。体被薄圆鳞，纵列鳞 74 ~ 84，横列鳞 10 ~ 12，腹缘棱鳞（18 ~ 22）+（27 ~ 34）。无侧线。背部平直，背鳍有 1 鳍棘，后连软鳍条，臀鳍 96 ~ 115，长超过体长的一半。胸鳍上部具游离鳍条 6，延长成丝状，末端可达臀鳍起点或略超过。腹鳍小，尾鳍不对称，上叶长于下叶。体银白色，体背稍带灰色。

| 生境分布 | 栖息于浅海河口一带，春、夏季集群溯河至淡水产卵，江苏沿海地

区均有分布，汛期至长江江段及通江河道和湖泊中。

| 资源情况 | 野生资源较少。药材来源于野生。

| 采收加工 | 春、夏季捕捞，除去鳞片、鳃片、鳃及内脏，鲜用。

| 功能主治 | 甘，平。归脾经。健脾补气，泻火解毒。用于慢性胃肠功能紊乱，消化不良，疮疖痈疽。

| 用法用量 | 内服煎汤，30 ~ 60 g。外用适量，捣敷。

| 附　　注 | （1）本种为重要洄游经济鱼类，由于过度捕捞，资源已遭到严重破坏。

（2）本种以浮游动物及小鱼等为食。

鮨科 Serranidae 花鲈属 *Lateolabrax*

鲈鱼 *Lateolabrax japonicus* (Cuvier et Valenciennes)

| 药 材 名 | 鲈鱼（药用部位：肉。别名：花鲈、鲈板、花寨）。

| 形态特征 | 体侧扁，一般长约 60 cm。头中等大，吻钝尖。眼中等大，上侧位。口大，斜裂。下颌稍突出，上颌骨后端膨大，伸达眼缘后下方。上、下颌牙带状、细小，犁骨和腭骨均具绒毛状牙。前鳃盖骨后缘具锯齿，后角及下缘具 4 棘，鳃盖骨具 1 扁平棘。鳃耙（7 ~ 9）+（13 ~ 16）。体被小栉鳞，头部除吻端及两颌外均被鳞。侧线完全，侧鳞 70 ~ 80［（14 ~ 18）/（17 ~ 22）］。背鳍 2，稍分离。第一背鳍有 12 鳍棘，为硬棘；第二背鳍有 1 鳍棘，后连 12 ~ 13 软鳍条。臀鳍有 3 鳍棘，后连 7 ~ 8 软鳍条，始于背鳍第 6 鳍条下方。胸鳍 16 ~ 18，较小，位低，胸鳍有 1 鳍棘，后连软鳍条 5，胸位。尾鳍分叉。体背侧灰青绿色。生活于淡水者体色较浅白。体侧上半部及背鳍上有黑色斑点。由于逐渐增长，斑点渐不明显。腹侧银白色。

拍摄人：戴仕林

背鳍条部和尾鳍边缘黑色。

| 生境分布 | 栖息于河口咸淡水处。春、夏季间幼鱼有成群溯河的习性，冬季返归海中。江苏沿海地区均有分布。

| 资源情况 | 野生资源丰富。养殖资源丰富。药材来源于养殖。

| 采收加工 | 全年均可捕捞，除去鳞片及内脏，洗净，鲜用或晒干。

| 功能主治 | 甘，平。归肝、脾、肾经。益脾胃，补肝肾。用于脾虚泻痢，消化不良，疳积，百日咳，水肿，筋骨痿弱，胎动不安，疮疡久不愈。

| 用法用量 | 内服煮食，60 ~ 240 g；或作鲙食。

| 附　　注 | 主食鱼、虾类。秋末冬初在河口产卵。卵浮性，直径 1.35 ~ 1.44 mm，具油球。

石鲈科 Pomadasyidae 髭鲷属 *Hapalogenys*

横带髭鲷 *Hapalogenys mucronatus* Eydoux et Souleyet

| 药 材 名 | 海猴鳔（药用部位：鳔。别名：铜盆鱼、金鼓、打铁皮）。

| 形态特征 | 体椭圆形，一般体长 15 ~ 25 cm。头中等大，吻钝尖。眼较大，上侧位，眼间隔狭而凸。口中等大，稍斜，上、下颌约等长，两颌牙细小，呈绒毛带状。颏部密生小髭，其间有小圆孔 1 对。前鳃盖骨后缘具细锯齿。体被小栉鳞。侧线完全，位高，与背缘并行，侧线鳞 40 ~ 45［（11 ~ 22）/（18 ~ 22）］。第一背鳍有 1 鳍棘，第二背鳍有 11 鳍棘，后连 14 ~ 17 软鳍条，鳍棘部与鳍条部只在基部相连，鳍棘部强大，有 1 向前平卧棘，以第三棘最长。臀鳍有 3 鳍棘，后连 9 软鳍条，以第二鳍棘最强大。尾鳍圆形。体背部灰褐色，腹部色较浅。体侧有 7 黑色横带。背鳍、臀鳍及尾鳍浅黄色，边缘黑色。

| 生境分布 | 栖息于近海中下层岩礁区，喜集群，以小鱼和甲壳类为食。江苏沿海地区均有分布。

| 资源情况 | 野生资源较丰富。药材来源于野生。

| 采收加工 | 全年均可捕捞，取出鳔，洗净，鲜用或晒干。

| 功能主治 | 甘，平。归肝经。补气养血，消肿解毒。用于久病体虚，贫血，腮腺炎。

| 用法用量 | 内服煎汤，5 ~ 15 g。外用适量，敷贴。

鲳科 Stromateidae 鲳属 *Pampus*

银鲳 *Pampus argenteus* (Euphrasen)[*Stromateoides argenteus* (Euphrasen)]

| 药 材 名 | 鲳鱼（药用部位：肉。别名：昌候鱼、昌鼠、狗瞌睡鱼）。

| 形态特征 | 体卵圆形，甚侧扁，一般长 20 ~ 30 cm，大者长达 40 cm 以上。头短小，侧扁而高。吻短，圆钝，稍突。眼小，侧位，眼间隔呈大的弧形隆起。口小，微斜，上、下颌各具细小牙 1 行，排列紧密。鳃孔小，鳃耙（4 ~ 6）+（7 ~ 11），细弱。体被细小圆鳞，极易脱落。侧线位高，与背缘平行，侧线鳞 110 ~ 130。第一背鳍有 9 ~ 12 鳍棘，第二背鳍有 1 鳍棘，后连 42 ~ 48 软鳍条，起点略在臀鳍起点前上方，第一臀鳍有 6 ~ 7 鳍棘，第二臀鳍有 1 鳍棘，后连 41 ~ 46 软鳍条。成鱼背鳍与臀鳍的鳍棘均埋于皮下；鳍条部相对而同形，呈镰形，前部鳍条均稍延长，但不伸达尾柄上。胸鳍 24 ~ 27，较长。无腹鳍。尾鳍分叉较深，下叶比上叶稍长。体具银白色光泽，背部微呈青灰色，

多数鳍片上有不明显的微小黑点。腹部乳白色。各鳍浅灰色。

| 生境分布 | 栖息于水深 30 ~ 70 m 潮流缓慢的海区内，以小鱼、水母、硅藻等为食。有季节性洄游现象，生殖期 5 ~ 6 月。怀卵量 11.7 万 ~ 21.8 万粒，卵浮性，直径 1.6 ~ 1.9 mm。江苏沿海地区和长江口均有分布。

| 资源情况 | 野生资源较丰富。养殖资源一般。药材来源于野生。

| 采收加工 | 全年均可捕捞，除去鳞片及内脏，洗净，鲜用。

| 功能主治 | 甘，平。归脾、胃经。益气养血，舒筋利骨。用于消化不良，贫血，筋骨酸痛，四肢麻木。

| 用法用量 | 内服煮食，30 ~ 60 g；或炖服。

毒鲉科 Synanceiidae 鬼鲉属 *Inimicus*

鬼鲉 *Inimicus japonicus* (Cuvier et Valenciennes)

| 药 材 名 | 鱼虎（药用部位：肉。别名：土奴鱼、老虎鱼、海蝎子）。

| 形态特征 | 体长形，前部粗大，后部稍侧扁。头钝短。头侧和下颌下方有许多发达的皮须。鳃盖膜分离，与峡部相连。体无鳞。背鳍有 16 ~ 17 鳍棘。胸鳍下叶有两指状游离鳍条。背鳍鳍基部后面各有发达的毒性腺。体色变化较大，近岸浅水区呈黑褐色，深水区呈红色或黄色。体侧常具红蓝色斑点，胸鳍常具黄色或白色斑纹。

| 生境分布 | 栖息于沿岸或海岛附近石砾底质浅海中。江苏沿海地区均有分布。

| 资源情况 | 野生资源较丰富。养殖资源较少。药材来源于野生。

| 采收加工 | 全年均可捕捞，取肉，鲜用或晒干。

| 功能主治 | 甘，平；有小毒。归肝、肾经。滋养肝肾，清热解毒。用于腰腿酸软疼痛，肝炎，疖肿，脓疡不敛，湿疹。

| 用法用量 | 内服适量，煮食；或焙干研末冲。

鲬科 Platycephalidae 鲬属 *Platycephalus*

鲬鱼 *Platycephalus indicus* (Linnaeus)

| 药 材 名 | 鲬（药用部位：除去内脏的全体。别名：牛尾鱼、辫子鱼、百甲鱼）。

| 形态特征 | 体平扁，一般长 20 ~ 35 cm，大者长达 50 cm。头宽而平扁，背面及两侧有发达的低骨棱。吻半圆形。眼中大，上侧位，眼间隔宽而微凹，比眼径大，虹膜常有 1 舌形突起。口大，前位，下颌突出。两颌、犁骨均有绒毛状牙群；左右犁骨牙群连成半月形，腭骨具 1 纵行小牙。前鳃盖骨后角有 2 尖棘，间鳃盖骨有 1 小型舌状皮瓣。鳃孔宽大，鳃耙 3+9。体被小栉鳞，不易脱落。侧线平直，侧线鳞约 120（17/280）。第一背鳍有 2 鳍棘，第二背鳍有 6 ~ 7 鳍棘，后连 1 ~ 13 软鳍条；两者相距很近，第一和第二鳍棘很小，游离，第四鳍棘较长。臀鳍 13 和第 2 背鳍相对且同形。胸鳍短圆，腹鳍前腹位。尾鳍略带截形。体黄褐色，有黑色斑点，腹面白色。尾鳍有灰黑色斑块。

其他各鳍淡黄褐色，有不规则小斑点。

| 生境分布 | 栖息于沿岸至水深 50 m 的沙底质海区内。江苏沿海地区均有分布。

| 资源情况 | 野生资源较丰富。药材来源于野生。

| 采收加工 | 全年均可捕捞，除去内脏，洗净，鲜用。

| 功能主治 | 甘，平。归膀胱经。利水消肿，软坚散结。用于慢性水肿，肝硬化腹水，风湿性关节炎，小儿哮喘。

| 用法用量 | 内服适量，煮食。

鲽科 Pleuronectidae 木叶鲽属 *Pleuronichthys*

木叶鲽 *Pleuronichthys cornutus* (Temminck et Schlegel)

| 药 材 名 | 比目鱼（药用部位：除去鳞和内脏的全体。别名：鼓眼、砂轮、猴子鱼）。

| 形态特征 | 体卵圆形，较扁，长 11 ~ 25 cm。头较小。吻很短。眼较大，两眼均位于头部右侧，前、后方各有短棘突，于上眼的上方背缘处有 1 深凹，眼间隔窄，隆起成嵴状。口小，牙细小，锥状，无眼侧上下颌有排列成带状的牙 2 ~ 3 行，有眼侧的两颌无牙。鳃孔狭。体两侧均被小圆鳞。两侧的侧线均呈直线状，侧线鳞 90 ~ 110。颞上支沿背缘向后延伸。背鳍 72 ~ 81，起点于无眼侧，与上眼相对。臀鳍 54 ~ 62，起点于胸鳍基的下方。胸鳍小。腹鳍短。尾鳍后缘圆形。有眼侧体为灰褐色或淡红褐色。头、体、鳍均有众多黑色细斑及小型暗点。无眼侧白色。背、臀、尾的鳍边缘均色暗。

| 生境分布 | 栖息于泥沙底质海区。生殖期为 10 ~ 11 月，仔鱼在浅水中活动，

变态后改在底层生活或移向深水。江苏沿海地区均有分布。

| 资源情况 | 野生资源较丰富。药材来源于野生。

| 采收加工 | 全年均可捕捞，除去鳞和内脏，鲜用或晒干。

| 功能主治 | 甘，平。归脾、胃经。健脾益气，解毒。用于脾胃虚弱，消化不良，急性胃肠炎，鲀鱼中毒。

| 用法用量 | 内服煮食，100 ~ 200 g。

舌鳎科 Cynoglossidae 舌鳎属 *Cynoglossus*

短吻舌鳎 *Cynoglossus joyneri* Günther

| 药 材 名 | 比目鱼（药用部位：除去鳞和内脏的全体。别名：焦氏舌鳎、牛舌、鳎目）。

| 形态特征 | 体狭长，舌状侧扁，一般长 7 ~ 20 cm。头较短圆。吻钝尖，下弯如钩，末端伸达有眼侧前鼻孔的下方。眼小，两眼均位于头部左侧，间隔平坦。口狭小，口裂略呈半圆形。鳃孔窄，鳃耙细小。体两侧均被栉鳞。有眼侧具侧线 3，上中侧线间具横列鳞 11 ~ 13 行；无眼侧无侧线。背鳍 107 ~ 115，起点于吻端上方。臀鳍 82 ~ 88，起点于鳃盖后缘下方。背、臀鳍均与尾鳍相连。无胸鳍。腹鳍微小，与臀鳍相连，无眼侧无腹鳍。尾鳍尖。有眼侧体黄褐色略带紫红色，无眼侧白色。

| 生境分布 | 栖息于泥沙底质海区，大潮时常起浮游动。江苏沿海地区均有分布。

| 资源情况 | 野生资源较丰富。药材来源于野生。

| 采收加工 | 全年均可捕捞，除去鳞和内脏，鲜用或晒干。

| 功能主治 | 同“木叶鲽”

| 用法用量 | 同“木叶鲽”。

单棘鲀科 Monacanthidae 马面鲀属 *Navodon*

绿鳍马面鲀 *Navodon septentrionalis* (Günther)

| 药 材 名 | 马面鲀（药用部位：肉。别名：剥皮郎、橡皮鱼、面包鱼）。

| 形态特征 | 体长椭圆形，长 18 ~ 28 cm。头侧视呈三角形，上缘斜直。吻长，尖突。眼中大，上侧位，在头的后部。口小，前位，唇发达，下颌稍突出。牙呈门齿状，上颌牙 2 行，下颌牙 1 行。鳃孔大，斜直于眼的下方。鳞细小，上有绒状小刺。无侧线。背鳍有 2 鳍棘，后连 37 ~ 39 软鳍条，第一鳍棘强大，粗糙，位于眼的上方，棘两侧缘有倒刺；第二鳍棘微小，位于后方沟槽内。第二背鳍基底长。臀鳍 34 ~ 37，与第二背鳍同形，相对。胸鳍短圆形。左右腹鳍退化，合为 1 短棘，连在腰带骨上，不能活动。尾鳍截形，后缘圆凸。体蓝灰褐色，体侧有不规则暗色斑块。各鳍鳍条绿色，尾鳍鳍条后缘暗绿色。

| 生境分布 | 栖息于水深 50 ~ 120 m 的海区。江苏沿海地区均有分布。

| 资源情况 | 野生资源较丰富。养殖资源一般。药材来源于野生。

| 采收加工 | 全年均可捕捞，除去鳞片及内脏，鲜用或晒干。

| 功能主治 | 甘，平。归胃经。止血解毒，健胃消食。用于消化道出血，外伤出血，乳腺炎，胃炎。

| 用法用量 | 内服煮食，100 ~ 200 g；或研末，黄酒冲。外用适量，皮焙灰敷。

鮟鱇科 Hypnidae 黄鮟鱇属 *Lophius*

黄鮟鱇 *Lophius litulon* (Jordan)

| 药 材 名 | 黄鮟鱇（药用部位：头骨。别名：老头鱼、结巴鱼、蛤蟆鱼）。

| 形态特征 | 体颇细长，头宽扁，表皮平滑，无鳞，体侧具许多皮须；附肢（胸蹼）肥厚；额骨侧脊具 2 列低的锥形脊；具伪鳃（拟鳃）；眼间隔宽且稍凹陷；肱骨脊发达，具 2 ~ 3 小棘。吻触手短，纤细，无卷须，通常比第二背鳍棘短；饵球具有类似三角信号旗状的筒瓣，没有长触毛和眼状囊（附肢）。第二背鳍棘短，鳍棘末端呈深色并具黑色卷须；第三背鳍棘长，色斑深，无卷须；第四至六背鳍棘短，无卷须；背鳍基底具 1 深色斑。黄褐色体背具不规则的深棕色网纹；腹面色浅；胸鳍底末梢呈深黑色；臀鳍与尾鳍深黑色；口腔淡白色或色微暗，无彩色纹理。

| 生境分布 | 栖息于海底。江苏沿海地区均有分布。

| 资源情况 | 野生资源较丰富。药材来源于野生。

| 采收加工 | 全年均可捕捉，取头骨，洗净，晒干。

| 功能主治 | 咸，平。解毒消肿。用于疮疖，牙龈肿痛。

| 用法用量 | 内服煎汤，6 ~ 9 g。外用适量，焙干研末，麻油调涂。

| 附　　注 | 本种以摆动背鳍棘端皮质穗为饵，诱捕小鱼等动物。

蟾蜍科 Bufonidae 蟾蜍属 *Bufo*

中华大蟾蜍 *Bufo bufo gargarizans* Cantor

| 药 材 名 | 蟾酥（药用部位：分泌物。别名：蛤蟆酥、蛤蟆浆、癞蛤蟆酥）。

| 形态特征 | 体长一般超过 10 cm，体粗壮，头宽大于长，吻端圆，吻棱显著；鼻孔近吻端；眼间距大于鼻间距；鼓膜明显，无犁骨齿，上、下颌亦无齿。前肢长而粗壮，指、趾略扁，指侧微有缘膜而无蹼，指式 3＞1＞4，2，指关节下瘤多成对，掌突 2，外侧者大。后肢粗壮而短，胫跗关节前达肩部，左右跟部不相遇，趾侧有缘膜，蹼尚发达，内跖变形长而大，外跖突小而圆。皮肤极粗糙，头顶部较平滑，两侧有大而长的耳后腺，其余部分满布大小不等的圆形瘰疣，排列较规则的为头后的瘰疣，斜行排列几与耳后腺平行。生殖季节雄性背面多为黑绿色，体侧有浅色的斑纹；雌性背面色较浅，瘰疣乳黄色，有时自眼后沿体侧有斜行之黑色纵斑，腹面乳黄色，有棕色或黑色细花纹。雄性个体较小，内侧 3 指有黑色婚垫，无声囊。

| 生境分布 | 栖息于泥穴、潮湿石下、草丛内、水沟边等阴暗地带。江苏各地均有分布。

| 资源情况 | 野生资源较丰富。养殖资源较丰富。药材来源于养殖。

| 采收加工 | 5 ~ 10 月捕捉蟾蜍，洗净，挤取耳皮腺和皮肤腺的白色浆液，加工，干燥。

| 药材性状 | 本品呈扁圆形团块状或片状，棕褐色或红棕色。团块状者质坚，不易折断，断面棕褐色，角质状，微有光泽；片状者质脆，易碎，断面红棕色，半透明。气微腥，味初甜而后有持久的麻辣感，粉末嗅之作嚏。

| 功能主治 | 辛，温；有毒。归心经。解毒，止痛，开窍醒神。用于痈疽疔疮，咽喉肿痛，中暑神昏，痧胀腹痛吐泻。

| 用法用量 | 内服多入丸、散剂，0.015 ~ 0.03 g。外用适量，研末调敷；或掺膏药内贴。孕妇慎用。

| 附　　注 | （1）因本种的皮肤易失水分，故白天多潜伏隐蔽，夜晚及黄昏出来活动。16 ~ 28 ℃为生长发育最适温度。冬天气温在 10 ℃以下，进入冬眠期。春季气温回升到 10 ℃以上结束冬眠，开始活动，捕食昆虫，繁殖产卵。

（2）江苏北部和中部地区本种资源相对丰富，近年来由于水体环境污染和生存环境的恶劣，成体数量逐年减少，优质蟾酥供应量有限。

鳖科 Trionychidae 鳖属 *Trionyx*

鳖 *Trionyx sinensis* Wiegmann

| 药 材 名 | 鳖甲（药用部位：背甲。别名：上甲、鳖壳、甲鱼壳）。

| 形态特征 | 体呈椭圆形或近卵圆形，成体全长 30 ~ 40 cm。头尖，吻长，形成吻突呈短管状；鼻孔位于吻突前端，上、下颌缘覆有角质硬鞘，无齿，眼小；瞳孔圆形，鼓膜不明显，颈部长可达 70 mm，颈基部无颗粒状疣，头、颈可完全缩入甲内。背腹甲均无角质板而被有革质软皮，边缘具柔软、较厚的结缔组织，俗称“裙边”。背面皮肤有凸起的小疣，成纵行棱起，背部中央稍凸起，椎板 8 对，肋板 8 对，无臀板，边缘无缘板相连。背部骨片没有完全骨质化，肋骨与肋板愈合，其末端突出于肋板外侧。四肢较扁平，前肢 5 指，内侧 3 指有外露的爪，外侧 2 指的爪全被皮肤包裹而不外露；后肢趾爪生长情况亦同，指、趾间具蹼而发达。雄性体较扁而尾较长，末端露出于“裙边”；雌性尾粗短，不露出“裙边”。泄殖肛孔纵裂。头颈部上面橄绿色，

下面黄色，下颌至喉部有黄色斑纹，两眼前后有黑色斑纹，眼后头顶部有 10 余黑点。体背橄绿色或黑棕色，具黑色斑，腹部肉黄色，两侧“裙边”处有绿色大斑纹，近尾部有 2 团豌豆大的绿色斑纹。前肢上面橄绿色，下面淡黄色，后肢上面色较浅。尾部正中为橄绿色，余皆为淡黄色。

| 生境分布 | 生于江河、湖沼、池塘、水库等水流平缓、鱼虾繁生的淡水水域，也常出没于大山溪中，在安静、清洁、阳光充足的水岸边活动较频繁。江苏各地均有分布。

| 资源情况 | 野生资源较丰富。养殖资源丰富。药材来源于养殖。

| 采收加工 | 全年均可捕捉，以秋、冬季为多，捕捉后杀死，置沸水中烫至背甲上的硬皮能剥落时取出，剥取背甲，除去残肉，晒干。

| 药材性状 | 本品呈椭圆形或卵圆形，背面隆起，长 10 ~ 15 cm，宽 9 ~ 14 cm。外表面黑褐色或黑绿色，略有光泽，具细网状皱纹及灰黄色或灰白色斑点，中间有 1 纵棱，两侧各有左右对称的横凹纹 8，外皮脱落后，可见锯齿状嵌接缝。内表面类白色，中部有凸起的背椎骨，颈骨向内卷曲，两侧各有肋骨 8，伸出边缘。质坚硬。气微腥，味淡。

| 功能主治 | 咸，微寒。归肝、肾经。滋阴潜阳，退热除蒸，软坚散结。用于阴虚发热，骨蒸劳热，阴虚阳亢，头晕目眩，虚风内动，手足瘛疭，闭经，癥瘕，久疟疟母。

| 用法用量 | 内服煎汤，10 ~ 30 g，先煎；或熬膏；或入丸、散剂。外用适量，烧存性研末掺或调敷。

潮龟科 Bataguridae 乌龟属 *Chinemys*

乌龟 *Chinemys reevesii* (Gray)

| 药 材 名 | 龟甲（药用部位：背甲、腹甲。别名：龟板、乌龟壳、乌龟板）。

| 形态特征 | 体呈扁椭圆形，背腹均有硬甲，甲的长、宽、高一般为 120 mm × 85 mm × 55 mm，最长者可达 200 mm。头顶前端光滑，后部覆被细粒状小鳞；吻端尖圆，颌无齿而具角质硬喙；眼略突出；耳鼓膜明显；颈部细长；周围均被细鳞，颈能伸缩。背、腹甲的上面为表皮形成的角质板；下面为真皮起源的骨板，背脊中央及其两侧有 3 较显著的纵棱，但雄龟不太明显。背甲棕褐色或黑色，颈角板前窄后宽，椎角板 5，第 1 块两侧对称排列肋角板各 4，缘角板每侧 11，臀角板 2，近长方形。腹甲与背甲几等长，淡黄色，少数褐色，共有 6 对；喉角板 2，呈三角形；肱角板 2，外缘宽凸；胸、腹角板各 2，均较大；股角板 2，外缘较宽于中线；肛角板 2，后缘凹陷。背、腹甲在

体两侧由甲桥相连，形成体腔。四肢较扁平，前肢具 5 指及爪，后肢具趾，除第 5 趾无爪外，余皆有爪，指或趾间具蹼；尾中等长度，一般长 20 ～ 30 cm，较细。头侧及喉侧有带黑边的黄绿色纵线，头颈部背面深褐色，腹面色稍浅。背甲各角板边缘外呈黄色，角板上的花纹形似金钱，故又有“金钱龟”之称。腹甲每块角板的外侧下方色较深，四肢背面灰褐色或深棕褐色，腹面色稍浅。尾部背面棕褐色。泄殖孔周围色浅，往后呈棕褐色。

| 生境分布 | 栖息于水浅、温度高、水草较多的池塘、沼泽、湖泊等静水水域，有时在稻田和潮湿的陆地活动。分布于江苏北部、南部等。

| 资源情况 | 野生资源稀少。养殖资源丰富。药材来源于养殖。

| 采收加工 | 全年均可捕捉，以秋、冬季为多，捕捉后杀死或用沸水烫死，剥取背甲和腹甲，除去残肉，晒干。

| 药材性状 | 本品背甲及腹甲由甲桥相连，背甲稍长于腹甲，与腹甲常分离。背甲呈长椭圆形拱状，长 7.5 ～ 22 cm，宽 6 ～ 18 cm；外表面棕褐色或黑褐色，脊棱 3；颈盾 1，前窄后宽；椎盾 5，第 1 椎盾长大于宽或近相等，第 2 ～ 4 椎盾宽大于长；肋盾两侧对称，各 4；缘盾每侧 11；臀盾 2。腹甲呈板片状，近长方椭圆形，长 6.4 ～ 21 cm，宽 5.5 ～ 17 cm；外表面淡黄棕色至棕黑色，盾片 12，每块常具紫褐色放射状纹理，腹盾、胸盾和股盾中缝均长，喉盾、肛盾次之，肱盾中缝

最短；内表面黄白色至灰白色，有的略带血迹或残肉，除净后可见骨板 9，呈锯齿状嵌接；前端钝圆或平截，后端具三角形缺刻，两侧残存为呈翼状向斜上方弯曲的甲桥。质坚硬。气微腥，味微咸。

| 功能主治 | 咸、甘，微寒。归肝、肾、心经。滋阴潜阳，益肾强骨，养血补心，固经止崩。用于阴虚潮热，骨蒸盗汗，头晕目眩，虚风内动，筋骨痿软，心虚健忘，崩漏经多。

| 用法用量 | 内服煎汤，9 ~ 24 g，先煎。

| 附　　注 | （1）本种已被列入《华盛顿公约》（CITES）附录Ⅲ和《有重要生态、科学、社会价值的陆生野生动物名录》中，被《中国濒危动物红皮书》列为濒危种。

（2）本种食性较广，吃蠕虫、螺类、虾及小鱼等动物，也吃植物茎叶及粮食。喜群居，耐饥饿。有冬眠习性。

壁虎科 Gekkonidae 壁虎属 *Gekko*

大壁虎 *Gekko gecko* Linnaeus

| 药 材 名 | 蛤蚧（药用部位：除去内脏的全体。别名：蛤解、蛤蟹、仙蟾）。

| 形态特征 | 体长约 30 cm。体背腹略扁。头大，扁三角形，吻端圆凸；耳孔椭圆形。眼大，突出，瞳孔纵置。口内有许多小齿。皮肤粗糙，被细小粒状细鳞，鳞间分布有大的疣状颗粒。四肢长短适中，指、趾膨大，呈扁平状，指、趾底部有单性皮肤皱襞。雄性有肛前窝 20 余，尾基部较粗，肛后囊孔明显。躯干及四肢背面砖灰色，密布橘黄色及蓝色斑点；尾部有深浅相间的环纹，腹面白色而有粉红色斑。

| 生境分布 | 栖息于石壁洞缝中、树洞中、房舍墙壁顶部，尤其喜栖息于有草木生长、高度几米至几十米的石山上。分布于江苏淮安（淮阴）等。

| 资源情况 | 野生资源稀少。药材来源于野生。

| 采收加工 | 5 ~ 9 月捕捉，击昏，挖去眼球，除去内脏，用竹片撑开胸腹壁，用纱布擦干血液。然后用 2 条扁竹条将四肢平行撑起，再用长于蛤蚧全身 1/2 的扁竹条将头尾轻轻撑直，文火烘干，将大小相同的 2 只合成 1 对，用线扎好。

| 药材性状 | 本品呈扁片状，头颈部及躯干部长 9 ~ 18 cm，腹背部宽 6 ~ 11 cm，尾长 6 ~ 12 cm。头略呈扁三角状，两眼多凹陷成窟窿，口内有细齿，生于颚的边缘，无大牙。吻部半圆形，吻鳞不切鼻孔，与鼻鳞相连，上鼻鳞左右各 1，中间被额鳞隔开，上唇鳞 12 对，下唇鳞（包括颏鳞）21。腹背部呈椭圆形，腹薄。背部呈灰黑色或银灰色，有黄白色或灰绿色斑点散在密集成不显著的斑纹，脊椎骨及两侧肋骨凸起。四足均具 5 趾，除前足第 1 支趾外，其余均有钩爪；趾间仅具蹼迹，足趾底有吸盘。尾细而坚实，微显骨节，与背部色同，有 7 明显的银灰色环带。全身有橙红色斑点，密被圆形或多角形微有光泽的细鳞，散有紫褐色疣鳞，腹部鳞片方形，镶嵌排列。气腥，味微咸。以体大、肥壮、尾全、不破碎者为佳。

| 功能主治 | 咸，平。归肺、肾经。补肺益肾，纳气定喘，助阳益精。用于肺肾不足，虚喘气促，劳嗽咯血，阳痿，遗精。

| 用法用量 | 内服煎汤，3 ~ 6 g；或研末，1 ~ 1.5 g；或入丸、散剂。

| 附　　注 | 本种因用于传统中药材被大量捕捉，以致陷入枯竭。此外，自然环境遭到破坏，本种的栖息地逐渐缩小，也是导致其数量减少的一个重要因素。虽有人工驯养及繁殖，但规模甚小，难以满足市场需要。目前，本种被列为国家重点保护二级动物，被《中国濒危动物红皮书》列为濒危种。

眼镜蛇科 Elapidae 环蛇属 *Bungarus*

银环蛇 *Bungarus multicinctus* Blyth

| 药 材 名 |

金钱白花蛇（药用部位：除去内脏的全体。别名：金钱蛇、小白花蛇）。

| 形态特征 |

成蛇全长约 1 m。头椭圆形，与颈略可区分。体较细长，尾末端尖细。头部黑色或黑褐色，躯干及尾背面黑色或黑褐色，有白色横纹（20 ~ 50）+（7 ~ 17），腹面乳白色，或缀以黑褐色细斑。无颊鳞，眶前鳞 1，眶后鳞 2；颞鳞 1+2，上唇鳞 2-2-3 式。背鳞平滑，通身 15 行，脊鳞特大，呈六角形；腹鳞 203 ~ 231；肛鳞完整，尾下鳞 37 ~ 55，单行。

| 生境分布 |

生于平原、丘陵地区水稻田、塘边等近水处。在稀疏树木或小草丛的低矮山坡、坟堆附近、山脚、路旁、田埂、河滨鱼塘旁、倒塌较久的土房子下、石头堆下活动。分布于江苏山区等。

| 资源情况 |

野生资源较少。养殖资源一般。药材来源于养殖。

拍摄人：徐芃伟

| 采收加工 | 夏、秋季捕捉，剖开腹部，除去内脏，擦净血迹，用乙醇浸泡处理后，以头为中心，盘成圆形，用竹签固定，烘干。

| 药材性状 | 本品呈圆盘状，盘径 3 ~ 15 cm，蛇体直径超过 0.2 ~ 0.4 cm。头盘在中间，尾细，常纳口内。背部黑色或灰黑色，微有光泽，有 48 以上，1 ~ 2 鳞宽的白色环纹，黑白相间，并有一显著凸起的脊棱。脊鳞片较大，呈六角形；背鳞细密，通身 15 行；腹部黄白色鳞片稍大；尾部鳞片单行。气微腥，味微咸。

| 功能主治 | 甘、咸，温；有毒。归肝、脾经。祛风，通络，止痉。用于风湿顽痹，麻木拘挛，中风口眼㖞斜，半身不遂，抽搐痉挛，破伤风，麻风，疥癣。

| 用法用量 | 内服煎汤，3 ~ 4.5 g；或研末，0.5 ~ 1 g；或浸酒，3 ~ 9 g。

| 附　　注 | 本种虽较为常见，但数量正在减少，已被列入《有重要生态、科学、社会价值的陆生野生动物名录》中，被《中国濒危动物红皮书》列为易危种。

蝰科 Viperidae 尖吻蝮属 *Deinagkistrodon*

尖吻蝮 *Deinagkistrodon acutus* (Güenther)

| 药 材 名 | 蕲蛇（药用部位：除去内脏的全体。别名：大白花蛇、棋盘蛇、五步蛇）。

| 形态特征 | 体粗壮，尾较短，全长可达 2 m，背面深棕色或棕褐色。吻端尖而翘向前上方，头呈三角形，与颈区分明显，有长管牙；头背黑色，头侧自吻棱经眼斜至口角以下为黄白色，头、腹及喉为白色，背脊有（15 ~ 20）+（2 ~ 5）方形大斑，边缘浅褐色，中央色略深，有的方斑不完整；腹面白色，有交错排列的黑褐色斑块，略呈 3 纵行，有的若干斑块互相连续而界限不清；尾腹面白色，散以疏密不等的黑褐色点斑。吻鳞甚高，上部窄长，构成尖吻的腹面；鼻间鳞 1 对，也窄长并构成尖吻的腹面。头背具对称而富疣粒的大鳞；有颊窝；眶前鳞 2，眶后鳞 1，有一较大的眶下鳞；上唇鳞 7。背鳞 21（23）~ 21（23）~ 17（19）行，除最外 1 ~ 3 行外，余均具结节状强棱；腹

拍摄人：李一凡

鳞 157 ~ 170；肛鳞完整；尾下鳞 52 ~ 59，大部双行，少数为单行，尾后段侧扁，末端 1 鳞片侧扁而尖长。

| 生境分布 | 生于海拔 100 ~ 1 400 m 的山区或丘陵地带林木茂盛的阴湿处或路边草丛中。大多栖息在 300 ~ 800 m 的常绿和落叶混交林中，夏季喜于山坞的水沟一带活动，进入山谷溪流边的岩石、草丛、树根下的阴凉处度夏。江苏各地均有分布。

| 资源情况 | 野生资源稀少。养殖资源一般。药材来源于养殖。

| 采收加工 | 夏、秋季捕捉，剖开蛇腹，除去内脏，洗净，用竹片撑开腹部，盘成圆盘状，用文火烘干或晒干后拆除竹片。

| 药材性状 | 本品卷成圆盘状，盘径 17 ~ 34 cm，体长可达 2 m。头在中间稍向上，呈三角形而扁平，吻端向上，习称“翘鼻头”。上腭有管状毒牙，中空尖锐。背部两侧各有黑褐色与浅棕色组成的“Λ”形斑纹 17 ~ 25，其“Λ”形的两上端在背中线上相接，习称“方胜纹”，有的左右不相接，呈交错排列。腹部撑开或不撑开，灰白色，鳞片较大，有黑色类圆形的斑点，习称“连珠斑”；腹内壁黄白色，脊椎骨的棘突较高，成刀片状上突，前后椎体下突基本同形，多为弯刀状，向后倾斜，尖端明显超过椎体后隆面。尾部骤细，末端有三角形深灰色的角质鳞片 1。气腥，味微咸。

| 功能主治 | 甘、咸，温；有毒。归肝经。祛风，通络，止痉。用于风湿顽痹，麻木拘挛，中风口眼㖞斜，半身不遂，抽搐痉挛，破伤风，麻风，疥癣。

| 用法用量 | 内服煎汤，3 ~ 9 g；或研末吞，一次 1 ~ 1.5 g，一日 2 ~ 3 次。

游蛇科 Colubridae 乌梢蛇属 *Zaocys*

乌梢蛇 *Zaocys dhumnades* Cantor

| 药 材 名 | 乌梢蛇（药用部位：除去内脏的全体。别名：乌蛇、乌花蛇、剑脊蛇）。

| 形态特征 | 形体较粗大，无毒，头颈区分不明显，全长可达 2.5 m，一般雌蛇较短。眼睛较大，鼻孔大而椭圆，位于两鼻鳞之间。上唇鳞 8，第 4、5 入眼，下唇鳞 9 ~ 11，第 6 最大；颊鳞 1，低矮，眼前鳞 1，上缘包至头背，颞鳞前后各 2；背鳞前段 16 行，后段 14 行，背脊中央 2 ~ 4 行起棱；腹鳞 186 ~ 205，尾下鳞 105 ~ 128，肛鳞 2。体呈青灰褐色，各鳞片的边缘呈黑褐色；背中央的 2 行鳞片呈黄色或黄褐色，其外侧的 2 行鳞片则呈黑色；上唇及喉部淡黄色，腹面灰白色，其后半部呈青灰色。

| 生境分布 | 生于海拔 50 ~ 1 570 m 的我国沿海平原、丘陵、山区或田野、林下地带。5 ~ 10 月常于农耕区水域附近活动。江苏各地均有分布。

| 资源情况 | 野生资源稀少。养殖资源一般。药材来源于养殖。

| 采收加工 | 夏、秋季捕捉，剖开腹部或先剥皮留头尾，除去内脏，盘成圆盘状，置于铁丝拧成的“十”字形架上，以柴火熏，频频翻动，至色发黑，但勿熏焦，取下，晒干透，即可。

| 药材性状 | 本品呈圆盘状，盘径约 16 cm。表面黑褐色或绿黑色，密被菱形鳞片；背鳞行数成双，背中央 2 ~ 4 行鳞片强烈起棱，形成 2 纵贯全体的黑线。头盘在中间，扁圆形，眼大而下凹，有光泽。上唇鳞 8，第 4、5 入眶，颊鳞 1，眼前鳞 1，较小，眼后鳞 2。脊部高耸成屋脊状。腹部剖开边缘向内卷曲，脊肌肉厚，黄白色或淡棕色，可见排列整齐的肋骨。尾部渐细而长。尾下鳞双行。剥皮者仅留头尾之皮鳞，中段较光滑。气腥，味淡。

| 功能主治 | 甘，平。归肝经。祛风，通络，止痉。用于风湿顽痹，麻木拘挛，中风口眼㖞斜，半身不遂，抽搐痉挛，破伤风，麻风，疥癣。

| 用法用量 | 内服煎汤，9 ~ 12 g。

| 附　　注 | 本种的特征在于背中央 2 ~ 4 行鳞起棱，呈“几”字形；背面绿褐色或棕黑色，背侧 2 黑纹纵贯全身。混淆品形虽与之近似，但各有不同：黑眉锦蛇眼后有 2 眉状黑纹；王锦蛇头部鳞沟形成“王”字形黑色斑；滑鼠蛇后部有黑色横斑；灰鼠蛇前后鳞连成黑褐色细纵纹。

雉科 Phasianidae 原鸡属 *Gallus*

家鸡 *Gallus gallus domesticus* Brisson

| 药 材 名 | 鸡内金（药用部位：砂囊内壁）。

| 形态特征 | 嘴短而坚，略呈圆锥状，上嘴稍弯曲。鼻孔裂状，被有鳞状瓣。眼有瞬膜。头上有肉冠，喉部两侧有肉垂，通常呈褐红色；雄者肉冠高大，雌者低小；肉垂也以雄者为大。翼短；羽色雌、雄不同，雄者羽色较美，有长而鲜丽的尾羽；雌者尾羽甚短。足健壮，跗、跖及趾均被有鳞板；趾 4，前 3 趾，后 1 趾，后趾短小，位略高。雄者跗趾部后方有距。家鸡因饲养杂交的关系，品种繁多，形体、大小及毛色不一。

| 生境分布 | 江苏各地均有分布。

| 资源情况 | 养殖资源丰富。药材来源于养殖。

| 采收加工 | 全年均可捕捉，杀鸡后，取出鸡肫，立即剥下内壁，洗净，干燥。

| 药材性状 | 本品为不规则卷片，厚约 2 mm。表面黄色、黄绿色或黄褐色，薄而半透明，具明显的条状皱纹。质脆，易碎，断面角质样，有光泽。气微腥，味微苦。

| 功能主治 | 甘，平。归脾、胃、小肠、膀胱经。健胃消食，涩精止遗，通淋化石。用于食积不消，呕吐泻痢，小儿疳积，遗尿，遗精，石淋涩痛，胆胀胁痛。

| 用法用量 | 内服煎汤，3 ~ 10 g；或研末，1.5 ~ 3 g。研末服效果优于煎剂。

雉科 Phasianidae 原鸡属 *Gallus*

乌骨鸡 *Gallus gallus domesticus* Brisson

| 药 材 名 | 乌骨鸡（药用部位：除去羽毛及内脏后的全体）。

| 形态特征 | 本种为家鸡的一种，体躯短矮而小。头小，颈短，具肉冠，耳叶绿色，略呈紫蓝色。遍体羽毛白色，除两翅羽毛外，全呈绒丝状；头上有一撮细毛凸起，下颌上连两颊面生有较多的细短毛。翅较短，主翼羽的羽毛呈分裂状，以至飞翔力特别强。毛脚5爪。跖毛多而密，也有无毛者。皮、肉、骨均为黑色。也有黑毛乌骨、肉白乌骨、斑毛乌骨等变异种。

| 生境分布 | 江苏镇江（丹徒）、徐州（大丰）有分布。

| 资源情况 | 养殖资源丰富。药材来源于养殖。

| 采收加工 | 全年均可捕捉，宰杀后除去羽毛及内脏，取肉及骨骼，鲜用；亦可

冻存、浸酒贮存或烘干磨粉。

| 功能主治 | 甘，平。归肝、肾、肺经。补肝肾，益气血，退虚热。用于虚弱羸瘦，骨蒸劳热，消渴，遗精，滑精，久泻，久痢，崩中，带下。

| 用法用量 | 内服适量，煮食；或入丸、散剂。

雉科 Phasianidae 鹌鹑属 *Coturnix*

鹌鹑 *Coturnix coturnix* (Linnaeus)

| 药 材 名 | 鹌鹑（药用部位：全体或肉）、鹌鹑蛋（药用部位：卵）。

| 形态特征 | 体长约 16 cm。形似鸡雏，头小而尾秃。嘴短小，黑褐色。虹膜栗褐色。头顶黑而具栗色的细斑，中央冠以白色条纹，两侧亦有同色的纵纹，白嘴基越眼而达颈侧；额头侧及颏、喉等均为淡砖红色。上背栗黄色，散有黑色横斑和蓝灰色的羽缘，并缀以棕白色羽干纹；两肩、下背、尾均黑色，而密布栗黄色纤细横斑，除尾羽外，均具蓝灰色羽缘；背面两侧各有 1 列棕白色、大形羽干纹，极为鲜丽。两翼的内侧覆羽和飞羽淡橄褐色，杂以具棕白色黑缘的细斑；初级飞羽大多暗褐色而外缀以锈红色横斑。胸栗黄色，杂以近白色的纤细羽干纹。下体两侧转栗色，散布黑斑，并具较大的白色羽干纹，至下肋宽阔而显著。腹以下近白色。脚短，淡黄褐色。

| 生境分布 | 生于具茂密野草或矮树丛的平原、荒地、山坡、丘陵、沼泽、湖泊、溪流中，有时亦在灌木林中活动。江苏各地均有分布。

| 资源情况 | 养殖资源丰富。药材来源于养殖。

| 采收加工 | **鹌鹑：**全年均可捕捉，宰杀后除去羽毛及内脏，鲜用，或取肉鲜用。

鹌鹑蛋：取卵，鲜用。

| 功能主治 | **鹌鹑：**甘，平。归大肠、心、肝、脾、肺、肾经。补中气，强筋骨，止泻痢。用于疳积，脾虚泻痢，风湿痹病，百日咳。

鹌鹑蛋：补虚，健胃。用于体虚肺痨，胃痛，肋膜炎，失眠。

| 用法用量 | **鹌鹑：**内服煮食，1 ~ 2 只；或烧存性研末。

鹌鹑蛋：内服适量，煮食。

雉科 Phasianidae 竹鸡属 *Bambusicola*

灰胸竹鸡 *Bambusicola thoracica* (Temminck)

| 药 材 名 | 竹鸡（药用部位：肉。别名：山菌子、鸡头鹘、泥滑滑）。

| 形态特征 | 体长约 29 cm。嘴短，褐色。虹膜淡褐色。头、颈侧、颏、喉等均为栗红色。上体大都黄榄褐色；各羽或显或微地缀以黑褐色毛虫状斑，头顶杂以少数棕点；额与上背带灰色，眉纹蓝灰色，向后延伸至背侧；背部具栗斑甚著，并有较小的白斑，背后仅微缀以栗色细点；肩羽与背略同，但白斑较多。三级飞羽有很大的栗褐色圆斑；翼上的内侧覆羽和飞羽满布棕黄色波状纹，外侧者转为暗褐色，初级飞羽外缘淡栗色；中央尾羽淡肉桂栗色，密杂以黑褐色毛虫状纹，并贯以 5 ~ 6 道淡肉桂栗色横斑；外侧尾羽几转纯肉桂栗色；胸蓝灰色，延及两肩，呈颈圈状，其下更缘以栗红色；腹和胁棕色，前浓后淡，两胁密杂以黑褐色斑；尾下覆羽棕色带有栗色。脚和趾黄褐色，雄者有长距。

| 生境分布 | 栖息于森林、竹林、灌丛中或农田附近。分布于江苏苏州、盐城等。

| 资源情况 | 野生资源一般。养殖资源较丰富。药材主要来源于养殖。

| 采收加工 | 全年均可捕捉，杀死后除去羽毛及内脏，取肉鲜用。

| 功能主治 | 甘，平。归脾、肝经。补中益气，杀虫解毒。用于脾胃虚弱，消化不良，大便溏泄，痔疮。

| 用法用量 | 内服煮食，1 只；或炙食。

| 附　　注 | 本种为江苏重点保护野生动物。野生种以杂草种子、蝗虫、蝗蝻等为主要食源，可控制或消灭害虫，间接起到保护森林和作物的作用，有益于农、林业的发展。人工养殖可保护野生生态环境。

雉科 Phasianidae 雉属 *Phasianus*

环颈雉 *Phasianus colchicus* Linnaeus

| 药 材 名 | 雉（药用部位：肉。别名：华虫、疏趾、野鸡）、雉脑（药用部位：脑髓）、雉肝（药用部位：肝脏）、雉尾（药用部位：尾羽）。

| 形态特征 | 体长约 90 cm。雌雄异色，雄者羽色华丽。头顶黄铜色，两侧有微白色眉纹。颏、喉和后颈均黑色而有金属反光。颈下有一显著的白圈，背部前方主要为金黄色，向后转为栗红色，再后则为橄绿色，均杂有黑、白色斑纹。腰侧纯蓝灰色，向后转为栗色。尾羽很长，先端锐尖，中央黄褐色，两侧紫栗色；中央部贯以多数黑色横斑，至两侧横斑也转为深紫栗色；翼上覆羽大多黄褐色而杂以栗色，向外转为银灰色；飞羽暗褐色而缀以白斑；胸部为带紫色的铜红色，羽端具锚状黑斑；胁金黄色，亦散缀以黑斑；腹乌褐色；尾下覆羽栗、褐色相杂。雌鸟体形小而尾短，体羽大都沙褐色，背面满杂以栗色和黑色的斑点。尾上黑斑缀以栗色。无距。虹膜栗红色；眼周裸出。

拍摄人：范明

嘴淡灰色，基部转黑色；脚红灰褐色，爪黑色。

| 生境分布 | 栖息于蔓生草丛或其他荫蔽植物的丘陵中，冬季迁至山脚草原及田野间。江苏各地均有分布。

| 资源情况 | 野生资源稀少。养殖资源一般。药材主要来源于养殖。

| 采收加工 | **雉：**全年均可捕捉，以冬季为佳，宰杀后除去羽毛及内脏，取肉鲜用。

雉脑：除去头部羽毛，洗净，取脑髓鲜用。

雉肝：剖腹取出肝脏，鲜用或烘干。

雉尾：捕捉后取下尾羽，洗净，烘干。

| 药材性状 | **雉肝：**本品鲜者红色或赭红色，1 ~ 4 叶连在一起，大叶长 4 ~ 6 cm 或更长。质软嫩，有血。干者棕褐色或紫褐色，固体。质较硬。有焦腥气。

| 功能主治 | **雉：**甘、酸，温。归脾、胃、肝经。补中益气，生津止渴。用于脾虚泻痢，胸腹胀满，消渴，小便频数，痰喘，疮瘘。

雉脑：化瘀敛疮。用于冻疮。

雉肝：消疳。用于小儿疳积。

雉尾：解毒。用于丹毒，中耳炎。

| 用法用量 | **雉：**内服适量，煮食；或烧存性研末，3 ~ 6 g；或煨汤饮。

雉脑：外用适量，熬膏涂。

雉肝：内服研末，0.7 ~ 1.5 g。

雉尾：外用适量，烧灰研末，涂敷。有痼疾者慎服。

拍摄人：范明

鸠鸽科 Columbidae 鸽属 *Columba*

家鸽 *Columba livia domestica* Linnaeus

| 药 材 名 | 鸽肉（药用部位：肉）、鸽卵（药用部位：蛋）、鸽粪（药用部位：粪）。

| 形态特征 | 体长为 30 ~ 33 cm，体重为 194 ~ 347 g，体呈纺锤形。嘴短，基部被以蜡膜。眼有眼睑和瞬膜，外耳孔由羽毛遮盖，视觉、听觉都很灵敏。颈基两侧至喉和上胸闪耀着金属紫绿色光泽；上背其余部分及两翅覆羽和三级飞羽为鸽灰色，下背纯白色，腰暗灰色带褐色，下体自胸以下为鲜灰色，尾石板灰色而末端为宽的黑色横斑，尾上覆羽灰色带褐色，尾下覆羽鲜灰色较深。雌鸟体色似雄鸟，但要暗一些。人工饲养过程中其形态的变化较大，以青灰色较普遍，有纯白色、茶褐色、黑白色混杂等。足短，外有角质鳞片，足有 4 趾，3 前 1 后。

| 生境分布 | 生于农田及沙漠的绿洲之中。江苏各地均有分布。

| 资源情况 | 野生资源一般。养殖资源丰富。药材来源于养殖。

| 采收加工 | **鸽肉：** 宰杀后除去羽毛及内脏，取肉鲜用。

鸽卵： 春、夏季取卵，鲜用。

鸽粪： 鸽笼中收集，洗净，晒干。

| 功能主治 | **鸽肉：** 咸，平。归肺、肝、肾经。滋肾益气，祛风解毒。用于虚羸，消渴，血虚闭经，久疟，恶疮，疥癞。

鸽卵： 甘、咸，平。补肾益气，解疮痘毒。用于疮疥痘疹。

鸽粪： 消肿杀虫。用于瘰疬疮毒，腹中包块。

| 用法用量 | **鸽肉：** 内服适量，煮食。

鸽卵： 内服适量，煮食。

鸽粪： 外用适量，涂搽。

鸠鸽科 Columbidae 火斑鸠属 *Oenopopelia*

火斑鸠 *Oenopopelia tranquebarica* (Harmann)

| 药 材 名 | 斑鸠（药用部位：肉。别名：锦鸠、斑鷦）、斑鸠血（药用部位：血）、斑鸠脑（药用部位：脑髓）。

| 形态特征 | 体长 22 ~ 26 cm，形体较小。头顶和后颈蓝灰色，头侧色稍浅，颈基有 1 道黑色领环；背、肩羽和两翼覆羽葡萄红色。尾羽具宽阔的白色羽端，最外侧尾羽的外翈转为纯白色，飞羽暗褐色；颏和尾下覆羽白色，下体其余部分羽色与背相同但较浅。雌鸟上体均为土褐色，前头带灰色，后颈黑领环不显。腰部渲染蓝灰色，下体土褐色。颏和喉近白色，下腹和尾下覆羽转为蓝灰色。

| 生境分布 | 栖息于邻近田间的山林、竹林，常成群活动于田野、山庄附近。江苏各地均有分布。

| 资源情况 | 野生资源较丰富。养殖资源一般。药材来源于野生和养殖。

拍摄人：范明

| 采收加工 |

斑鸠：全年均可捕捉，捕杀后，除去羽毛及内脏，鲜用或焙干。

斑鸠血：捕杀时取血，鲜用。

斑鸠脑：捕杀时取脑髓，鲜用。

| 功能主治 |

斑鸠：甘，平。归肺、肾经。补肾，益气，明目。用于外病气虚，身疲乏力，呃逆，两目昏暗。

斑鸠血：苦、咸，寒。清热解毒，凉血化斑。用于热毒斑疹，水痘。

斑鸠脑：甘，平。活血消肿，生肌敛疮。用于耳疮，冻疮溃烂。

| 用法用量 |

斑鸠：内服适量，煮食。

斑鸠血：内服适量，趁热饮。

斑鸠脑：外用适量，涂敷。

鸠鸽科 Columbidae 斑鸠属 *Streptopelia*

山斑鸠 *Streptopelia orientalis* (Latham)

| 药 材 名 | 斑鸠（药用部位：肉。别名：锦鸠、斑鷦）、斑鸠血（药用部位：血）、斑鸠脑（药用部位：脑髓）。

| 形态特征 | 体长约 34 cm，翼长 19 ～ 20 cm，形体较大。额和头顶蓝灰色，头和颈灰褐色而稍带葡萄酒色；颈基左右两侧黑羽呈块斑状，各羽缘先端蓝灰色。肩羽羽缘斑为显著的红褐色。上背褐色；下背及腰蓝灰色。下体为葡萄酒色，外侧尾羽灰白色，端部较短；尾下覆羽鸠灰色。嘴暗铅色，脚和趾紫红色，爪红黑色。

| 生境分布 | 栖息于平原和山地林中，冬季常成小群活动在田间。江苏各地均有分布。

| 资源情况 | 野生资源丰富。养殖资源一般。药材来源于野生和养殖。

| 采收加工 | **斑鸠**：全年均可捕捉，捕杀后，除去羽毛及内脏，鲜用或焙干。

斑鸠血：捕杀时取血，鲜用。

斑鸠脑：捕杀时取脑髓，鲜用。

| 功能主治 | 同“火斑鸠”。

| 用法用量 | 同“火斑鸠”。

鹈鹕科 Pelecanidae 鹈鹕属 *Pelecanus*

斑嘴鹈鹕 *Pelecanus roseus* Gmelin

| 药 材 名 | 鹈鹕嘴（药用部位：嘴）、鹈鹕舌（药用部位：舌）、鹈鹕脂油（药材来源：脂肪油。别名：淘鹅油）、鹈鹕毛皮（药用部位：羽毛、皮）。

| 形态特征 | 体长可达 2 m。嘴宽大直长而尖，浅红黄色，有蓝黑色斑点；上嘴尖端朝下弯曲，呈钩状。嘴下有一与嘴等长的暗紫色皮囊，称“喉囊”，能伸缩，用以兜食鱼类。虹膜淡红黄色，眼睑及眼周橙黄色；眼先青铅色。头、颈白色，枕有粉红色羽冠，后颈有一长的粉红色翎领。上背、肩羽及翅上的三级飞羽和中、小覆羽等均为淡黄褐色，肩、上背色较浅，羽缘白色或褐白色；翼大而阔，第 5 次级飞羽缺如；初级和次级飞羽、初级覆羽黑褐色，初级飞羽色较深；下背、腰白色而带淡红色。尾羽银灰色，尖端苍白色，羽干末端黑褐色，基部浅黄色。胸腹白色，胸羽呈矛状；胁、腋羽和尾下覆羽与腰同色。脚棕黑色，4 趾间有全蹼相连，爪角黄色。

拍摄人：李一凡

| 生境分布 | 栖息于沿海沼河川地带。分布于江苏连云港及长江口北支岛屿等。

| 资源情况 | 野生资源稀少。药材来源于野生。

| 采收加工 | **鹈鹕嘴、鹈鹕舌：**春、秋季捕杀后，取下舌、嘴，烧灰存性研末。

鹈鹕脂油：取脂肪，熬化放冷置于鹈鹕喉囊中。

| 功能主治 | **鹈鹕嘴：**咸，平。归大肠经。涩肠。用于赤白久痢。

鹈鹕舌：解毒。用于疔疮肿痛。

鹈鹕脂油：咸，温。归肾经。拔毒，通络。用于痈肿，行痹，耳聋。

鹈鹕毛皮：降逆止呕。用于反胃。

| 用法用量 | **鹈鹕嘴：**内服烧灰存性研末，5 ～ 10 g，每日 2 次。

鹈鹕舌：外用适量，烧灰存性研末，香油调涂。

鹈鹕脂油：外用适量，绵裹塞耳。

鹈鹕毛皮：内服烧灰存性研末，1 ～ 2 g。

| 附　　注 | 本种为国家一级重点保护野生动物。

鸬鹚科 Phalacrocoracidae 鸬鹚属 *Phalacrocorax*

鸬鹚 *Phalacrocorax carbo sinensis* (Blumenbach)

| 药 材 名 | 鸬鹚肉（药用部位：肉）、鸬鹚骨（药用部位：骨骼）、鸬鹚头（药用部位：头）、鸬鹚翅羽（药用部位：翼上羽毛）、鸬鹚嗉（药用部位：嗉囊）、鸬鹚涎（药用部位：唾涎）。

| 形态特征 | 体长 80 cm。颊、颏和上喉均为白色，形成半环状。头、羽冠、颈等为黑色，但有金属紫绿色反光，并有白色丝状羽；肩和翼的覆羽青铜棕色，羽缘蓝黑色；初级飞羽黑褐色；次级和三级飞羽灰褐色，并带有绿色金属反光。下体蓝黑色，具金属反光，下胁有 1 雪白块斑。尾灰黑色，羽干基部呈灰白色。虹膜翠绿色。眼先橄绿色，缀以黑色斑点；眼下橙黄色；嘴下喉囊为榄黑色，并缀许多鲜黄色斑点。上嘴黑褐色，边缘及下嘴灰白色，且具砖红色斑。跗跖黑色，4 趾向前，具蹼及锐爪。冬羽时期，头无羽冠，头、颈无白色丝状羽；颊、颏和上喉的白色半环为浅灰棕色所代替，下肋无雪白斑块。

| 生境分布 | 栖息于河川、湖沼及海滨。分布于江苏盐城、连云港、苏州、镇江、南京等。

| 资源情况 | 野生资源一般。养殖资源较多。药材来源于养殖。

| 采收加工 | **鸬鹚肉：**全年均可捕捉，除去羽毛及内脏，取肉鲜用。

鸬鹚骨：取骨骼晾干，烧灰。

鸬鹚头：取头部烘干。拔取羽毛，晾干，烧灰。

鸬鹚翅羽：拔取羽毛，晾干，烧灰。

鸬鹚嗉：取嗉囊，烘干。

鸬鹚涎：将活鸬鹚头向下，使唾液流出，收取。

| 功能主治 | **鸬鹚肉：**酸、咸，寒。利水消肿。用于水肿腹大。

鸬鹚骨：化骨鲠，祛面斑。用于鱼骨鲠喉，面部雀斑。

鸬鹚头：酸、咸，微寒。化骨鲠，下气。用于鱼骨鲠喉，噎膈。

鸬鹚翅羽：利水消肿，化骨鲠。用于鱼骨鲠喉，利尿。

鸬鹚嗉：利咽消肿，化骨鲠。用于鱼骨鲠喉，麦芒哽咽。

鸬鹚涎：咸，平。化痰镇咳。用于百日咳。

| 用法用量 | **鸬鹚肉：**内服烧存性研末，5 ~ 10 g，开水或米饮调服。

鸬鹚骨：内服适量，烧存性研末，白开水或米汤送下。外用适量，研末调敷。

鸬鹚头：内服适量，烧存性研末，酒送下。

鸬鹚翅羽：内服烧存性研末，1.5 g，开水送下；或含咽。

鸬鹚嗉：内服适量，烧存性研末，开水送下；或含咽。

鸬鹚涎：内服开水冲，10 ml。

鸭科 Anatidae 河鸭属 *Anas*

绿头鸭 *Anas platyrhynchos* L.

| 药 材 名 | 凫肉（药用部位：肉）、凫羽（药用部位：羽毛。别名：水鸭毛）、凫血（药用部位：血。别名：水鸭血）、凫脚掌（药用部位：脚掌及嘴壳。别名：水鸭脚掌）。

| 形态特征 | 体长约 60 cm。嘴呈黄绿色，嘴甲黑色。虹膜红褐色。雄鸟头和颈辉绿色，颈下有 1 白环。上背和肩暗灰褐色，密杂以黑褐色纤细横斑，并镶棕黄色羽缘；下背转为黑褐色，羽缘色较浅。腰和尾上覆羽黑色，并有金属绿色光辉。两翅大都灰褐色；翼镜蓝紫色，前后缘均为绒黑色，外缀以白色狭边，三色相衬极为醒目。尾羽大部分白色，仅中央 4 黑色而上卷。胸栗色，羽缘浅棕色；下胸的两侧、肩羽及胁大多灰白色；腹淡灰色；尾下覆羽绒黑色。雌鸟尾羽不卷，体黄褐色，并杂有暗褐色斑点。脚橙黄色，趾间有蹼，爪黑色。

| 生境分布 | 栖息于河湖芦苇丛中，常小群飞行。江苏各地均有分布。

| 资源情况 | 野生资源一般。养殖资源丰富。药材来源于养殖。

| 采收加工 | **凫肉：**冬季捕捉，除去羽毛及内脏，取肉鲜用。

凫羽：取羽毛，煅后研末。

凫血：取血，鲜用。

凫脚掌：取脚掌和嘴壳，烘干。

| 功能主治 | **凫肉：**甘，凉。归脾、胃经。补中益气，消食和胃，利水，解毒。用于病后虚羸，食欲不振，水气浮肿，热毒疮疖，久疟。

凫羽：咸，平。解毒敛疮。用于溃疡，烫火伤。

凫血：解毒。用于食物或药物中毒。

凫脚掌：祛寒通络。用于产后受寒，腰背四肢疼痛。

| 用法用量 | **凫肉：**内服适量，煮食。

凫羽：外用适量，煅存性研末调敷。

凫血：内服适量，趁热生饮。

凫脚掌：内服研末，3 ~ 5 g。

鸭科 Anatidae 雁属 *Anser*

白额雁 *Anser albifrons* (Scopoli)

| 药 材 名 | 雁肉（药用部位：肉）、雁肪（药用部位：脂肪。别名：鹜肪、雁膏、雁脂）。

| 形态特征 | 雄鸟体长约 70 cm，雌鸟较小。嘴扁平，被有软皮，肉色或玫瑰色，尖端具角质嘴甲，灰色或白色。虹膜棕色。嘴基和前额皆有白色横纹。头、颈和背部羽毛棕黑色，羽缘灰白色。尾羽亦棕黑色，羽缘白色。胸、腹部棕灰色，布有不规则黑斑，幼鸟无此黑斑，嘴基亦无白纹。腿和脚橙黄色，有 4 趾，前 3 趾间具蹼，后 1 趾小而不着地，蹼淡黄色；爪短而钝，白色或黑色。

| 生境分布 | 栖息于旷野、湖泊、河川和沼泽地带，有时也可见于森林中。分布于江苏扬州、徐州、连云港等。

| 资源情况 | 野生资源稀少。药材来源于野生。

拍摄人：范明

| 采收加工 | **雁肉：** 以冬季捕捉为佳，杀死后除去羽毛及内脏，取肉鲜用。

雁肪： 剥取脂肪，鲜用或炼油。

| 功能主治 | **雁肉：** 甘，平。归肺、肝、肾经。祛风，舒筋壮骨。用于麻木，筋脉拘挛，半身不遂。

雁肪： 甘，平。益气补虚，活血舒筋。用于中风偏枯，手足拘挛，腰脚痿弱，耳聋，脱发，结热胸痞，疮痈肿毒。

| 用法用量 | **雁肉：** 内服适量，煮食。

雁肪： 内服适量，煎汤或炼油。外用适量，涂敷。

| 附　　注 | 本种为国家二级重点保护野生动物。

鸭科 Anatidae 雁属 *Anser*

鸿雁 *Anser cygnoides* (Linnaeus)

| 药 材 名 | 雁肉（药用部位：肉）、雁肪（药用部位：脂肪。别名：鹜肪、雁膏、雁脂）、雁羽（药用部位：羽毛）。

| 形态特征 | 雄鸟成体长约 90 cm，雌鸟较雄鸟为小，雌雄羽毛相似。嘴裂基部有 2 黑褐色颚纹，颏及喉棕红色。头顶至枕部为棕褐色，向后色渐深。颈部除正中棕褐色外，余均白色。肩、背、三级飞羽暗褐色，羽缘淡棕色；初级飞羽灰褐色，端部转黑褐色；次级飞羽浓褐色；翅上覆羽灰褐色，羽缘棕白色以至白色。下背和腰黑褐色。前颈下部和胸部均为淡肉红色，向后色渐淡至下腹转为纯白色。胁部暗褐色，羽缘棕白色。翅下覆羽及腋羽暗灰色。尾羽暗褐色，尾上覆羽前褐后白，尾下覆羽和尾侧覆羽纯白色。嘴黑色，雄雁的上嘴基部有 1 瘤状突。虹膜赤褐色或褐色，趾跖橙黄色，爪黑色。

| 生境分布 | 栖息于旷野、湖泊、河川和沼泽地带，有时也可见于森林中。分布于江苏扬州、徐州、盐城、连云港、南京、镇江等。

| 资源情况 | 野生资源稀少。药材来源于野生。

| 采收加工 | **雁肉：**以冬季捕捉为佳，杀死后除去羽毛及内脏，取肉鲜用。

雁肪：剥取脂肪，鲜用或炼油。

| 功能主治 | **雁肉、雁肪：**同“白额雁”。

雁羽：镇静祛风。用于小儿惊痫。

| 用法用量 | **雁肉、雁肪：**同“白额雁”。

雁羽：适量，烧存性研末。

| 附　　注 | 鸿雁为家鹅的祖先，为江苏重点保护野生动物。

鸭科 Anatidae 雁属 *Anser*

家鹅 *Anser cygnoides domestica* Brisson

| 药 材 名 | 鹅肉（药用部位：肉）、鹅毛（药用部位：羽毛）、鹅血（药用部位：血）、白鹅膏（药用部位：脂肪。别名：白鹅脂）、鹅涎（药用部位：口涎）、鹅喉管（药用部位：咽喉及气管、食管）、鹅内金（药用部位：砂囊内壁）、鹅胆（药用部位：胆汁）、鹅臎（药用部位：含尾脂腺的尾肉。别名：鹅毛罂）、鹅卵（药用部位：卵。别名：鹅蛋、鹅弹）、鹅蛋壳（药用部位：卵壳。别名：鹅子壳）、鹅腿骨（药用部位：后肢骨）、鹅掌（药用部位：脚掌及足蹼）、鹅掌上黄皮（药用部位：脚掌及足蹼上的黄色表皮）。

| 形态特征 | 体长 60 ~ 80 cm。嘴扁阔，前额有肉瘤，雄者膨大，黄色或黑褐色。颈长。体躯宽壮，龙骨长，胸部丰满。尾短。羽毛白色或灰色。脚大有蹼，黄色或黑褐色。体躯站立时昂然挺立。

| 生境分布 | 栖息于水中。江苏各地均有分布。

| 资源情况 | 野生资源一般。养殖资源丰富。药材主要来源于养殖。

| 采收加工 | **鹅肉：** 全年均可宰杀，以冬季最佳，除去羽毛及内脏，取肉鲜用。

鹅毛： 宰鹅时拔取羽毛，晒干。

鹅血： 留取鹅血，鲜用。

白鹅膏： 剖腹取脂肪，鲜用或熬油。

鹅涎： 塞少许生姜入鹅口中将其倒提，头向下使口涎流出，收集鲜用。

鹅喉管： 取下咽喉及气管、食管，烘干。

鹅内金： 取出砂囊（即肫），剖开后剥下内壁，洗净，晒干或烘干。

鹅胆： 剖腹取胆囊，取汁，鲜用。

鹅臎： 割取含尾脂腺的尾肉，除去羽毛，鲜用。

鹅卵： 宰鹅时剖腹，收集未成熟的鹅蛋，鲜用或加工成咸蛋。

鹅蛋壳： 食用鹅蛋时，收集蛋壳，洗净，晒干或烘干。

鹅腿骨： 取下后肢骨，烘干。

鹅掌： 取下脚掌及足蹼，水烫煺去表层黄皮，鲜用。

鹅掌上黄皮： 表层黄皮晒干或烘干。

| 药材性状 | **鹅内金：** 本品为碟状或破碎成片块状，厚约 1 mm。表面黄棕色或黄褐色，平滑，无光泽，边缘略向内卷，边上有齿状短裂纹。质坚而脆。气腥，味微苦。

鹅胆： 本品为深绿色液体胆汁。气微腥，味苦。

鹅卵： 本品为卵圆形，长径 7 ~ 10 cm。外壳白色，质较硬，破碎后内有白色膜衣。蛋清为无色胶体；蛋黄黄色，类球形，核膜破碎易呈液状。蛋清、蛋黄受热变性成固体，蛋清白色，蛋黄黄色，不甚细腻。气微，味淡。

鹅蛋壳： 本品多呈碎片状。外表面白色，稍粗糙，易破裂；内表面光滑。质脆，易碎。气微，味淡。

鹅腿骨： 本品略呈圆柱形，上端稍粗，可见凸起的股骨头，骨干圆柱形，直径约 5 mm。表面灰白色，骨质，折断面中心髓部紫棕色。气微，味特异。

| 功能主治 | **鹅肉：** 甘，平。益气补虚，和胃止渴。用于虚羸，消渴。

鹅毛： 咸，凉。解毒消肿，收湿敛疮。用于痈肿疮毒，风癣疥癞，湿疹，噎膈，惊痫。

鹅血： 咸，平。解毒，散血，消坚。用于噎膈反胃，药物中毒。

白鹅膏：甘，凉。润皮肤，解毒肿。用于皮肤皴裂，耳聋聤耳，噎膈反胃，药物中毒，痈肿，疥癣。

鹅涎：软坚消肿。用于麦芒或鱼刺鲠喉，鹅口疮。

鹅喉管：清肺热。用于喉痹，哮喘，赤白带下。

鹅内金：健脾消食，涩精止遗，消癥化石。用于消化不良，泻痢，疳积，遗精遗尿，尿路结石，胆结石，癥瘕闭经。

鹅胆：苦，寒。清热解毒，杀虫。用于痔疮，杨梅疮，疥癞。

鹅脟：补肝。用于聤耳及聋，手足皴裂。

鹅卵：甘，温。补五脏，补中气。用于脾胃虚弱，营养不良，气血两虚，神疲乏力。

鹅蛋壳：拔毒排脓，理气止痛。用于痈疽脓成难溃，疝气，难产。

鹅腿骨：用于狂犬咬伤。

鹅掌：补气益血。用于年老体弱，病后体虚，不任峻补。

鹅掌上黄皮：收湿敛疮。用于湿疮，冻疮。

| 用法用量 |

鹅肉：内服适量，煮熟，食肉或汤汁。

鹅毛：内服煅存性研末，3 ~ 6 g；或入丸、散剂。外用适量，研末撒或调敷。

鹅血：内服乘热生饮，100 ~ 200 ml；或制成糖浆、片剂服。

白鹅膏：内服适量，煮熟。外用适量，涂敷。

鹅涎：外用适量，含漱；或涂敷。

鹅喉管：内服研末，1 个。

鹅内金：内服研末，1.5 ~ 3 g；或煎汤，5 ~ 10 g。

鹅胆：内服适量，取汁饮。外用适量，涂敷。

鹅脟：外用适量，涂敷。

鹅卵：内服适量，盐腌煮熟食。

鹅蛋壳：内服研末，1 ~ 3 g，开水或酒送服。外用适量，研末调敷。

鹅腿骨：外用适量，研末掺。

鹅掌：内服煨熟，酌量服食。

鹅掌上黄皮：外用适量，烙干研末撒或调敷。

鸭科 Anatidae 天鹅属 *Cygnus*

大天鹅 *Cygnus cygnus* (Linnaeus)

| 药 材 名 | 鹄肉（药用部位：肉）、鹄绒毛（药用部位：羽毛）、鹄油（药材来源：脂肪油。别名：天鹅油）。

| 形态特征 | 体长约 1.5 m。嘴大多黑色，上嘴基部（至鼻孔外）黄色，下嘴基部和正中亦黄色。虹膜暗褐色。头和颈的长度超过躯体长度。游泳时颈呈“S”形，在空中飞行时，颈向前伸直，脚伸向腹部后方。全体洁白，从眼前至嘴基淡黄色。跗跖、趾及蹼为黑色。幼鸟通体淡灰褐色；嘴呈淡肉色，嘴甲和嘴缘黑色，嘴基淡黄绿色或淡绿色。

| 生境分布 | 栖息于生有多种水生植物的湖泊岸边及沼泽地带。分布于江苏扬州、徐州、盐城、连云港等。

| 资源情况 | 野生资源较少。养殖资源一般。药材来源于养殖。

| 采收加工 | **鹄肉：**全年均可捕捉，捕杀后除去羽毛及内脏，取肉鲜用。

鹄绒毛：拔取羽毛，晒干。

鹄油：冬季取脂肪，熬炼，滤净。

| 功能主治 | **鹄肉：**甘，平。补中益气。用于气虚乏力。

鹄绒毛：止血。用于金疮出血。

鹄油：甘，平。解毒敛疮。用于痈肿疮疡，小儿疳耳。

| 用法用量 | **鹄肉：**内服适量，煮食。

鹄绒毛：外用适量，敷贴；或烧存性研末，涂敷。

鹄油：外用适量，涂敷。

| 附　　注 | 本种为国家二级重点保护野生动物。

鹰科 Accipitridae 秃鹫属 *Aegypius*

秃鹫 *Aegypius monachus* (Linnaeus)

| 药 材 名 | 秃鹫（药用部位：肉、骨骼）。

| 形态特征 | 通体大都乌褐色。头被以乌褐色绒羽；颈裸部分呈铅蓝色，皱领淡褐近白色。背、肩、腰、尾上覆羽均暗褐色；翼上覆羽、次级飞羽和三级飞羽也均为暗褐色，初级飞羽黑褐色；尾羽暗褐色，羽轴黑褐色；胸前密被毛状绒羽，两侧各有明显的一束蓬松的矛状羽。胸腹各羽微具较淡色纵纹；肛周和尾下覆羽褐白色；覆腿羽黑褐色。嘴黑褐色，蜡膜铅蓝色，脚和趾珠灰色，爪黑色。

| 生境分布 | 栖息于海拔 2 000 m 以上的高山草原和山麓一带。分布于江苏徐州、连云港等。

| 资源情况 | 野生资源较少。药材来源于野生。

| 采收加工 | 捕获后，除去羽毛和内脏，取肉，骨烧存性研末。

| 功能主治 | 酸、咸，平。滋补养阴，消瘿散结。用于肺结核，甲状腺肿，眼花目眩。

| 用法用量 | 肉，内服炖熟食，100 ~ 200 g。骨骼，内服烧存性研末，10 ~ 15 g。

| 附　　注 | 本种为国家一级重点保护野生动物。

鹰科 Accipitridae 鸢属 *Milvus*

鸢 *Milvus korschun* (Gmelin)

| 药 材 名 | 鸢肉（药用部位：肉）、鸢油（药材来源：脂肪油。别名鹰油）、鸢脑（药用部位：脑髓。别名：鸢脑髓）、鸢嘴（药用部位：喙。别名：鹰嘴）、鸢翅骨（药用部位：双翼骨骼。别名：鹰翅骨）、鸢胆（药用部位：胆囊。别名：鹰胆）、鸢脚爪（药用部位：脚爪。别名：鹰爪、鸢爪）。

| 形态特征 | 羽色大多为褐色。额白色；上体包括两翅的表面几为纯褐色，头顶和后颈的各羽有黑褐色羽干，两侧杂以棕白色，使羽干纹特别明显。两翅初级飞羽黑褐色。尾呈叉状；尾羽浓褐色，微缀黑褐色横斑，羽端褐白色。耳羽纯黑褐色，故又名“黑耳鸢”。颏和喉白羽端褐色，羽干黑褐色，胸以下浓褐色，羽干为黑色，其左右两侧稍带棕色，因呈纵纹状；下腹、尾下覆羽及覆腿羽呈棕黄色，白色羽基常展露于外；翼下覆羽暗红褐色，腋红褐色而杂以黑褐色羽干；飞羽下面

大多为暗灰褐色，而外侧初级飞羽的基部具1大形白斑，展翅高翔时，特别明显。幼鸟的头部和腹部满布纵纹。虹膜暗褐色；嘴黑色，蜡膜和下嘴基部淡黄色带绿色；脚灰黄色，爪黑色。

| 生境分布 | 生于城市、村镇及山野等。江苏各地均有分布。

| 资源情况 | 野生资源稀少。药材来源于野生。

| 采收加工 | 捕获后，剖腹除去内脏，分布收集肉、脂肪油、脑髓、喙、双翼骨骼、胆囊、脚爪。

| 功能主治 | **鸢肉**：甘、微咸，温。补肝肾，强筋骨。用于肾虚哮喘，气不接续，腰痛膝软，行走乏力，风湿疼痛。

鸢油：甘、咸。软坚收敛。用于疮癣癞。

鸢脑：咸，温。解毒，止痛。用于头风痛，痔疮。

鸢嘴：咸，凉。清热，定惊。用于小儿惊风。

鸢翅骨：咸，平。止咳，平喘。用于小儿齁咳。

鸢胆：辛、苦，温。温中理气。用于胃气痛。

鸢脚爪：咸，温；有小毒。镇惊，息风，解毒。用于小儿惊风，头昏眩晕，痔疮。

| 用法用量 | **鸢肉**：内服适量，清炖；或浸酒。

鸢油：外用适量，涂敷。

鸢脑：内服煎汤，1个。

鸢嘴：内服适量，研末水调。

鸢翅骨：内服适量，煅存性研末。

鸢胆：内服适量，焙干研末。

鸢脚爪：内服煎汤，1～2只；或入散剂。外用适量，研末撒或调涂。

| 附　　注 | （1）本种民间用于治疗风湿痛、头风痛、远年哮喘。

（2）本种为国家二级保护野生动物。

三趾鹑科 Turnicidae 三趾鹑属 *Turnix*

黄脚三趾鹑 *Turnix tanki* (Blyth)

| 药 材 名 | 鹑（药用部位：肉。别名：鳸、老扈、鹑雀）。

| 形态特征 | 体长约 16 cm。头顶和枕黑褐色，羽缘缀以淡黄色或栗色，有 1 灰白色带斑从头顶中部延伸到颈基处；颊及耳羽下方淡橙黄色；眼先及眼周淡黄褐色，有时略带黑色细斑；耳羽淡黄褐色，其上有黑色细纹；下颈及颈侧具栗红色块斑；背和两肩灰褐色，羽端有 1 黑色大斑，这黑斑有棕色斑横过或围绕着，四周满布纤细黑色斑点或波状细纹；自腰部至尾羽暗灰褐色，有黑色或栗色的波状细斑。翼上覆羽淡橄黄色，羽端淡黄色并具有黑色圆斑；初级或次级飞羽橄褐色；下胸及下胁均呈麦秆黄色；胸侧及上胁有黑色圆斑；腹部淡黄白色，尾下覆羽栗黄色；翼下覆羽橄褐色。雄鸟较雌鸟体形小。虹膜淡黄白色；上嘴微黑色，嘴峰黄色；脚黄色。

拍摄人：李一凡

| 生境分布 | 栖息于山坡灌丛、草原等。分布于江苏扬州、徐州、连云港等。

| 资源情况 | 野生资源较丰富。养殖资源一般。药材来源于野生和养殖。

| 采收加工 | 春、夏季捕捉，除去羽毛，剖腹去内脏，鲜用。

| 功能主治 | 甘，平。清热解毒。用于诸疮肿毒。

| 用法用量 | 内服煮食，1 只。

秧鸡科 Rallidae 黑水鸡属 *Gallinula*

黑水鸡 *Gallinula chloropus* (Linnaeus)

| 药 材 名 | 黑水鸡（药用部位：肉。别名：鹩、江鸡、红骨顶）。

| 形态特征 | 头、颈及上背灰黑色；下背、翅膀及尾均橄褐色，第 1 初级飞羽外翈白色。体侧和下体灰黑色，向后色渐浅，下腹有些羽毛尖端为白色，因而形成黑白相杂的块状斑；两胁有宽阔的白色条纹；翼下覆羽与下体同色，尖端白色；尾下覆羽两旁白色，中央黑色。嘴端浅黄绿色，基部及额板为鲜红橙色。跗跖前缘浅黄绿色，跗跖后缘及趾灰绿色。

| 生境分布 | 栖息于平原和山地的沼泽、小溪周围的灌木杂草或芦苇丛中，有时也见于稻田或庄稼地。分布于江苏苏州、镇江、南京、徐州、盐城、连云港及长江口北支岛屿等。江苏扬州、盐城、镇江、南京、泰州、常州等有养殖。

| 资源情况 | 野生资源一般。养殖资源较丰富。药材主要来源于养殖。

| 采收加工 | 全年均可捕捉，捕捉后，除去羽毛及内脏，取肉用。

| 功能主治 | 甘，平。滋补强壮，开胃。用于脾胃虚弱，泄泻，食欲不振，消化不良。

| 用法用量 | 内服煮食，50 ~ 100 g。

鸨科 Otidae 大鸨属 *Otis*

大鸨 *Otis tarda* Linnaeus

| 药 材 名 | 鸨肉（药用部位：肉）、鸨油（药材来源：脂肪油）。

| 形态特征 | 形体较大，体长约 1 m，体重约为 9 kg。头、颈及前胸皆深灰色，喉部近白色，满被细长的纤羽；纤羽在喉侧向外突出如须；后颈基处棕栗色，上体余部为浅棕色，布满粗阔的黑色横斑，斑间杂以虫蠹状黑斑。翼阔大，小、中覆羽灰色而具白端，大覆羽和大部分的三级飞羽纯白色，初级和次级飞羽黑褐色而短，中央尾羽棕色较浓，而黑斑较疏，先端白色；两侧尾羽的白色扩展，最外侧的尾羽几乎全白色，仅于近羽端处具 1 黑色横斑。雌鸟喉部无须。虹膜暗褐色，嘴铅灰色，先端近黑色。脚和趾暗铅灰色，仅有 3 前趾，爪黑色。

| 生境分布 | 栖息于广阔的草原上。分布于江苏盐城、淮安（淮阴）、徐州、连云港等。

拍摄人：王槐

| 资源情况 | 野生资源稀少。养殖资源较少。药材来源于养殖。

| 采收加工 | 夏、秋季捕捉，除去羽毛、内脏，收集脂肪油，鲜用。

| 功能主治 | **鸨肉**：甘，平。益气补虚，祛风蠲痹。用于身体虚弱，风湿痹病。

鸨油：甘，平。补肾，解毒，润肤。用于肾虚气短，脱发，痈疮肿毒，皮肤粗裂。

| 用法用量 | **鸨肉**：内服适量，煮食。

鸨油：内服，5 ~ 10 ml。外用适量，涂擦。

| 附　　注 | 本种为国家一级重点保护野生动物。

拍摄人：王槐

鸥科 Laridae 鸥属 *Larus*

红嘴鸥 *Larus ridibundus* Linnaeus

| 药 材 名 | 鸥（药用部位：肉。别名：鹭、水鸮、江鸥）。

| 形态特征 | 体长达 40 cm。头和颈为深褐色，后部转为黑褐色；眼周有白色羽圈；下背、肩、腰、两翅及内侧覆羽、次级飞羽均为珠灰色，飞羽先端近白色。上背、外侧大覆羽和初级覆羽均为白色。第 1 初级飞羽白色，内外翈边缘及先端黑色，第 2 ~ 5 飞羽的黑色外缘逐渐减少，内翈转为深灰色，内缘及羽端仍为黑色；第 6 飞羽深灰色，仍具黑色近端斑，羽斑白色；其余初级飞羽为纯灰色。尾上覆羽，尾羽皆为白色。下体全为白色，胸、腹略呈淡灰色。虹膜暗褐色；嘴赤红色，先端黑色；脚和趾赤红色，冬季转为橙黄色；爪黑色。

| 生境分布 | 栖息于沿海及内陆湖泊、河流。冬季江苏各地均有分布，沿海尤为

习见。

| 资源情况 | 野生资源较丰富。养殖资源较少。药材主要来源于野生。

| 采收加工 | 全年均可捕捉，捕获后，除去羽毛及内脏，取肉鲜用或焙干。

| 功能主治 | 甘，寒。养阴润燥，止渴除烦。用于病后阴液损伤，余热未清，口渴咽干，烦躁不眠，大便秘结。

| 用法用量 | 内服煎汤，50 ~ 100 g；或炙烤。

杜鹃科 Cuculidae 杜鹃鸟属 *Cuculus*

小杜鹃 *Cuculus poliocephalus* Latham

| 药材名 | 杜鹃（药用部位：肉。别名：杜宇、子规、怨鸟）。

| 形态特征 | 体长约28 cm。上体大多青灰色，但颊部灰色；眼睑黄色。尾羽灰黑色，中央沿羽轴有白色小斑，其外侧有白色横纹。下体白色，杂有细小黑色斑纹。嘴暗黑色，嘴基和下嘴黄色；跗跖、趾和爪等亦黄色。

| 生境分布 | 栖息于浓密的阔叶林中，繁殖期也常在柳丛或苇塘的水边高树上。分布于江苏苏州、徐州、连云港等。

| 资源情况 | 野生资源较丰富。养殖资源一般。药材来源于养殖。

| 采收加工 | 夏季捕捉，捕杀后，除去羽毛及内脏，鲜用或晒干。

| 功能主治 | 甘，平。滋养补虚，解毒杀虫，活血止痛。用于病后体虚，气血不足，

拍摄人：范明

疮瘘，跌打肿痛，关节不利。

| 用法用量 | 内服煮食，1 ~ 2 只；或烧存性研末，1.5 ~ 3 g。外用适量，薄切敷贴。

| 附　　注 | 本种为江苏重点保护野生动物。

鸱鸮科 Strigidae 雕鸮属 *Bubo*

雕鸮 *Bubo bubo* (Linnaeus)

| 药 材 名 | 猫头鹰（药用部位：肉、骨）。

| 形态特征 | 体长达 60 cm，体重约 200 g。眼先和眼的前缘被白须，杂以黑端。眼的上方有 1 大形黑斑。脸盘全部淡棕白色，各羽满杂以褐色细斑。头顶大多黑褐色，羽缘棕白色而具波状黑斑。耳羽突出，外黑内白，高于头顶两侧。后颈和上背均棕色，各羽中央贯以黑褐色粗纹，羽端两侧并缀以同色的细横斑。肩、下背和翅上的三级飞羽等均砂灰色，杂以棕色和褐色斑。额白色，喉除领斑外亦为白色，胸依次均为棕色，胸羽中央贯以黑色粗纹，羽缘缀以同色的横斑，如同上背一般。上腹和两胁略同，但中央黑纹变细，羽缘黑斑较著，下腹中央几无杂斑。虹膜金黄色；嘴和爪暗铅色，具黑端。

| 生境分布 | 栖息于山地、林间，冬季常迁至平原树丛中，白天潜伏，夜间活动。

分布于江苏苏州、南京、连云港等。

| 资源情况 | 野生资源较少。药材来源于野生。

| 采收加工 | 夏、秋季捕捉，除去羽毛、内脏，收集脂肪油，鲜用。

| 功能主治 | 酸、咸，平。解毒，定惊，祛风湿。用于瘰疬，癫痫，噎食，头风，风湿痛。

| 用法用量 | 内服煮食，50 ~ 100 g；或烧研入散剂，5 ~ 10 g；或浸酒。

| 附　　注 | 本种为国家二级重点保护野生动物。

翠鸟科 Alcedinidae 翠鸟属 *Alcedo*

翠鸟 *Alcedo atthis* (Linnaeus)

| 药 材 名 | 鱼狗（药用部位：肉、骨。别名：天狗、水狗、鱼虎）。

| 形态特征 | 雌雄相似，形体较小，体长约 17 cm，体重约 22 g。尾较嘴短。从额到后颈暗蓝色，下嘴基部有 1 对绿蓝色并稍缀以暗褐色横斑的颧纹，向后直伸至颈侧；眼先和穿眼纹黑褐色；前额左右边缘、颊的上部以至耳后区均栗棕色，耳后两侧各有 1 白色斑块，颏至喉纯白色。背部翠蓝色，肩部和两翅的覆羽暗绿蓝色，飞羽黑褐色，露出部分呈暗绿蓝色，翅缘棕色。胸部以下至尾下覆羽均为鲜明的栗棕色，腹部中央色较淡。尾羽背面暗绿蓝色，腹面暗褐色。极少数羽毛变化甚大，特别是上体的蓝色和腹部的棕色较显著。

| 生境分布 | 栖息于近水的树枝或岩石上。江苏各地均有分布。

| 资源情况 | 野生资源较丰富。药材来源于野生。

| 采收加工 | 全年均可捕捉，捕杀后，除去羽毛及内脏，取肉、骨，鲜用或晒干。

| 功能主治 | 咸，平。止痛，定喘，通淋。用于鱼骨鲠喉，哮喘，淋痛，痔疮。

| 用法用量 | 内服适量，煮食；或煎汤，3 ~ 4.5 g；或煅研为丸、散剂。外用适量，焙研调涂。

戴胜科 Upupidae 戴胜属 *Upupa*

戴胜 *Upupa epops* Linnaeus

| 药 材 名 | 屎咕咕（药用部位：肉。别名：鸟鸡、鸡冠鸟、山和尚）。

| 形态特征 | 体长约 30 cm，体重约 73 g。头上羽冠黄栗色，先端黑色，有的冠羽有白色的次端斑，颈和胸葡萄灰色，下背和肩羽灰褐色。两翅表面大多黑色，而满布淡棕色以至白色斑纹，初级飞羽具 1 道白色横斑。腰白色，尾上覆羽大多基部白色，而端部黑色，尾羽亦黑色，基部横贯一明显的白斑。腹部胸以下棕色渐淡，至腹转白色，而微杂以黑褐色纵纹。嘴黑色，细长而弯曲；脚和趾暗铅色。

| 生境分布 | 生于田野、村庄附近。江苏各地均有分布。

| 资源情况 | 野生资源较少。药材来源于野生。

| 采收加工 | 全年均可捕捉，捕杀后，除去羽毛及内脏，洗净，鲜用或烘干。

| 功能主治 | 平肝息风，镇心安神。用于癫痫，精神失常，痃疾。

| 用法用量 | 内服适量，蒸食；或焙干研末。

| 附　　注 | 本种为江苏重点保护野生动物。

啄木鸟科 Picidae 啄木鸟属 *Dendrocopos*

大斑啄木鸟 *Dendrocopos major* (Linnaeus)

| 药 材 名 |

啄木鸟（药用部位：肉。别名：䴕、斫木、山啄木）。

| 形态特征 |

体长约 22 cm，体重约 70 g。雌雄鸟除雄鸟的枕部有红色斑块外无多大差异。前额、眼先、面颊（包括耳羽）均呈微白色，耳羽部分带有褐色。头及上体均为黑色，肩和腰羽微具白端。两翼黑色，有白斑。大、中覆羽及腋羽为纯白色，翅下覆羽微缀褐色斑。其他覆羽均为黑色。尾羽刚硬如刺，中央 2 对全黑色，次 1 对也为黑色，但羽基有白色，端部内外翈缀以不规则的暗褐色斑点。下体自颏至腹均染以淡棕色，两胁色较淡白，下腹中央至尾下覆羽均呈深红色。嘴黑铅色；脚和趾均暗红褐色。

| 生境分布 |

生于山地和平原的森林间。江苏各地均有分布。

| 资源情况 |

野生资源较丰富。药材来源于野生。

| 采收加工 | 全年均可捕捉，除去皮毛、内脏，取肉，鲜用或烘干。

| 功能主治 | 甘，平。归肝、脾经。滋养补虚，消肿止痛。用于肺结核，疳积，痔疮肿痛，龋齿牙痛。

| 用法用量 | 内服煎汤，1 只；或煅研，5 ~ 10 g。外用适量，煅末纳龋孔中。

| 附　　注 | 本种民间用于治疗痨病、小儿不能站立行走、瘘有头出脓血不止。

啄木鸟科 Picidae 绿啄木鸟属 *Picus*

绿啄木鸟 *Picus canus* Gmelin

| 药 材 名 | 啄木鸟（药用部位：肉。别名：䴕、斫木、山啄木）。

| 形态特征 | 雄鸟额和头顶前部辉红玉色，很艳丽；背橄绿色，至秋季换新羽时，绿色比较浓著。雌鸟头无毛红斑。

| 生境分布 | 生于山地和平原的森林间。江苏各地均有分布。

| 资源情况 | 野生资源较丰富。药材来源于野生。

| 采收加工 | 全年均可捕捉，除去皮毛、内脏，取肉，鲜用或烘干。

| 功能主治 | 同“大斑啄木鸟”。

| 用法用量 | 同“大斑啄木鸟”。

百灵科 Alaudidae 云雀属 *Alauda*

云雀 *Alauda arvensis* Linnaeus

| 药 材 名 | 云雀（药用部位：肉、脑、卵。别名：阿鹨、告天鸟、白灵）。

| 形态特征 | 体长约 17 cm，体重约 30 g。上体大多砂棕色，各羽具暗色轴纹。眉纹淡棕色，耳羽稍带褐色，后头羽毛延长，略呈羽冠状。两翅和尾均黑褐色，各羽外缘淡棕色，最外侧 1 对几乎纯白色。嘴角褐色；脚肉褐色。

| 生境分布 | 生于田野和草原，沿海一带平原尤为常见。江苏各地均有分布。

| 资源情况 | 野生资源较丰富。养殖资源一般。药材来源于野生和养殖。

| 采收加工 | 夏、秋季捕捉，杀死后，除去内脏和羽毛，取肉、脑，鲜用或焙干研末；春、夏季繁殖时在巢中收集雀卵，鲜用。

| **功能主治** | 甘、酸，平。解毒，涩尿。用于赤痢，肺结核，胎毒，遗尿。

| **用法用量** | 内服适量，煮食；或焙焦研末，3 ~ 5 g。

燕科 Hirundinidae 燕属 *Hirundo*

金腰燕 *Hirundo daurica* Linnaeus

| 药 材 名 | 胡燕卵（药用部位：卵）、燕窠土（药材来源：巢泥。别名：胡燕窠内土、燕窠泥、燕窝泥）。

| 形态特征 | 体长约 18 cm，体重约 21 g。雌雄相似。上体背面大多呈金属蓝黑色，头后略杂以栗黄色，腰部栗黄色呈腰带状，甚为夺目，故名“金腰燕”。眼先棕灰色，耳羽暗棕色；眼先上方有 1 栗色眉纹，与后头同色羽毛相接，下体白色带棕色，密布黑色纵纹，尾羽分叉成剪刀形。尾下覆羽的羽端为辉蓝黑色。眼暗褐色；嘴黑色；脚黑褐色。

| 生境分布 | 栖息于山地村落间。江苏各地均有分布。

| 资源情况 | 野生资源较丰富。养殖资源一般。药材来源于野生和养殖。

| 采收加工 | **胡燕卵：**繁殖季节在燕巢中拾取，鲜用。

拍摄人：范明

燕窠土：繁殖季节于燕巢中刮取，晒干，研末用。

| 药材性状 | **燕窠土**：本品为不规则的泥块。表面有分布均匀的圆形突起，多为黑褐色。气微，味淡。

| 功能主治 | **胡燕卵**：甘、淡，平。利水消肿。用于水肿。

燕窠土：咸，寒。归心、肾经。清热解毒，祛风止痒。用于风疹，湿疮，丹毒，白秃疮，口疮，小儿惊风。

| 用法用量 | **胡燕卵**：内服煮食，10 ~ 20 枚。

燕窠土：内服泡开水，9 ~ 15 g。外用适量，研末调敷；或煎汤洗浴。

| 附　　注 | 本种的巢泥可用于中药湿泥法以治疗类风湿性关节炎。

鸦科 Corvidae 鸦属 *Corvus*

寒鸦 *Corvus monedula* (Linnaeus)

| 药 材 名 | 慈乌（药用部位：除去内脏的全体或肉。别名：乌、孝乌、慈鸦）、慈乌胆（药用部位：胆）。

| 形态特征 | 体长约 30 cm。嘴粗壮，黑色。后颈、颈侧、上背及胸、腹部均苍白色，其余各部均黑色；头顶、后头及翅上的内侧覆羽和飞羽均带紫色亮辉，余羽均有绿蓝色反光。头侧和耳羽杂有白色细纹。胸羽呈锥针形。另一种黑色型，通体除头侧有白纹外，均为黑色。虹膜黑褐色；跗跖、趾、脚及爪均黑色。

| 生境分布 | 栖息于山区及平原的田野间。分布于江苏南京、扬州、徐州、连云港等。

| 资源情况 | 野生资源较丰富。药材来源于野生。

拍摄人：范明

| 采收加工 | **慈乌：**全年均可捕捉，除去羽毛及内脏，鲜用。

慈乌胆：剖开腹腔，取出胆囊，洗净，晒干。

| 功能主治 | **慈乌：**酸、咸，平。滋阴潜阳。用于虚劳咳嗽，骨蒸烦热，体弱消瘦。

慈乌胆：苦，凉。归肝、胆经。明目解毒。用于烂弦风眼，翳障，藤黄中毒。

| 用法用量 | **慈乌：**内服适量，煮食。

慈乌胆：内服适量，兑酒。外用适量，点眼。

鸦科 Corvidae 鹊属 *Pica*

喜鹊 *Pica pica* (Linnaeus)

| 药 材 名 | 鹊（药用部位：肉。别名：干鹊、神女、飞驳鸟）。

| 形态特征 | 体长约 45 cm。嘴尖，黑色。头、颈、背部中央、尾上覆羽等均黑色，后头及后颈稍映紫辉，背部稍带蓝绿色；腰部有 1 块灰白色斑；肩羽洁白。初级飞羽外翈及羽端黑色而显蓝绿色光辉，内翈除先端外，均洁白；次级和三级飞羽均黑色，外翈的边缘具深蓝色及蓝绿色亮辉。尾长，尾羽黑色而有深绿色反光，末段有红紫色和深蓝绿色宽带。颏、喉、胸、下腹中央、肛周、覆腿羽等均黑色，喉部羽干灰白色。下体余部洁白。虹膜黑褐色；脚及爪均黑色。

| 生境分布 | 栖息于庭院、原野和山区，筑巢于大树上。江苏各地均有分布。

| 资源情况 | 野生资源较丰富。药材来源于野生。

| 采收加工 | 全年均可捕捉，除去羽毛及内脏，鲜用或烘干。

| 功能主治 | 甘，寒。归肺、脾、膀胱经。清热，补虚，散结，通淋，止渴。用于虚劳发热，胸膈痰结，石淋，消渴，鼻衄。

| 用法用量 | 内服煮食，1 只。外用适量，捣敷。

鸫科 Turdidae 鸫属 *Turdus*

黑鸫 *Turdus merula* (Linnaeus)

| 药 材 名 | 百舌鸟（药用部位：肉。别名：反舌、反舌鸟、交啄）。

| 形态特征 | 体长约 28 cm。通体几乎纯黑色。雌雄鸟的腋羽和翼下覆羽均为纯黑褐色，翅也几乎纯黑色。雄鸟上体褐色而带暗锈色，两翼黑色，初级飞羽具浅色外缘，尾羽也为黑色。颏、喉淡栗褐色，缀黑褐色纵纹；下体余部黑褐色而带锈色，腹部色较淡。尾下覆羽黑色，羽端稍带淡棕色。雌鸟上下体的锈色渲染较雄鸟浓著，下体接近暗锈褐色。虹膜褐色；嘴黄色，跗跖和趾黑褐色。

| 生境分布 | 栖息于平原草地或园圃间。分布于江苏苏州、镇江、南京、扬州、盐城、连云港等。

| 资源情况 | 野生资源丰富。药材来源于野生。

| 采收加工 | 全年均可捕捉，除去羽毛及内脏，取肉，鲜用或焙干。

| 功能主治 | 甘、咸，平。补气益血，杀虫止痛。用于血虚头晕，小儿语迟，虫积胃痛。

| 用法用量 | 内服炙食或炖汤，30 ~ 50 g；或焙研，5 g。

雀科 Passeridae 麻雀属 *Passer*

麻雀 *Passer montanus* (Linnaeus)

| 药 材 名 | 雀（药用部位：除去内脏的全体或肉。别名：嘉宾、家雀、瓦雀）、雀头血（药用部位：头部的血）、雀脑（药用部位：脑髓）、雀卵（药用部位：卵）。

| 形态特征 | 体长约 12 cm。嘴粗短，圆锥状，黑色。虹膜暗红褐色。额、后颈纯栗褐色。眼下缘、眼先、颏和喉的中部均黑色；颊、耳羽和颈侧白色，耳羽后部具黑色斑块。上体砂褐色，翕和两肩密布黑色粗纹，并缀以棕褐色。两翅的小覆羽纯栗色，中、大覆羽黑褐色而具白端，大覆羽更具棕褐色外缘；小翼羽、初级覆羽及全部飞羽均为黑褐色，各羽具有狭细的淡棕褐色外缘；外侧初级飞羽的缘纹除第 1 枚外，其余羽基和近羽端两处形稍扩大，呈 2 道横斑状；内侧次级飞羽的缘纹较宽，棕色也较浓。尾暗褐色，羽缘色较淡。胸和腹淡灰近白色，带有褐彩，两胁转为淡黄色，尾下覆羽较胁羽色更淡。脚和趾均为

黄褐色。

| 生境分布 | 栖息于平原、丘陵等有人类活动的地方。江苏各地均有分布。

| 资源情况 | 野生资源丰富。药材来源于野生。

| 采收加工 | **雀：**全年均可捕捉，除去羽毛及内脏，鲜用或焙干。

雀头血：取头部的血，鲜用。

雀脑：取出脑髓，鲜用。

雀卵：产卵时，捡取卵，鲜用。

| 药材性状 | **雀卵：**本品呈卵形，长径约 1.5 cm，直径约 1 cm。蛋壳表面淡青白色，可见棕色或棕褐色的细小雀斑，蛋壳易碎，内含蛋白和蛋黄。光泽和气味似鸡蛋。煮熟后，蛋黄极细腻。

| 功能主治 | **雀：**甘，温。归肾、肺、膀胱经。壮阳益精，暖腰膝，缩小便。用于阳虚羸瘦，阳痿，疝气，小便频数，崩漏，带下。

雀头血：咸，平。归肝经。明目。用于雀盲。

雀脑：甘，平。归肾经。补肾兴阳，润肤生肌。用于肾虚阳痿，耳聋，聤耳，冻疮。

雀卵：甘、酸，温。归肾经。补肾阳，益精血，调冲任。用于阳痿，疝气，血枯，崩漏，带下。

| 用法用量 | **雀：**内服适量，煨或蒸；或熬膏；或浸酒；或煅存性入丸、散剂。阴虚火旺者及孕妇禁服。

雀头血：外用适量，点眼。

雀脑：外用适量，塞耳；或涂；或烧研调敷。

雀卵：内服适量，煮食；或入丸剂。阴虚火旺者忌服。

| 附　　注 | 现代研究表明，本种的肉可治疗百日咳。

鹀科 Emberizidae 鹀属 *Emberiza*

灰头鹀 *Emberiza spodocephala* Pallas

| 药 材 名 | 蒿雀（药用部位：除去内脏的全体或肉。别名：青头雀）。

| 形态特征 | 体长 13 ～ 16.5 cm。额、眼先、眼周、眼下、颏角均炭黑色；头的余部及后颈、喉、胸等为榄绿色。喉、胸带黄色。背、肩、腰亦为榄绿色。各羽均杂以较宽阔的黑色纵纹。下体亮黄色；尾下覆羽色较淡。上嘴浅黑色，下嘴及脚肉色。

| 生境分布 | 栖息于近河的灌丛中，也见于林缘灌丛或公园中。分布于江苏苏州、镇江、南京、扬州、盐城、连云港等。

| 资源情况 | 野生资源较少。药材来源于野生。

| 采收加工 | 春、秋季捕捉，除去羽毛及内脏，鲜用或晒干。

| 功能主治 | 甘，温。壮阳，解毒。用于阳痿，酒精中毒。

| 用法用量 | 内服适量，煮食；或烧焦研末，白水冲服。

穿山甲科 Manidae 穿山甲属 *Manis*

穿山甲 *Manis pentadactyla* Linnaeus

| 药 材 名 | 穿山甲（药用部位：鳞片。别名：鲮鲤甲、鳣鲤甲、鲮鲤角）。

| 形态特征 | 身体狭长，从头、背、体侧至尾端均被以覆瓦状排列的角质鳞片，鳞片间杂稀毛。头呈圆锥形，眼小，吻尖。舌细长，无齿。耳不发达。四肢短粗，尾扁平而长，背面略隆起。成体身长 50 ~ 100 cm，尾长 10 ~ 30 cm。体重 1.5 ~ 3 kg，不同个体的体重和身长差异极大。前肢略长于后肢，足具 5 趾，并有强爪；前足爪长，向后弯曲，尤以中间第 3 爪特长，后足爪较短小。全身鳞片如覆瓦状，鳞片从背脊中央向两侧排列，呈纵列状。鳞片呈黑褐色。鳞有三种形状，背鳞呈阔菱形，鳞基有纵纹，边缘光滑，纵纹条数不一，随鳞片大小而定；腹侧、前肢近腹部外侧和后肢鳞片呈盾状，中央有龙骨状突起，鳞基也有纵纹；尾侧鳞片呈折合状。鳞片之间杂有硬毛。两颊、

眼、耳、颈腹部、四肢内侧、尾基部生有白色和棕黄色稀疏的硬毛。绒毛极少。雌体有乳头 2 对。

| 生境分布 | 栖息于丘陵山地的树林、灌丛、草丛等，极少在石山秃岭地带。分布于江苏南京（江宁、溧水）、镇江（句容）、常州（溧阳）、无锡（宜兴）等。

| 资源情况 | 野生资源稀少。药材来源于野生。

| 采收加工 | 全年均可捕捉，捕捉后杀死，剥取甲片，放入开水中烫死，等鳞片自行脱落后捞出，洗净，晒干。

| 药材性状 | 本品呈扇面形、三角形、菱形或盾形的扁平片状或半折合状，中间较厚，边缘较薄。大小不一，长、宽均为 0.5 ~ 5 cm。背面黑褐色或黄褐色，有光泽，宽端有数十条排列整齐的纵纹及数条横线纹；窄端较光滑，腹面色较浅，中部有一明显凸起的弓形横向棱线，其下方有数条与棱线相平行的细纹。角质微透明，质坚韧而有弹性，不易折断。气微腥，味微咸。

| 功能主治 | 咸，微寒。归肝、胃经。活血消癥，通经下乳，消肿排脓，搜风通络。用于闭经癥瘕，乳汁不通，痈肿疮毒，风湿痹痛，中风瘫痪，麻木拘挛。气血虚弱、痈疽已溃者及孕妇禁服。

| 用法用量 | 内服煎汤，3 ~ 9 g；或入散剂。外用适量，研末撒或调敷。

| 附　　注 | （1）穿山甲类所有物种均已被世界自然保护联盟（IUCN）列为极危物种。为应对其濒临灭绝的严峻现状，目前研究采用以下两种方式实现资源可持续发展。一方面，将野生个体引入圈养，通过人工饲养成功后放养来实现野生数量的恢复。另一方面控制药用，禁止偷猎盗猎，保护栖息环境。穿山甲在我国仅有 1 属，中华穿山甲为国家一级保护动物，禁止捕杀和食用，非法捕杀、走私或贩卖等行为入刑；且被列入《陆生野生动物保护实施条例》和《濒危野生动植物进出口管理条例》，国家不再签发穿山甲的狩猎许可证；现有的穿山甲称重入库，库存将被验证、认证，库存货物仅通过医院等指定网点进行零售。

（2）穿山甲的人工饲养繁殖还停留在小种群的研究试验阶段，尚未形成规模。同时，穿山甲易患多种疾病，且治疗效果不佳，也是影响其人工饲养繁殖的因素之一。

鹿科 Cervidae 鹿属 *Cervus*

梅花鹿 *Cervus nippon* Temminck

| 药 材 名 | 鹿茸（药用部位：雄鹿未骨化密生茸毛的幼角）、鹿角（药用部位：已骨化的角或锯茸后翌年春季脱落的角基）。

| 形态特征 | 体长约 1.5 m，体重约 100 kg；眶下腺明显，耳大直立，颈细长。四肢细长，后肢外侧踝关节下有褐色跖腺，主蹄狭小，侧蹄小。臀部有明显的白色臀斑，尾短。雄鹿有分叉的角，长全时有 4 ~ 5 叉，眉叉斜向前伸，第二枝与眉叉较远，主干末端再分 2 小枝。冬毛栗棕色，白色斑点不显。鼻面及颊部毛短，毛尖沙黄色。从头顶起沿脊椎到尾部有一深棕色的背线。白色臀斑有深棕色边缘。腹毛淡棕色，鼠蹊部白色。四肢上侧同体色，内侧色稍淡。夏毛薄，无绒毛，红棕色，白斑显著，在脊背两旁及体侧下缘排列成纵行，有黑色的背中线。腹面白色，尾背面黑色，四肢色较体色为浅。

| 生境分布 | 栖息于混交林、山地草原及森林近缘。江苏无锡（宜兴、江阴）、扬州（仪征）、淮安、苏州（吴中）等有养殖。

| 资源情况 | 养殖资源一般。药材主要来源于养殖。

| 采收加工 | **鹿茸：**每年可采收两茬。头茬茸包括“二杠锯茸”和“三杈锯茸”。另外还有计划地采收少量的“二杠砍茸”和“三杈砍茸”。砍茸是将鹿杀死取下连同头骨的鹿茸，价格昂贵。头茬茸为高档产品，可出口换汇。鹿茸加工在我国的传统方法为“水煮法”，近年来又研究出“微波及远红外线法”，加工产品也分为“带血茸"和“排血茸”两种。第 2 次采收的二茬茸和幼鹿“初角茸”均骨化程度高，加工也简单，属低档产品。

鹿角：一般于冬季或早春连脑骨一起砍下称“砍角”，或自基部锯下，洗净，风干；或在春末拾取自然脱落者，称“退角”。

| 药材性状 | **鹿茸：**本品呈圆柱状分枝，具 1 分枝者习称“二杠”，主枝习称“大挺”，长 14 ~ 21 cm，锯口直径 4 ~ 5 cm，距锯口约 1 cm 处分出侧枝，习称“门庄”，长 9 ~ 15 cm，略细；先端钝圆而微弯。外皮红棕色或棕色，多光润，密被红黄色或棕黄色的细茸毛，下部毛较疏，分岔间具 1 灰黑色筋脉，皮茸紧贴。锯口面白色，有致密的蜂窝状小孔，外围无骨质。体轻。气微腥，味微咸。具 2 分枝者习称“三岔”，大挺长 23 ~ 33 cm，直径较二杠小，略呈弓形、微扁，枝

端略尖，下部多有纵棱筋及凸起的疙瘩，皮红黄色，茸毛较疏而粗。

鹿角： 通常有 3 ~ 4 分枝，全长 30 ~ 60 cm，直径 2.5 ~ 5 cm。侧枝多向两旁伸展，第一枝与珍珠盘相距较近，第二枝与第一枝相距较远，主枝末端分成 2 小枝。表面黄棕色或灰棕色，枝端灰白色。枝端以下具明显骨钉，骨钉断续排成纵棱，顶部灰白色或灰黄色，有光泽。

| 功能主治 | **鹿茸：** 甘、咸，温。归肾、肝经。壮肾阳，益精血，强筋骨，托疮毒。用于肾阳虚衰，阳痿滑精，宫冷不孕，虚劳羸瘦，神疲畏寒，眩晕，耳鸣耳聋，腰背酸痛，筋骨痿软，小儿五迟，崩漏，带下，阴疽。

鹿角： 咸，温。归肾、肝经。补肾阳，益精血，强筋骨，行血消肿。用于肾虚腰脊冷痛，阳痿遗精，崩漏，带下，尿频尿多，阴疽疮疡，乳痈肿痛，跌打瘀肿，筋骨疼痛。

| 用法用量 | **鹿茸：** 内服研末冲服，1 ~ 3 g；或入丸剂；或浸酒。

鹿角： 内服煎汤，5 ~ 10 g；或研末，1 ~ 3 g；或入丸、散剂。外用适量，磨汁涂；或研末撒；或研末调敷。熟用偏于补肾益精，生用偏于散血消肿。

| 附　　注 | 本种的野生外种群为国家一级保护野生动物。

鹿科 Cervidae 麋鹿属 *Elaphurus*

麋鹿 *Elaphurus davidianus* Milne-Edwards

| 药 材 名 | 麋角（药用部位：雄性的骨化角。别名：麋鹿角、四不像角）。

| 形态特征 | 体长约 2 m，高约 1 m。雄鹿重约 200 kg，雌鹿重约 140 kg。尾长约 70 cm。脸似马而非马，角似鹿而非鹿，尾似驴而非驴，蹄似牛而非牛，故曰“四不像”。雄鹿具角，雌鹿无。角无眉叉，角的主枝分为前、后叉，前枝向上再分叉，后枝长而直，在后枝远端 1/3 处有 1 ~ 4 不等的小叉。四肢粗大，主蹄宽大能分开，主蹄间有腱膜，侧蹄显著。冬季毛淡褐色，背部稍密，腹部较稀，夏季毛棕红色，密度较冬季稀，鼻孔上方有 1 白色斜纹。幼鹿两腹部有白色斑点，生后 3 月始消失。

| 生境分布 | 生于平原、沼泽和水域等温暖潮湿的沼泽地、湿地。分布于江苏盐城（大丰）等。

| 资源情况 | 野生资源一般。养殖资源较少。药材主要来源于野生。

| 采收加工 | 冬、春季待雄性麋鹿骨质角脱落后拾取，洗净，晾干。

| 药材性状 | 本品呈分枝状，长约 50 cm。角无眉叉，主干离头部一段距离后，分前、后 2 枝，前枝再分歧成二叉，后枝长而直，枝端渐细。基部有盘状突起，习称“珍珠盘”。表面浅黄白色，无毛，有光泽，具疣状突起，习称“骨钉”，并有纵棱。质硬，断面周围白色，中央灰黄色，并有细蜂窝状小孔。

| 功能主治 | 甘，温。归肾经。温肾壮阳，填精补髓，强筋骨，益血脉。用于肾阳不足，虚劳精亏，腰膝酸软，筋骨疼痛，血虚。

| 用法用量 | 内服煎汤，6 ~ 9 g；或入丸、散剂。

| 附　　注 | 本种为我国特产种，为国家一级保护动物。

牛科 Bovidae 水牛属 *Bubalus*

水牛 *Bubalus bubalis* Linnaeus

| 药 材 名 | 水牛角（药用部位：角。别名：牛角尖、沙牛角）。

| 形态特征 | 头向前伸，额部凸起；眼大，稍突出；口方大；鼻孔大，鼻镜呈黑色（白水牛为肉色）；角基近方形，向左右平伸，呈新月形或弧形；全身被毛为深灰色或浅灰色，随年龄增长，毛色逐渐由浅灰色变成深灰色或暗灰色。大型水牛体重平均在 600 kg 以上，体高平均在 135 cm 以上；小型水牛体重平均在 500 kg 以下，体高平均在 126 cm 以下。

| 生境分布 | 海子水牛主要分布于江苏南通（如东、海安、海门、启东）、盐城（大丰、东台、射阳、滨海、响水）、连云港、徐州、宿迁、泰州、常州等。山区水牛主要分布于江苏北部、南部山区及南京（六合）等。

| 资源情况 | 野生资源一般。养殖资源丰富。药材主要来源于养殖。

| 采收加工 | 全年均可采收，水煮，除去角塞，干燥。

| 药材性状 | 本品呈稍扁平而弯曲的锥形，长短不一。表面棕黑色或灰黑色，一侧有数条横向的沟槽，另一侧有密集的横向凹陷条纹。上部渐尖，有纵纹，基部略呈三角形，中空。角质，坚硬。气微腥，味淡。

| 功能主治 | 苦，寒。归心、肝经。清热，解毒，凉血，定惊。用于热病头痛，高热神昏，发斑发疹，吐血，衄血，瘀热发黄，小儿惊风，咽喉肿痛，口舌生疮。

| 用法用量 | 内服煎汤，15 ~ 30 g，大剂量可用 60 ~ 120 g，先煎 3 小时以上；或研末，3 ~ 9 g；或水牛角浓缩粉，每次 1.5 ~ 3 g。外用适量，研末掺或调敷。

药用矿物

○

○

○

钠化合物类 Sodium compounds

石盐 Halite

| 药 材 名 | 大青盐（含杂质较多的结晶体）、光明盐（光明纯净、无色透明的结晶体）。

| 形态特征 | 晶体多为立方体，集合体呈疏松或致密的晶粒状和块状，常因立方体的晶棱方向生长快而晶面下凹成漏斗状。纯净者透明无色，有的呈灰色（染色质为泥质油点）、黄色（染有氢氧化铁）、红色（染有无水氧化铁）、褐色或黑色（染有有机质）等，或有蓝色斑点；条痕白色。具玻璃光泽，因潮解光泽变暗或呈油质状。

| 成因 / 产状 | 本种为典型的化学沉积成因的矿物。在干热气候条件下沉淀于盐湖和海滨浅水潟湖中。常与石膏、钾石盐、硬石膏和方解石共生。

| 分布区域 | 分布于江苏淮安（淮安）、徐州（丰县）、常州（金坛）等。

| 蕴 藏 量 | 丰富。

| 采收加工 | 全年均可采挖，除去杂质。

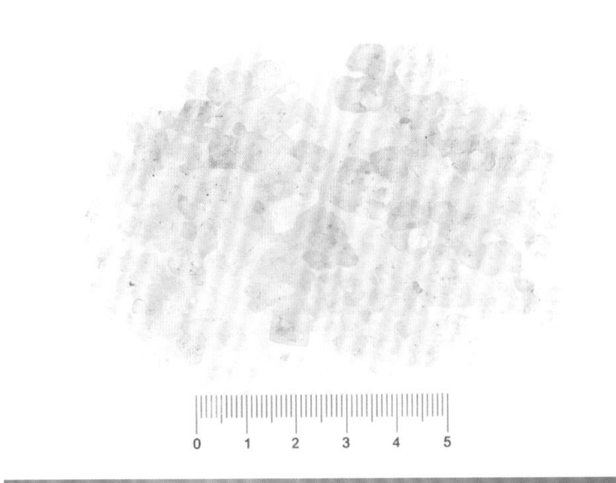

| 药材性状 | **大青盐：**本品为立方体、八面体或菱形的结晶，有的为歪晶，直径0.5 ~ 1.5 cm。白色或灰白色，半透明，具玻璃光泽。质硬，易砸碎，断面光亮。气微，味咸、微涩、苦。

光明盐：本品大多呈方块状，大小不等，显白色，透明。表面因溶蚀致钝圆，有时附有微量泥土，微有光泽。质硬，较脆，易砸碎，断面有玻璃光泽。气微，味咸。

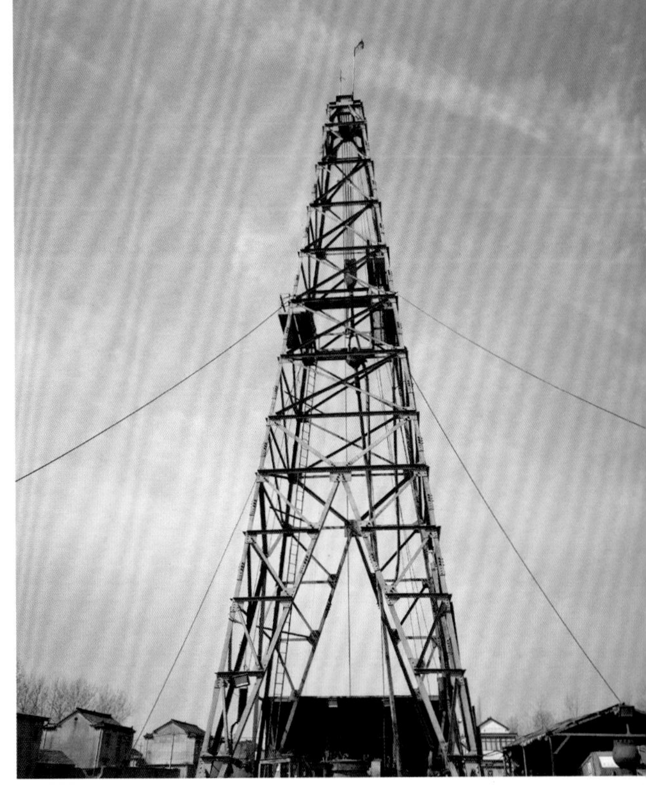

| 功效物质 | 主要为氯化钠（NaCl）。

| 功能主治 | **大青盐：**咸，寒。归心、肾、膀胱经。清热，凉血，明目。用于吐血，尿血，牙龈肿痛出血，目赤肿痛，烂弦风眼。

光明盐：咸，平。归肝、胃经。祛风明目，消食化积，解毒。用于目赤肿痛，泪眵多，食积脘胀，食物中毒。

| 用法用量 | **大青盐：**内服煎汤，1.2 ~ 2.5 g；或入丸、散剂。外用适量，研末擦牙；或水化漱口、洗目。

光明盐：内服煎汤，0.9 ~ 1.5 g；或入丸、散剂。外用适量，水化洗目。

| 附 注 | 江苏苏盐井神股份有限公司、江苏井神盐化股份有限公司在江苏的开采量较大。

钠化合物类 Sodium compounds

芒硝 Natrii Sulfas

| 药 材 名 | 朴硝（经加工而得的粗制品）、芒硝（经加工精制而成的结晶体）、玄明粉（经风化干燥制得的粉末）。

| 形态特征 | 集合体呈针状、粒状、纤维状、粉末状或皮壳状。无色或白色，透明，具玻璃光泽。性极脆，断口贝壳状。在干燥空气中逐渐失水而成白色粉末状无水芒硝。

| 成因 / 产状 | 本种为盐湖中的典型化学沉积物。当温度低于 33 ℃时即从饱和溶液中结晶而出，如温度高于 33 ℃则形成无水芒硝。

| 分布区域 | 分布于江苏淮安（淮阴、洪泽、淮安）、徐州（丰县）、常州（金坛）等。

| 蕴 藏 量 | 丰富。

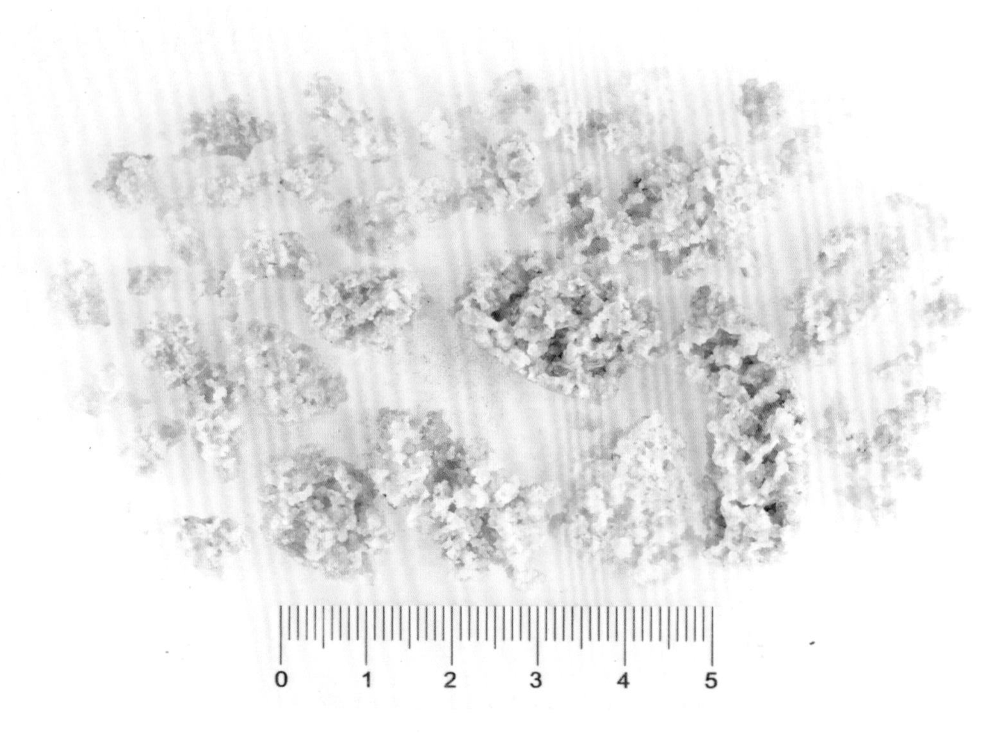

| 采收加工 | 全年均可提炼，以秋、冬季为好，气温低，容易结晶。

| 药材性状 | **朴硝:** 本品为粒状或不规则的小块片粒状。灰白色或灰黄色。略透明，在阳光下可见多量灰屑等杂质。易结块、潮解。质脆，易碎裂。气微，味苦咸。

芒硝: 本品为棱柱状、长方形、不规则块状或粒状。无色透明或类白色半透明。质脆，易碎，断面呈玻璃光泽。气微，味咸。

玄明粉: 本品为白色粉末。气微，味咸。有引湿性。

| 功效物质 | 主要为含水硫酸钠（$Na_2SO_4 \cdot 10H_2O$）或无水硫酸钠（Na_2SO_4）。

| 功能主治 | **朴硝:** 苦、咸，寒。归胃、大肠经。泻下软坚，泻热解毒，消肿散结。用于实热积滞，腹胀便秘，目赤肿痛，喉痹，痈疮肿毒，乳痈肿痛，痔疮肿痛，停痰积聚，瘀血腹痛。

芒硝: 咸、苦，寒。归胃、大肠经。泻下通便，润燥软坚，清火消肿。用于实热积滞，腹满胀痛，大便燥结，肠痈肿痛；外用于乳痈，痔疮肿痛。

玄明粉: 咸、苦，寒。归胃、大肠经。泻下通便，润燥软坚，清火消肿。用于实热积滞，大便燥结，腹满胀痛；外用于咽喉肿痛，口舌生疮，牙龈肿痛，目赤，痈肿，丹毒。

| 用法用量 | **朴硝:** 外用适量，研末吹喉；或水化罨敷、点眼、调搽、熏洗。一般不内服。

芒硝: 内服，6 ~ 12 g，一般不入煎剂，待汤剂煎得后，溶入汤液中服用。外用适量，研末吹喉；或水化罨敷、点眼、调搽、熏洗。

玄明粉: 内服，3 ~ 9 g，溶入煎好的汤液中服用。外用适量，研末吹喉；或水化罨敷、点眼、调搽、熏洗。

| 附　　注 | （1）南风集团淮安元明粉有限公司、上海太平洋化工（集团）淮安元明粉有限公司在江苏的开采量较大。

（2）有研究表明，芒硝敷脐可治疗艾滋病合并肝损伤，能改善肝功能和临床症状，缩短腹胀等并发症改善时间，临床疗效显著。

镁化合物类 Magnesium compounds

滑石 Talc

|药 材 名| 滑石（滑石除去泥沙和杂石）、滑石粉（滑石经精选、粉碎、干燥）。

|形态特征| 通常为鳞片状和粒状的致密块体。全体呈白色、浅绿色、淡黄色而均匀，也有的呈浅棕色甚至浅红色，半透明至不透明，具珍珠光泽。性柔，断面显层状。手触之有光滑感，用指甲即可刮下粉末，粉末为鳞片状。

|成因 / 产状| 本种由热水溶液及岩石中的镁和硅化合而成。产于变质的超基性及含铁、镁很高的硅酸盐岩石和白云质石灰岩中。

|分布区域| 分布于江苏连云港（东海）、徐州（新沂）等。

|蕴 藏 量| 较丰富。

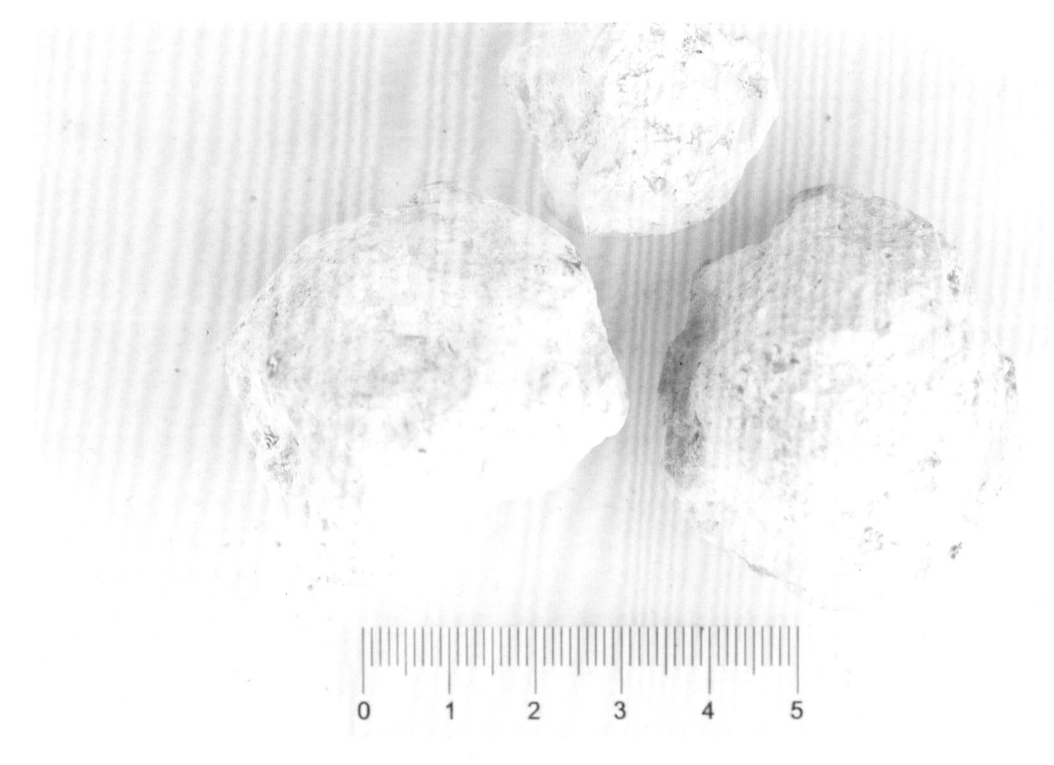

| 采收加工 | 全年均可采挖，除去泥土、杂石。

| 药材性状 | **滑石：**本品多为不规则块状集合体。白色、黄白色或淡蓝灰色，有蜡样光泽。质软，细腻，手摸有滑润感，无吸湿性，置水中不崩散。气微，味淡。

滑石粉：本品为白色或类白色、微细、无砂性的粉末，手摸有滑腻感。气微，味淡。

| 功效物质 | 主要为含水硅酸镁 [$Mg_3(SiO_4O_{10})(OH)_2$]。

| 功能主治 | **滑石、滑石粉：**甘、淡，寒。归膀胱、肺、胃经。利尿通淋，清热解暑，祛湿敛疮。用于热淋，石淋，尿热涩痛，暑湿烦渴，湿热水泻；外用于湿疹，痱子。

| 用法用量 | **滑石：**内服煎汤，10 ~ 20 g，先煎。外用适量，研末撒；或调敷。

滑石粉：内服煎汤，10 ~ 20 g，包煎。外用适量，研末撒；或调敷。

| 附　　注 | 本种与叶蜡石（Pyrophyllite）可利用简单的研磨 pH 法加以区分，本种的 pH 为 9，叶蜡石 pH 为 6。

镁化合物类 Magnesium compounds

透闪石 Tremolite

| 药 材 名 | 阳起石。

| 形态特征 | 晶体呈简单的长柱状、针状，有时呈毛发状，常成细放射状、纤维状的集合体。白色或浅灰色，具玻璃光泽，纤维状集合体具丝绢光泽。性脆，针状，毛发状晶体易折断。

| 成因 / 产状 | 本种常产在火成岩与石灰岩或白云岩的接触带，也常见于结晶灰岩、白云岩及结晶片岩等变质岩中。

| 分布区域 | 分布于江苏南京、镇江等。

| 蕴 藏 量 | 较丰富。

| 采收加工 | 全年均可采挖，除去泥土，选择浅灰白色或淡绿白色的纤维状或长

柱状集合体入药。

| 药材性状 | 本品为长柱状、针状、纤维状集合体，呈不规则块状、扁长条状或短柱状，大小不一。白色、浅灰白色或淡绿白色，具丝绢光泽。体较重，质较硬脆，有的略疏松，可折断，碎断面不整齐，纵面呈纤维状或细柱状。气无，味淡。

| 功效物质 | 主要为碱式硅酸镁钙 [$Ca_2Mg_5(Si_4O_{11})_2 \cdot (OH)_2$]。

| 功能主治 | 咸，温。归肾经。温肾壮阳。用于肾阳虚衰，腰膝冷痹，阳痿遗精，宫冷不孕，崩漏，癥瘕。

| 用法用量 | 内服煎汤，3 ~ 5 g；或入丸、散剂。外用适量，研末调敷。

| 附　　注 | 现代研究已用 X 射线衍射等方法对阳起石进行了分析。

镁化合物类 Magnesium compounds

蛇纹石 Serpentine

| 药 材 名 | 不灰木、玉（岫玉）。

| 形态特征 | 纤维状个体近平行排列。纯净者白色或灰白色，因含少量杂质则有时带绿色、黄色。条痕白色。半透明，具丝绢光泽。可劈分为极细的、具有弹性的纤维。含杂质时性脆、易断裂。

| 成因 / 产状 | 本种主要由超基性岩，如橄榄岩、辉石岩中的橄榄石、顽辉石、透辉石和普通角闪石等经热液蚀变而成。

| 分布区域 | 分布于江苏连云港（东海）、南京（六合）、常州（溧阳）等。

| 蕴 藏 量 | 丰富。

| 采收加工 | 全年均可采挖，除去杂石。

| 药材性状 | **不灰木：**本品为纤维状集合体，呈长条形，长 5 ~ 18 cm，直径 0.8 ~ 3 cm。淡灰色或灰色；条痕白色。表面具纵向细纹理，并常见浅黄棕色斑点；不透明，具弱绢丝光泽。质硬脆，不易折断，但易沿纵丝撕裂开。气微，味淡。

玉：本品为不规则块状。淡绿色；条痕白色。半透明；具油脂光泽，手触之具有滑腻感。硬度较低，可用小刀刻划成痕。

| 功效物质 | 主要为含水硅酸镁 [$Mg_3(Si_4O_{10})(OH)_2$]。

| 功能主治 | **不灰木：**甘，寒。归肺、膀胱经。清热止咳，除烦利尿。用于肺热咳嗽，咽喉肿痛，热性病烦热肢厥，小便不利，热痱疮疖。

玉：甘，平。归肺、胃、心经。润肺清胃，除烦止渴，镇心，明目。用于喘息烦满，消渴惊悸，目翳，丹毒。

| 用法用量 | **不灰木：**内服入丸、散剂，1.5 ~ 3 g；或煎服。外用适量，研末撒敷。

玉：内服煎汤，30 ~ 150 g；或入丸、散剂。外用适量，研末调敷；或点目。

| 附　　注 | 玉的另一原矿物来源为硅酸盐类角闪石族矿物透闪石的隐晶质亚种软玉（Nephrite）。

镁化合物类 Magnesium compounds

蛭石片岩 Vermiculite Schist

| 药 材 名 | 金礞石、金精石。

| 形态特征 | 主要由鳞片状矿石组成，鳞片细小，断而呈层状。片岩色较淡，呈淡棕色或棕黄色。具金黄色光泽。质较软，易碎，碎片多呈小鳞片状。

| 成因 / 产状 | 本种由黑云母经低温热液蚀变或风化作用而形成，进一步遭风化破碎后，粒径变细，可转入黏土中。

| 分布区域 | 分布于江苏连云港（东海）、徐州（新沂）等。

| 蕴 藏 量 | 较丰富。

| 采收加工 | 全年均可采挖，除去泥土、杂石。

| 药材性状 | **金礞石：**本品为鳞片状集合体，呈不规则碎片状或块状，碎片者直

径 0.1 ～ 0.8 cm；块状者直径 2 ～ 10 cm，厚 0.6 ～ 1.5 cm，无明显棱角。棕黄色或黄褐色，带有金黄色或银白色光泽。质脆，用手捻之易碎成金黄色闪光小片，具滑腻感。气微，味淡。

金精石： 本品为片状集合体，多呈不规则扁块状，有的呈六角形板状，厚 0.2 ～ 1.2 cm，褐黄色或褐色。表面光滑，有网状纹理。具似金属光泽。质软，可用指甲刻划成痕，切开后，断面呈明显层片状，可层层剥离，薄片光滑，不透明。无弹性，具挠性。气微，味淡。

| 功效物质 | 主要为含钾、镁、铁、铝的硅酸盐 $[K(Mg \cdot Fe)_2(Al\,Si_5O_{10})(OH, F)_2]$。

| 功能主治 | **金礞石：** 甘、咸，平。归肺、心、肝经。坠痰下气，平肝镇惊。用于顽痰胶结，咳逆喘急，癫痫发狂，烦躁胸闷，惊风抽搐。

金精石： 咸，寒。归心、肝、肾经。镇心安神，止血，明目去翳。用于心悸怔忡，失眠多梦，吐血，咯血，目疾翳障。

| 用法用量 | **金礞石：** 内服多入丸、散剂，3 ～ 6 g；或煎汤，10 ～ 15 g，布包先煎。

金精石： 内服入丸、散剂，3 ～ 6 g。外用适量，水飞点眼。

| 附　　注 | 金礞石的另一原矿物来源为水黑云母片岩（Hydrobiotite Schist）。金精石的另一原矿物来源为水金云母 - 水黑云母（Hydrophlogopite-Hydrobiotite）。

镁化合物类 Magnesium compounds

黑云母片岩 Biotite Schist

| 药 材 名 | 青礞石。

| 形态特征 | 集合体呈不规则的扁块状，无明显棱角，其中有鳞片状矿物定向排列，彼此相连。断面可见明显的片状构造，鳞片状变晶结构。岩石呈褐黑色、绿黑色乃至黑色，具玻璃或珍珠光泽，薄片具弹性，质软而脆，易剥碎。

| 成因 / 产状 | 本种常由泥质岩石受热变质或区域变质作用时形成，分布于岩浆岩中，特别是酸性或偏酸性的岩石。在花岗伟晶岩中，常可见到粗大的晶体。

| 分布区域 | 分布于江苏连云港（东海）、徐州（新沂）等。

| 蕴 藏 量 | 较丰富。

| 采收加工 | 全年均可采挖，除去泥土、杂石。

| 药材性状 | 本品呈鳞片状、不规则碎块状或颗粒状，碎块直径 0.5 ~ 2 cm，厚 0.5 ~ 1 cm，无明显棱角。褐黑色、绿褐色或灰绿色，具玻璃光泽。质软，易碎，碎块断面呈较明显的层片状。气微，味淡。

| 功效物质 | 主要为含钾、镁、铁、铝的硅酸盐 $[K(Mg \cdot Fe)_2(Al\,Si_3O_{10})(OH, F)_2]$。

| 功能主治 | 甘、咸，平。归肺、心、肝经。坠痰下气，平肝镇惊。用于顽痰胶结，咳逆喘急，癫痫发狂，烦躁胸闷，惊风抽搐。

| 用法用量 | 内服多入丸、散剂，3 ~ 6 g；或煎汤，10 ~ 15 g，布包先煎。

| 附　　注 | （1）青礞石的另一原矿物来源为绿泥石化云母碳酸盐片岩（Mica Carbonate Schist by Chloritization）。

（2）现代药理研究已证实青礞石对癫痫及慢性阻塞性肺炎具有良好的干预作用。

钙化合物类 Calcium compounds

石膏 Gypsum

| 药 材 名 | 石膏、玄精石、北寒水石。

| 形态特征 | 集合体呈块状、片状、纤维状或粉末状。无色透明或白色半透明，或因含杂质而染成灰白色、浅红色、浅黄色等。具玻璃光泽，解理面呈珍珠光泽，纤维状集合体呈丝绢光泽。用指甲划可得到划痕。

| 成因 / 产状 | 本种主要由沉积作用形成，如海盆或湖盆中化学沉积的石膏常与石灰岩、泥灰岩等呈互层出现。热液成因的石膏通常见于某些低温热液硫化物矿床中。硫化物矿床氧化带中的硫酸水溶液与石灰岩作用可形成石膏。此外，硬石膏在压力降低并与地下水相遇时也可形成石膏。

| 分布区域 | 分布于江苏徐州（邳州）等。

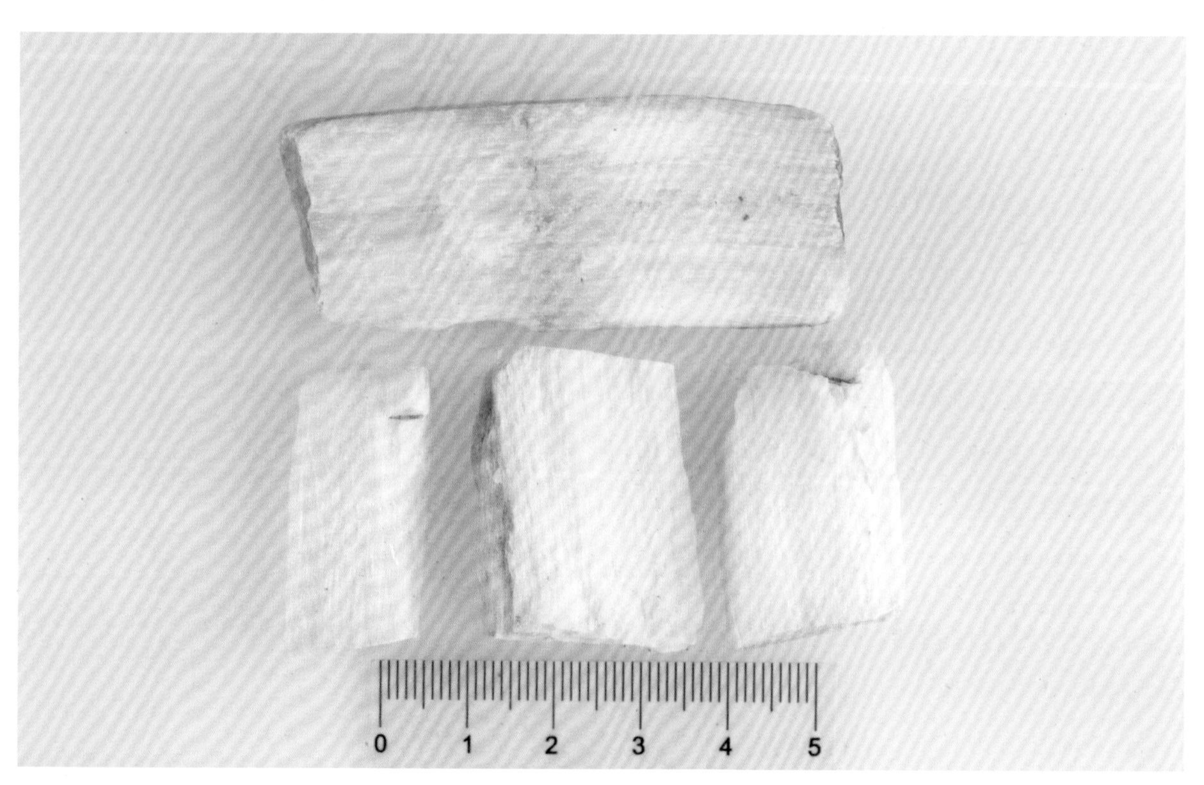

| 蕴 藏 量 | 丰富。

| 采收加工 | 冬季采挖，除去泥土、杂石。

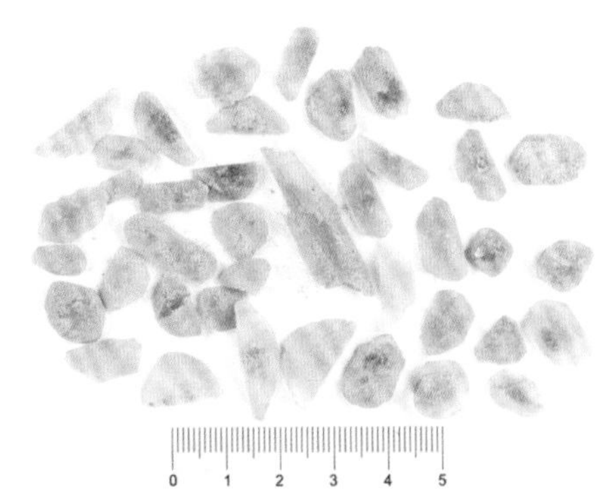

| 药材性状 | **石膏：**本品为纤维状的集合体，呈长块状、板块状或不规则块状。白色、灰白色或淡黄色，有的半透明。体重，质软，纵断面具绢丝光泽。气微，味淡。

玄精石：本品呈六边状椭圆形或长椭圆形，边薄中厚，即习称“龟背状”，长 0.3 ~ 3.5 cm，宽 0.25 ~ 1.5 cm。灰白色、灰绿色或淡黄白色，对光为半透明，通常中间包裹着青黑色或土黄色砂粒。光泽暗淡，质较硬而脆，易纵裂开，呈条状，裂开面具玻璃光泽。气微，味微咸。火中烧之能解体，层层剥落为片状，呈瓷白色，有的杂有黑、白色小点。

北寒水石：本品为纤维状集合体，呈扁平块状或厚板状，大小不一，厚 0.5 ~ 3.5 cm。淡红色，有的为白色；条痕白色。表面凹凸不平，侧面呈纵细纹理，具丝绢光泽。质较软，指甲可刻划成痕；易砸碎，断面显直立纤维状，粉红色。气微，味淡。

| 功效物质 | 主要为含水硫酸钙（$CaSO_4 \cdot 2H_2O$）。

| 功能主治 | **石膏：**甘、辛，大寒。归肺、胃经。清热泻火，除烦止渴。用于外感热病，高热烦渴，肺热喘咳，胃火亢盛，头痛，牙痛。

玄精石：咸，寒。归肾经。清热，明目，消痰。用于阳盛阴虚，壮热烦渴，头风脑痛，目赤涩痛，翳障遮睛，重舌木舌，咽喉肿痛，头疮，烫火伤。

北寒水石：辛、咸，寒。归心、胃、肾经。清热降火，利窍，消肿。用于时行热病，壮热烦渴，水肿，尿闭，咽喉肿痛，口舌生疮，痈疽，丹毒，烫伤。

| 用法用量 | **石膏：**内服煎汤，15 ~ 60 g，先煎。

玄精石：内服煎汤，10 ~ 15 g；或入丸、散剂。外用适量，研末掺或调敷。

北寒水石：内服煎汤，6 ~ 15 g；或入丸、散剂。外用适量，研末掺或调敷。

| 附　　注 | 相对于硬石膏，主含含水硫酸钙（$CaSO_4 \cdot 2H_2O$）的石膏通常也称为“软石膏”。江苏邳州的四户石膏矿是江苏唯一的软石膏矿产地。

钙化合物类 Calcium compounds

硬石膏 Anhydrite

| 药 材 名 | 长石。

| 形态特征 | 一般呈块状或粒状集合体，偶见纤维。白灰色，或带淡紫色、淡红色、灰黑色等；条痕白色。透明或微透明，具玻璃或脂肪光泽，性脆。

| 成因 / 产状 | 本种主要产于蒸发作用所形成的盐湖沉积物中。当海水的温度超过42 ℃时，直接形成硬石膏；若海水的盐度较高，则形成温度可低于42 ℃。但当温度和盐度都低时，则仅形成石膏。硬石膏也可由石膏脱水而形成。此外，石灰岩或白云岩受热液交代而形成的硬石膏以及金属矿脉中的硬石膏，均可能是受含硫酸溶液作用的产物。

| 分布区域 | 分布于江苏南京（江宁）、镇江（润州）等。

| 蕴 藏 量 | 丰富。

| 采收加工 | 全年均可采挖，除去泥土、杂石，洗净，晒干。

| 药材性状 | 本品为扁块状或块状，有棱。浅灰色、灰色或深灰色；条痕白色或浅灰色。体较重，质坚硬，指甲不易刻划成痕，但可砸碎，浅色者断面对光照之具闪星样光泽，深色者光泽暗淡。无臭，无味。

| 功效物质 | 主要为硫酸钙（$CaSO_4$）。

| 功能主治 | 辛、苦，寒。归肺、肝、胃、膀胱经。清热泻火，利小便，明目去翳。用于身热烦渴，小便不利，目赤翳障。

| 用法用量 | 内服煎汤，15 ～ 90 g。

| 附　　注 | 硬石膏与软石膏不同，容易混淆，应用时注意区分。

钙化合物类 Calcium compounds

理石 Gypsum and Anhydrite

| 药 材 名 | 理石。

| 形态特征 | 新鲜面白色，风化面灰色、黄色或褐黄色，或被黏土质围岩污染，呈青灰色等。条痕白色。新鲜断面具丝绢光泽，或解理面见反光亮点；风化面暗淡，无光泽。肉眼见不到解理面，可见平行纤维方向的解理纹和（或）斜交纤维方向的解理纹。断口不平坦至参差状。性脆，易碎。

| 成因 / 产状 | 本种形成于各种类型石膏层的裂隙或硬石膏层水化部位。

| 分布区域 | 分布于江苏南京（江宁）、镇江（润州）、徐州（邳州）等。

| 蕴 藏 量 | 较丰富。

| 采收加工 | 全年均可采挖，除去泥土、杂石。

| 药材性状 | 本品为不规则块状。深灰色。体较轻，质硬脆，可砸碎，断面大部分粗糙，呈暗灰色，解理面可见到明显亮星；其中部分可见到直立的纤维，纤维间亦可见到亮星。气、味皆淡。

| 功效物质 | 主要为含水硫酸钙（$CaSO_4 \cdot 2H_2O$）及硫酸钙（$CaSO_4$）。

| 功能主治 | 辛、甘，寒。归胃经。清热，除烦，止咳。用于身热心烦，消渴，痿痹。

| 用法用量 | 内服煎汤，15 ~ 30 g。

钙化合物类 Calcium compounds

方解石 Calcite

| 药 材 名 | 方解石、寒水石（南寒水石）、鹅管石、花蕊石、姜石。

| 形态特征 | 常为钟乳状或致密粒状集合体。多为无色或乳白色，如有混入物，则呈灰色、黄色、玫瑰色、红色、褐色等。具玻璃光泽，透明至不透明，有完全的解理，断口贝壳状，性脆。

| 成因 / 产状 | 本种为内生热液矿脉及沉淀的碳酸盐类岩石的重要组成部分，产于沉积岩和变质岩中，金属矿脉中也多有存在。

| 分布区域 | 分布于江苏徐州（睢宁、邳州）、连云港（赣榆）、南京（江宁）、镇江（句容）、常州（溧阳）、无锡（宜兴）等。

| 蕴 藏 量 | 丰富。

| 采收加工 | 全年均可采挖，除去泥土、杂石。

| 药材性状 |

方解石：本品主为菱面体集合体，呈斜方扁块状、斜方柱状。白色，有的稍带浅黄色或浅红色。表面光滑，有棱。透明至半透明；具玻璃光泽，用小刀可刻划成痕。体较重，质硬脆，易砸碎，碎片多呈斜方形或斜长方形。无臭，无味。

寒水石：本品为菱面体集合体，呈斜方扁块状、斜方柱状。白色，有的稍带浅黄色或浅红色。表面光滑，有棱。透明至半透明；具玻璃光泽，用小刀可刻划成痕。体较重，质硬脆，易砸碎，碎片多呈斜方形或斜长方形。无臭，无味。

鹅管石：本品呈圆柱形或圆锥形，中空如管状，长 3 ～ 7 cm，直径 0.5 ～ 1.3 cm，管壁厚 1 ～ 4 mm。白色或淡黄白色。表面平滑，有的较粗糙，有颗粒或纵斜纹理。半透明至不透明。质硬脆，可折断，断面白色，具玻璃光泽，中心具较大空洞，壁厚者可见浅黄色环层。无臭，味淡。

花蕊石：本品为粒状和致密块状的集合体，呈不规则块状，具棱角而不锋利。白色或浅灰白色，其中夹有点状或条状的蛇纹石，呈浅绿色或淡黄色，习称“彩晕”，对光观察有闪星状光泽。体重，质硬，不易破碎。气微，味淡。

姜石：本品为不规则块状。土黄色或浅灰色；条痕浅黄色。不透明，具土状光泽。表面凹凸不平，并具裂隙。体重，质坚硬，可砸碎，断面呈颗粒状，色较深，并可见结核状类圆形痕迹或灰白色结晶层。具土腥气，味淡。遇冷稀盐酸会产生强烈气泡。

| 功效物质 |

主要为碳酸钙（$CaCO_3$）。

| 功能主治 | **方解石：** 苦、辛，寒。归肺、胃经。清热，泻火，解毒。用于胸中烦热，口渴，黄疸。

寒水石： 苦、辛，寒。归肺、胃经。清热降火，利窍，消肿。用于时行热病，壮热烦渴，水肿，尿闭，咽喉肿痛，口舌生疮，痈疽，丹毒，烫伤。

鹅管石： 甘、微咸，温。归肺、肾、胃经。温肺，壮阳，通乳。用于肺寒久咳，虚劳咳喘，阳痿早泄，梦遗滑精，腰脚冷痹，乳汁不通。

花蕊石： 酸、涩，平。归肝经。化瘀止血。用于咯血，吐血，外伤出血，跌仆伤痛。

姜石： 咸，寒。归心、胃经。清热解毒，消肿。用于疔疮痈肿，乳痈，瘰疬，豌豆疮。

| 用法用量 | **方解石：** 内服煎汤，10 ~ 30 g；或入散剂。

寒水石： 内服煎汤，6 ~ 15 g；或入丸、散剂。外用适量，研末掺或调敷。

鹅管石： 内服煎汤，9 ~ 15 g，打碎先煎；或研末，0.3 ~ 15 g；或入丸、散剂。

花蕊石： 内服多研末，4.5 ~ 9 g。外用适量，研末敷。

姜石： 内服入丸、散剂，1 ~ 3 g；或泡饮。外用适量，研末敷。

| 附　　注 | 鹅管石为方解石的细管状集合体。花蕊石主要由方解石形成的大理岩与蛇纹石组成。姜石为黄土层或风化红土层中钙质结核，其方解石原矿物可见皮壳状胶结物。

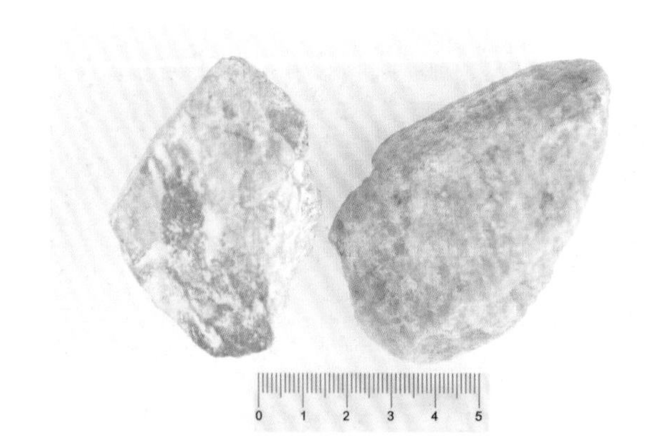

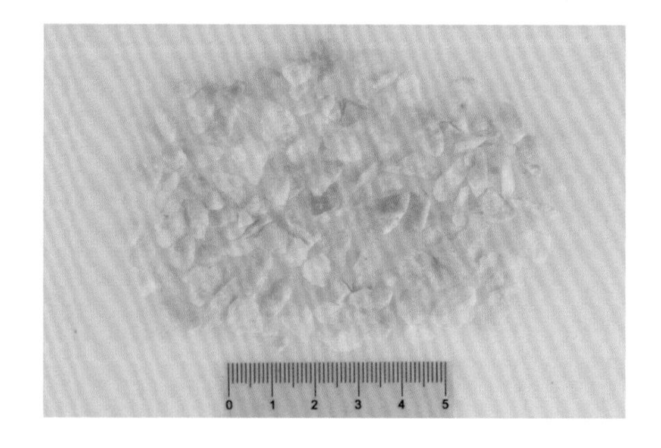

钙化合物类 Calcium compounds

钟乳石 Stalactite

| 药 材 名 | 钟乳石（钟乳状集合体下端较细的圆柱状管状部分）、孔公孽（钟乳状集合体中间稍细部分或有中空者）、殷孽（附着于石上的粗大根盘）、乳花（钟乳液滴石上散溅如花者）、石床（钟乳液滴下后凝积成笋状者）。

| 形态特征 | 表面粗糙，凹凸不平。类白色，有的因含杂质而染成灰白色或浅棕黄白色等。暗淡或具玻璃光泽。性脆，断面较平整，可见同心层状构造或放射状构造，中心有的有空心。

| 成因 / 产状 | 钟乳石系含碳酸钙的水溶液，经石灰岩裂隙，从溶洞顶滴下，因水分蒸发，二氧化碳散逸，使析出的碳酸钙沉积而成，且自上而下逐渐增长，倒垂于洞顶。

| 分布区域 | 分布于江苏南京、镇江、无锡（宜兴）等。

| 蕴 藏 量 | 较丰富。

| 采收加工 | 全年均可采挖，除去泥土、杂石，洗净，晒干。

| 药材性状 | **钟乳石：**本品为钟乳状集合体，略呈圆锥形或圆柱形。表面白色、灰白色或棕黄色，粗糙，凹凸不平。体重，质硬，断面较平整，白色至浅灰白色，对光观察具闪星状的亮光，近中心常有1圆孔，圆孔周围有多数浅橙黄色同心环层。气微，味微咸。

孔公孽：本品为石灰岩溶洞顶下垂成冰柱状中间较细部分或有中空者。其他特征同钟乳石“钟乳石”。

殷孽：本品为粗大盘根块状。其他特征同“钟乳石”。

乳花：本品为粒状，晶簇状如花。无色或白色。其他特征同“钟乳石”。

石床：本品略呈圆锥形，似冰柱，接近地面上部分。表面白色或类白色。其他特征同“钟乳石”。

| 功效物质 | 主要为碳酸钙（$CaCO_3$）。

| 功能主治 | **钟乳石：**甘，温。归肺、肾、胃经。温肺，助阳，平喘，制酸，通乳。用于寒痰咳喘，阳虚冷喘，腰膝冷痛，胃痛泛酸，乳汁不通。

孔公孽：甘、辛，温。通阳散寒，化瘀散结，解毒。用于腰膝冷痛，癥瘕结聚，饮食不化，恶疮，痔漏，乳汁不通。

殷孽：辛、咸，温。温肾壮阳，散瘀解毒。用于筋骨痿弱，腰膝冷痛，癥瘕，痔漏，痈疮。

乳花：甘，温。温肾，壮骨，助阳。用于筋骨痿软，腰脚冷痛，阳痿早泄。

石床：甘，温。温肾壮骨。用于筋骨痿软，腰脚冷痛。

| 用法用量 | **钟乳石：**内服煎汤，3 ~ 9 g，先煎。

孔公孽：内服煎汤，9 ~ 15 g，打碎先煎；研末，1.5 ~ 3 g；或入丸、散剂。外用适量，研末调敷。

殷孽：内服煎汤，9 ~ 15 g，打碎先煎；或研末，1.5 ~ 3 g；或入丸、散剂。外用适量，研末调敷。

乳花：内服煎汤，9 ~ 15 g，打碎先煎；或研末，1.5 ~ 3 g。

石床：内服煎汤，9 ~ 15 g，打碎先煎；或研末，1.5 ~ 3 g。

钙化合物类 Calcium compounds

石灰岩 Limestone

| 药 材 名 | 石灰。

| 形态特征 | 为致密块状体。白色或灰白色，由于所含杂质成分差异，颜色变化甚大，如含铁质则呈褐色，含有机质则呈灰色至黑色。具土状光泽，透明度较差。非常致密时多呈贝状断口。

| 成因 / 产状 | 海水中溶解的重碳酸钙，由于二氧化碳的大量逸散，形成沉积的石灰岩。河流和湖泊中沉积的碳酸钙称为石灰华，生物吸收碳酸钙形成的介壳亦可在海底堆积成石灰岩。

| 分布区域 | 分布于江苏徐州（铜山）、南京（江宁）、镇江（句容）、无锡（宜兴）等。

| 蕴 藏 量 | 丰富。

| 采收加工 | 全年均可采挖，将石灰岩置窑中，密封，上留气道，用大火煅烧，取出即为生石灰。经风化或水解后成熟石灰。

| 药材性状 | 本品生石灰多为不规则块状，大小不一，表面有细微裂缝，多孔。白色或灰色；条痕白色。不透明，具土状光泽。体较轻，质硬，易砸碎，断面粉状。熟石灰为粉末状或疏松块状，白色或淡灰白色，具土状光泽。

| 功效物质 | 生石灰为氧化钙（CaO），熟石灰为氢氧化钙 [$Ca(OH)_2$]。生石灰或熟石灰露于大气中，最终均逐渐转化为碳酸钙（$CaCO_3$）。

| 功能主治 | 辛、苦、涩，温；有毒。归肝、脾经。解毒蚀腐，敛疮止血，杀虫止痒。用于痈疽疔疮，丹毒，瘰疬痰核，赘疣，外伤出血，烫火伤，下肢溃疡，久痢脱肛，疥癣，湿疹，痱子。

| 用法用量 | 内服入丸、散剂，1 ~ 3 g；或加水溶解取澄清液服。外用适量，研末调敷；或取水溶液涂搽。作腐蚀剂，用生石灰；敛疮止血，用熟石灰。

钙化合物类 Calcium compounds

萤石 Fluorite

| 药 材 名 | 紫石英。

| 形态特征 | 集合体呈致密粒状或块状。色杂，以绿色、紫色为多，也有黄色、浅蓝色、红灰色、黑白色等。半透明至透明，具玻璃光泽。性脆。

| 成因 / 产状 | 本种形成于热液矿床或伟晶气液作用形成的矿脉中，有时也大量出现于铅锌硫化物矿床中。

| 分布区域 | 分布于江苏苏州（相城、吴中）、常州（溧阳）等。

| 蕴 藏 量 | 较丰富。

| 采收加工 | 全年均可采挖，拣选紫色的入药，洗净。

| 药材性状 | 本品为块状或粒状集合体，呈不规则块状，具棱角。紫色或绿色，

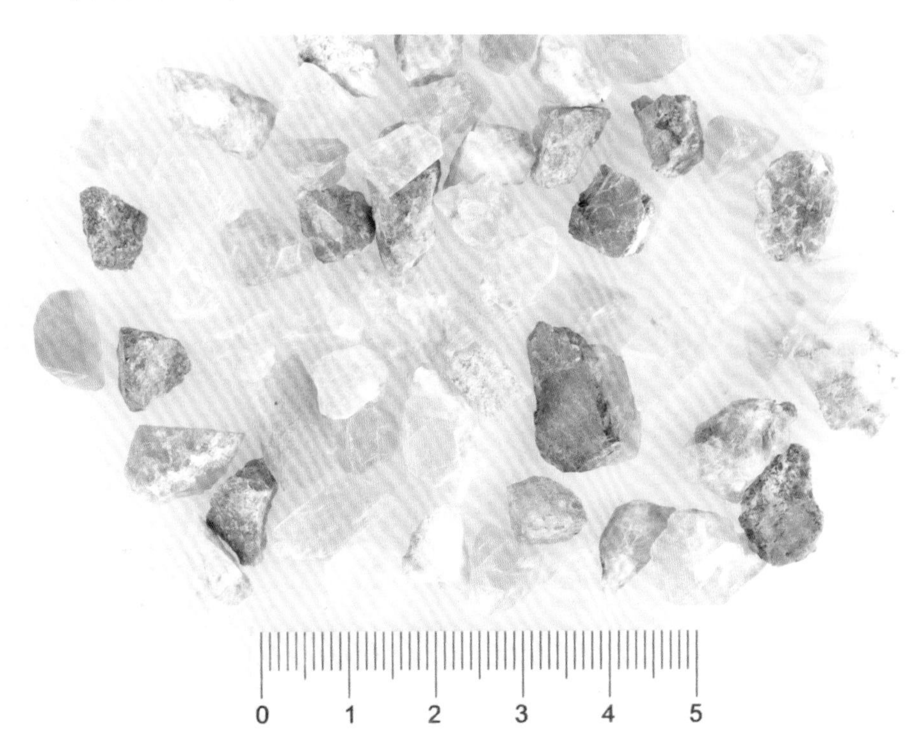

深浅不匀；条痕白色。半透明至透明，有玻璃光泽。表面常有裂纹。质坚脆，易击碎。气微，味淡。

| 功效物质 | 主要为氟化钙（CaF_2）。

| 功能主治 | 甘，温。归肾、心、肺经。温肾暖宫，镇心安神，温肺平喘。用于肾阳亏虚，宫冷不孕，惊悸不安，失眠多梦，虚寒咳喘。

| 用法用量 | 内服煎汤，9 ~ 15 g，先煎。

| 附　　注 | 紫石英加热时其色可退，受 X 射线照射后可恢复原色。

铝化合物类 Aluminum compounds

明矾石 Alunite

| 药 材 名 | 白矾。

| 形态特征 | 通常为致密的块状、细粒状、土状等。无色或白色，常夹带浅黄色、粉红色等；条痕白色，具玻璃光泽，解理平行面上有时微带珍珠光泽，块状者光泽暗淡或微带蜡状光泽。断口呈贝壳状，块状者呈多片状、参差状，性脆。

| 成因 / 产状 | 本种为中酸性火山岩低温热液蚀变的产物。此外，黄铁矿分解所形成的硫酸盐溶液与含钾岩石作用也可形成。

| 分布区域 | 分布于江苏苏州、常州等。

| 蕴 藏 量 | 较丰富。

| 采收加工 | 全年均可采挖，除去泥土、杂石。

| 药材性状 | 本品呈不规则的块状或粒状。无色或淡黄白色，透明或半透明。表面略平滑或凹凸不平，具细密纵棱，有玻璃光泽。质硬而脆。气微，味酸、微甘而极涩。

| 功效物质 | 主要为含水硫酸铝钾 [$KAl(SO_4)_2 \cdot 12H_2O$]。

| 功能主治 | 酸、涩，寒。归肺、脾、肝、大肠经。解毒杀虫，燥湿止痒，止血止泻，祛除风痰。用于久泻不止，便血，崩漏，癫痫发狂；外用于湿疹，疥癣，脱肛，痔疮，聤耳流脓。

| 用法用量 | 内服煎汤，0.6 ~ 1.5 g。外用适量，研末敷；或化水洗。

| 附　　注 | 市场有较多铵明矾 [$NH_4Al(SO_4)_2 \cdot 12H_2O$] 出现，为明矾伪品，应注意鉴别。

铝化合物类 Aluminum compounds

多水高岭石 Halloysite

| 药 材 名 | 赤石脂、黄石脂。

| 形态特征 | 集合体呈致密块状、土状、粉末状或瓷状及各种胶凝体外观。白色，具蜡状光泽或光泽暗淡，断口贝壳状。干燥时吸水，加水后可塑性弱，裂成棱角碎块。

| 成因 / 产状 | 本种在风化壳里和一些沉积岩层中均有产出，常与高岭石共生，在酸性介质中有利于其形成。

| 分布区域 | 分布于江苏徐州（铜山）、无锡（宜兴）、苏州等。

| 蕴 藏 量 | 丰富。

| 采收加工 | 全年均可采挖，除去泥土、杂石。

| 药材性状 | **赤石脂：**本品为块状集合体，呈不规则的块状。粉红色、红色至紫红色，或有红白相间的花纹。质软，易碎，断面有的具蜡样光泽。吸水性强。具黏土气，味淡，嚼之无砂粒感。

黄石脂：本品为不规则块状。黄色或深黄色，有的带有深黄色花纹或斑点。具油脂光泽或土状光泽。质较硬，轻砸可碎，断面不平坦，显层状。摸之较滑腻，微有吸水性，舐之略黏舌。微有土腥气，味淡。

| 功效物质 | 主要为水化硅酸铝 [$Al_4(Si_4O_{10})(OH)_8 \cdot 4H_2O$] 或含水硅酸铝钾 [$KAl(Si_4O_{10})(OH)_8 \cdot 4H_2O$] 及铁的氧化物，以及钛、镁、锶、锰等多种矿物元素。

| 功能主治 | **赤石脂：**甘、酸、涩，温。归大肠、胃经。涩肠，止血，生肌敛疮。用于久泻久痢，大便出血，崩漏带下；外用于疮疡久溃不敛，湿疮脓水浸淫。

黄石脂：苦，平。归脾、大肠经。健脾涩肠，止血敛疮。用于泻痢脓血，痈疽恶疮，久不收口。

| 用法用量 | **赤石脂：**内服煎汤，9 ~ 12 g，先煎。外用适量，研末敷。

黄石脂：内服煎汤，10 ~ 20 g，打碎先煎。

| 附　　注 | （1）多水高岭石致密块体不易与高岭石区分，以表面干裂、碎裂呈棱角状者为多水高岭石。

（2）黄石脂的另一原矿物来源为水云母（Hydromica）。

铝化合物类 Aluminum compounds

高岭石 Kaolinite

| 药 材 名 | 白石脂。

| 形态特征 | 集合体呈疏松鳞片状、土状或致密块状，偶见钟乳状。纯净者色白，如混入铁、锰等杂质可呈黄色、浅灰色、浅红色、浅绿色、浅褐色等。条痕白色或灰白色，致密块状体无光泽或呈蜡状光泽，细薄鳞片可呈珍珠光泽，具滑腻感。土臭味，吸水黏舌，可塑性强，但不膨胀。

| 成因 / 产状 | 本种为黏土矿物中最常见的一种，是黏土质沉淀物的主要矿物成分。

| 分布区域 | 分布于江苏徐州（铜山）、南京（江宁）、苏州、无锡（宜兴）等。

| 蕴 藏 量 | 丰富。

| 采收加工 | 全年均可采挖，除去泥土、杂石。

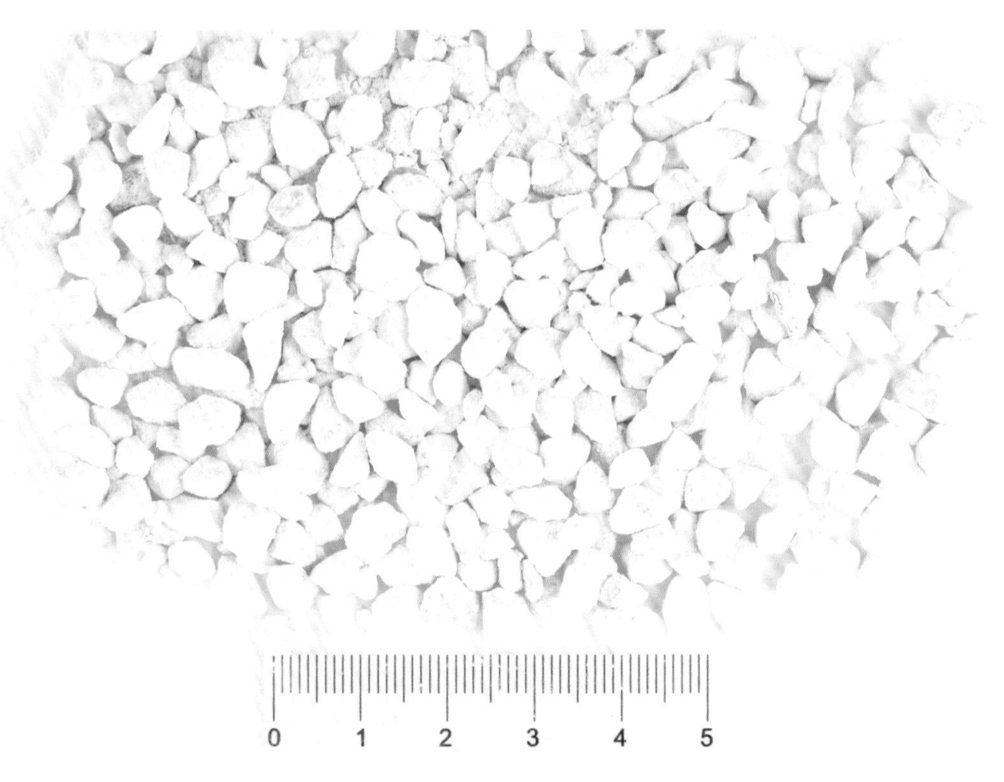

| 药材性状 | 本品为不规则块状。粉白色或类白色，有的带有浅红色或浅黄色斑纹或条纹；条痕白色。体较轻，质软，用指甲可刻划成痕。断面具土状光泽。吸水力强，舐之黏舌，嚼之无砂粒感。具土腥气，味微。

| 功效物质 | 主要为水化硅酸铝 $[Al_4(Si_4O_{10})(OH)_8]$，以及锶、钡、锰、锌等多种矿物元素。

| 功能主治 | 甘、酸，平。归肺、大肠经。涩肠，止血，固脱，收湿敛疮。用于久泻，久痢，崩漏，带下，遗精，疮疡不敛。

| 用法用量 | 内服煎汤，6 ~ 15 g；或入丸、散剂。外用适量，研末撒或调敷。

| 附　　注 | 白石脂以江苏苏州产最为著名。

铝化合物类 Aluminum compounds

白云母 Muscovite

| 药 材 名 | 云母（或称“银精石”）。

| 形态特征 | 集合体呈片状、鳞片状，可剥分成薄片。薄片无色，常带淡绿色、淡褐色等。透明，显玻璃光泽或珍珠光泽，具显著的弹性。

| 成因 / 产状 | 本种为分布很广的造岩矿物之一，在三大岩类（岩浆岩、沉积岩、变质岩）中均有存在。酸性岩浆结晶晚期及伟晶作用阶段均有大量产出，尤其是花岗伟晶岩中的白云母晶体可以极大。围岩发生云英岩石化和绢云母化亦可产出。泥质在低、中级区域变质过程中可形成绢云母、白云母。风化破碎成极细鳞片的白云母，既可以成为碎屑沉淀物中的碎屑，也可以是泥质岩的黏土矿物成分之一。白云母经强烈化学风化，可形成伊利石，后者是一种分布很广的黏土矿物。

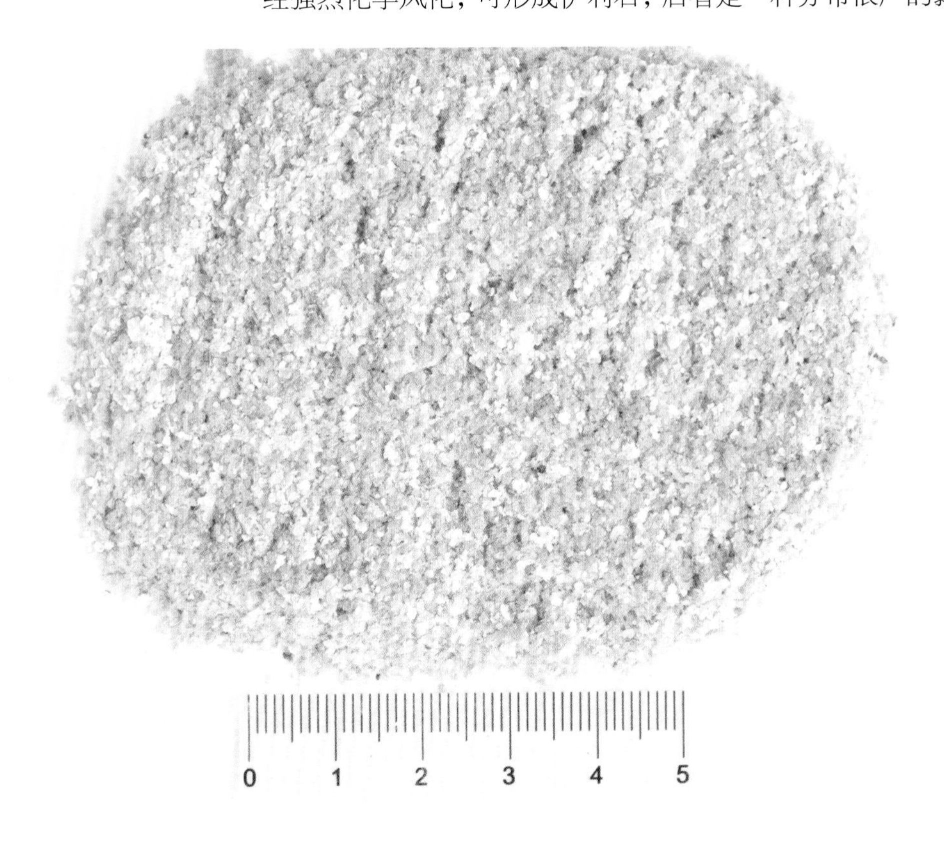

| 分布区域 | 分布于江苏连云港（东海）等。

| 蕴 藏 量 | 较丰富。

| 采收加工 | 全年均可采挖，除去泥土、杂石。

| 药材性状 | 本品为叶片状集合体，呈板状或板块状，沿其侧面边缘易层层剥离成很薄的叶片。无色透明或微带浅绿色、灰色。表面光滑，具玻璃光泽或珍珠光泽。用指甲可刻划成痕。薄片体轻，质韧，有弹性，弯曲后能自行挺直，不易折断。气微，味淡。

| 功效物质 | 主要为含铝钾的硅酸盐 [KAl_2（Si_3AlO_{10}）（OH）$_2$]，以及钠、镁、铁、锂、钛等矿物元素。

| 功能主治 | 甘，温。归心、肝、脾经。安神镇惊，敛疮止血。用于心悸，失眠，眩晕，癫痫，久泻，带下，外伤出血，湿疹。

| 用法用量 | 内服煎汤，10 ~ 15 g；或入丸、散剂。外用适量，研末撒或调敷。

| 附　　注 | 连云港东海是江苏已知唯一的云母产地。

铝化合物类 Aluminum compounds

高岭土 Kaolin

| 药 材 名 | 白垩。

| 形态特征 | 呈土状块体，白色或淡绿色、黄色等，具土状光泽，硬度近于指甲。影响其性状的主要矿物组分有高岭石、绢云母 - 水云母和蒙脱石。不溶于水，但于水中分散。

| 成因 / 产状 | 本种为自然界常见的、非常重要的一种黏土矿物，在缺少碱金属和碱土金属的酸性介质中，由火成岩和变质岩中的长石或其他硅酸盐矿物经风化作用形成。

| 分布区域 | 分布于江苏淮安（盱眙）、南京（六合）、镇江（句容）、常州（金坛）等。

| 蕴 藏 量 | 丰富。

| 采收加工 | 全年均可采挖，除去杂质。

| 药材性状 | 本品呈不规则状。白色、浅灰白色。表面细腻，有滑腻感。具吸水性，舐之黏舌。体较轻，质较软，用指甲可刻划成痕。可塑性低，黏结性小。微带土腥气，味淡。

| 功效物质 | 主要为硅酸盐，如 $(Na,Ca_{1/2})_{0.33}(Al,Mg)_2[(Si,Al)_4O_{10}](OH)_2 \cdot nH_2O$、$Al_4(Si_4O_{10})(OH)_8$、$KAl_2(Si_3AlO_{10})(OH)_2$，以及铁、钛、钡、锶、钒等矿物元素。

| 功能主治 | 苦，温。归脾、肺、肾经。温中暖肾，涩肠，止血，敛疮。用于反胃，泻痢，遗精，月经不调，不孕，吐血，便血，衄血，眼弦赤烂，臁疮，痱子瘙痒。

| 用法用量 | 内服入丸、散剂，4.5 ~ 9 g。外用适量，研末撒或调敷。

| 附　　注 | 白垩的另一原矿物来源为主含蒙脱石（Montmorillonite）的膨润土（Bentonite）。

铝化合物类 Aluminum compounds

膨润土 Bentonite

| 药 材 名 | 甘土、白垩。

| 形态特征 | 常为土质块状体，有时为小鳞片状、球粒状。白色，或为浅灰色、浅红色、浅绿色；条痕白色。具土状光泽。块体柔软、有滑感。加水膨胀，体积可增大几倍，并变成糊状物。

| 成因 / 产状 | 蒙脱石是斑脱岩、膨润土和漂白土中最主要的组成矿物，是由基性火山岩尤其是基性火山凝灰岩和火山灰风化而成。在低温热液蚀变过程中，也能形成蒙脱石。热泉作用相当于低温蚀变，也能生成蒙脱石。在形成时要求富镁贫钾和 pH 较高的碱性环境，因此所在地区雨水不能过多。许多沉积或变质岩的黏土质岩石中也含有大量的蒙脱石。

| 分布区域 | 分布于江苏淮安（盱眙）、南京（六合）、镇江（句容）、常州（金坛）等。

| 蕴 藏 量 | 丰富。

| 采收加工 | 全年均可采挖，除去杂质。

| 药材性状 | **甘土：**本品为土块状，白色或灰色，有的因含杂质而染成浅粉红色。不透明；具土状光泽。硬度低，指甲可刻划成痕。具强吸水性，舐之有吸力。置水中即膨胀，继而崩散成细粒或粉。具滑腻感。微有土腥气，味淡。

白垩：同“高岭土”。

| 功效物质 | 主要为水化硅酸铝 [（Al，Si）$_4O_{10}$（OH）$_2 \cdot nH_2O$]，以及少量的钙、镁、铁等矿物元素。

| 功能主治 | **甘土：**解毒。用于食物或菌类中毒。

白垩：同“高岭土”。

| 用法用量 | **甘土：**内服温开水调匀饮，300 ~ 500 ml。

白垩：同“高岭土”。

| 附　　注 | 蒙脱石在水溶液中呈悬浮状或胶凝状，有很强的阳离子交换能力，具强烈的吸附性或吸垢力。制药中可用为胶凝剂、悬浮剂、乳剂稳定剂、吸附剂、澄清剂等。可影响药物的生物利用率，不释放或缓慢释放活性物质。

铝化合物类 Aluminum compounds

坡缕石 Palygorskite

| 药 材 名 | 凹凸棒石。

| 形态特征 | 呈土状或致密块状，白色、灰白色、青灰色或灰绿色。具土状或弱丝绢光泽。土质细腻，有油脂滑感。质轻，性脆。断口贝壳状或参差状。吸水性强，舐之黏舌。具黏性和可塑性，干燥后收缩性小。水浸泡崩散。

| 成因 / 产状 | 本种产于富镁岩石的风化壳中，于沉积岩中呈矿巢、矿层状产出。

| 分布区域 | 分布于江苏淮安（盱眙）、南京（六合）、常州（金坛）等。

| 蕴 藏 量 | 丰富。

| 采收加工 | 全年均可采挖，除去杂石及泥沙。

| 药材性状 | 本品为致密细粒集合体，呈不规则的块状，灰白色、灰色至青灰色。体较轻，质较软，细腻，手摸有滑感，吸水性极强，置水中产生小气泡，并伴有嘶嘶声，逐渐崩散成碎块而不膨胀，干后收缩性小，不显裂纹。断面不平整，有的具蜡样光泽和小孔隙。气微，味淡。口嚼之无砂粒感。

| 功效物质 | 主要为含水硅酸盐铁、镁、铝 [（Mg、Al、Fe）$_5Si_8O_{20}$（OH）$_2$（OH_2）$_4 \cdot 4H_2O$]。

| 功能主治 | 燥湿，祛腐，生肌。用于臁疮等。

| 用法用量 | 外用适量。

| 附　　注 | （1）中国科学院盱眙凹土应用技术研发与产业化中心对盱眙凹凸棒黏土资源进行了多种深加工研究及应用。

（2）凹凸棒石（国药准字 Z10970006）由南京南大药业有限责任公司生产。

硅化合物类 Silicon compounds

石英 Quartz

| 药 材 名 | 白石英。

| 形态特征 | 呈晶簇状、粒状等集合体。无色透明或为白色、灰白色。晶面呈玻璃光泽，断口及块状体呈油脂光泽，光泽强度不一。透明至半透明，也有不透明者。断口呈贝壳状或不平坦，性脆。

| 成因 / 产状 | 本种完整的晶体产于岩石晶洞中，块状的产于热液矿脉中，也是花岗岩、片麻岩、砂岩等各种岩石的重要组成部分。

| 分布区域 | 分布于江苏徐州（邳州、新沂）、宿迁（沭阳）、连云港（东海、赣榆）等。

| 蕴 藏 量 | 丰富。

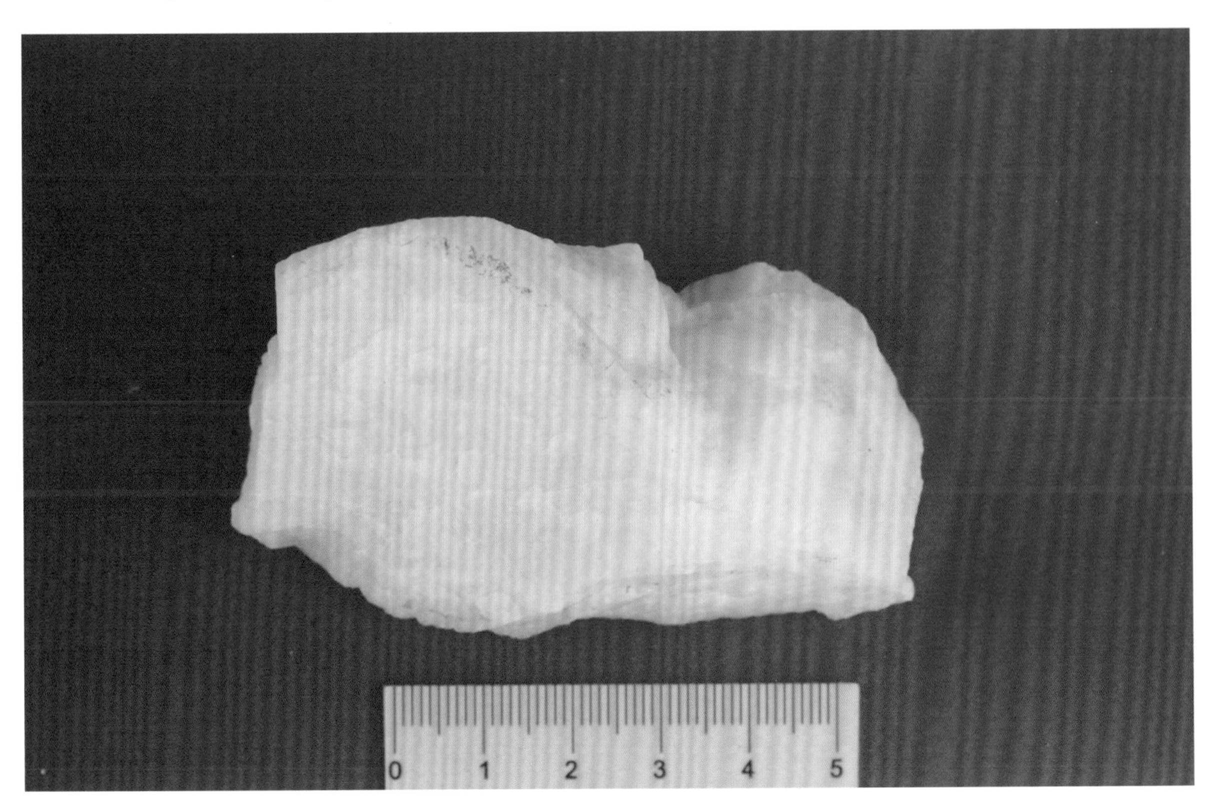

| 采收加工 | 全年均可采挖，挑选纯白的石英。

| 药材性状 | 本品为六方柱状或粗粒状集合体，呈不规则块状，多具棱角而锋利。白色或淡灰白色；条痕白色。表面不平坦，半透明至不透明；具脂肪光泽。体重，质坚硬，可刻划玻璃并留下划痕；砸碎后，断面不平坦。气微，味淡。

| 功效物质 | 主要为二氧化硅（SiO_2），以及铝、铁、钠、钾等矿物元素。

| 功能主治 | 甘、辛，微温。归肺、肾、心经。温肺肾，安心神，利小便。用于虚寒咳喘，阳痿，消渴，心神不安，惊悸善忘，小便不利，水肿。

| 用法用量 | 内服煎汤，10 ~ 15 g；或入丸、散剂。虚寒咳喘、肾虚阳痿宜煅用。

| 附　　注 | 白石英以江苏连云港东海地区产最为著名。

硅化合物类 Silicon compounds

浮石 Pumice Stone

| 药 材 名 | 浮石。

| 形态特征 | 呈稀松似海绵状的卵形不规则块体，大小不等。一般为灰白色、浅灰色，偶尔呈浅红色。具有多孔构造，形似蛀窠，有时具管状构造。表面暗淡或具丝绢光泽。性脆。在水中浮而不沉。

| 成因 / 产状 | 本种为火山喷发出的岩石。矿物组分 90% 以上为非晶质火山玻璃，或含少量晶质矿物。晶质主要是长石，其次有石英、辉石及其变化产物角闪石。另外填充在矿物颗粒间或空隙中的还有沸石等次生矿物。

| 分布区域 | 分布于江苏南京（六合）、镇江等。

| 蕴 藏 量 | 丰富。

| 采收加工 | 全年均可采挖，除去泥土、杂石，洗净，晒干。

| 药材性状 | 本品呈稀松似海绵状的卵形不规则块体，大小不等。表面灰白色或灰黄色，偶尔呈浅红色。具多数细孔，形似蛀窠，有时呈管状。体轻，质硬而脆，易碎，断面疏松，具小孔，常有玻璃或绢丝光泽。放大镜下可见玻璃质构成多孔骨架，晶质矿物呈斑晶或隐晶质微晶分布在骨架中。投入水中浮而不沉。气微弱，味微咸。

| 功效物质 | 主要为二氧化硅（SiO_2），以及钙、钠、铁、铝等矿物元素。

| 功能主治 | 咸，寒。归肺、肾经。清肺火，化老痰，利水通淋，软坚散结。用于痰热壅肺，咳喘痰稠难咯，小便淋沥涩痛，瘿瘤瘰疬。

| 用法用量 | 内服煎汤，10 ~ 15 g；或入丸、散剂。外用适量，水飞后吹耳或点眼。

| 附　　注 | 浮石不同于浮海石，浮海石属于动物药，应注意区分。

硅化合物类 Silicon compounds

石英二长斑岩 Quartz Monzonite Porphyry

| 药 材 名 | 麦饭石。

| 形态特征 | 呈不规则致密团块状。表面不平整，有黄白色、黄褐色、灰白色或暗灰黑色的斑点状花纹，明显可见灰白色、大小不等的颗粒，体较重。

| 成因 / 产状 | 本种为火山岩类，其主要矿物质是火山岩。火山喷发出的熔岩埋于地下，经过火山地带高湿炎热作用，这些熔岩转变为酸性物质，后经地壳变动所产生压力的作用下，最终形成了麦饭石。

| 分布区域 | 分布于江苏无锡（宜兴）等。

| 蕴 藏 量 | 较丰富。

| 采收加工 | 全年均可采挖，除去泥土、杂石，晒干。

| 药材性状 | 本品呈不规则团块状或块状，由大小不等、颜色不同的颗粒聚集而成，略似麦饭团。有斑点状花纹，呈灰白色、淡褐色、肉红色、黄白色、黑色等。表面粗糙不平。体较重，质疏松程度不同，砸碎后，断面不整齐，可见小鳞片分布其间，并呈闪星样光泽，其他斑点的光泽不明显。气微或近于无，味淡。

| 功效物质 | 主要为二氧化硅（SiO_2），以及铝、铁、镁、钙、钠、钾、钛、锰、锶、钡等矿物元素。

| 功能主治 | 甘，温。归肝、胃、肾经。解毒散结，祛腐生肌，除寒祛湿，益肝健脾，活血化瘀，利尿化石，延年益寿。用于痈疽发背，痤疮，湿疹，脚气，痱子，手指皲裂，黄褐斑，牙痛，口腔溃疡，风湿痹痛，腰背痛，慢性肝炎，胃炎，痢疾，糖尿病，神经衰弱，外伤红肿，高血压，老年性血管硬化，肿瘤，尿路结石。

| 用法用量 | 内服：取 1 份麦饭石，加 6 ～ 8 份开水，冷浸 4 ～ 6 小时饮用，热开水浸泡 2 ～ 3 小时饮用，开水煮沸 20 ～ 25 分钟即可，可连续饮用 30 次。外用适量，研末涂敷；或泡水外洗。

| 附　　注 | 麦饭石的吸附性、离子交换性等特征，取决于麦饭石矿物组成种类（长石、石英、角闪石、磷灰石、高岭石、蒙脱石、绿泥石等）及其比例，也取决于粒度、表面活化程度等。

硅化合物类 Silicon compounds

玛瑙 Agate

| 药 材 名 | 玛瑙。

| 形态特征 | 常呈乳房状、葡萄状、结核状等各种形状的致密块，常有同心圆构造。颜色不一，以白色、灰色、棕色和红棕色最为常见，也有黑色、蓝色等。彩色者常表现为条带状、同心环状、云雾状或树枝状结构。条痕白色或近白色。具蜡样光泽，半透明至透明，断口细密平坦至贝壳状。

| 成因 / 产状 | 本种由各种颜色的二氧化硅胶体溶液所形成，充填于岩石裂隙或洞穴内。

| 分布区域 | 分布于江苏连云港（东海）、南京（雨花台）、镇江、常州（溧阳）等。

| 蕴 藏 量 | 丰富。

| 采收加工 | 全年均可采挖，除去泥沙、杂石。

| 药材性状 | 本品为不规则的块状，近扁圆形、圆柱形（为加工工艺品的多余部分）。红色、橙红色至深红色及乳白色、灰白色；条痕白色。透明至半透明。表面平坦光滑，具玻璃光泽；有的较凹凸不平，具蜡状光泽。体轻，质硬而脆，易击碎，断面可见到以受力点为圆心的同心圆波纹，似贝壳状。具锋利棱角，可刻划玻璃并留下划痕。无臭，味淡。迅速摩擦不易热。

| 功效物质 | 主要为二氧化硅（SiO_2），以及不同价态的铁、锰等矿物元素。

| 功能主治 | 辛，寒。归肝经。清热明目除翳。用于目睑赤烂，目生翳障。

| 用法用量 | 外用适量，砸碎，研细末涂；或水飞用。

| 附　　注 | 有报道玛瑙膏可用于跌打损伤、四肢疼痛，效果明确。

锰化合物类 Manganese compounds

软锰矿 Pyrolusite

| 药 材 名 | 无名异。

| 形态特征 | 常呈肾状、结核状、块状或粉末状集合体。黑色；条痕黑色，有时微现蓝色。具半金属光泽至暗淡，不透明。性脆。

| 成因 / 产状 | 本种是氧化条件下所有锰矿物中最稳定的矿物，是沉积成因的锰矿床的主要矿物之一。现代海洋沉积的铁锰结核，外形呈球状、半球状、饼状或不规则状，一般呈土黑色，由核心和包壳组成。核心成分常为熔岩和火山碎屑岩。包壳主要为铁锰氧化物，并呈同心圆状构造。

| 分布区域 | 分布于江苏南京、无锡（宜兴）等。

| 蕴 藏 量 | 较少。

| 采收加工 | 全年均可采挖，选择小块状或球形者，除去杂质，洗净。

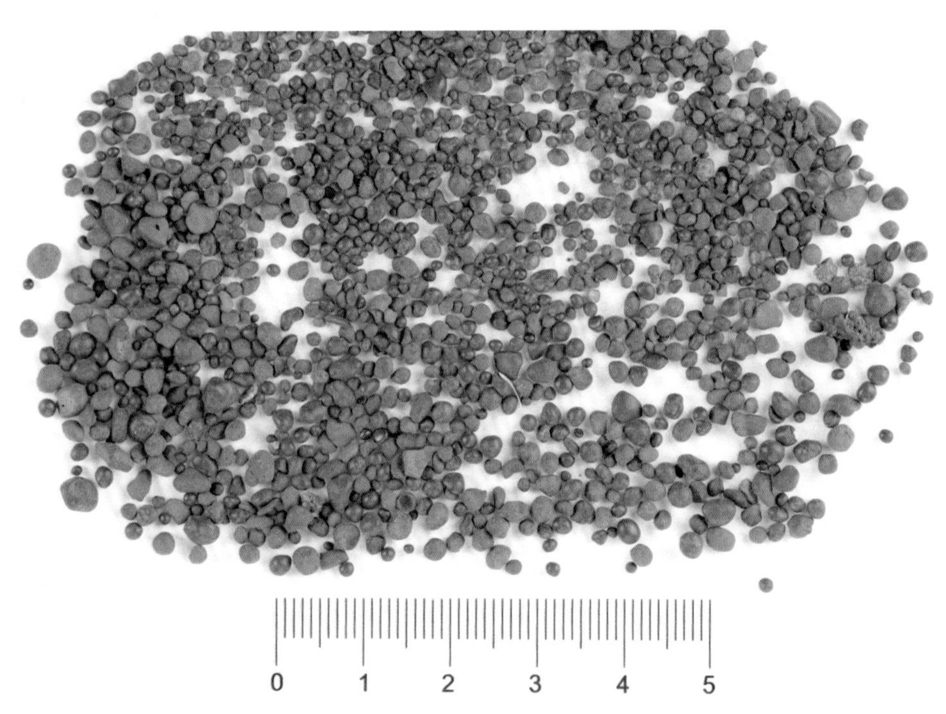

| 药材性状 | 本品为结核状、块状集合体，呈类圆球形或不规则块状，一般直径为 7 ~ 30 mm，细小者直径仅 1 ~ 4 mm。棕黑色或黑色，条痕黑色。表面不平坦，常覆有黄棕色细粉，有的表面由褐色薄层风化膜所包围，除去细粉后，呈半金属光泽或暗淡。不透明。体较轻，质脆，断面棕黑色或紫棕色，易污手。微有土腥气，味淡。

| 功效物质 | 主要为二氧化锰（MnO_2）。

| 功能主治 | 甘，平。归肝、肾经。祛瘀止血，消肿止痛，生肌敛疮。用于跌打损伤，金疮出血，痈疽疮疡，烫火伤。

| 用法用量 | 内服研末，2.5 ~ 4.5 g；或入丸、散剂。外用适量，研末调敷。

| 附　　注 | 据了解，市场销售的无名异，常与褐铁矿结核混淆。褐铁矿结核可能是褐铁矿化黄铁矿结核蛇含石（Limonitum Globuloforme et Pyritum Globuloforme）的矿物来源，应注意区分。

铁化合物类 Iron compounds

赤铁矿 Haematite

| 药 材 名 | 赭石。

| 形态特征 | 常呈块状、鳞片状、鲕状、豆状、肾状、土状及粉末状集合体。暗红色至鲜红色，条痕樱红色，具金属光泽至半金属光泽或暗淡无光泽，性脆。

| 成因 / 产状 | 本种为自然界分布很广的铁矿物之一，可形成于各种地质作用中，以热液作用、沉积作用或区域变质作用为主。药用的鲕状、豆状、肾状集合体赤铁矿系沉积作用的产物。

| 分布区域 | 分布于江苏徐州（铜山）、泰州（兴化）、南京（江宁）、常州（溧阳）等。

| 蕴 藏 量 | 较丰富。

| 采收加工 | 全年均可采挖，选取表面有“钉头”的部分，除去泥土、杂石。

| 药材性状 | 本品为鲕状、豆状、肾状集合体，多呈不规则的扁平块状。暗棕红色或灰黑色，条痕樱红色或红棕色，有的有金属光泽。一面多有圆形的突起，习称“钉头”，另一面与突起相对应处有同样大小的凹窝。体重，质硬，砸碎后断面显层叠状。气微，味淡。

| 功效物质 | 主要为三氧化二铁（Fe_2O_3）。

| 功能主治 | 苦，寒。归肝、心、肺、胃经。平肝潜阳，重镇降逆，凉血止血。用于眩晕耳鸣，呕吐，嗳气，呃逆，喘息，吐血，衄血，崩漏下血。

| 用法用量 | 内服煎汤，9 ~ 30 g，先煎。

| 附　　注 | 商品中有一种“老赭石”，与赭石的主要区别在于多为层状集合体，一面有稀疏微凸起的“钉头”，另一面相应的凹窝不甚明显；棕色或灰棕色，条痕黄棕色，金属光泽不明显；体较轻，质较硬，断面有隐约的层状，有的夹有白色或灰白色的细脉，系含赤铁矿的生物灰岩，应为赭石的伪品。

铁化合物类 Iron compounds

磁铁矿 Magnetite

| 药 材 名 | 磁石。

| 形态特征 | 为不规则块状，铁黑色，表面或氧化、水化为红黑色、褐黑色；风化严重者，附有水赤铁矿、褐铁矿被膜。条痕黑色，不透明。断口不平坦，性脆，具强磁性，块体可吸引铁针等铁器。

| 成因 / 产状 | 本种为岩浆成因铁矿床、接触交代铁矿床、气化 - 高温含稀土铁矿床、沉积变质铁矿床，以及与火山作用有关的铁矿床中的主要铁矿物。在火成岩中常以副矿物出现。此外，常见于砂矿中。在外界条件下，当氧的浓度减小时，赤铁矿可以还原为磁铁矿。

| 分布区域 | 分布于江苏徐州（铜山）、南京（六合、江宁）、常州（溧阳）等。

| 蕴 藏 量 | 丰富。

| 采收加工 | 全年均可采挖，除去杂石，选择吸铁能力强者入药。

| 药材性状 | 本品为块状集合体，呈不规则块状或略带方形，多具棱角。灰黑色或棕褐色，条痕黑色。具金属光泽。体重，质坚硬，断面不整齐。具磁性。有土腥气，味淡。

| 功效物质 | 主要为四氧化三铁（Fe_3O_4）。

| 功能主治 | 咸，寒。归肝、心、肾经。镇惊安神，平肝潜阳，聪耳明目，纳气平喘。用于惊悸失眠，头晕目眩，视物昏花，耳鸣耳聋，肾虚气喘。

| 用法用量 | 内服煎汤，9 ~ 30 g，先煎。

| 附　　注 | 江苏南京江宁区梅山大型铁矿床中的磁铁矿最为著名。

铁化合物类 Iron compounds

黄铁矿 Pyrite

| 药 材 名 | 自然铜、蛇含石（黄铁矿结核）。

| 形态特征 | 集合体呈致密块状、立方体状、结核状、球状或浸染状集合体。结核状者有时可见同心环状结构。表面常带黄褐锖色，新鲜面呈浅黄铜色，风化面呈紫褐色、褐黄色或具土状光泽，表面风化后成褐铁矿，断面边缘褐色或黄褐色，参差状。条痕绿黑色，具强金属光泽，坚硬而脆。

| 成因 / 产状 | 本种为地壳中分布最广的硫化物，可见于各种岩石和矿石中，多由火山沉积和火山热液作用形成。外生成因的黄铁矿见于沉积岩、沉积矿石和煤层中。

| 分布区域 | 分布于江苏南京（江宁）等。

| 蕴 藏 量 | 较丰富。

| 采收加工 | 全年均可采挖，除去杂石及有黑锈者，选黄色明亮的作自然铜，选结核块状者作蛇含石。

| 药材性状 | **自然铜：** 本品晶形多为立方体，集合体呈致密块状。表面亮淡黄色，有金属光泽；有的为黄棕色或棕褐色，无金属光泽。具条纹，条痕绿黑色或棕红色。体重，质坚硬或稍脆，易砸碎，断面黄白色，有金属光泽；或断面棕褐色，可见银白色亮星。

蛇含石： 本品为粒状或结核状集合体，呈类圆球形、椭圆形或不规则形，直径 1.5 ~ 4.5 cm。褐黄色或褐色。表面粗糙，具密集的立方体形突起，常被一层深黄色粉状物，手触之染指。体重，质坚硬。砸碎断面呈放射状或具同心环层纹；外层色较深，呈褐色或褐黄色（为褐铁矿部分）；具土状光泽。中央核层色较淡，呈铜黄色、浅黄色或灰黄色（为黄铁矿部分），具金属光泽。微有硫黄气，味淡。

| 功效物质 | 主要为二硫化铁（FeS_2）。

| 功能主治 | **自然铜：** 辛，平。归肝经。散瘀止痛，续筋接骨。用于跌打损伤，筋骨折伤，瘀肿疼痛。

蛇含石： 甘，寒。归心包、肝经。镇惊安神，止血定痛。用于心悸，惊痫，肠风血痢，胃痛，骨节酸痛，痈疮肿毒。

| 用法用量 | **自然铜：** 内服多入丸、散剂，3 ~ 9 g，若入煎剂宜先煎。外用适量。

蛇含石： 内服煎汤，6 ~ 9 g；或入丸、散剂。外用适量，研末调敷。

| 附　　注 | 蛇含石的另一原矿物来源为褐铁矿化黄铁矿结核。

铁化合物类 Iron compounds

褐铁矿 Limonite

| 药 材 名 | 禹余粮（以针铁矿族矿物针铁矿 - 水针铁矿为主组分）、蛇含石（褐铁矿化黄铁矿结核）。

| 形态特征 | 为不规则块体或分泌体、结核。纯净者黄色、黄褐色至褐色。条痕淡黄色至黄褐色。表面多凹凸不平或覆有粉末状褐铁矿，呈半金属光泽或土状光泽。不透明，断口不平坦，或见甲壳层、层纹等结构，显示出不同色调及断面形态。致密平整处硬度近于小刀，疏松处低于指甲，但可磨花指甲及硬币。

| 成因 / 产状 | 本种主要形成于地表风化壳中。较纯净的氢氧化铁水胶溶体被搬运，再沉积于岩石空隙中或在沼泽中沉聚的水胶凝体，老化形成的褐铁矿或呈分泌体、结核，或呈致密块体产出。大量（成层）堆积的多夹杂硅质、黏土质。

| 分布区域 | 分布于江苏宿迁（泗洪）、泰州（兴化）等。

| 蕴 藏 量 | 较丰富。

| 采收加工 | 全年均可采挖，除去泥土、杂石。

| 药材性状 | **禹余粮：**本品为块状集合体，呈不规则的斜方块状，长 5 ~ 10 cm，厚 1 ~ 3 cm。表面红棕色、灰棕色或浅棕色，多凹凸不平或附有黄色粉末。断面多显深棕色与淡棕色或浅黄色相间的层纹，各层硬度不同，质松部分指甲可划动。体重，质硬。气微，味淡，嚼之无砂粒感。

蛇含石：同“黄铁矿”。

| 功效物质 | 主要为碱式氧化铁 [FeO（OH）]、碱式含水氧化铁 {[FeO（OH）]·nH_2O}，以及铝、镁、钾、钠、锰、钒等矿物元素。

| 功能主治 | **禹余粮：**甘、涩，微寒。归胃、大肠经。涩肠止泻，收敛止血。用于久泻久痢，大便出血，崩漏带下。

蛇含石：同“黄铁矿”。

| 用法用量 | **禹余粮：**内服煎汤，9 ~ 15 g，先煎；或入丸、散剂。

蛇含石：同“黄铁矿”。

| 附　　注 | 少数地区以黏土岩及含石英、方解石的赤铁矿等作为禹余粮使用，为禹余粮伪品，注意鉴别。

铁化合物类 Iron compounds

水绿矾 Melanterite

| 药 材 名 | 绿矾。

| 形态特征 | 集合体呈粒块状、纤维放射块体或皮壳、被膜。呈各种色调的绿色，完全脱水的纯净绿矾为白色。条痕色浅。新鲜晶体透明，罕见，通常半透明，风化表面不透明。具玻璃、丝绢光泽或土状光泽。断口呈贝壳状，性脆，易碎。

| 成因 / 产状 | 本种为含铁硫化物风化的产物；是硫酸亚铁溶液在氧气不足的条件下结晶而成。不出现于硫化物矿床氧化带的上部，存在于氧化带下部半分解黄铁矿石的裂隙中。

| 分布区域 | 分布于江苏南京（江宁）等。

| 蕴 藏 量 | 较少。

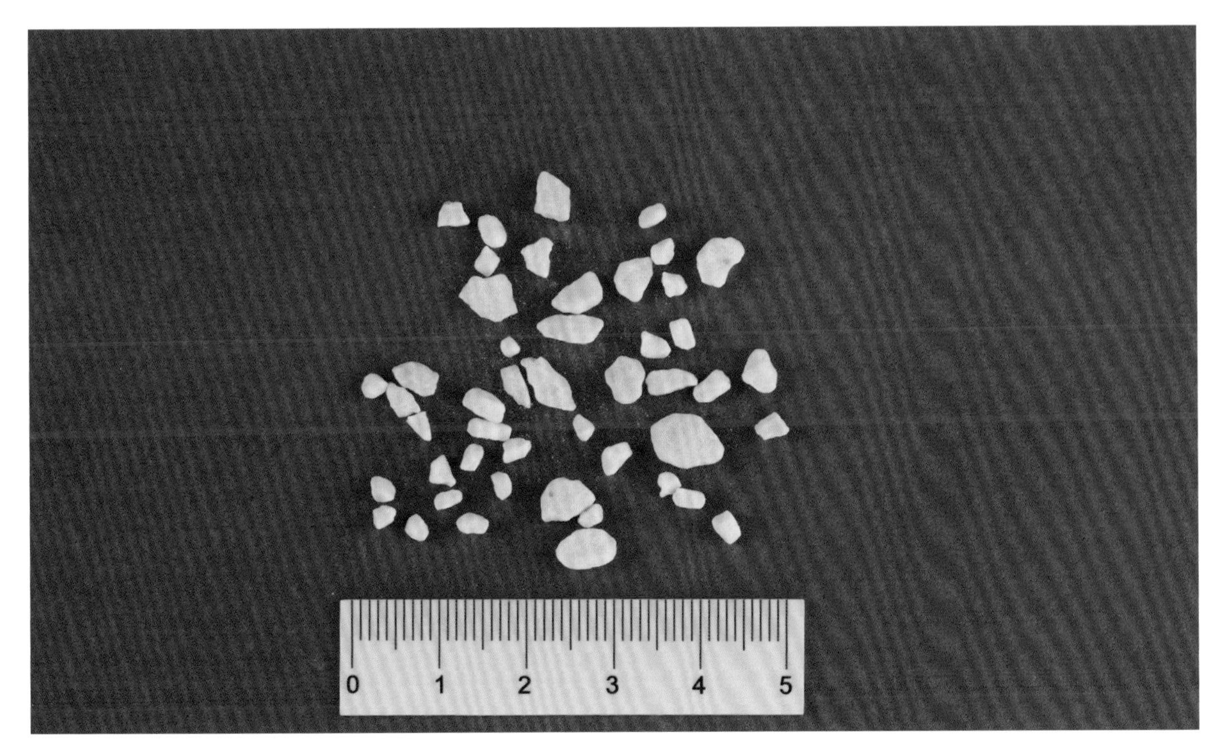

| 采收加工 | 全年均可采挖，除去杂质，宜密闭贮藏，防止变色或受潮。

| 药材性状 | 本品为不规则碎块。浅绿色或黄绿色，半透明，具光泽。表面不平坦。质硬脆，断面具玻璃光泽。有铁锈气，味先涩后微甜。

| 功效物质 | 主要为硫酸亚铁（$FeSO_4 \cdot 7H_2O$）。

| 功能主治 | 酸，凉。归肝、脾经。补血消积，解毒敛疮，燥湿杀虫。用于血虚萎黄，疳积，腹胀痞满，肠风便血，疮疡溃烂，喉痹口疮，烂弦风眼，疥癣瘙痒。

| 用法用量 | 内服煎汤，0.8 ~ 1.6 g。外用适量，研末撒；或调敷；或用 2% 水溶液涂洗。

| 附　　注 | 本品过量服用会引起呕吐、腹痛、腹泻、头晕等不良反应，胃弱者及孕妇慎服。内服多用绛矾（煅烧后），对肠胃刺激作用较轻。

铜化合物类 Copper compounds

蓝铜矿 Azurite

| 药 材 名 | 扁青（扁平状、颗粒状）、空青（呈球形、中空者）、曾青（具层壳结构的结核状）。

| 形态特征 | 集合体呈扁平块状、粒状、钟乳状、皮壳状或土状。均匀或不均匀的蓝色或浅蓝色。表面风化为黄色，条痕浅蓝色，具玻璃光泽。性脆，断口不平，多显颗粒状或贝壳状，色泽更鲜艳。

| 成因 / 产状 | 本种与孔雀石相似。当温度增高时，蓝铜矿可能变为孔雀石，而当干燥季节，并在有足够数量碳酸的条件下，孔雀石可转变为蓝铜矿。共存有孔雀石、石英、褐铁矿及其他黏土矿物。

| 分布区域 | 分布于江苏徐州（铜山）、南京（江宁）、镇江（句容）、常州（溧阳）、苏州（吴中）等。

| 蕴 藏 量 | 丰富。

| 采收加工 | 全年均可采挖，除去泥土、杂石。选择扁平块状、粒状者作扁青用；选择球形或中空者作空青用；选择具层壳结构的结核状者作曾青用。

| 药材性状 | **扁青：**本品为不规则块状。蓝色，有时其中夹有浅蓝色条块；条痕浅蓝色。具玻璃光泽，半透明；浅蓝色者具土状光泽，不透明。体较重，质硬脆，可砸碎，断面不平坦。气微，味淡。

空青：本品为类球状，大小不一。蓝色。表面不平坦，多数中空。

曾青：本品为扁平块状。深蓝色。表面间有绿色薄层（绿青）。不透明，具土状光泽。质较硬，不易砸碎，断面不平坦。气无，味无。

| 功效物质 | 主要为碱式碳酸铜 [$2CuCO_3 \cdot Cu(OH)_2$]，以及锌、钙、镁、钡等矿物元素。

| 功能主治 | **扁青：**酸、咸，平；有毒。归肝经。涌吐风痰，明目，解毒。用于癫痫，惊风，痰涎壅盛，目翳，痈肿。

空青：甘、酸，寒；有小毒。归肝经。凉肝清热，明目祛翳，活血利窍。用于目赤肿痛，青盲，雀目，翳膜内障，中风口㖞，手臂不仁，头风，耳聋。

曾青：酸，寒；有小毒。归肝经。凉肝明目，祛风定惊。用于目赤疼痛、涩痒，眵多赤烂，头风，惊痫，风痹。

| 用法用量 | **扁青：**内服入丸、散剂，0.5 ~ 1 g。外用适量，研末调敷；或点眼。

空青：内服研末，0.5 ~ 1 g；或入丸、散剂。外用研末，水飞点眼。

曾青：内服研末，0.1 ~ 0.3 g；或入丸、散剂。外用研末，点眼或外敷。

| 附 注 | 本种药材畏菟丝子。

铜化合物类 Copper compounds

孔雀石 Malachite

| 药 材 名 | 绿青。

| 形态特征 | 集合体常呈被膜或钟乳状，表面不平坦，全体显较均匀的绿色、深绿色。半透明至不透明。条痕淡绿色，晶面呈金刚光泽，纤维状者显丝绢光泽。断口不平坦，致密块体为贝壳状。

| 成因 / 产状 | 本种为硫化铜矿床氧化带中的风化产物，含铜硫化矿物氧化所产生的易溶硫酸铜与方解石相互作用而成，或与含碳酸水溶液作用的结果，常与扁青、曾青（蓝铜矿）共生，与少量石英、方解石等矿物伴生。

| 分布区域 | 分布于江苏徐州（铜山）、南京（江宁）、镇江（句容）、常州（溧阳）、苏州（吴中）等。

| 蕴 藏 量 | 丰富。

| 采收加工 | 全年均可采挖，选择绿色块状者，除去泥土、杂石。

| 药材性状 | 本品为针状集合体，呈不规则块状。鲜绿色、深绿色；条痕淡绿色。表面不平坦，顶部凹凸瘤状；底部粗糙熔渣状，光泽暗淡；纵侧面具细纹理。有丝绢光泽。体重，质坚脆，横断面参差状。气微，味淡。

| 功效物质 | 主要为碱式碳酸铜 [$CuCO_3 \cdot Cu(OH)_2$]，以及锌、钙、镁、钡等矿物元素。

| 功能主治 | 酸，寒；有毒。归肝经。催吐祛痰，镇惊，敛疮。用于风痰壅塞，眩晕昏仆，痰迷惊痫，疳疮。

| 用法用量 | 内服入丸、散剂，0.1 ~ 1 g。体弱者慎服。外用适量，研末撒或调敷。

铜化合物类 Copper compounds

胆矾 Chalcanthite

| 药 材 名 | 胆矾。

| 形态特征 | 呈不规则钟乳状、肾状或粒状。多具棱角，表面不平坦，深蓝色或附有风化物（白色粉霜），有时微呈绿色，半透明。性极脆，易打碎，断口贝壳状。极易溶于水，使水呈均匀的天蓝色。

| 成因 / 产状 | 本种为由含铜硫化物氧化分解形成的次生矿物，由于其极易溶解，只见于干燥地区含铜硫化物矿床氧化带中。

| 分布区域 | 分布于江苏徐州（铜山）、南京（江宁）、镇江（句容）、常州（溧阳）、苏州（吴中）等。

| 蕴 藏 量 | 丰富。

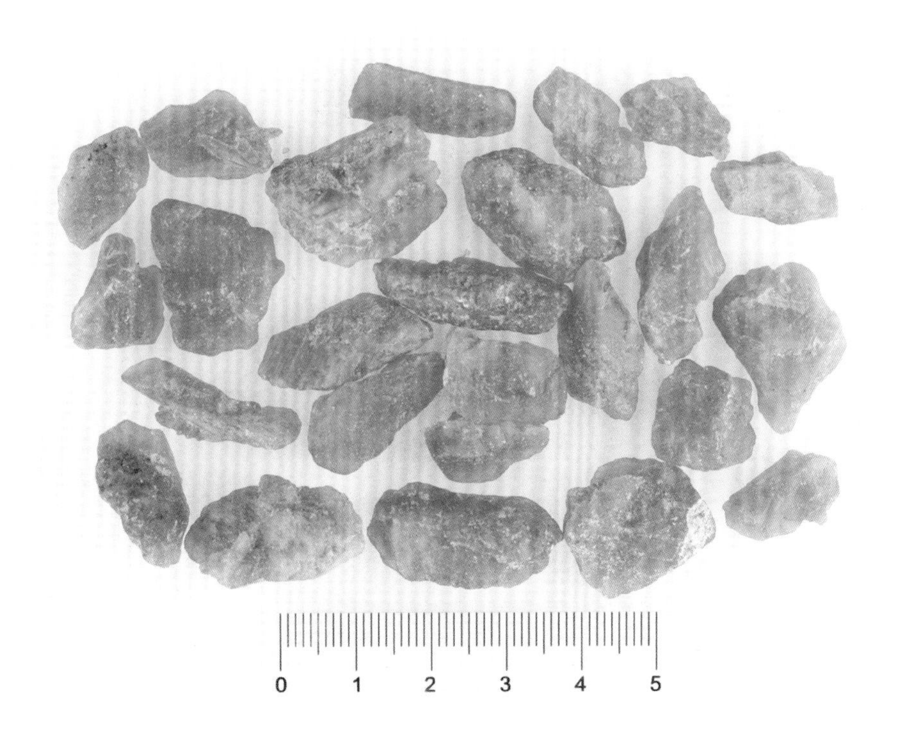

| 采收加工 | 全年均可采挖，选择蓝色、有玻璃光泽的结晶，除去泥土、杂石。

| 药材性状 | 本品呈不规则斜方扁块状、棱柱状。表面不平坦，有的面具纵向纤维状纹理。蓝色或淡蓝色；条痕白色或淡蓝色。半透明至透明。具玻璃光泽。体较轻，硬度近于指甲；质脆，易砸碎。气无，味涩。

| 功效物质 | 主要为含 5 个结晶水的硫酸铜（$CuSO_4 \cdot 5H_2O$）。

| 功能主治 | 酸、辛，寒；有毒。归肝、胆经。涌吐，解毒，祛腐。用于中风，癫痫，喉痹，喉风，痰涎壅塞，牙疳，口疮，烂弦风眼，痔疮，肿毒。

| 用法用量 | 内服温汤化，0.3 ~ 0.6 g；或催吐，限服 1 次；或入丸、散剂。外用适量，研末撒；或研末调敷；或化水洗；或 0.5% 水溶液点眼。

| 附　　注 | 有本种加猪胆制成胆矾粉可治疗化脓性中耳炎，疗效甚佳。

铜化合物类 Copper compounds

斑铜矿 Bornite

| 药 材 名 | 紫铜矿。

| 形态特征 | 常为致密块状集合体，或呈不规则粒状、细脉状，分布在共存硫化物矿物或围岩中。新鲜面呈暗铜红色，风化表面覆盖有紫色、蓝色、绿色、红色、黑色等色彩斑斓的氧化膜（锖色）。条痕灰黑色，具金属光泽，断口细贝壳状，性脆。

| 成因 / 产状 | 本种为许多铜矿床中广泛分布的矿物。斑岩铜矿与黄铜矿，有时与辉钼矿、黄铁矿呈散染状分布于石英斑岩中，也常见于各种热液成因的矿床中。外生斑铜矿形成于含铜硫化物矿床的次生硫化物富集带中，也见于某些沉积成因的层状铜矿中。

| 分布区域 | 分布于江苏徐州（铜山）、南京（江宁）、镇江（句容）、常州（溧

阳）、苏州（吴中）等。

| 蕴 藏 量 | 丰富。

| 采收加工 | 全年均可采挖，除去泥土、杂石。

| 药材性状 | 本品为粒状集合体，呈不规则块状。新鲜面呈古铜色，氧化面呈蓝紫色斑状锖色；不透明，具金属光泽。其中常夹有白色杂石，表面不平坦。体较重，质硬脆，气、味均无。以块大、古铜色斑纹多、无杂石者为佳。

| 功效物质 | 主要为 Cu_5FeS_4。

| 功能主治 | 咸，寒。归心、肺经。接骨续筋。用于骨折筋伤。

| 用法用量 | 外用适量，煅研末，调敷。

铜化合物类 Copper compounds

氯铜矿 Atacamite

| 药 材 名 | 绿盐。

| 形态特征 | 集合体呈粒状、致密块状或皮壳状、纤维状。亮绿色至浅黑色。条痕苹果绿色。透明至半透明，具玻璃至金刚光泽，断口贝壳状，性脆。不同矿区或不同制法所产氯铜矿共存矿物不同，成分、性状有变异。

| 成因 / 产状 | 自然产出的氯铜矿，局限于干旱地区的铜矿床风化壳。

| 分布区域 | 分布于江苏徐州（铜山）、南京（江宁）、镇江（句容）、常州（溧阳）、苏州（吴中）等。

| 蕴 藏 量 | 丰富。

| 采收加工 | 全年均可采挖，除去泥土、杂石。

| 药材性状 | 本品为块状或柱状。绿色；条痕绿色至淡绿色。具金刚光泽或玻璃光泽，透明至半透明。体较重，质硬脆，断面贝壳状。气无，味微咸。

| 功效物质 | 主要为碱式氯化铜 [$2Cu_2(OH)_3Cl$ 或 $2CuCl_2 \cdot 3Cu(OH)_2$]。

| 功能主治 | 咸、苦，平；有毒。归肝经。明目祛翳。用于目翳，目涩昏暗，泪多眵多。

| 用法用量 | 外用研细配膏，点眼或敷贴；或制成稀溶液作冲洗剂；或外掺。

| 附　　注 | 本种药材有剧毒，不宜内服。

锌化合物类 Zinc compounds

菱锌矿 Smithsonite

| 药 材 名 | 炉甘石。

| 形态特征 | 常呈钟乳状、土状、皮壳状集合体。灰白色微带浅绿色或浅褐色，具玻璃光泽，解理面有时呈珍珠光泽。性脆，断口参差状。

| 成因 / 产状 | 本种主要见于铅锌矿氧化带中，为闪锌矿氧化分解所产生的硫酸锌交代碳酸盐围岩或原生矿石中的方解石而成。

| 分布区域 | 分布于江苏南京（栖霞）、苏州（吴中）、镇江（句容）等。

| 蕴 藏 量 | 较丰富。

| 采收加工 | 全年均可采挖，除去泥土、杂石。

| 药材性状 | 本品为块状集合体，呈不规则的块状。灰白色或淡红色。表面粉性，

无光泽，凹凸不平，多孔，似蜂窝状。体轻，易碎。气微，味微涩。

| 功效物质 | 主要为碳酸锌（$ZnCO_3$），以及钙、镁、铁、锰等矿物元素。

| 功能主治 | 甘，平。归肝、脾经。解毒明目退翳，收湿止痒敛疮。用于目赤肿痛，睑弦赤烂，翳膜遮睛，胬肉攀睛，溃疡不敛，脓水淋漓，湿疮瘙痒。

| 用法用量 | 外用适量。

| 附　　注 | 炉甘石的另一原矿物来源为水锌矿（Hydrozincite）。

砷化合物类 Arsenic compounds

毒砂 Arsenopyrite

| 药 材 名 | 礜石。

| 形态特征 | 常呈致密的粒状、块状集合体。新鲜面呈锡白色至钢灰色，条痕黑色。具金属光泽，不透明。断口不平坦，性脆。致密块体用铁锤猛击时有火星，可发出蒜臭气。

| 成因 / 产状 | 本种产于硫化物矿脉中，或粒状分散于矿脉及围岩蚀变带中，此时多与白色绢云母、铜黄色“金星状”黄铁矿共存。

| 分布区域 | 分布于江苏徐州（贾汪）等。

| 蕴 藏 量 | 较少。

| 采收加工 | 全年均可采挖，除去泥土、杂石。

| 药材性状 | 本品为不规则的致密块状。锡白色，常带浅黄锖色斑；条痕灰黑色。不透明；具金属光泽。体重，质硬而脆，可砸碎，断面不平坦，具强金属光泽。以锤击之，发砷之蒜臭气，有毒，不可口尝。

| 功效物质 | 主要为砷硫化铁（FeAsS）。

| 功能主治 | 辛，热；有大毒。归肺、脾经。祛寒湿，消冷积，蚀恶肉，杀虫。用于风寒湿痹，寒湿脚气，痼冷腹痛，积聚坚癖，赘瘤息肉，瘰疬，顽癣恶疮。

| 用法用量 | 内服研末，0.3 ~ 0.9 g；或入丸、散剂；或制备成溶液。外用适量，研末调敷。

| 附　　注 | 本种药材有剧毒，内服、外用均应严格掌握剂量，防止中毒。

其他矿物类 Other minerals

煤 Coal

| 药 材 名 | 石炭。

| 形态特征 | 呈灰黑色、黑色的块体，条痕黑色或褐黑色，具沥青或油脂光泽，暗淡，不透明；块体上或有光泽不一的光亮条带。断口不平坦，偶见似贝壳状断口。硬度低于小刀，多数近于指甲。性脆，易碎。

| 成因 / 产状 | 本种为植物体经过生物化学作用和物理化学作用而转变成的沉积有机矿产，是多种高分子化合物和矿物质组成的混合物。

| 分布区域 | 分布于江苏徐州（沛县、丰县、铜山、贾汪）、南京（江宁、高淳）、镇江（句容、丹徒）、常州（武进、金坛、溧阳）、无锡（江阴、宜兴）等。

| 蕴 藏 量 | 丰富。

| 采收加工 | 全年均可采挖，除去泥土、杂石。

| 药材性状 | 本品为不规则块状或碎粉状。黑色，有的带褐色；条痕黑色或微带褐色。不透明；具半金属光泽或树脂光泽。体轻，质硬脆，易砸碎，断面不平坦，呈层状或贝壳状，光泽较强。气微，味淡。易燃。

| 功效物质 | 主要为碳、氢、氧、氮、硫等元素。

| 功能主治 | 甘、辛，温；有毒。活血止血，化积止痛。用于血瘀疼痛，月经不调，金疮出血，疮毒。

| 用法用量 | 内服研末，0.3 ~ 0.6 g，酒或米粥送服。外用适量，研末掺。

| 附 注 | 以石炭提取物为主要原料制成的石炭膏（软膏），临床用于治疗湿疹、皮炎、皮肤瘙痒、痤疮等，效果颇好。

其他矿物类 Other minerals

石油 Petroleum

| 药 材 名 | 石脑油。

| 形态特征 | 呈液态，易流动，或浓稠如胶、漆、沥青、凝脂。黑色、褐色至黄褐色，或先为黄色，久贮变黑色。光泽呈油状或似含水的油状，透明至微透明。有特具的油臭，极易燃烧，发黑色浓烟，常有不燃的残渣。

| 成因 / 产状 | 本种常贮存在地下深处岩石裂隙及矿物颗粒间微孔隙中。

| 分布区域 | 分布于江苏淮安（金湖）、扬州（江都）、泰州（姜堰）等。

| 蕴 藏 量 | 较丰富。

| 采收加工 | 全年均可采挖，除去泥土、杂石。

| 药材性状 | 本品为液体，有的稠浓如胶。褐绿色至黑色。微透明至透明。具特别油臭。可燃灯。

| 功效物质 | 主要为链烷烃（C_nH_{2n+2}）、环烷烃（C_nH_{2n}）、芳烃，此外尚有氮、硫及氧的杂环化合物。

| 功能主治 | 辛，苦；有毒。归肺、脾、肝经。解毒杀虫。用于疮疖，顽癣恶疥，蛲虫病。

| 用法用量 | 外用适量，涂敷。一般不作内服。

其他矿物类 Other minerals

动物化石 Zoolite

| 药 材 名 | 龙骨（古代哺乳动物象类、犀类、三趾马、牛类、鹿类等的骨骼化石）、龙齿（牙齿化石）、石燕（古代生物腕足类石燕子科动物中华弓石燕及弓石燕等多种近缘动物的化石）、石蟹（古代节肢动物弓蟹科石蟹及近缘动物的化石）、石鳖（石鳖科动物石鳖的化石）。

| 形态特征 | 集合体常呈块状、粒状、结核状等，颜色多样。龙骨集合体中或有呈晶形小棒状的磷灰石，灰白色；略带油脂、土状或瓷状光泽。龙齿表面白色、青灰色；粗糙白垩质或稍显珐琅质光泽，或有灰白色、灰色、褐黄色环带，具似油脂、珐琅状光泽。石燕可见完整的瓦楞子状，青灰色至土棕色；两面均有从后端向前缘的放射状纹理，中部有似三角形隆起。石蟹全形似蟹，扁椭圆形或近六边椭圆形。石鳖全形似海石鳖，呈卵圆形。

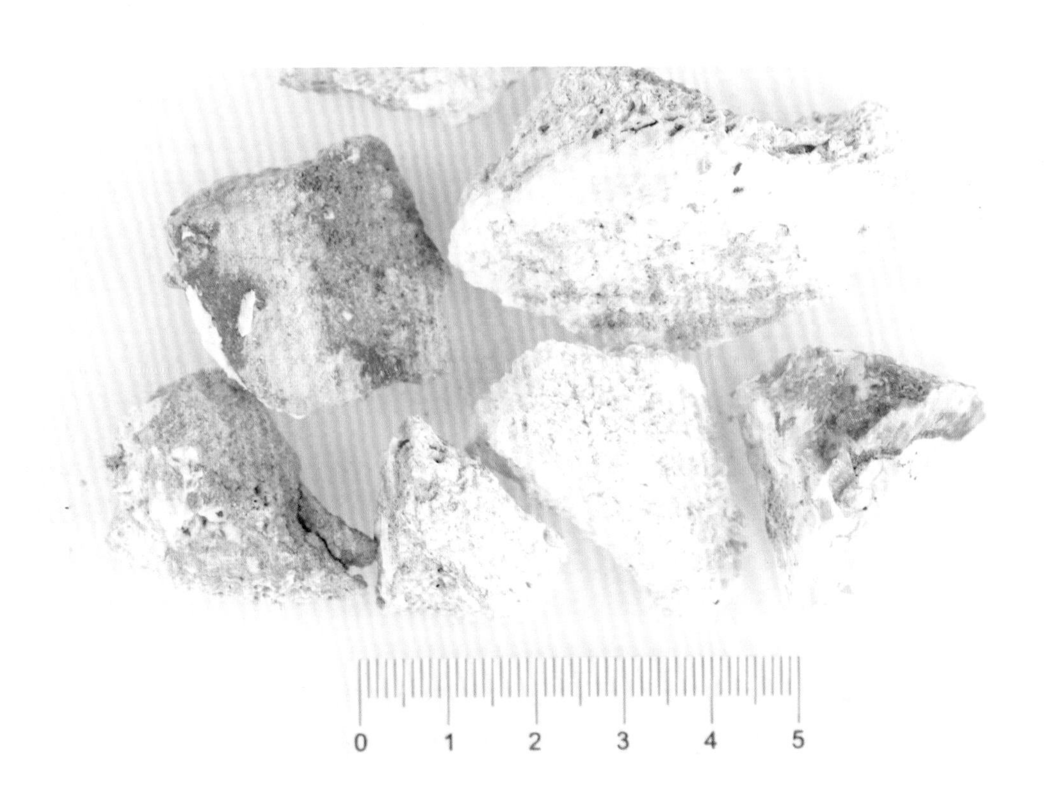

| 成因 / 产状 | 以上化石矿物药，虽属生物化学沉积，其石化过程较复杂。具有硬组织的生物（贝壳或骨骼）被埋葬于沉积物（未硬结成岩的石灰岩或未胶结成岩的泥沙质堆积物）中，被保护下来的软组织（有机化合物）逐步被碳酸钙黏土质替换充填，而后再硬结成岩。

| 分布区域 | 分布于江苏南京（江宁）、镇江（句容）、连云港、无锡（宜兴）等。

| 蕴 藏 量 | 较丰富。

| 采收加工 | 全年均可采挖，除去泥土、杂石。

| 药材性状 | **龙骨：**本品呈骨骼状或不规则块状。表面白色、灰白色或黄白色至淡棕色，多较平滑，有的具纵纹裂隙或棕色条纹与斑点。质硬，砸碎后，断面不平坦，白色或黄白色，有的中空。关节处膨大，断面有蜂窝状小孔。吸湿力强，舐之黏舌。无臭，无味。五花龙骨呈圆筒状或不规则块状，直径 5 ~ 25 cm，淡灰白色、淡黄白色或淡黄棕色，夹有蓝灰色及红棕色深浅粗细不同的花纹，偶有不具花纹者。一般表面平滑，有时外层呈片状剥落，不平坦，有裂隙。质较酥脆，破碎后，断面粗糙，可见宽窄不一的同心环纹。吸湿力强，舐之黏舌。无臭，无味。

龙齿：本品呈齿状或破碎成不规则的块状，完整者可分为犬齿及臼齿。犬齿呈圆锥形，先端较细或稍弯曲；长约 7 cm，直径 0.8 ～ 3.5 cm，先端断面常中空。臼齿呈圆柱形或方柱形，略弯曲，一端较细，长 2 ～ 20 cm，直径 1 ～ 9 cm，有深浅不同的沟棱；表面为青灰色或暗棕色者，习称“青龙齿”，白色或黄白色者，习称“白龙齿”；具棕黄色条纹及斑点，有的表面呈有光泽的珐琅质 (年限浅)。质坚硬，断面常分为 2 层，层间有空隙，有时有石化的牙髓，有吸湿力。无臭，无味。

石燕：本品呈完整的瓦楞子状，长 2 ～ 4 cm，宽 1.5 ～ 3.5 cm，厚 1.5 ～ 2 cm，青灰色至土棕色。两面均有从后端至前缘的放射状纹理，基中一面凸度低于另一面，中部有似三角形隆起；另一面有与隆起相应形状的凹槽，槽的纹理较细密，槽的前端向下略弯曲，呈半圆弧形突出。质坚硬，可砸碎，断面较粗糙，土黄色或青白色，对光照之具闪星样光泽。气微，味淡。

石蟹：本品形似蟹，扁椭圆形或近六边椭圆形，极少数为梭形，长 3.5 ～ 8 cm，宽 3 ～ 6 cm，厚 1 ～ 2 cm，灰色或浅灰棕色至浅棕褐色。背部稍隆起，有的较光滑，有光泽，有的留有蟹背上的纹理，有的还附着有其他生物残壳；腹部多略低凹，表面有时已破坏；节状足大多数残缺不全；全体凹陷处及足断处常填满泥岩。体较重，质坚硬，可砸碎，断面蟹壳部分呈薄层状，灰棕色，中间似石灰岩，灰色，较粗糙。气微，味淡。

石鳖：本品状如䗪虫，长 3 ～ 4 cm，宽 2 ～ 6 cm，厚约 1.5 cm。盖亦成化石，背呈棕色，光滑而有小点状突起，腹部色较淡。质硬如石，不易碎，断面灰棕色。气微，味淡。

| 功效物质 | 主要为碳酸钙（$CaCO_3$），以及磷、铁、钾、钠等矿物元素。

| 功能主治 | **龙骨：** 涩、甘，平。归心、肝、肾、大肠经。镇心安神，平肝潜阳，固涩，收敛。用于心悸怔忡，失眠健忘，惊痫癫狂，头晕目眩，自汗盗汗，遗精遗尿，崩漏带下，久泻久痢，溃疡不收口，湿疮。

龙齿： 甘、涩，凉。归心、肝经。镇惊安神，清热除烦。用于惊痫，心悸怔忡，失眠多梦，身热心烦。

石燕： 甘、咸，凉。归肾、膀胱经。除湿热，利小便，退目翳。用于淋病，小便不通，带下，尿血，小儿疳积，肠风痔漏，眼目障翳。

石蟹： 咸，寒。归肝、胆、肾经。清热利湿，消肿解毒，祛翳明目。用于湿热淋浊，带下，喉痹，痈肿，漆疮，青盲，目赤，翳膜遮睛。

石鳖： 甘，凉。清热利水，通淋散结。用于淋疾血病。

| 用法用量 | **龙骨：** 内服煎汤，10 ~ 15 g，打碎先煎；或入丸、散剂。外用适量，研末撒或调敷。安神、平肝宜生用，收涩、敛疮宜煅用。

龙齿： 内服煎汤，10 ~ 15 g，打碎先煎；或入丸、散剂。外用适量，研末撒或调敷。

石燕： 内服煎汤，3 ~ 9 g；或磨汁，1.5 ~ 3 g。外用适量，水磨点眼；或研末搽。

石蟹： 内服用水磨汁，6 ~ 9 g；或入丸、散剂。外用适量，研细末点眼；或以醋磨涂。

石鳖： 内服煎汤，3 ~ 15 g；或磨水；或研末冲。

| 附　　注 | 龙齿原矿物可见珐琅质和丘状脊形齿冠。

中文拼音索引

《中国中药资源大典·江苏卷》1 ~ 5 册共用同一索引，为方便读者检索，该索引在每个物种名后均标注了其所在册数（如“[1]”）及页码。

D

E

F

G

H

K

L

M

N

O

P

T

W

X

Y

Z

中文笔画索引

《中国中药资源大典·江苏卷》1 ~ 5 册共用同一索引，为方便读者检索，该索引在每个物种名后均标注了其所在册数（如“[1]”）及页码。

一画

二画

三画

五画

六画

七画

八画

九画

十画

十一画

十二画

十三画

十四画

十五画

十六画

十七画

十八画及以上

拉丁学名索引

《中国中药资源大典·江苏卷》1 ~ 5 册共用同一索引，为方便读者检索，该索引在每个物种名后均标注了其所在册数（如“[1]”）及页码。

A

B

C

D

E

F

G

H

I

J

K

L

M

N

O

P

Q

R

S

T

U

V

W

X

Y

Z